The Definitive CHESTERFIELD F.C.

A statistical history to 1997

F.A. Cup semi-finalists 1996/97

Statistics by Stuart Basson
Production by Tony Brown

Volume 3 in a series of club histories
A *Soccer Data* Publication from Tony Brown

Second edition published in Great Britain by Tony Brown,
4 Adrian Close, Beeston, Nottingham NG9 6FL.
Telephone 0115 973 6086. E-mail soccer@innotts.co.uk

Other volumes in this series are:

> *Rochdale*
> *Northampton Town*
> *Portsmouth*
> *Barnsley*
> *Queen's Park Rangers*
> *Scunthorpe United*
> *Aldershot*
> *Torquay United*

Please write to the publisher for news of future volumes.

ISBN 1 899468 82 X

FOREWORDS, BY JIM SMALLWOOD ....

I signed for Chesterfield in October 1949 and played until 1962. My most vivid memory was my first game in the League side versus Sheffield Wednesday, New Year's Eve 1949. My biggest thrill was scoring with two headers in the last seven minutes, to draw against Doncaster in the F.A. Cup. We won the replay, and had a good cup run.

I thoroughly enjoyed every game I played and loved the game of football. I worked at the club until 1986, finishing owing to a back injury. I worked as trainer, coach and groundsman.

James Smallwood

.......AND ERNIE MOSS:

Just like many youngsters, my boyhood ambition was to play football for my local club, Chesterfield F.C. To not only realise that ambition, but to go on and win two championship medals, an Anglo-Scottish Cup winner's trophy and also have the honour of holding the all time goalscoring record makes me very proud to be associated with the club.

These facts and figures don't begin to describe the many fond memories which come flooding back of past glories and failures. From a personal point of view goals such as my first League goal against Brentford; two goals scored with spectacular overhead kicks versus Rotherham and Wrexham; my 200th League goal scored at Halifax, and, of course, the record breaking goal in a 2-0 win at Bramall Lane against Sheffield United. In between are the many other games where we won and lost, scored goals and missed chances.

Memories of teams and characters in the shape of Jim McGuigan and his championship winning team of 1969/70, Gerry Clarke and Harold Roberts; Arthur Cox and Frank Barlow and the splendid footballing side they created; and, of course, present manager John Duncan and my good friend and striking partner during my many campaigns, assistant manager Kevin Randall.

The creation of long standing friendships with former players like Phil Tingay, Sean O'Neill, Dave Wilson, Dave Pugh, Andy Kowalski and Danny Wilson add to the endless list of memories underlining the fact it was not just a job. But though times have changed, as has football, my deep affection for the club that allowed me to pursue my dream as a professional footballer, remains the same.

Good luck, and thanks for the memories!

AUTHOR'S INTRODUCTION TO THE FIRST EDITION

In compiling this volume I have been assisted by many fellow members of the Association of Football Statisticians and several Chesterfield historians and supporters. Among these, Clive Childs and Alan Platt provided line ups to form the basis of my research: others worthy of mention for their advice and encouragement include Jim Creasy, John and Sharon Taylor, Pat McCormack, Ken Foster, Paul Kellett, Phil Tooley, Billy Wheatcroft and Craig Thomas. My particular thanks are due to John Lilley, Geoff Sadler and the staff at Chesterfield Local Studies Library. Anyone who has helped but is not mentioned by name should accept my thanks and my assurance that no slight is intended by their omission.

This book is the product of twelve years' research. You would have thought that, after that length of time, it would be faultless. It would be naive and dishonest of me to claim that to be the case, though. Anyone who has researched the history of their club will be familiar with the problem; different sources offer different versions, and the statistician is left to be the judge in each case. Where there have been discrepancies I have generally favoured the versions offered by the local newspaper sources, on the grounds that they reported on the team week in, week out, and would have been familiar with player's identities, and the like. This led to the version of events offered here differing in some cases from those in previously published works. If anyone wants to discuss specific queries, they are welcome to contact me at the address below.

In conclusion, I must thank Ray Spiller, Tony Brown and the AFS for getting this into print. I hope that a comprehensive "who's who" and a narrative history will follow, in separate volumes. If you are an interested publisher, please get in touch!

Stuart Basson
27 Wikeley Way
Brimington
Chesterfield, Derbyshire S43 1AS

THE 1996/97 F.A. CUP RUN: A PERSONAL VIEW

Andy Warhol once famously remarked that, "in the future, everyone will be famous for fifteen minutes. Everyone, that is, except the players and officials of the Chesterfield Football Club." Alright, I made the last bit up, but I reckon that, if Andy had been a student of English football history, he'd have added that caveat.

Before the 1996/97 season, Chesterfield were not known for their Cup exploits. In fact, they were more well-known for their lack of them. The last time they reached the fourth round of the Cup, the Queen had been on the throne for a couple of years, Winston Churchill was Prime Minister and Edmund Hillary was on his way back down Everest. Six of the last Chesterfield side to reach the fifth round, in 1950, had died by the time the club repeated the feat. Their Cup record paled into insignificance when compared with such powerhouses of Derbyshire football as Staveley, Glossop North End and Derby Junction.

Chesterfield's `96/97 Cup run was so much more fun, then, because it came completely out of the blue. John Duncan's team, with its resolute defence and strong, direct forwards, was well-suited for cup-tie football, and the draw was kind to the Spireites, giving them five home draws out of six, but Chesterfield fans, whose pessimism had been honed by years of under achievement, knew too much to get excited at the start.

Our first round opponents, Bury, had had the evil eye on us over the last few years, the only blemish on their record being our play-off victory in `94-5. A powerful far-post header from Mark Williams gave us an advantage that never came under serious threat. The second round brought Scarborough to our place for the clubs' third F.A. Cup meeting in as many seasons: Chesterfield took the aggregate score to 2-1 after a dull game enlivened only by Kevin Davies' opportunistic opening goal.

The third round draw brought Bristol City to Chesterfield. The teams had fought out an unremarkable 1-1 draw there earlier in the season, enabling pessimists to point to the likely outcome of another such scoreline - the Spireites had yet to win any sort of game in Bristol, after more than twenty attempts since 1901. City had a man sent off early in the game and played for a draw after that, but were seen off with two second-half goals from the emerging Jon Howard.

The club were obliged to travel to Bolton for the fourth round. This would be our "Wembley", then, in so far as this would be the furthest we could possibly progress. Whatever the form book said, though, the history book contradicted. In 1911, a Chesterfield side treading water in the Midland League went to Bolton in the Cup. The Trotters were on their way then, as now, to promotion from the Second Division, as was, and the result was seen as a formality. Then, a local lad named Teddy Revill was presented with the match ball after scoring twice as the Spireites pulled off their greatest giant-killing feat; this time, the ball went home with Kevin Davies, after his excellent hat-trick took Chesterfield to the fifth round and made most of the managers of the nation's leading clubs sit up and notice his precocious talent.

The last time Chesterfield played in the fifth round of the Cup, the "how to get there" map in the previous home programme had the lost kingdom of Atlantis on it, and "Here be Demons" written in the top left-hand corner. Well, it felt like it, anyway. Forest came to the Rec with a game plan that consisted of trying to hold us to a draw and take us back to the City Ground. Assistant Manager Kevin Randall later confided that that had been our idea, too! Despite this, an entertaining game ensued. Referee David Elleray had one of his better games (one of our earliest experiences of this man had been a game at Peterborough in which he booked seven of our men while Posh fans booed him out of sympathy for us). Forest performed spectacularly poorly and would have been trounced by any self-respecting Nationwide League side, but all Chesterfield could show for their superiority was a coolly-taken Tom Curtis penalty. It was enough.

Another home draw brought Wrexham to our place: there would definitely be a "Third" division team in the semis, the first since Plymouth in 1984, and only the seventh ever. These renowned Cup fighters had knocked us out last season, and had accounted for West Ham and Birmingham so far this time. To many people, this would be our toughest match yet. The Reds shaded the early part of the game but a tactical change that saw Chris Beaumont limit the opportunity of their left wing-back led to Chesterfield taking control. Beaumont himself scored the game's only goal, latching on to a Morris flick-on from a long clearance to lift the ball over the keeper, the club into the semis and the fans on to cloud nine.

There was rejoicing on Teesside when the draw was made, and Middlesbrough were paired with the weakest team left in the Cup. What they didn't notice was that Chesterfield, too, were drawn against the weakest opposition that they could have got. Down here, fans felt that a place in the final was "on". Middlesbrough held no fears; it wasn't long since we beat them in an Associate Members' Cup match, thanks to a Gary Pallister own goal, in front of a couple of thousand at Saltergate. Their foreign stars held the key, of course, but, as we saw it, Ravanelli would be deprived of service, get the hump and lose interest after twenty minutes, while Emerson would be at his most, erm, enigmatic. The whole thing would hinge on the performance of the little diamond, Juninho. Could Mark Jules shadow him? Could Paul Holland sever the link between the Brazilian and Craig Hignett? We were sure of one thing - that their few remaining English players would struggle to do it if their foreign stars were not on song.

The absence of Nigel Pearson left Boro's defence comfortably wobbly, only Curtis Fleming looking better than the sort of opponent we face every week. In midfield, Hignett had a great game, and Juninho flowed, probed and terrified. Chesterfield firmly justified John Duncan's "team first" ethos, every man playing out of his skin and giving, for many, their finest games in a blue shirt. Of all, though, Sean Dyche shone like a beacon, keeping Ravanelli quiet for long periods and roaring on his team-mates, as well as striding forward to take responsibility for the penalty that put Chesterfield 2-0 up.

One man had a greater influence, though. After the game, Bryan Robson whinged that the referee, David Elleray, did his best to even things up by sending off Vladimir Kinder for a second bookable offence. Robbo neglected to mention that Clayton Blackmore might have walked, too, and that the offence that won Boro their penalty was an obstruction that clearly took place out of the box. Elleray's most glaring error, though, concerned the Howard goal. Howard's close-range shot smacked the bar and came down before bouncing out into play. It was similar to Geoff Hurst's effort in the '66 World Cup final in every respect but one - on this occasion, the ball went over the line for a goal. Elleray didn't see it, because he was watching Andy Morris on the edge of the six yard box. When Emerson flew low over Morris's head, Elleray saw his chance and blew for a Boro' free-kick. Now, I didn't see it go in: I was roundly cursing our man for missing a sitter and was unaware that it was a goal until I got back to the car to hear Alan Green (I think) still banging on about it on the radio. I didn't see it - but then, I'm not the bloke with the FIFA badge on my jacket.

The real drama came at the end of extra-time, of course, with that late, looping Hewitt header. *This* is the romance of the F.A. Cup; Chesterfield's equaliser was scored by a man who has made 381 League appearances for the home-town team he supported as a boy. Chesterfield's players (eleven Englishmen, for the first time since the Old Etonians in 1883, for all I know) and supporters played a full part in one of the most exciting semi-finals that anyone could remember, and anyone who advocates that the exemption structure should be tinkered with to ease the passage of "big" clubs should be made to watch a video of the Old Trafford game. And the all-Premiership final, too.

Boro won the replay, with Nigel Pearson restored to their defence to make the difference. Yet the Spireites were left with a substantial moral victory over a team that, on a financial comparison alone, should have done a Bon Accord on us. The fans were left with their memories; of the camaraderie in the all-night ticket queues, of the sea of blue that swept up one side and across both ends at Old Trafford, of the police in the Chesterfield sections who punched the air with joy as the equaliser went in, and of the orgy of praise and front-page coverage that followed in every newspaper. To cap it all, at the end of the replay came the greatest, most surreal sight - that of two Brazilian internationals walking around the pitch in Chesterfield shirts.

Chesterfield's 1996/97 F.A. Cup run epitomised all that makes football such a compulsive game, and illustrated perfectly why progress must be judged and rewarded on the basis of playing achievements, rather than financial qualifications and the number of tip-up seats in your ground. Boro, full of expensive stars, were in the same division as us ten years previously. Chesterfield will have perhaps a million pounds to invest and a tidal wave of momentum in its favour, so who is to say where we will be, ten years hence?

Stuart Basson
June 1997

PUBLISHER'S NOTE FOR THE SECOND EDITION

It gives me great pleasure to mark Chesterfield's 1996/97 F.A. Cup exploits with a new edition of this book. Stuart kindly added his notes on the season. We have corrected the odd mistakes that crept into the last edition, and would like to thank everyone that wrote to us with corrections.

Chesterfield's well known honours are two championships of the Third Division (North), two of Division 4, and once winners of the Anglo Scottish Cup. The club hold another record, that not many people know about, and which will be very difficult to beat. Starting on 25th December 1929, they scored in 46 consecutive Football League games! Manchester City and Barnsley are the closest challengers to this record, on 44.

Stuart's meticulous records made my job of producing the book relatively straightforward. The computer helped find the odd mistake in his line ups, and I must hope that I have not generated too many new ones! Many thanks to Stuart for his prompt replies to my queries. Thanks also to Michael Joyce and Brian Tabner. Michael's player database saved me hours of work on the player section, and Brian extracted the official attendances from the records of the Football League.

Tony Brown
August 1997

CHESTERFIELD RECORDS PAGE

PLAYERS:

Most Appearances	Dave Blakey, 658 (617 League, 35 FAC, 6 FLC)
	Ernie Moss, 537 (469 League, 26 FAC, 29 FLC, 13 other)
	Albert Holmes, 512 (470 League, 20 FAC, 22 FLC)
	Sean O'Neill, 510 (442 League, 22 FAC, 31 FLC, 15 other)
	Ronnie Powell, 508 (471 League, 32 FAC, 5 FLC)
Most Goals	Ernie Moss, 191 (162 League, 11 FAC, 15 FLC, 3 other)
	Herbert Munday, 134 (106 League, 28 FAC)
	Kevin Randall, 104 (96 League, 5 FAC. 3 FLC)
Most League goals in a Season	Jimmy Cookson, 46 (44 League, 2 FAC)

THE CLUB:

Honours	Champions Division 3(North) 1930/31, 1935/36
	Champions Division 4 1969/70, 1984/85
	Anglo-Scottish Cup Winners 1980/81
Best League performances	4th in Division 2 1946/47
Best F.A. Cup performance	Semi-finalists 1996/97
Best League Cup performance	4th round 1964/65
Most League points	64, Division 4 1969/70 (2 points for a win)
	91, Division 4 1984/85 (3 points for a win)
Most League goals	102, Division 3(N) 1930/31
Most League wins in a season	27, 1933/34, 1969/70
Best League win	10-0 v. Glossop 17/1/1903
Best League away win	5-0 v. Nelson, 4/4/1931, Bradford Park Ave. 3/9/1955
Best F.A. Cup win	11-1 v. Dronfield Wednesday, 1920/21
Best League Cup win	5-0 v. Mansfield Town 1971/72, Scunthorpe U 1972/73
Best League run undefeated	21, from 26/12/1994
Undefeated League games home	27, from 10/10/1925
Undefeated League games away	12, from 27/12/1994
Best run of League wins	10, from 6/10/1933
Best run of home League wins	17, from 14/10/1929
Longest run of League draws	5, from 19/9/1990

1899/1900: Back row: Wright Needham (trainer), G Gillies (secretary/manager), Edwin Downie, Walter Arnold, Jim Pilgrim, Jock Bell, Jim Hancock, Jack Fletcher, Edwin Mitchell (Director), W Brinson (Director). Front row: Ted Morley, Frank Thacker, Billy Gooing, Herbert Munday, George Geary, William Ballantyne.

May 2nd, 1936. The Champions of Third Division (North), pictured at their last game at Rochdale. Back row: Jack Seagrave, Duke Hamilton, Alan Sliman, Jack Moody, Billy Kidd, Joe Taylor. Front row: Joe Spence, Harry Brown, Charlie Read, Harry Clifton, Joe Miller.

October 18th 1947, home to West Bromwich Albion. Back row: Milburn, Goodfellow, Middleton, Parker, Booker, Watson. Front row: Hudson, Lyon, Marron, Linacre, Roberts.

1953/54. Standing, left: Alex Harvey, Cyril Hatton. At the back: Tom McGoldrick, Eddie Cunningham, Dave Blakey, Bill Leivers, Ron Powell, George Smith, Jim Smallwood, Tom Flockett (obscured by Teddy Davison). At the front: James Witheford, Ken Showler, Eddie Whiteside, Alf Bellis.

INTRODUCTION TO THE STATISTICS PAGES

The season by season grids show the results of games in the Football League, F.A. Cup, Football League Cup, Associate Members' Cup, Anglo-Scottish Cup and the Third Division (North) Cup. Games which were expunged from the records because of the resignation of a club are not included (Accrington Stanley), nor are the results of the 1939/40 season which was abandoned on the outbreak of World War Two. However, details of these games can be found in a later section.

Home games are identified by the opponents name in upper case, away games by the use of lower case. Chesterfield's score is always given first. Attendances for League games are taken from the official Football League records since 1925/26; before that, estimated attendances based on newspaper reports have to be used.

Substitutes have the numbers 12, 13 and 14. 12 is used if only one substitute appeared (no matter what number was on the player's shirt). The players who were substituted are underlined.

A full player list is provided for every player who made a League appearance. Date and place of birth are shown, where known, and the year of death. Players with the same name are given a (1) or (2) after their name to avoid confusion. The next two columns, "seasons played", act as an index to the season by season grids. The years shown are the "first year" of the season; for example, 1971 is season 1971/72. The two columns show the season in which the player made his League debut; and the final season that he played. However, if he only played in one season, the second column is blank. An entry of "1996" in the second column does not imply that the player has left the club, but means that he appeared in this "final season" of the book.

Note that some players also made F.A. Cup appearances before 1921 and in 1945/46. If a player also made a League appearance his F.A. Cup appearances from these seasons are included in the list.

Previous and next clubs show where he was transferred from, and the club he moved to. Non league club information is included when known.

The appearance columns have separate totals for the League, F.A. Cup, Football League Cup and miscellaneous tournaments. In Chesterfield's case, the latter category includes the Third Division North Cup, The Anglo-Scottish Cup, Divisional play-offs and the Associate Members' Cup (played under a variety of sponsors' names). "Goals scored" are also shown under the four headings.

If a player has had more than one spell at the club, a consolidated set of appearance and goals are shown on the first line. Subsequent lines show the seasons involved in his return, and his new pair of previous and next clubs.

A full record of meetings against all other League clubs is included. Some clubs have played in the League under different names, but the totals are consolidated under the present day name in this table. Other pages show the club's record in the F.A. Cup in non League seasons and the list of managers.

Finally, please note that the first replay against Derby County in the F.A. Cup of 1906/07 was abandoned in extra time with Derby leading 2-1. F.A. practice at the time was to declare these games "abandoned" with the implication that players' apperrarances should not count towards their career records. I have chosen to disagree with the F.A. and included them; after all, there would have been no problem if one team was ahead after 90 minutes!

CHESTERFIELD IN NON-LEAGUE SEASONS

The club was formed in 1866 and played friendly matches until 1891. Chesterfield became a limited company in 1899, issuing 1000 £1 shares.

SHEFFIELD LEAGUE

	p	w	d	l	f	a	pts.	
1891/92	18	14	2	2	63	34	30	Champions
1892/93	26	14	4	8	59	34	32	5th
1893/94	26	11	2	11	65	51	26	6th
1894/95	28	17	3	8	68	43	37	3rd
1895/96	28	16	3	9	70	38	35	5th

MIDLAND LEAGUE

	p	w	d	l	f	a	pts.	
1896/97	28	13	7	8	75	51	33	3rd
1897/98	22	11	7	4	53	22	29	3rd
1898/99	26	14	3	9	59	43	31	3rd
1909/10	42	27	7	8	102	44	61	Champions
1910/11	38	20	5	13	80	61	45	5th
1911/12	36	14	8	14	63	62	36	12th
1912/13	38	20	11	7	78	41	51	2nd
1913/14	34	19	4	11	80	43	42	3rd
1914/15	38	20	10	8	76	41	50	3rd
1919/20	34	24	5	5	78	35	53	Champions
1920/21	38	18	11	9	70	46	47	3rd

Chesterfield played as Chesterfield Town from 1899 until 1917, and as Chesterfield Municipal in 1919/20.

1905/06 season. Back: G Oram (Director), Tye, Marples, HC Clarke (Director), Cope, TH Furness (Director), W Banner, GE Clarke (Director), W Machent (Committee), Baker, JT Hoskin (Secretary and Manager).
Front: Needham (trainer), Dyal, Haig, Lunn, Taylor, Munday, Thacker, Bull.

#	Mon	Date	Opponent	Score	Scorers	Att	Ford D	Hancock J	Fletcher DJ	Pilgrim JE	Ballantyne W	Barley P	Bell J	Brownley J	Downie E	Hosey E	Arnold W	Geary G	Gooing WH	Morley W	Munday H	Tannahill R	Tart W	Thacker FW
1	Sep	2	Sheffield Wednesday	1-5	Munday	12000		1	3	2	4		5		6				11	9	10	7		8
2		9	LINCOLN CITY	2-2	Gooing, Munday	5000		1	3	2	4		5		6				11	9	10	7		8
3		16	Small Heath	3-5	Munday, Thacker, Geary	8000		1	3	2	4		5		6			7	11	9	10			8
4	Oct	7	WOOLWICH ARSENAL	3-1	Gooing 2, Munday	3000	1		3	2	4		5		6			7	11	9	10			8
5		21	LEICESTER FOSSE	0-0		7000	1		3	2	4	6	5					7	11	9	10			8
6	Nov	4	BURSLEM PORT VALE	0-4		2000	1		3	2		4	5	6				7	11	9	10			8
7		6	New Brighton Tower	3-2	Morley 2, Thacker		1		3	2	4		5			6		7	11	9	10			8
8		11	Walsall	3-6	Geary, Munday, Morley	1000	1		3	2	4		5			6		7	11	9	10			8
9		25	BURTON SWIFTS	0-4		2000	1		3	2	6		5				4	7	11		10		8	9
10	Dec	2	Gainsborough Trinity	5-3	Gooing 2, Munday, Ballantyne, Thacker	2000	1		3		4	2	5		6			7		9	10		11	8
11		6	BOLTON WANDERERS	3-3	Thacker, Munday, Gooing		1		3	2	4		5		6			7	11	9	10			8
12		23	NEWTON HEATH	2-1	Munday 2	2000		1	3	2	4		5		6			7	11	9	10			8
13		25	Grimsby Town	3-0	Gooing, Morley, one og	6000		1	3	2	4		5		6			7	11	9	10			8
14		26	Luton Town	3-0	Tannahill 2, Munday	2000		1	3	2	4		5		6				11	9	8	10	7	
15		30	SHEFFIELD WEDNESDAY	1-0	Munday	8000		1	3	2	4		5		6				11	9	10			8
16	Jan	6	Lincoln City	0-2		2500		1	3				5		6					9	8	10	7	11
17		13	SMALL HEATH	0-0		2000		1	3				5		6				11	9	8	10		7
18		20	NEW BRIGHTON TWR	5-2	Munday 2, Gooing, Morley, Ballantyne (p)	1500		1	3	2	4		5		6			7	11	9	10			8
19		27	MIDDLESBROUGH	7-1	Munday 3, Thacker 2, Gooing, Morley	1000		1	3	2	4		5		6			7	11	9	10			8
20	Feb	3	GRIMSBY TOWN	3-1	Geary, Gooing, Munday	1000		1	3	2	4		5		6			7	11	9	10			8
21		10	Woolwich Arsenal	0-2		1500		1	3	2	4		5		6			7	11	9	10			8
22		17	BARNSLEY	2-1	Gooing, Morley	1000		1	3	2	5				6		8	7	11	9	10			4
23		24	Leicester Fosse	2-2	Geary, Gooing	7000		1	3	2	4				5		8	7	11	9	10			6
24	Mar	10	Burslem Port Vale	0-2		1100		1	3	2	4		5		6			7	11	9	10			8
25		17	WALSALL	1-3	Gooing	2000		1	3	2	4		5		6			7	11	9	10			8
26		24	Middlesbrough	1-0		5000		1	3	2	4		5				8	7	11	9	10			6
27		26	LUTON TOWN	2-0	Arnold, Bell			1	3	2	4		5				8	7	11	9	10			6
28		31	Burton Swifts	1-2	Ballantyne (p)	1200		1	3	2	4		5				8	7	11	9	10			6
29	Apr	7	GAINSBOROUGH TRIN.	3-1	Gooing 2, Geary	1000		1	3	2	4		5				8	7	11	9	10			6
30		13	LOUGHBOROUGH	1-0	Morley	4000		1	3	2	4		5				8	7	11	9	10			6
31		14	Bolton Wanderers	0-3		9000		1	3	2	4		5				8	7	11		10			6
32		16	Loughborough	4-0	Munday 3, Geary	550		1	3	2	9		5			4	8	7	11		10			6
33		17	Barnsley	0-0		3000		1	3	2	9		5		6		8	7	11		10			4
34		28	Newton Heath	1-2	Gooing	3000		1	3	2	11		5			4	8	7	9		10			6

Game 31 played with 10 men

| | | | | | | Apps | 7 | 27 | 34 | 33 | 32 | 3 | 32 | 1 | 21 | 5 | 11 | 31 | 30 | 33 | 34 | 4 | 2 | 33 |
| | | | | | | Goals | | | 3 | | 1 | | | | | | 1 | 6 | 17 | 8 | 20 | 2 | | 6 |

One own goal

F.A. Cup

#	Mon	Date	Opponent	Score	Scorers	Att	Ford D	Hancock J	Fletcher DJ	Pilgrim JE	Ballantyne W	Barley P	Bell J	Brownley J	Downie E	Hosey E	Arnold W	Geary G	Gooing WH	Morley W	Munday H	Tannahill R	Tart W	Thacker FW
Q1	Sep	30	Ilkeston Town	2-1	Morley, Thacker	3000		1	3	2	4				5	6			11	9	10			8
Q2	Oct	14	STAPLEFORD TOWN	5-2	Munday 2, Downie (p), Morley, Thacker	2000	1		3	2	4		5		6				11	9	10			8
Q3		28	HEANOR TOWN	6-1	Gooing 3, Munday, Morley, Geary	1500	1		3	2	4		5	6					11	9	10			8
Q4	Nov	18	HUNSLET	6-0	Munday 4, Fletcher, Gooing	1000	1		3	2			5		6				11	9	10	8		4
Q5	Dec	12	Grimsby Town	2-3	Geary 2	5000		1	3	2	4		5		6				11	9	10			8

		P	W	D	L	F	A	W	D	L	F	A	Pts
1	Sheffield Wed.	34	17	0	0	61	7	8	4	5	23	15	54
2	Bolton Wanderers	34	14	2	1	47	7	8	6	3	32	18	52
3	Small Heath	34	15	1	1	58	12	5	5	7	20	26	46
4	Newton Heath	34	15	1	1	44	11	5	3	9	19	16	44
5	Leicester Fosse	34	11	5	1	34	8	6	4	7	19	28	43
6	Grimsby Town	34	10	3	4	46	24	7	3	7	21	22	40
7	CHESTERFIELD	34	10	4	3	35	24	6	2	9	30	36	38
8	Woolwich Arsenal	34	13	1	3	47	12	3	3	11	14	31	36
9	Lincoln City	34	11	5	1	31	9	3	3	11	15	34	36
10	New Brighton Tower	34	9	4	4	44	22	4	5	8	22	36	35
11	Burslem Port Vale	34	11	2	4	26	16	3	4	10	13	33	34
12	Walsall	34	10	5	2	35	18	2	3	12	15	37	32
13	Gainsborough Trin.	34	8	4	5	37	24	1	3	13	10	51	25
14	Middlesbrough	34	8	4	5	28	15	0	4	13	11	54	24
15	Burton Swifts	34	8	5	4	31	24	1	1	15	12	60	24
16	Barnsley	34	8	5	4	36	23	0	2	15	10	56	23
17	Luton Town	34	5	3	9	25	25	0	5	12	15	50	18
18	Loughborough	34	1	6	10	12	26	0	0	17	6	74	8

1900/01 14th in Division 2

#		Date	Opponent	Score	Scorers	Att	Hancock J	Holleworth W	Fletcher DJ	McCracken JP	Pilgrim JE	Thorpe HC	Ballantyne W	Bell J	Bennison TJ	Crane	Haig J	Hosey E	Thacker FW	Arnold W	Browning A	Earl A	Geary G	Gooing WH	Haigh M	Morley W	Munday H	Robinson H	Taylor H	Tomlinson I	Turner PJ	Wallach AT
1	Sep	1	Burton Swifts	4-0	Haig 2, Gooing, Morley		1		3	5	2			4					6	8				9	7	11	10					
2		8	GLOSSOP	0-1		6000	1		3	6	2			4	5				10	8				9	7		11					
3		15	Barnsley	1-4	Thacker	3000	1		3	6	2			4	5			11	10	8				9	7							
4		22	MIDDLESBROUGH	2-3	Munday, Geary	4000	1			3	2				5			4	6				11	9	8	7	10					
5		29	Woolwich Arsenal	0-1		4000	1			3	5	2						4	6	7			11	9	8		10					
6	Oct	6	BURNLEY	1-3	Taylor	4000	1			3	5	2			4				6	7				9	11		10		8			
7		13	Blackpool	1-1	Bell	1000	1			3	2			5	4				6	11				9			10		7		8	
8		20	BURSLEM PORT VALE	1-1	Thacker (p)	2000	1			3	2			5				4	6	11				9			10		7		8	
9		27	Stockport County	1-3	Munday	4000	1			3	2			5				4	6	7			11	9			10				8	
10	Nov	10	Small Heath	0-0		6000	1			3	2			5				4	6	7			11	9			10				8	
11		24	Grimsby Town	2-5	Gooing 2	6000		1		3	2			5				4	6	7			11	9			10				8	
12	Dec	1	GAINSBOROUGH TRIN.	2-2	Munday 2	1000		1		3	2			5				4	6	7			11	9			10				8	
13		15	Walsall	2-2	Turner, Thacker (p)	8000	1		3		2			5				4	6	7			11	9			10				8	
14		22	NEWTON HEATH	2-1	Arnold, Tucker	2500	1		3		2			5			4		6	7			11	9			10				8	
15		25	Glossop	1-1	Arnold	3000	1		3		2						4	5	6	7			11	9			10				8	
16		26	NEW BRIGHTON TOWER	0-1			1			3	2			5				4	6	7			11	9			10				8	
17		29	BURTON SWIFTS	2-0	Thacker, Turner	2000	1			3	2			5				4	6	10	7		11	9							8	
18	Jan	12	BARNSLEY	1-2	Turner		1			3	2			5				4	6	10	7		11	9							8	
19		19	Middlesbrough	0-2		8000	1		3		2			5			4		6	7			11	9			10				8	
20		26	Burnley	1-5	Munday	1500	1		3		2			5			4		6	7			11	9			10				8	
21	Feb	16	BLACKPOOL	2-0	Munday, Earle	2000	1			3		2					4	5	6			9	11	8			10			7		
22		19	WOOLWICH ARSENAL	0-1		1000	1			3		2					4	5	6			9	11	8			10	7				
23		23	Burslem Port Vale	1-5	Browning	600	1		3	2				5				4	6	7	9		11	8			10					
24	Mar	2	STOCKPORT COUNTY	4-2	Wallach 2, Geary 2		1			3		2				5	4		6	7			11	9			10					8
25		9	Leicester Fosse	3-1	Gooing 2, Munday	3000	1			3		2					4	5	6	7		11	8	9			10					
26		16	SMALL HEATH	1-1	Gooing	4000	1			3		2					4	5	6	7		11	9	8			10					
27		23	New Brighton Tower	1-1	Geary	2000	1			3		2					4	5	6	7		11	9	8			10					
28		30	GRIMSBY TOWN	3-3	Going, Thacker, one og	3000	1			3		2					4	5	6	7		11	8	9			10					
29	Apr	5	LEICESTER FOSSE	1-0	Gooing		1			3		2					4	5	6	7		11	8	9			10					
30		6	Gainsborough Trinity	3-2	Munday 2, Geary		1					2	3	5			4		6	7		11	8	9			10					
31		8	LINCOLN CITY	2-0	Earl, Geary	4000	1			3		2		5			4		6	7		11	8	9			10					
32		13	Lincoln City	0-2		2000	1			3		2		5			4		6	7		11	8	9			10					
33		20	WALSALL	1-1	Arnold	2000	1			3	2						4	5	6	7		11	8	9			10					
34		27	Newton Heath	0-1		1000	1			3		2					4	5	6			11	8	9			10			7		
					Apps		32	2	12	33	21	7	3	19	2	1	20	26	32	30	3	14	25	33	6	3	29	2	3	1	14	1
					Goals									1					5	3	1	2	6	8	2	1	9		1		4	2

One own goal

F.A. Cup

		Date	Opponent	Score	Scorers	Att	Hancock J	Holleworth W	Fletcher DJ	McCracken JP	Pilgrim JE	Thorpe HC	Ballantyne W	Bell J	Bennison TJ	Crane	Haig J	Hosey E	Thacker FW	Arnold W	Browning A	Earl A	Geary G	Gooing WH	Haigh M	Morley W	Munday H	Robinson H	Taylor H	Tomlinson I	Turner PJ	Wallach AT
Q3	Nov	3	HUNSLET	8-3	*See below	1000	1		3	6	2			5				4	8	7			11	9			10					
Q4		17	Newark	5-0	Arnold 2, Turner, Gooing, Munday			1	3		2			5				4	6	7			11	9			10				8	
Q5	Dec	8	Barnsley	5-1	Turner 2, Munday 2, Gooing	3000	1		3		2			5				4	6	7			11	9			10				8	
Q6	Jan	5	WALSALL	3-0	Arnold, Munday, Turner	5000	1		3		2			5			4		6	7			11	9			10				8	
R1	Feb	9	Kettering Town	1-1	Munday	3402	1			3	2			5			4		6	7			11	9			10				8	
rep		13	KETTERING TOWN	1-2	Gooing	5000	1			3	2			5			4		6	7			11	9			10				8	

Scorers in Q3: Gooing 4, Arnold, Thacker, Munday, Geary

		P	W	D	L	F	A	W	D	L	F	A	Pts
1	Grimsby Town	34	14	3	0	46	11	6	6	5	14	22	49
2	Small Heath	34	14	2	1	41	8	5	8	4	16	16	48
3	Burnley	34	15	2	0	39	6	5	2	10	14	23	44
4	New Brighton Tower	34	12	5	0	34	8	5	3	9	23	30	42
5	Glossop	34	11	2	4	34	9	4	6	7	17	24	38
6	Middlesbrough	34	11	4	2	38	13	4	3	10	12	27	37
7	Woolwich Arsenal	34	13	3	1	30	11	2	3	12	9	24	36
8	Lincoln City	34	12	3	2	39	11	1	4	12	4	28	33
9	Burslem Port Vale	34	8	6	3	28	14	3	5	9	17	33	33
10	Newton Heath	34	11	3	3	31	9	3	1	13	11	29	32
11	Leicester Fosse	34	9	5	3	30	15	2	5	10	9	22	32
12	Blackpool	34	7	6	4	20	11	5	1	11	13	47	31
13	Gainsborough Trin.	34	8	4	5	26	18	2	6	9	19	42	30
14	CHESTERFIELD	34	6	5	6	25	22	3	5	9	21	36	28
15	Barnsley	34	9	3	5	34	23	2	2	13	13	37	27
16	Walsall	34	7	7	3	29	23	0	6	11	11	33	27
17	Stockport County	34	9	2	6	25	21	2	1	14	13	47	25
18	Burton Swifts	34	7	3	7	16	21	1	1	15	18	45	20

1901/02 16th in Division 2

#	Date	Match	Res	Scorers	Att	Hancock J	Maybury AE	Silcock JE	Thompson P	Wooley G	Banner WH	McCracken JP	Marples EA	Thorpe HC	Anderson J	Haig J	Hosey E	Mason W	Milnes G	O'Rourke P	Thacker FW	Bowring JW	Brown T	Earl A	England JT	Fame FC	Geary G	Gooing WH	McCowie A	Moss R	Munday H	Sawyer T	Taylor JA	Tomlinson I
1	Sep 7	Glossop	1-3	Gooing	5000			1				2		3		4					6			11	8			9			10			7
2	Sep 9	West Bromwich Albion	0-4		3000			1				2		3	5	4					6			11	8			9			10			7
3	Sep 14	DONCASTER ROVERS	0-0		3000			1		5	2			3		4					6			11	8			9						7
4	Sep 21	Lincoln City	0-4		3000			1			2		5	3	8	4					6							9	11		10			7
5	Sep 28	WEST BROMWICH ALB.	0-3		4000	1						2		3		4		5			6				8	11		9			10			7
6	Oct 5	Woolwich Arsenal	2-3	England 2	7000		1					2		3		4		5			6			11	8			9			10			7
7	Oct 12	BARNSLEY	1-2	Munday	3000		1					2		3		4	5				6			11				9	8		10			7
8	Oct 19	Leicester Fosse	0-3		3000		1					2		3		4	5				6			11				9	8		10			7
9	Oct 26	PRESTON NORTH END	2-0	McCowie, England	3000				1		2	3				4	5				6			11	8				9		10			7
10	Nov 2	Burnley	0-0		1000				1		2	3				4	5				6			11	8						10	9		7
11	Nov 9	BURSLEM PORT VALE	4-3	England 2, Munday 2	3000				1		2	3				4	5				6			11	8						10	9		7
12	Nov 23	Gainsborough Trinity	0-0		2000		1				2	3				4				5	6			11	8				9		10			7
13	Nov 30	MIDDLESBROUGH	0-0		3000		1				2	3				4				5	6			11	8				9		10			7
14	Dec 7	Bristol City	2-5	Bowring, England	5000		1				2	3				4				5	6	9		11	8						10			7
15	Dec 21	Stockport County	0-3		2000		1				2	3				4				5	6	9		11	8						10			7
16	Jan 4	GLOSSOP	1-0	McCowie	1000		1				2			3		4	5				6	9		11	8				10					7
17	Jan 11	Doncaster Rovers	1-4	McCowie				1			2			3		4	5				6			11	8				10			9		7
18	Jan 18	LINCOLN CITY	0-1		3000			1			2			3		4	5				6			11	8				9		10			7
19	Feb 1	WOOLWICH ARSENAL	1-3	England	2000			1			2			3		4				5	6			11	8				10			9		7
20	Feb 8	Barnsley	2-3	McCowie, Taylor			1				2			3		4				5	6			11					8		10		9	7
21	Feb 15	LEICESTER FOSSE	3-3	England 2, McCowie	2000		1				2			3		4				5	6			11	8				10				9	7
22	Feb 22	Preston North End	0-5		3000			1			2			3		4				5	6			11	8					9	10			7
23	Mar 1	BURNLEY	3-0	McCowie 2, Banner	2000		1				9	2		3		4				5	6			11					8		10			7
24	Mar 8	Burslem Port Vale	2-4	Tomlinson, Munday	1000		1				9	2		3					4	5	6			11					8		10			7
25	Mar 15	Burton United	1-0	Brown			1					2		3		4				5	6		9	11				8		10			7
26	Mar 17	NEWTON HEATH	3-0	Brown 2, Munday	2000		1					2		3		4				5	6		9	11				8		10			7
27	Mar 22	GAINSBOROUGH TRIN.	2-0	Brown, Tomlinson	3000		1					2		3		4				5	6		9	11						10		8	7
28	Mar 28	BURTON UNITED	3-1	Taylor 2, Munday	5000		1					2		3		4				5	6		9	11						10		8	7
29	Mar 29	Middlesbrough	1-7	Brown	7000				1	2		3				4				5	6		9	11		8				10			7
30	Mar 31	BLACKPOOL	3-1	Brown 3	5000		1				2	3				4				5	6		9	11		7				10		8	
31	Apr 5	BRISTOL CITY	1-0	Brown	1000		1				2	3				4				5	6		9	11		7				10		8	
32	Apr 12	Blackpool	0-0		3000		1				2	3				4				5	6		9	11		7				10		8	
33	Apr 19	STOCKPORT COUNTY	8-1	*See below			1				2	3				4				5	6		9	11						10		8	7
34	Apr 23	Newton Heath	0-2		2000		1				2	3				4				5	6		9	11						10		8	7
Apps						1	9	16	4	4	29	19	1	23	2	33	10	2	1	19	34	3	10	30	17	2	3	8	17	1	31	9	10	24
Goals											1	1								1	1		10	1	9			1	7		9		4	2

Scorers in game 33; Munday 3, Brown, McCracken, Earl, Taylor, O'Rourke

Played in game 1: G Whittaker (at 5).

Played in game 3: H Slater (at 10).

F.A. Cup

Rnd	Date	Match	Res	Att	Hancock J	Banner WH	McCracken JP	Thorpe HC	Haig J	O'Rourke P	Thacker FW	Earl A	England JT	McCowie A	Munday H	Tomlinson I
IR	Dec 14	Reading	0-2	3000	1	2	3		4	5	6	11	8	9	10	7

		P	W	D	L	F	A	W	D	L	F	A	Pts
1	West Bromwich Alb.	34	14	2	1	52	13	11	3	3	30	16	55
2	Middlesbrough	34	15	1	1	58	7	8	4	5	32	17	51
3	Preston North End	34	12	3	2	50	11	6	3	8	21	21	42
4	Woolwich Arsenal	34	13	2	2	35	9	5	4	8	15	17	42
5	Lincoln City	34	11	6	0	26	4	3	7	7	19	31	41
6	Bristol City	34	13	1	3	39	12	4	5	8	13	23	40
7	Doncaster Rovers	34	12	3	2	39	12	1	5	11	10	46	34
8	Glossop	34	7	6	4	22	15	3	6	8	14	25	32
9	Burnley	34	9	6	2	30	8	1	4	12	11	37	30
10	Burton United	34	8	6	3	32	23	3	2	12	14	31	30
11	Barnsley	34	9	3	5	36	33	3	3	11	15	30	30
12	Burslem Port Vale	34	7	7	3	26	17	3	2	12	17	42	29
13	Blackpool	34	9	3	5	27	21	2	4	11	13	35	29
14	Leicester Fosse	34	11	2	4	26	14	1	3	13	12	42	28
15	Newton Heath	34	10	2	5	27	12	1	4	12	11	41	28
16	CHESTERFIELD	34	10	3	4	35	18	1	3	13	12	50	28
17	Stockport County	34	8	3	6	25	20	0	4	13	11	52	23
18	Gainsborough Trin.	34	4	9	4	26	25	0	2	15	4	55	19

1902/03   6th in Division 2

#	Date		Opponent	Score	Scorers	Att	Clutterbuck HJ	Hardy S	Leiper J	Marples EA	Thorpe HC	Banner WH	Haig J	Milnes G	O'Rourke P	Thacker FW	Milward G	Munday H	Newton LF	Steel W	Taylor JA	Tomlinson I	Unwin MJ
1	Sep	6	Bristol City	1-2	Unwin	7000	1		3		2		4		5	6		10	8	11		7	9
2		8	Burnley	1-1	Steele	2000	1		3		2		4		5	6	9	10	8	11		7	
3		13	LEICESTER FOSSE	5-0	Munday 2, Newton 2, Unwin	4000	1		3		2		4		5	6		10	8	11		7	9
4		20	Glossop	3-0	Munday 2, Unwin	2000	1		3		2		4		5	6		10	8	11		7	9
5		27	MANCHESTER CITY	0-1		6000	1		3		2		4		5	6		10	8	11		7	9
6	Oct	4	Manchester United	1-2	Munday	11000	1		3		2		4		5	6		10	8	11		7	9
7		11	BURNLEY	2-0	Milward, Munday	4000	1		3		2		4		5	6	9	10	8	11		7	
8		18	Stockport County	2-2	Milward, Steele	4000	1		3		2		4		5	6	9	10	8	11			7
9		25	PRESTON NORTH END	4-2	Tomlinson, Newton, Steele, Thacker	4000	1		3		2		4		5	6	9	10	8	11		7	
10	Nov	8	BURSLEM PORT VALE	3-0	Munday 2, Milward	2000	1		3		2		4		5	6	9	10	8	11		7	
11		22	BARNSLEY	3-0	Munday, Newton, Milward	3000	1		3		2		4		5	6	9	10	8	11		7	
12		29	Doncaster Rovers	4-3	Munday 2, Milward 2		1		3		2	5	4	6			9	10	8	11		7	
13	Dec	6	GAINSBOROUGH TRIN.	0-1		3000	1		3		2	5	4	6			9	10	8			7	11
14		20	Burton United	0-1		2000	1		3		2	5	4	6			9	10	8	11		7	
15		25	Lincoln City	0-0		5500	1		3		2	5	4			6	9	10	8	11		7	
16		26	Small Heath	1-2	Newton	13000	1		3		2	5	4			6	9	10	8	11		7	
17		27	SMALL HEATH	1-1	Tomlinson	6000	1		3		2	5	4			6	9	10	8	11		7	
18	Jan	3	BRISTOL CITY	3-0	Milward, Banner, Taylor	5000	1		3		2	5	4			6	10		8	11	9	7	
19		10	Leicester Fosse	2-0	Milward, Steele	6000	1		3		2	5	4			6	10		8	11	9	7	
20		17	GLOSSOP	10-0	*see below	3000	1		3		2	5	4			6	9	10	8	11		7	
21		24	Manchester City	2-4	Banner (p), Steele	20000	1		3		2	5	4			6	10		8	11	9	7	
22		31	MANCHESTER UNITED	2-0	Milward, Steele	4000	1		3		2	5	4			6	9	10	8	11		7	
23	Feb	14	STOCKPORT COUNTY	4-1	Newton 2, Munday, Tomlinson	4000	1				2	3	4		5	6	9	10	8	11		7	
24		28	BLACKPOOL	1-1	Taylor	5000	1		3		2	5	4			6		10	8	11	9	7	
25	Mar	7	Burslem Port Vale	1-2	Banner	800	1		3		2	5	4		6	11		10	8		9	7	
26		14	WOOLWICH ARSENAL	2-2	Newton, Taylor	5000	1		3		2	5	4			6		10	8	11	9	7	
27		21	Barnsley	2-2	Tomlinson, Munday	3000	1				2	5	4		3	6		10	8	11	9	7	
28		28	DONCASTER ROVERS	1-1	Steele	3000	1				2	5	4		3	6	9	10	8	11		7	
29	Apr	4	Gainsborough Trinity	2-3	Milward, Newton	2000	1				2	5	4		3	6	9	10	8	11		7	
30		10	Woolwich Arsenal	0-3		15000		1			2	5	4		3	6	9	10	8	11		7	
31		11	LINCOLN CITY	1-0	Munday	3000		1		3	2	5	4			6	9	10	8	11		7	
32		13	Blackpool	1-2	Newton	3000		1			2	5	4		3	6	9		8	11	10	7	
33		18	BURTON UNITED	1-0	Tomlinson	3000		1			2	3	4		5	6	9	10	8	11		7	
34		20	Preston North End	1-1	Taylor	1000		1			2	5	4		3	6		10	8	11	9	7	
			Apps				29	5	25	1	34	23	34	3	20	31	24	30	34	32	9	33	7
			Goals									3				1	13	15	12	9	4	7	3

Scorers in game 20: Milward 3, Tomlinson 2, Newton 2, Steele 2, Munday

F.A. Cup

#	Date		Opponent	Score	Scorers	Att	Clutterbuck HJ	Hardy S	Leiper J	Marples EA	Thorpe HC	Banner WH	Haig J	Milnes G	O'Rourke P	Thacker FW	Milward G	Munday H	Newton LF	Steel W	Taylor JA	Tomlinson I	Unwin MJ
Q3	Nov	1	NEWARK	6-0	Milward 3, O'Rourke, Newton, Munday	1200	1		3		2		4		5	6	9	10	8	11		7	
Q4		15	Barnsley	2-3	Milward, Munday(p)	3000	1		3		2		4		5	6	9	10	8	11		7	

		P	W	D	L	F	A	W	D	L	F	A	Pts
1	Manchester City	34	15	1	1	64	15	10	3	4	31	14	54
2	Small Heath	34	17	0	0	57	11	7	3	7	17	25	51
3	Woolwich Arsenal	34	14	2	1	46	9	6	6	5	20	21	48
4	Bristol City	34	12	3	2	43	18	5	5	7	16	20	42
5	Manchester United	34	9	4	4	32	15	6	4	7	21	23	38
6	CHESTERFIELD	34	11	4	2	43	10	3	5	9	24	30	37
7	Preston North End	34	10	5	2	39	12	3	5	9	17	28	36
8	Barnsley	34	9	4	4	32	13	4	4	9	23	38	34
9	Burslem Port Vale	34	11	5	1	36	16	2	3	12	21	46	34
10	Lincoln City	34	8	3	6	30	22	4	3	10	16	31	30
11	Glossop	34	9	1	7	26	19	2	6	9	17	38	29
12	Gainsborough Trin.	34	9	4	4	28	14	2	3	12	13	45	29
13	Burton United	34	9	4	4	26	20	2	3	12	13	39	29
14	Blackpool	34	7	5	5	32	24	2	5	10	12	35	28
15	Leicester Fosse	34	5	5	7	20	23	5	3	9	21	42	28
16	Doncaster Rovers	34	8	5	4	27	17	1	2	14	8	55	25
17	Stockport County	34	6	4	7	26	24	1	2	14	12	50	20
18	Burnley	34	6	7	4	25	25	0	1	16	5	52	20

1903/04   11th in Division 2

#	Date	Opponent	Score	Scorers	Att	Hardy S	Silcock JE	Fullwood W	Marples EA	Simpson GR	Wragg WA	Haig J	Milnes G	Rhodes WH	Shufflebotham T	Thacker FW	Arnold W	Ball J	Blair CH	Cappendale T	Earl A	Hutton R	Lowe WH	Marsh J	Munday H	Newton LF	Taylor JA	Unwin MJ	Walvin G	Woodland T
1	Sep 5	BURNLEY	0-0		3500	1			2		3	4			5	6				10		9				8	7			11
2	12	Preston North End	1-2	Hutton	8000	1			2		3	4			5	6	10					9				8	7			11
3	19	GRIMSBY TOWN	0-1		3000	1			2		3	4			5	6	7					9			10	8				11
4	26	Leicester Fosse	0-0		5000	1				2	3	4			5	6	11								10	8	7	9		
5	Oct 3	BLACKPOOL	2-1	Newton, Ball	2000	1				2	3	4			5	6	11								10	8	7	9		
6	10	Gainsborough Trinity	0-1		2000	1				3	2	4			5	6	7	11				9			10	8				
7	17	BURTON UNITED	2-1	Haig (p), Munday	2000	1				3	2	4			5	6	7	11				9			10	8				
8	24	Bristol City	2-3	Munday, Ball	3000	1				2	3	4			5	6	7	11				9			10	8				
9	Nov 7	Glossop	2-0	Arnold, Munday	1000	1				2	3	4			5	6	7	11				9			10	8				
10	21	Woolwich Arsenal	0-6		12000	1	3			2		4			5	6	7	11							10	8	9			
11	Dec 5	Lincoln City	2-0	Munday 2	1000	1				2	3	4			5	6								7	10	8	9			11
12	19	BURSLEM PORT VALE	1-1	Munday	2000	1				2	3	4			5	6								7	10	8	9			11
13	25	Manchester United	1-3	Cappendale	20000	1				3	2	4			5	6	7			10						8	9			11
14	26	Bolton Wanderers	0-4		10000	1				3	2	4			5	6	7			10						8	9			11
15	28	STOCKPORT COUNTY	4-1	Woodland 2, Newton, Arnold	3000	1		3		2		4	6		5		7								10	8	9			11
16	Jan 2	Burnley	1-2	Newton	3000	1			2		3	4			5	6	7								10	8	9			11
17	9	PRESTON NORTH END	0-1		3000	1				3	2	4			5	6	7				8	11			10		9			
18	16	Grimsby Town	0-1		3000	1	2	3				4			5	6	7								10	9	8			11
19	23	LEICESTER FOSSE	2-0	Newton, Munday	2000	1		3	2			4			5	6					11				10	9	8		7	
20	30	Blackpool	0-0		2000	1			2		3	4			5	6					11				10	9	8		7	
21	Feb 6	GAINSBOROUGH TRIN.	6-1	Munday 3, Newton, Taylor, Earl		1			2		3	4			5	6					11				10	9	8		7	
22	13	Burton United	0-4		2000	1			2		3	4			5	6					11				10	9	8		7	
23	20	BRISTOL CITY	1-0	Munday		1			2			4			5	6					11				10	9	8	3	7	
24	Mar 5	GLOSSOP	0-0			1			2			4			5	6					11				10	9	8	3	7	
25	12	Bradford City	6-2	Newton 2, Munday, Taylor, Arnold, Earl	9000	1		3		2		4			5	6	7				11				10	9	8			
26	19	WOOLWICH ARSENAL	1-1	Cross (og)	8000	1				2	3	4			5	6	7				11				10	9	8			
27	26	Barnsley	0-0		3000	1				2	3	4			5	6	7				11				10	9	8			
28	Apr 1	MANCHESTER UNITED	0-2		5000	1				2	3	4	6		5	10	7				11					9	8			
29	2	LINCOLN CITY	0-1				1			2	3	4	6		5	8	7			10	11					9			
30	4	BRADFORD CITY	1-1	Milnes	3000		1			2	3	4	8		5	6					11				10	9			7	
31	9	Stockport County	0-2			1				2	3	4	8		5	6					11				10	9		7		
32	13	BOLTON WANDERERS	1-1	Thacker	1500	1				2	3	4	8		5	6					11				10	9		7		
33	16	Burslem Port Vale	0-3		1500	1			2		3	4	7	8		6			5		11				10	9	8			
34	30	BARNSLEY	1-0	Earl		1				2	3	4			5	6	7				11				10	9	8			
		Apps				32	2	4	21	21	20	33	8	1	33	33	19	7	1	4	16	8	1	2	27	33	27	4	7	10
		Goals										1	1			1	3	2		1	3	1			12	7	2			2

F.A. Cup

#	Date	Opponent	Score	Scorers	Att	Hardy S	Silcock JE	Fullwood W	Marples EA	Simpson GR	Wragg WA	Haig J	Milnes G	Rhodes WH	Shufflebotham T	Thacker FW	Arnold W	Ball J	Blair CH	Cappendale T	Earl A	Hutton R	Lowe WH	Marsh J	Munday H	Newton LF	Taylor JA	Unwin MJ	Walvin G	Woodland T
03	Oct 31	Lincoln City	2-0	Newton, Munday	2500	1				2	3	4			5	6	7	11				9			10	8				
04	Nov 14	BRADFORD CITY	2-1	Ball, Arnold	6000	1				2	3	4			5	6	7	11				9			10	8				
05	Nov 28	GAINSBOROUGH TRIN.	0-2		3000	1				2	3	4			5	6	7	11				9			10	8				

		P	W	D	L	F	A	W	D	L	F	A	Pts
1	Preston North End	34	13	4	0	38	10	7	6	4	24	14	50
2	Woolwich Arsenal	34	15	2	0	67	5	6	5	6	24	17	49
3	Manchester United	34	14	2	1	42	14	6	6	5	23	19	48
4	Bristol City	34	14	2	1	53	12	4	4	9	20	29	42
5	Burnley	34	12	2	3	31	20	3	7	7	19	35	39
6	Grimsby Town	34	12	5	0	39	12	2	3	12	11	37	36
7	Bolton Wanderers	34	10	3	4	38	11	2	7	8	21	30	34
8	Barnsley	34	10	5	2	25	12	1	5	11	13	45	32
9	Gainsborough Trin.	34	10	2	5	34	17	4	1	12	19	43	31
10	Bradford City	34	8	5	4	30	25	4	2	11	15	34	31
11	CHESTERFIELD	34	8	5	4	22	12	3	3	11	15	33	30
12	Lincoln City	34	9	4	4	25	18	2	4	11	16	40	30
13	Burslem Port Vale	34	10	3	4	44	20	0	6	11	10	32	29
14	Burton United	34	8	6	3	33	16	3	1	13	12	45	29
15	Blackpool	34	8	2	7	25	27	3	3	11	15	40	27
16	Stockport County	34	7	7	3	28	23	1	4	12	12	49	27
17	Glossop	34	7	4	6	42	25	3	2	12	15	39	26
18	Leicester Fosse	34	5	8	4	26	21	1	2	14	16	61	22

1904/05   5th in Division 2

#	Date	Opponent	Score	Scorers	Att	Hardy S	Gadsby W	Marples EA	Ray R	Unwin MJ	Banner WH	Haig J	Thacker FW	Tye AE	Evans W	Gadsby E	Handley GA	Kelly F	Munday H	Newton LF	Smith P	Taylor JA	Tomlinson I
1	Sep 3	Burton United	3-0	Munday, Tomlinson, Kelly	2000	1		2		3	5	4	6					11	10	9	8		7
2	5	Burnley	0-2		4000	1		2		3	5	4	6					11	10	9	8		7
3	10	LIVERPOOL	1-1	Newton	5000	1	2		3		5	4	6					11	10	9	8		7
4	17	Burslem Port Vale	0-0		4000	1		2	3		5	4	6					11	10		8	9	7
5	24	BRISTOL CITY	0-3		3000	1	2		3		5	4	6					11	10	9	8		7
6	Oct 8	GLOSSOP	1-2	Newton		1		2	3		5	4	6					11	10	8		9	7
7	15	BOLTON WANDERERS	1-0	Taylor	3000	1		2	3		5	4	10	6				11		8		9	7
8	22	Bradford City	1-0	Tomlinson	10000	1		2	3		5		6	4				11	10	8		9	7
9	29	LINCOLN CITY	0-0		3000	1		2	3		5	4	8	6					10	11		9	7
10	Nov 5	Leicester Fosse	1-1	Newton	4000	1		2	3		5		6	4				11	10	8		9	7
11	12	BARNSLEY	2-0	Munday, Tomlinson	3000	1		2	3		5	4	6		11				10	8		9	7
12	19	West Bromwich Albion	2-0	Tomlinson, Evans	4000	1		2	3		5	4	6		11				10	8		9	7
13	26	BURNLEY	1-1	Munday		1		2	3		5	4	6		11				10	8		9	7
14	Dec 3	Grimsby Town	1-3	Munday	2000	1		2	3		5	4	6		11				10	8		9	7
15	17	Doncaster Rovers	2-0	Munday, Thacker		1		2	3		5	4	6		11				10	8		9	7
16	24	GAINSBOROUGH TRIN.	3-2	Tomlinson, Munday, Thacker		1		2	3		5	4	6		11				10	8		9	7
17	26	Manchester United	0-3		20000	1		2	3		5	4	10	6	11					8		9	7
18	31	BURTON UNITED	6-0	Thacker 4, Taylor, Tomlinson	2000	1		2	3		5	4	10	6	11					8		9	7
19	Jan 7	Liverpool	1-6	Newton	13000	1	3	2				4	6	5	11				10	8		9	7
20	21	Bristol City	1-2	Evans	8000	1		2	3		5		6	4	11				10	8		9	7
21	Feb 4	Glossop	1-0	Munday	1500	1		2	3		5	4	6		11				10	8		9	7
22	11	Bolton Wanderers	3-4	Taylor, Munday, Tomlinson	8596	1		2	3		5	4	8	6	11				10			9	7
23	18	BRADFORD CITY	0-0		3000	1		2	3		5	4	8	6	11				10			9	7
24	25	Lincoln City	0-0		2000	1		2	3		5	4	6		11				10	8		9	7
25	Mar 4	LEICESTER FOSSE	0-0		2000	1		2	3		5	4	6				11		10	8		9	7
26	11	Barnsley	0-1			1		2	3		5	4	6		11				10	8		9	7
27	18	WEST BROMWICH ALB.	1-0	Munday	3000	1		2	3		5	4	6				11		10	8		9	7
28	Apr 1	GRIMSBY TOWN	0-0			1		2	3		5	4	9	6	11				10	8			7
29	8	Blackpool	1-1	Tomlinson		1		2	3		5	4		6	11	9			10	8			7
30	15	DONCASTER ROVERS	4-1	Munday 2, Thacker, Handley	2000	1		2	3		5	4	6				11		10	8			7
31	21	MANCHESTER UNITED	2-0	Thacker, Munday	8000	1		2	3		5	4	8	6			11		10	9			7
32	22	Gainsborough Trinity	1-1	Handley	4000	1		2	3		5		4	6		9	11		10	8			7
33	24	BURSLEM PORT VALE	2-1	Taylor 2	4000	1		2	3		5	4	6	7			11		10	8		9	
34	29	BLACKPOOL	2-0	Thacker (p), Munday	2000	1		2	3		5		6	4			11		10	8		9	7
Apps						34	3	32	31	2	33	29	33	17	17	3	7	9	30	31	5	25	33
Goals													9		2		2	1	13	4		5	8

F.A. Cup

Rnd	Date	Opponent	Score	Scorers	Att	Hardy S	Gadsby W	Marples EA	Ray R	Unwin MJ	Banner WH	Haig J	Thacker FW	Tye AE	Evans W	Gadsby E	Handley GA	Kelly F	Munday H	Newton LF	Smith P	Taylor JA	Tomlinson I
Q6	Dec 10	STOCKPORT COUNTY	2-0	Newton, Taylor	1000	1		2	3		5	4	6		11				10	8		9	7
IR	Jan 14	Portsmouth	0-0		15000	1		2	3		5	4	6		11				10	8		9	7
rep	18	Portsmouth	0-2		10000	1		2	3		5	4	6		11				10	8		9	7

Chesterfield sold the ground rights to Portsmouth for the first Intermediate Round game.

		P	W	D	L	F	A	W	D	L	F	A	Pts
1	Liverpool	34	14	3	0	60	12	13	1	3	33	13	58
2	Bolton Wanderers	34	15	0	2	53	16	12	2	3	34	16	56
3	Manchester United	34	16	0	1	60	10	8	5	4	21	20	53
4	Bristol City	34	12	3	2	40	12	7	1	9	26	33	42
5	CHESTERFIELD	34	9	6	2	26	11	5	5	7	18	24	39
6	Gainsborough Trin.	34	11	4	2	32	15	3	4	10	29	43	36
7	Barnsley	34	11	4	2	29	13	3	1	13	9	43	33
8	Bradford City	34	8	5	4	31	20	4	3	10	14	29	32
9	Lincoln City	34	9	4	4	31	16	3	3	11	11	24	31
10	West Bromwich Alb.	34	8	2	7	28	20	5	2	10	28	28	30
11	Burnley	34	10	1	6	31	21	2	5	10	12	31	30
12	Glossop	34	7	5	5	23	14	3	5	9	14	32	30
13	Grimsby Town	34	9	3	5	22	14	2	5	10	11	32	30
14	Leicester Fosse	34	8	3	6	30	25	3	4	10	10	30	29
15	Blackpool	34	8	5	4	26	15	1	5	11	10	33	28
16	Burslem Port Vale	34	7	4	6	28	25	3	3	11	19	47	27
17	Burton United	34	7	2	8	20	29	1	2	14	10	55	20
18	Doncaster Rovers	34	3	2	12	12	32	0	0	17	11	49	8

1905/06   18th in Division 2

#	Mon	Date	Opponent	Res	Scorers	Att	Cope JT	Newton FA	Silcock JE	Baker G	Gadsby W	Marples EA	Banner WH	Beech HH	Haig J	Milnes G	Thacker FW	Tye AE	Ashmore JW	Ball J	Clarke A	Dyal E	Gadsby E	Gilberthorpe AE	Handley GA	Lunn E	Munday H	Taylor JA	Thompson A
1	Sep	2	GRIMSBY TOWN	1-4	Taylor				1	3		2	5		4		6			11		7				9	8	10	
2		9	Burslem Port Vale	3-4	Munday, Taylor, Dyal	1000	1			3		2	5		4		6			11		7				9	8	10	
3		11	Burnley	1-1	Thacker	1500	1			3		2	5		4		6			11		7				9	8	10	
4		16	BARNSLEY	2-0	Banner, Haig		1			3		2	5		4		6	8		11		7				9		10	
5		23	Clapton Orient	3-3	Thacker, Dyal, Ball	6000	1			3		2	5		4		6	8		11		7				9		10	
6		30	BURNLEY	3-0	Munday, Thacker, Banner	4000	1			3		2	5		4		6			11		7				9	8	10	
7	Oct	11	Hull City	0-3		4500	1			3		2	5		4		6	8		11		7				9		10	
8		14	BURTON UNITED	1-0	Munday	2000	1			3		2	5		4		6			11		7				9	8	10	
9		21	Chelsea	1-0	Ball	10000	1			3		2	5		4		6			11		7				9	8	10	
10		28	GAINSBOROUGH TRIN.	0-0			1			3		2	5	8	4		6			11		7				9		10	
11	Nov	4	Bristol City	1-3	Lunn	9000	1			3		2	5		4		6			11		7				9	8	10	
12		11	MANCHESTER UNITED	1-0	Ball	6000	1			3		2	5		4		6			11		7				9	8	10	
13		18	Glossop	0-2		1200	1			3		2	5		4		6			11		7				9	8	10	
14		25	STOCKPORT COUNTY	3-1	Munday 2, Ball	2000	1			3	2		5		4		6			11		7				9	8	10	
15	Dec	2	Blackpool	1-2	Munday	3000	1			3	2		5		4		6			11		7				9	8	10	
16		9	Leicester Fosse	1-1	Munday		1			3		2	5		4		6			11		7				9	8	10	
17		16	West Bromwich Albion	0-3		7000	1			3		2	5		4		6			11						9	8	10	
18		23	LEICESTER FOSSE	3-3	Munday 2, Banner	3000	1			3		2	5				6	4	7	11						9	8	10	
19		25	BRADFORD CITY	1-1	Munday	6000	1			3		2	5		4		6	7		11						9	8	10	
20		26	Lincoln City	1-0	Munday	4000	1			3	2		5		4		6	7							11	9	8	10	
21		30	Grimsby Town	0-2		3000	1			3	2		5	6	4		7	8						10	11	9			
22	Jan	6	BURSLEM PORT VALE	2-0	Banner 2	1000	1			3		2	5		4		6	10				7		9	11	8			
23		20	Barnsley	1-8	Marples (p)	3000	1			3	2		5	6	4			7						9	11	8		10	
24		27	CLAPTON ORIENT	1-1	Marples (p)	5000	1			3		2	5		4		6			11		7				9	8	10	
25	Feb	10	LEEDS CITY	0-2		4000	1			3		2			4	5	6					7		9	11	8		10	
26		17	Burton United	0-4		3000	1			3	2					5	6	4		8				9	11	7		10	
27		24	CHELSEA	0-2		8000	1			3		2			4	5	6			11	5		7	8		9		10	
28		27	Leeds City	0-3		2000	1			3		2			4		6			11	5	7		8		9		10	
29	Mar	3	Gainsborough Trinity	0-4		3000		1		3	2		5				6					7	10			8		9	
30		10	BRISTOL CITY	1-2	Lunn	5000	1			3		2	5		4	6	8							9		7		10	
31		17	Manchester United	1-4	Banner	10000	1			3		2	5		4	6	8							9		7		10	
32		24	GLOSSOP	3-1	Handley, Munday, Marples		1			3		2	5		4	6									11	7	8	10	9
33		31	Stockport County	0-0		3000	1			3		2	5		4	6									11	7	8	10	9
34	Apr	7	BLACKPOOL	2-0	Thompson, Lunn	3000	1			3		2	5		4		6			11						7	8	10	9
35		13	HULL CITY	1-2	Thompson	6000	1			3		2	5		4		6			11						7	8	10	9
36		14	Bradford City	0-1		8000	1			3		2	5			4	6			11						7	8	10	9
37		16	LINCOLN CITY	1-2	Taylor	5000	1			3		2	5		4		6			11						7	8	10	9
38		21	WEST BROMWICH ALB.	0-3		1500	1			3		2	5		4	6	8								11	7		10	9
			Apps				38	1	1	34	7	35	34	3	30	15	32	9	5	29	2	24	3	6	9	24	35	37	7
			Goals									3	6		1		3			5		2			1	3	11	3	2

F.A. Cup

Rnd	Mon	Date	Opponent	Res	Scorers	Att	Cope JT	Baker G	Marples EA	Banner WH	Haig J	Thacker FW	Ball J	Dyal E	Gilberthorpe AE	Handley GA	Lunn E	Munday H	Taylor JA
R1	Jan	13	Clapton Orient	0-0		6000	1	3	2	5	4	6	11	7			9	8	10
rep		17	CLAPTON ORIENT	3-0	Dyal, Marples (p), Munday	3000	1	3	2	5	4	6		7	9	11	8	10	
R2	Feb	3	Everton	0-3		12000	1	3	2		4	6		7	9	11	8		10

R2 ground rights sold to Everton.

	P	W	D	L	F	A	W	D	L	F	A	Pts
1 Bristol City	38	17	1	1	43	8	13	5	1	40	20	66
2 Manchester United	38	15	3	1	55	13	13	3	3	35	15	62
3 Chelsea	38	13	4	2	58	16	9	5	5	32	21	53
4 West Bromwich Alb.	38	13	4	2	53	16	9	4	6	26	20	52
5 Hull City	38	10	5	4	38	21	9	1	9	29	33	44
6 Leeds City	38	11	5	3	38	19	6	4	9	21	28	43
7 Leicester Fosse	38	10	3	6	30	21	5	9	5	23	27	42
8 Grimsby Town	38	11	7	1	33	13	4	3	12	13	33	40
9 Burnley	38	9	4	6	26	23	6	4	9	16	30	38
10 Stockport County	38	11	6	2	36	16	2	3	14	8	40	35
11 Bradford City	38	7	4	8	21	22	6	4	9	25	38	34
12 Barnsley	38	11	4	4	45	17	1	5	13	15	45	33
13 Lincoln City	38	10	1	8	46	29	2	5	12	23	43	30
14 Blackpool	38	8	3	8	22	21	2	6	11	15	41	29
15 Gainsborough Trin.	38	10	2	7	35	22	2	2	15	9	35	28
16 Glossop	38	9	4	6	36	28	1	4	14	13	43	28
17 Burslem Port Vale	38	10	4	5	34	25	2	0	17	15	57	28
18 CHESTERFIELD	38	8	4	7	26	24	2	4	13	14	48	28
19 Burton United	38	9	4	6	26	20	1	2	16	8	47	26
20 Clapton Orient	38	6	4	9	19	22	1	3	15	16	56	21

1906/07 18th in Division 2

Match-by-match record (player columns give shirt numbers; Apps/Goals totals shown at foot).

#	Date	Opponent	Score	Scorers	Att	Cope JT	Newton FA	Silcock JE	Stenson J	Baker G	Gadsby W	Marples EA	Arnold W	Banner WH	Clarke A	Haig J	Milnes G	Pinder WP	Allen WB	Ashmore JW	Beech HH	Chadwick AC	Gadsby E	Gilberthorpe AE	Grant W	Handley GA	Logan JH	Munday H	Powell H	Taylor JA	Tomlinson T	Wheatley JR	Willows W
1	Sep 1	Gainsborough Trinity	0-1		3000	1				3		2		5		4	6								8	11	9	10		7			
2	Sep 8	BURTON UNITED	2-0	Grant, Taylor	2000	1				3		2		5		4	6								8	11	9	10		7			
3	Sep 15	Stockport County	1-1	Grant	4000	1				3		2		5		4	6	5							8	11	9	10		7			
4	Sep 22	GRIMSBY TOWN	1-3	Hadley	4000	1				3		2		5		4	6								8	11	9	10		7			
5	Sep 29	Hull City	0-2		8000	1				3		2	6			4		5						8		11	9	10		7			
6	Oct 4	Nottingham Forest	1-3	Logan	5000	1				3		2	6	5		4								8		11	9	10		7			
7	Oct 6	BURSLEM PORT VALE	4-2	Munday 3, Arnold	2000	1				3		2	6	5		4			7					8		11	9	10					
8	Oct 13	Glossop	1-3	Logan	1500	1				3		2	6	5		4			7					8		11	9	10					
9	Oct 20	BURNLEY	0-1		2500	1				3		2	6	5		4			7					8		11	9	10					
10	Oct 27	Blackpool	0-0		3000	1				3		2	6	5		4			7					8		11	9	10					
11	Nov 3	LEEDS CITY	1-0	Willows	3000	1				3		2	6	5		4			7					8			9	10					11
12	Nov 10	Bradford City	0-1		12000	1				3	2		6	5		4			7					8			9	10					11
13	Nov 17	BARNSLEY	3-2	Gilberthorpe, Marples (p), Willows	4000	1				3		2	6	5		4			7					8			9	10					11
14	Nov 24	West Bromwich Albion	2-5	Logan, Gilberthorpe	8000	1				3		2	6	5		4			7					8			9	10					11
15	Dec 1	CHELSEA	0-0		4000	1				3		2	6	5		4			7					8			9	10					11
16	Dec 8	Leicester Fosse	0-2		7000	1				3		2	6			4			7					8			9	10					11
17	Dec 15	Wolverhampton Wan.	1-2	Munday	5000	1				3		2	6			4			7					8		5		10					11
18	Dec 22	NOTTM. FOREST	1-1	Munday	6000	1				3		2		5		4			7					8			10	9					11
19	Dec 25	Lincoln City	0-1		3000	1				3		2	6	5		4			7					8			10	9					11
20	Dec 26	Clapton Orient	2-1	Gilberthorpe, Powell	6000	1				3	2		6	5		4			7					8			10	9	11				
21	Dec 29	GAINSBOROUGH TRIN.	7-0	Munday 4, Logan 2, Marples (p)		1				3		2	6	5		4			7					8	10		9						11
22	Jan 1	HULL CITY	3-1	Logan 2, Marples (p)	3000	1				3		2	6	5		4			7					8			9	10					11
23	Jan 5	Burton United	1-3	Munday		1				3		2	6	5		4								11	8		9	10		7			
24	Jan 19	STOCKPORT COUNTY	0-2		1500			1			3	2	6			4	5	7						8			9	10					11
25	Jan 26	Grimsby Town	1-3	E Gadsby	2000				1			2	6	3		4	5	7	10				9	8									11
26	Feb 9	Burslem Port Vale	2-2	Allen, E Gadsby					1	3		2	6	5		4			7				9	8				10					11
27	Feb 16	GLOSSOP	1-3	Marples (p)					1	3		2	6	5		4			7				9	8				10					11
28	Feb 23	Burnley	0-0		5000				1			2	6	3		4			7				9	8				10		5			11
29	Mar 2	BLACKPOOL	0-1					1			2	6	3		4			7				9	8				10		5			11
30	Mar 9	Leeds City	0-1		10000			1			2	6	3		4			7				9	8				10		5			11
31	Mar 16	BRADFORD CITY	3-4	Gilberthorpe 2, Marples	4000			1		3	2	6			4			7		9			8				10		5			11
32	Mar 23	Barnsley	1-2	Munday	3000	1				3	2	7		4	6								8				10		9			11
33	Mar 29	CLAPTON ORIENT	2-1	Milnes, Gilberthorpe	8000	1				3	2	6		4	7							8					10		5	9			
34	Mar 30	WEST BROMWICH ALB.	2-2	Taylor, Tomlinson	8000	1				3	2	6		4	7	10						8							5	9			
35	Apr 1	LINCOLN CITY	1-0	Milnes	5000				1		2	6	3	5	4	7											10		9			11
36	Apr 6	Chelsea	1-7	Taylor	12000				1		2	6	3		4	7											10		9		11	8
37	Apr 13	LEICESTER FOSSE	2-1	Wheatley, Baker	1000		1			9	2	6	3		4	7											10				11	8
38	Apr 20	WOLVERHAMPTON W.	3-2	Munday, Baker, Tomlinson	3000			1		9	2	6	3		4	7											10				11	8
Apps						26	1	4	7	29	6	35	33	30	1	38	12	3	20	4	3	1	7	30	4	9	26	35	6	17	7	4	20
Goals										2		5	1				2		1				2	6	2	1	7	12	1	3	2	1	2

F.A. Cup

	Date	Opponent	Score	Scorers	Att	Cope JT	Silcock JE	Baker G	Marples EA	Arnold W	Banner WH	Clarke A	Haig J	Allen WB	Gilberthorpe AE	Logan JH	Munday H	Willows W
R1	Jan 12	Derby County	1-1	Banner	13000	1		3	2	6	5		4	7	8	9	10	11
rep	Jan 16	DERBY COUNTY	1-1	Marples	14000	1		3	2	6	5		4	7	8	9	10	11
rep2	Jan 21	Derby County	0-4		14000	1			2	6	3	5	4	7	8	9	10	11

First replay abandoned in the 21st minute of extra time because of bad light, with Derby leading 2-1. Score at 90 mins. was 1-1.
Second replay at Trent Bridge, Nottingham.

Division 2 Final Table 1906/07

		P	W	D	L	F	A	W	D	L	F	A	Pts
1	Nottingham Forest	38	16	2	1	43	13	12	2	5	31	23	60
2	Chelsea	38	18	0	1	55	10	8	5	6	25	24	57
3	Leicester Fosse	38	15	3	1	44	12	5	5	9	18	27	48
4	West Bromwich Alb.	38	15	2	2	62	15	6	3	10	21	30	47
5	Bradford City	38	14	2	3	46	21	7	3	9	24	32	47
6	Wolverhampton Wan.	38	13	4	2	49	16	4	3	12	17	37	41
7	Burnley	38	12	4	3	45	13	5	2	12	17	34	40
8	Barnsley	38	14	2	3	56	21	1	6	12	17	34	38
9	Hull City	38	11	2	6	41	20	4	5	10	24	37	37
10	Leeds City	38	10	5	4	38	26	3	5	11	17	37	36
11	Grimsby Town	38	13	2	4	34	16	3	1	15	23	46	35
12	Stockport County	38	8	8	3	26	12	4	3	12	16	40	35
13	Blackpool	38	9	4	6	25	19	2	7	10	8	32	33
14	Gainsborough Trin.	38	12	3	4	33	20	2	2	15	12	52	33
15	Glossop	38	10	4	5	32	21	3	2	14	21	58	32
16	Burslem Port Vale	38	11	5	3	45	26	1	2	16	15	57	31
17	Clapton Orient	38	9	7	3	25	13	2	1	16	20	54	30
18	CHESTERFIELD	38	10	3	6	36	26	1	4	14	14	40	29
19	Lincoln City	38	10	2	7	29	24	2	2	15	17	49	28
20	Burton United	38	7	3	9	24	23	1	4	14	10	45	23

1907/08   19th in Division 2

Player columns (left to right): Cope JT · Hopkinson C · Allen J · Ashmore W · Ewing DA · Marples EA · Arnold W · Banner WH · Benment F · Haig J · Logan JH · Bailey JW · Broad TH · Gadsby E · Gilberthorpe AE · Hall P · Holmes JA · Johnson GW · Lee W · Milnes G · Munday H · Simmons C · Sprott W · Tattersall WS · Tomlinson T · Warrington J · Wheatley JB

#		Date	Opponent		Scorers	Att	Cope JT	Hopkinson C	Allen J	Ashmore W	Ewing DA	Marples EA	Arnold W	Banner WH	Benment F	Haig J	Logan JH	Bailey JW	Broad TH	Gadsby E	Gilberthorpe AE	Hall P	Holmes JA	Johnson GW	Lee W	Milnes G	Munday H	Simmons C	Sprott W	Tattersall WS	Tomlinson T	Warrington J	Wheatley JB
1	Sep	2	Stoke	1-1	Gilberthorpe	8000	1					2	6	3		4	5				8			7	9		10				11		
2		7	Bradford City	1-8	Lee	15000	1					2	6	3		4	5				8			7	9		10				11		
3		14	HULL CITY	1-2	Marples (p)	5000	1					2	6	3		4	5				8			7	9		10				11		
4		26	Hull City	0-2		5000	1				3	2	6			4	5				7				9		10	8			11		
5		28	LINCOLN CITY	2-1	Tomlinson 2	5000		1			3	2	6			4	5				7				9		10	8			11		
6	Oct	5	Fulham	0-5		18000		1			3	2	6			4	5								9		10	8			11	7	
7		12	BARNSLEY	1-3	Gilberthorpe	6000		1			3	2	6			4	5				8				9		10				11	7	
8		19	GRIMSBY TOWN	0-0				1		3		2				4	5			10	8				9		6				11	7	
9		26	Burnley	1-1	Lee	6000		1			3			4	2		5				8				9		10	6			11	7	
10	Nov	2	OLDHAM ATHLETIC	1-2	Marples (p)	8000		1			3	2		4			5				8				9		10	6			11	7	
11		9	Clapton Orient	1-5	Logan	5000		1			3	2		4			5				8				9		10	6			11	7	
12		16	LEEDS CITY	4-3	Sprott 2, Simmons, Tomlinson	4000		1			3	2		6		4	5										10	8	9		11	7	
13		23	Wolverhampton Wan.	0-0		5000		1			3	2		6		4	5	11									10	8	9			7	
14		30	GAINSBOROUGH TRIN.	2-2	Bailey, Sprott	5000		1			3	2		6		4	5	11									10	8	9			7	
15	Dec	14	GLOSSOP	3-7	Sprott 2, Banner	600		1			3	2		4		6	5	11									10	8	9			7	
16		21	Leicester Fosse	1-3	Wheatley	5000	1				3	2					5	11									6	10	9	7		4	8
17		25	West Bromwich Albion	0-4		15000	1				3	2					5	11									6	10	9	7		4	8
18		26	Derby County	0-0		15000	1				3	2		6			5	11							7		10	8	9			4	
19		28	BLACKPOOL	3-2	Simmons 2, Lee	3000	1				3	2		6			5	11							7		10	8	9			4	
20	Jan	1	FULHAM	1-1	Lee	7000	1				3	2		6			5	11							7		10	8	9			4	
21		4	BRADFORD CITY	1-1	Simmons	4000	1				3	2		6			5	11							7		10	8	9			4	
22		18	DERBY COUNTY	0-2		10000	1				3	2		6			5	11		10					7			8	9			4	
23		25	Lincoln City	0-4		2500	1					2	6	3		4	5	11				9	10					8				7	
24	Feb	8	Barnsley	2-5	Hall, Simmons	2500	1				3	2		6			5	11				9					10	8		7		4	
25		22	BURNLEY	2-4	Hall (p), Lee	2000	1				3			6	2		5	11				9	10		7			8				4	
26		29	Oldham Athletic	0-4		5000	1	2			3		6	4			5		7			9	11				10	8					
27	Mar	3	STOCKPORT COUNTY	4-1	Holmes 2, Hall 2 (2p)		1	2			3		6	4			5		7			9	11				10	8					
28		7	CLAPTON ORIENT	1-1	Simmons	5000	1	2			3		6	4			5	10	7			9	11					8					
29		14	Leeds City	0-0		6000	1	2			3		6	4			5		7			9	11				10	8					
30		21	WOLVERHAMPTON W.	2-0	Munday, Simmons	5000	1	2			3		6	4			5		7			9	11				10	8					
31		28	Gainsborough Trinity	1-2	Broad	3000	1	2			3		6	4			5		7			9	11				10	8					
32	Apr	4	Stockport County	0-1		2000	1	2			3		6	4			5		7			9	11				10	8					
33		11	Glossop	2-3	Banner, Broad	2000	1	2			3		6	4	5				7			9	11				10	8					
34		17	WEST BROMWICH ALB.	1-0	Hall	7000	1	2			3		6	4	5				7			9	11				10	8					
35		18	LEICESTER FOSSE	2-2	Lee, Allen	6000	1	2	3				6	4	5					10		9	11		7			8					
36		20	STOKE	2-4	Ewing, Burgess (og)	5000	1	2	3				6	4	6		5	10				9	11		7			8					
37		25	Blackpool	0-2		2000	1			3							5				8	9					10				7		
38		29	Grimsby Town	3-4	Hall (p), Munday, Holmes	1000	1				3			6	2		5					9	11				10	8			7		
			Apps				27	11	11	2	32	21	15	32	6	11	33	15	10	2	13	16	14	3	26	2	33	32	11	3	12	20	2
			Goals						1			1	2	2			1	1	2		2	6	3		6		2	7	5		3		1

One own goal

Played in game 11: JA Taylor (at 9).
Played in games 37 and 38: J Campbell (at 4).

F.A. Cup

		Date	Opponent		Scorers	Att	Cope JT	Hopkinson C	Allen J	Ashmore W	Ewing DA	Marples EA	Arnold W	Banner WH	Benment F	Haig J	Logan JH	Bailey JW	Broad TH	Gadsby E	Gilberthorpe AE	Hall P	Holmes JA	Johnson GW	Lee W	Milnes G	Munday H	Simmons C	Sprott W	Tattersall WS	Tomlinson T	Warrington J	Wheatley JB
Q5	Dec	7	St. Helens Recreation	4-1	Sprott, Bailey, Simmons, Tomlinson	2000	1				3	2	4	6			5	11									10	8	9		7		
R1	Jan	11	STOCKTON	4-0	Logan, Sprott, Munday, Marples (p)	4000	1				3	2		6			5					8			7		11	10	9			4	
R2	Feb	1	Bristol Rovers	0-2		13376	1				3	2		6			5	11				9			7		10	8				4	

Division Two final table:

		P	W	D	L	F	A	W	D	L	F	A	Pts
1	Bradford City	38	15	2	2	58	16	9	4	6	32	26	54
2	Leicester Fosse	38	14	2	3	41	20	7	8	4	31	27	52
3	Oldham Athletic	38	15	4	0	53	14	7	2	10	23	28	50
4	Fulham	38	12	2	5	50	14	10	3	6	32	35	49
5	West Bromwich Alb.	38	13	3	3	38	13	6	6	7	23	26	47
6	Derby County	38	15	1	3	50	13	6	3	10	27	32	46
7	Burnley	38	14	3	2	44	14	6	3	10	23	36	46
8	Hull City	38	15	1	3	50	23	6	3	10	23	39	46
9	Wolverhampton Wan.	38	11	4	4	34	11	4	3	12	16	34	37
10	Stoke	38	11	5	3	43	13	5	0	14	14	39	37
11	Gainsborough Trin.	38	9	4	6	31	28	5	3	11	16	43	35
12	Leeds City	38	9	6	4	33	18	3	2	14	20	47	32
13	Stockport County	38	9	4	6	35	26	3	4	12	13	41	32
14	Clapton Orient	38	10	5	4	28	13	1	5	13	12	52	32
15	Blackpool	38	11	3	5	33	19	0	6	13	18	39	31
16	Barnsley	38	8	3	8	41	31	4	3	12	13	37	30
17	Glossop	38	9	5	5	36	26	2	3	14	18	48	30
18	Grimsby Town	38	8	5	6	27	24	3	3	13	16	47	30
19	CHESTERFIELD	38	6	6	7	33	38	0	5	14	13	54	23
20	Lincoln City	38	7	2	10	27	28	2	1	16	19	55	21

#		Date	Opponents	Score	Scorers	Att	Cope JT	Baker G	Griffiths H	Hay J	Bemment F	Campbell J	Clarke A	Crawshaw TH	Logan JH	Wilkes A	Broad TH	Bovill JMcK	Davison A	Fitzpatrick HJ	Green H	Hall P	Holmes JA	Munday H	Owers EH	Randles R	Whysall J
1	Sep	1	Burnley	1-0	Hall (p)	6000	1		2	3	6			5	4		7			9		8	11	10			
2		5	Bradford Park Avenue	0-1		13000	1		2	3	6			5	4		7			9		8	11	10			
3		12	WOLVERHAMPTON W.	1-1	Munday	10000	1		2	3	6			5	4		7			9		8	11	10			
4		19	Oldham Athletic	0-2		10000	1		2	3	6			5	4		7			9		8	11	10			
5		26	CLAPTON ORIENT	2-0	Hall (p), Green	5000	1		2	3	6			5	4		7				9	8	11	10			
6	Oct	3	LEEDS CITY	2-0	Munday, Bemment	5000	1		2	3	6			5	4		7				9	8	11	10			
7		10	BARNSLEY	1-0	Broad	6000	1		2	3	6			5	4		7				9	8	11	10			
8		17	Tottenham Hotspur	0-4		15000	1		2	3	6			5	4		7	9				8	11	10			
9		24	HULL CITY	0-4		4000	1		2	3	6			5	4		7	9				8	11	10			
10		31	Derby County	1-1	Hall (p)	9000	1		2	3	6			5	4		7	9		10		8	11				
11	Nov	2	West Bromwich Albion	2-2	Bovill, Holmes	10000	1		2	3	6			5	4		7	9				8	11				
12		7	BLACKPOOL	3-1	Hall 2, Logan	6000	1		2	3	6			5	4		7	9				8	11	10			
13		14	BOLTON WANDERERS	0-2		5000	1		2	3	6			5	4		7	9				8	11				
14		21	Glossop	0-2		3000	1		2	3	6			5	4		7	9		10		8	11				
15		28	STOCKPORT COUNTY	1-2	Bovill	3000	1		2	3	6			5	4		7	9				8	11	10			
16	Dec	12	BIRMINGHAM	4-2	Munday, Hall (p), Bovill	4000	1		2	3				5	4		7	9		10		8	11	6			
17		19	Gainsborough Trinity	0-3		3000	1		2	3				5	4		7	9		10		8	11	6			
18		25	Fulham	0-0		12000	1		2	3				5	4		7	9		10			11	6			8
19		26	Grimsby Town	0-1		7000	1		2	3				5			7	9		10	4	8	11	6			
20	Jan	1	FULHAM	2-1	Green, Holmes	6000	1		2	3				5	4		7	9		10	8		11	6			
21		2	BRADFORD PARK AVE.	2-1	Green, Griffiths	5000	1		2	3				5	4		7	9		10	8		11	6			
22		9	Wolverhampton Wan.	0-3		8000	1	3	2					5	4					10	8	9	11	6			
23		23	OLDHAM ATHLETIC	1-1	Munday	5000	1	3		2	4			5			7		8	10		9	11	6			
24		30	Clapton Orient	1-1	Broad	5000	1	3		2	6			5			7			4		8	11	10	9		
25	Feb	6	GRIMSBY TOWN	1-2	Broad	5000	1	3		2	6			5			7			4		8	11	10	9		
26		13	Barnsley	0-4		5000	1	3		2				5	4		7				10	8	11	6	9		
27		20	Bolton Wanderers	0-4		12000	1	3		2	4			5			7	8		10			11	6	9		
28		27	Hull City	0-1		6000	1	3		2	6			5			7	8		10	4		11		9		
29	Mar	8	TOTTENHAM HOTSPUR	1-3	Owers	3000	1	3		2	4			5			7	10				8	11	6	9		
30		13	Blackpool	2-2	Green 2	3000	1	3		2		5					7	11	8	10				6	9		
31		17	DERBY COUNTY	2-4	Owers, Randles	6000	1	3		2	6	4	5				7			10			11		9	8	
32		27	GLOSSOP	2-1	Holmes 2	3000	1	3		2		4		5			7				6	8	11		9	10	
33	Apr	3	Stockport County	0-2		5000	1	3		2		4		5			7				6	8	11		9	10	
34		9	Leeds City	0-3		10000	1	3		2		4		5			7				6	8	11		9	10	
35		10	WEST BROMWICH ALB.	2-2	Hall, Owers	5000	1	3		2		4		5			6	7		10		8	11		9		
36		12	BURNLEY	1-0	Holmes	2000	1	3		2				5	4		7			10		8	11	6	9		
37		17	Birmingham	0-3		4000	1	3		2				5	4	6	7					8	11	10	9		
38		24	GAINSBOROUGH TRIN.	2-1	Holmes, Domleo (og)	2000	1	3		2				5	4		7			10		8	11	6	9		
			Apps				38	17	22	37	23	6	1	25	35	3	38	18	2	17	21	28	37	30	15	4	1
			Goals						1		1				1		3	3			1	5	7	6	4	3	1

One own goal

F.A. Cup

		Date	Opponents	Score	Scorers	Att	Cope JT	Baker G	Griffiths H	Hay J	Bemment F	Campbell J	Clarke A	Crawshaw TH	Logan JH	Wilkes A	Broad TH	Bovill JMcK	Davison A	Fitzpatrick HJ	Green H	Hall P	Holmes JA	Munday H	Owers EH	Randles R	Whysall J
Q5	Dec	12	ROTHERHAM TOWN	3-0	Munday, Hall (p), Bovill	5000	1		2	3	6			5	4		7	9				8	11	10			
R1	Jan	16	GLOSSOP	0-2		6000	1	3		2				5	4		7	9			10	8	11	6			

		P	W	D	L	F	A	W	D	L	F	A	Pts
1	Bolton Wanderers	38	14	3	2	37	8	10	1	8	22	20	52
2	Tottenham Hotspur	38	12	5	2	42	12	8	6	5	25	20	51
3	West Bromwich Alb.	38	13	5	1	35	9	6	8	5	21	18	51
4	Hull City	38	14	2	3	44	15	5	4	10	19	24	44
5	Derby County	38	13	5	1	38	11	3	6	10	17	30	43
6	Oldham Athletic	38	14	4	1	39	9	3	2	14	16	34	40
7	Wolverhampton Wan.	38	10	6	3	32	12	4	5	10	24	36	39
8	Glossop	38	11	5	3	35	17	4	3	12	22	36	38
9	Gainsborough Trin.	38	12	3	4	30	20	3	5	11	19	50	38
10	Fulham	38	8	4	7	39	26	5	7	7	19	22	37
11	Birmingham	38	10	6	3	35	21	4	3	12	23	40	37
12	Leeds City	38	12	3	4	35	19	2	4	13	8	34	35
13	Grimsby Town	38	9	5	5	23	14	5	2	12	18	40	35
14	Burnley	38	8	4	7	33	28	5	3	11	18	30	33
15	Clapton Orient	38	7	7	5	25	19	5	2	12	12	30	33
16	Bradford Park Ave.	38	9	2	8	30	25	4	4	11	21	34	32
17	Barnsley	38	11	3	5	36	19	0	7	12	12	38	32
18	Stockport County	38	11	2	6	25	19	3	1	15	14	38	31
19	CHESTERFIELD	38	10	3	6	30	28	1	5	13	7	39	30
20	Blackpool	38	9	6	4	30	22	0	5	14	16	46	29

1921/22 13th in Division 3(North)

	Date	Opponent	Score	Scorers	Att	Hibberd CM	Mitchell JT	Irvine GW	Saxby A	Stirling W	Whitworth JW	Broome TA	Clarke H	Fletcher AH	Garratt J	Lacey AD	Leddy H	Paltridge J	Reed P	Adams JH	Butterell CE	Connor E	Cook J	Cooper J	Fisher J	Marshall WE	Mosley HT	Ormston A	Smithurst E	Sykes H	Thompson C	Williams H	Rooth W
1	Aug 22	Stalybridge Celtic	0-6		4600		1	2	3					5				6	4		8					11		9	7			10	
2	Sep 3	STALYBRIDGE CELTIC	4-0	Butterell, Williams, Marshall, Ormston	8000		1	2			3		6	5					4		8					11		9	7			10	
3	10	Darlington	0-7		8000		1	2			3		6	5					4		8					11		9	7			10	
4	17	DARLINGTON	0-3		7000		1	2		3				5		4		6	8				9						7			10	
5	24	Accrington Stanley	1-3	Cooper	9000		1	2	3					5		4		6	8				9				11		7			10	
6	Oct 1	ACCRINGTON STANLEY	0-1		8000		1	2			3		5	4				6					9			11			7			10	
7	8	CREWE ALEXANDRA	1-1	Williams			1				2	3	5	4				6						8	11				7			10	
8	15	Crewe Alexandra	2-1	Broome (p), Fisher	8000		1				2	3	5	4				6			9			8	11				7				
9	22	NELSON	1-2	Clark	8000		1				2	3	5	4				6				9		8	11				7			10	
10	29	Nelson	0-2		5000		1				2	3	5	4				6				9		8		11			7			10	
11	Nov 5	Wrexham	1-6	Smithurst	6000		1		3	2			5	4				6				10		9	8	11			7				
12	12	WREXHAM	3-0	Clarke, Broome, Butterell	7000		1	2				3	5	4				6			8	10		9		11			7				
13	26	Durham City	1-3	Butterell			1	2				3	5	4	6						8	10		9		11			7				
14	Dec 10	Barrow	0-1		5000	1		2				3	5	4				6				8						9	7		11	10	
15	17	DURHAM CITY	2-1	Ormston 2	6000	1		2				3	5	4				6				8	10		7			9			11		
16	24	Ashington	0-1		6000	1		2				3	5	4				6				8	10	7	11			9					
17	26	Grimsby Town	2-2	Fisher, Connor		1		2				3	5			4		6				10		8	7	11			9				
18	27	GRIMSBY TOWN	4-1	Connor, Lacey, Marshall, Clark	8000	1		2				3		5		4		6				10		8	7	11			9				
19	31	Lincoln City	1-2	Marshall	4000	1		2				3		5		4						10		8	7	11			9				
20	Jan 2	BARROW	2-0	Ormston, Fisher	7500	1		2				3		5		4		6				10	8		7	11		9					
21	14	LINCOLN CITY	3-0	Ormston 2, Williams	4000	1		2				3		5		4		6						8	7	11		9				10	
22	21	WIGAN BOROUGH	1-1	Williams	4000	1		2				3		5		4		6						8	7	11		9				10	
23	Feb 4	HARTLEPOOLS UNITED	2-1	Fisher, Cooper	5000	1		2				3	4	6										8	7	11		9				10	
24	11	Hartlepools United	0-7			1		2				3	5	6								7		8		11		9				10	
25	18	SOUTHPORT	2-1	Cooper, Marshall	5000	1		2				3		5		4		6						8	7	11		9				10	
26	25	Southport	0-3		5000	1			2			3		5		4		6						8	7	11		9				10	
27	Mar 4	STOCKPORT COUNTY	0-1		8000	1			2			3		5		4		6						8	7	11		9				10	
28	11	Stockport County	1-2	Fisher	12000	1			2			3		5		4		6						8	7	11		9				10	
29	13	Wigan Borough	2-1	Clark, Williams		1			2			3	5			4		6						8	7	11		9				10	
30	22	ASHINGTON	0-1		3000	1			2			3			4		5	6	7					8		11		9				10	
31	Apr 1	Walsall	1-2	Lacey	6000	1			2			3	4			9	5	6						8		11	7					10	
32	8	WALSALL	1-0	Lacey	3000	1			2			3	4			9	5	6	7					8		11						10	
33	14	Tranmere Rovers	0-2		8000	1			2			3	4			9	5	6	7					8		11						10	
34	15	Halifax Town	2-1	Williams 2		1			2			3	4			8	5	6					7			11		9				10	
35	17	TRANMERE ROVERS	3-0	Marshall, Williams, Cooper	8000	1			2			3	4			9	5	6	7					8		11						10	
36	22	HALIFAX TOWN	2-0	Williams, Leddy	4000	1			2			3	6		4		5		7					8				9		11		10	
37	29	Rochdale	1-0	Williams	3000	1			2			3	6		4		5					9		8						11		10	7
38	May 6	ROCHDALE	2-1	Cooper, Sykes	6000	1			2			3	6		4		5		7	9				8						11		10	

Played in one game: J Cowen (game 19, at 6), AP Gibson (4, at 11), HF Wright (6, at 8).
Played in games 23 (at 5) and 24 (at 4): C Draper

	Apps	25	13	20	16	7	33	14	35	4	4	18	9	29	5	6	9	9	6	27	19	30	3	22	14	3	2	28	1
	Goals							2	4			3	1				3	2		5	5	5		6	1	1		10	

Played in games 7 (at 9) and 8 (at 10): F Wesley.

F.A. Cup

	Date	Opponent	Score	Scorers	Att	Hibberd CM	Mitchell JT	Irvine GW	Saxby A	Stirling W	Whitworth JW	Broome TA	Clarke H	Fletcher AH	Garratt J	Lacey AD	Leddy H	Paltridge J	Reed P	Adams JH	Butterell CE	Connor E	Cook J	Cooper J	Fisher J	Marshall WE	Mosley HT	Ormston A	Smithurst E	Sykes H	Thompson C	Williams H	Rooth W
04	Nov 19	IRTHLINGBOROUGH T	3-0	Cooper 2, Broome (p)	6000		1	2				3	5	6				4				8	10		9		11		7				
05	Dec 3	Walsall	0-2		9200	1		2				3	5	4				6				8	10						7		11		9

	P	W	D	L	F	A	W	D	L	F	A	Pts
1 Stockport County	38	13	5	1	36	10	11	3	5	24	11	56
2 Darlington	38	15	2	2	52	7	7	4	8	29	30	50
3 Grimsby Town	38	15	4	0	54	15	6	4	9	18	32	50
4 Hartlepools United	38	10	6	3	33	11	7	2	10	19	28	42
5 Accrington Stanley	38	15	1	3	50	15	4	2	13	23	42	41
6 Crewe Alexandra	38	13	1	5	39	21	5	4	10	21	35	41
7 Stalybridge Celtic	38	14	3	2	42	15	4	2	13	20	48	41
8 Walsall	38	15	2	2	52	17	3	1	15	14	48	39
9 Southport	38	11	6	2	39	12	3	4	12	16	32	38
10 Ashington	38	13	2	4	42	22	4	2	13	17	44	38
11 Durham City	38	14	0	5	43	20	3	3	13	25	47	37
12 Wrexham	38	12	4	3	40	17	2	5	12	11	39	37
13 CHESTERFIELD	38	12	5	2	33	15	4	1	14	15	52	35
14 Lincoln City	38	11	2	6	32	20	3	4	12	16	39	34
15 Barrow	38	11	2	6	29	18	3	3	13	13	36	33
16 Nelson	38	7	6	6	27	23	6	1	12	21	43	33
17 Wigan Borough	38	9	4	6	32	28	2	5	12	14	44	31
18 Tranmere Rovers	38	7	5	7	41	25	2	6	11	10	36	29
19 Halifax Town	38	9	4	6	37	28	1	5	13	19,	48	29
20 Rochdale	38	9	2	8	34	24	2	2	15	18	53	26

#	Date	Opponent	Score	Scorers	Att	Hibberd CM	Jones DT	Bradbury G	Pedlar P	Saxby A	Whitworth JW	Crowe FR	Edwards W	Garratt J	Leddy H	Thompson O	Bailey WW	Beel GW	Cooper J	Fisher J	Marshall WE	Miller, Jimmy	Roberts CL	Sharp F	Sykes H	Whitfield N	Woodward TG
1	Aug 26	BARROW	2-1	Leddy (p), Whitfield	8000	1				2	3	6		4	5			9	8		11	7				10	
2	Sep 2	Barrow	1-3	Beel	6000	1				2	3	6		4	5			9	8		11	7				10	
3	9	Walsall	1-0	Beel	7891	1				2	3	6		4	5			9	8		11	7				10	
4	16	WALSALL	6-0	*see below	8000	1				2	3	6		4	5			9	8		11	7				10	
5	23	CREWE ALEXANDRA	2-1	Whitfield, Cooper	8032	1				2	3	6		4	5			9	8		11	7				10	
6	30	Crewe Alexandra	0-2		6000	1				2	3			4	5	6		9	8		11	7				10	
7	Oct 7	Grimsby Town	1-3	Beel	10000	1				2	3			4	5	6		9	8		11	7				10	
8	14	GRIMSBY TOWN	3-2	Beel 2, Marshall	9017	1				2	3			4	5	6		9	8		11	7				10	
9	21	ASHINGTON	2-2	Whitfield, Leddy (p)	8000	1			3	2				6	5	4		9	8		11	7				10	
10	28	Ashington	0-2		6000		1		3	2		5		4		6		9	8		11	7				10	
11	Nov 4	Accrington Stanley	4-0	Beel 2, Whitfield 2	5000		1		3	2				4	5	6		9	8		11	7				10	
12	11	ACCRINGTON STANLEY	3-1	Marshall, Whitfield, Thompson	7000		1		3	2				4	5	6		9	8		11	7				10	
13	25	Halifax Town	0-2		10000		1	3		2		6		4	5			9	8		11	7				10	
14	Dec 9	BRADFORD PARK AVE.	2-2	Cooper, Beel	7203		1	2				3		4	5	6		9	8		11	7				10	
15	23	Tranmere Rovers	3-2	Beel, Roberts, Whitfield	5000	1				2		3	4		5	6		9			11	7	8			10	
16	25	Bradford Park Avenue	0-1		15000	1			2			3	5	4		6		9			11	7	8			10	
17	26	ROCHDALE	4-0	Cooper 2, Whitfield, Leddy	9181	1				2		3	4		5	6		9	8		11	7				10	
18	30	DURHAM CITY	3-1	Beel, Cooper, Whitfield	6000	1				2		3	4		5	6		9	8		11	7				10	
19	Jan 1	TRANMERE ROVERS	5-0	Beel 2, Cooper 2, Whitfield	9204	1				2		3	4		5	6		9	8		11	7				10	
20	6	Durham City	1-1	Roberts	2000	1				2		3	4		5	6			8		11	7	8			10	
21	20	WIGAN BOROUGH	3-1	Beel 2, Marshall	8150	1				2		3		4	5	6		9	8		11	7				10	
22	27	Wigan Borough	0-1		9000	1				2		3		4	5	6		9	8		11	7				10	
23	Feb 3	SOUTHPORT	3-0	Leddy 2, Beel	8000	1				2		3		4	5	6		9	8		11	7				10	
24	10	Southport	2-0	Marshall, Whitfield	5000	1				2		3		4	5	6		9	8		11	7				10	
25	17	STALYBRIDGE CELTIC	1-0	Cooper	7738	1				2		3		4	5	6		9	8		11	7				10	
26	24	Stalybridge Celtic	2-0	Beel 2	2500		1			2		3		4	5	6	10	9	8		11	7					
27	Mar 3	NELSON	1-2	Leddy	14280	1				2		3		4	5	6	10	9	8		11	7					
28	10	Nelson	0-4		12000	1				2		3		4	5	6		9	8		11	7	10				
29	17	Lincoln City	0-0		7000	1			3	2				4	5	6		9			11	7	8	10			
30	21	HALIFAX TOWN	3-0	Roberts, Beel, Sharpe	6000	1			3	2				4	5	6		9			11		8	10			7
31	30	Rochdale	2-0	Marshall, Beel		1			3	2				4	5	6		9			11			8		10	7
32	31	Hartlepools United	0-5		2500	1			3	2				4	5	6		9			11			8		10	7
33	Apr 2	LINCOLN CITY	3-3	Sharpe, Whitfield, Beel	9082	1			3	2				4	5	6		9			11			8		10	7
34	7	HARTLEPOOLS UNITED	1-1	Beel	6000	1			3	2				4	5	6		9			11	7		8		10	
35	14	Darlington	1-4	Sharpe	4000	1			3	2				4	5	6		9			11	7		8		10	
36	21	DARLINGTON	0-0		5000	1			3	2				4	5	6		9				7	10		11	8	
37	28	Wrexham	1-3	Roberts	4000	1			3	2				4	5	6				7	11		8	10		9	
38	May 5	WREXHAM	2-1	Fisher, Sharpe	3000	1			3	2				4	5	6	9			7	11			8		10	
					Apps	32	6	2	15	36	23	20	5	21	36	32	3	35	26	2	37	32	6	11	1	33	4
					Goals							1			6	1		23	9	1	5	1	4	4		13	

Scorers in game 4: Beel 2, Cooper, Crowe, Whitfield, Miller.

F.A. Cup

#	Date	Opponent	Score	Scorers	Att	Hibberd CM	Jones DT	Bradbury G	Pedlar P	Saxby A	Whitworth JW	Crowe FR	Edwards W	Garratt J	Leddy H	Thompson O	Bailey WW	Beel GW	Cooper J	Fisher J	Marshall WE	Miller, Jimmy	Roberts CL	Sharp F	Sykes H	Whitfield N	Woodward TG
04	Nov 18	LINCOLN CITY	2-0	Whitfield, Beel	9867	1			2		3			4	5	6		9	8		11	7				10	
05	Dec 2	HIGHAM FERRIERS	4-4	Whitfield, Beel, Thompson, one og	7467	1	2	3						4	5	6		9	8		11	7				10	
rep	7	Higham Ferriers	1-0	Beel	5400	1	2				3			4	5	6		9	8		11	7				10	
06	Dec 16	Worksop Town	0-1		7373	1					2	3		4	5	6		9	8		11	7				10	

		P	W	D	L	F	A	W	D	L	F	A	Pts
1	Nelson	38	15	2	2	37	10	9	1	9	24	31	51
2	Bradford Park Ave.	38	14	4	1	51	15	5	5	9	16	23	47
3	Walsall	38	13	4	2	32	14	6	4	9	19	30	46
4	CHESTERFIELD	38	13	5	1	49	18	6	2	11	19	34	45
5	Wigan Borough	38	14	3	2	45	11	4	5	10	19	28	44
6	Crewe Alexandra	38	13	3	3	32	9	4	6	9	16	29	43
7	Halifax Town	38	11	4	4	29	14	6	3	10	24	32	41
8	Accrington Stanley	38	14	2	3	40	21	3	5	11	19	44	41
9	Darlington	38	13	3	3	43	14	2	7	10	16	32	40
10	Wrexham	38	13	5	1	29	12	1	5	13	9	36	38
11	Stalybridge Celtic	38	13	2	4	32	18	2	4	13	10	29	36
12	Rochdale	38	8	5	6	29	22	5	5	9	13	31	36
13	Lincoln City	38	9	7	3	21	11	4	3	12	18	44	36
14	Grimsby Town	38	10	3	6	35	18	4	2	13	20	34	33
15	Hartlepools United	38	10	6	3	34	14	0	6	13	14	40	32
16	Tranmere Rovers	38	11	4	4	41	21	1	4	14	8	38	32
17	Southport	38	11	3	5	21	12	1	4	14	11	34	31
18	Barrow	38	11	2	6	31	17	2	2	15	19	43	30
19	Ashington	38	10	3	6	34	33	1	5	13	17	44	30
20	Durham City	38	7	9	3	31	19	2	1	16	12	40	28

1923/24 3rd in Division 3(N)

#	Date	Opponent	Res	Scorers	Att	Birch A	Dennis W	Greatorex W	Potts JF	Saxby A	Bradley J	Edwards W	Hampson W	Mellon DJM	Thompson O	Tyler HE	Wass H	Crockford HA	Fisher J	Henshall HV	Ingham TW	Lane JW	McIntyre TA	Milner H	Oxley C	Sharp F	Shaw W	Whitfield N
1	Aug 25	WOLVERHAMPTON W.	0-0		12241	1			3	2	4		5		6				7	11		8				10	9	
2	29	New Brighton	0-0		4000	1			3	2	4		5		6				7	11		8				10	9	
3	Sep 1	Wolverhampton Wan.	1-2	Ingham	18000	1			3	2	4		5		6				7	11	9	8				10		
4	3	NEW BRIGHTON	1-0	Lane	8000	1			3	2	4		5		6				7	11	9	8				10		
5	8	DONCASTER ROVERS	2-1	Sharp, Fisher	10617	1			3	2	4		5		6				7	11	9	8				10		
6	15	Doncaster Rovers	2-0	Fisher, Lane	7029	1			3	2	4		5		6				7	11	9	8				10		
7	22	ROCHDALE	1-1	Fisher	9785	1			3	2	4		5		6				7	11	9	8				10		
8	29	Rochdale	0-3		7000	1			3	2	4		5		6				7	11	9	8				10		
9	Oct 6	SOUTHPORT	4-0	Sharp, Whitfield, Crockford, one og	6900	1			3	2		4	5		6			9	7	11						8		10
10	13	Southport	0-1		6000	1			3	2		4	5		6			9	7	11						8		10
11	20	BARROW	2-1	Crockford, Sharp	7316	1			3	2		4	5	6				9		11				7		8		10
12	27	Barrow	0-2		3700	1			3	2		4	5		6			9	7	11		8						10
13	Nov 3	Walsall	1-0	Whitfield	4000	1			3	2		4			6	5		9	7	11		8						10
14	10	WALSALL	7-0	Whitfield 4, Crockford 2, Lane	8000	1			3	2		4			6	5		9	7	11		8						10
15	17	Wrexham	0-0		5800	1			3	2		4			6	5		9	7	11		8						10
16	24	LINCOLN CITY	2-1	Whitfield, Henshall	7700	1			3	2		4			6	5		9	7	11		8						10
17	Dec 8	TRANMERE ROVERS	5-0	Henshall, Lane, Birch(p), Crockford, Whitfield	7000	1			3	2		4			6	5		9	7	11		8						10
18	22	BRADFORD PARK AVE.	2-3	Fisher, Lane	4122	1		2	3			4			6	5		9	7			8	11					10
19	25	ROTHERHAM COUNTY	3-1	Crockford 2, Fisher	8521	1		2	3			4			6	5		9	7			8	11					10
20	26	Rotherham County	2-1	Whitfield, Lane	14500	1		2	3			4			6	5		9	7			8	11					10
21	29	Darlington	1-2	Crockford	5675	1		2	3			4			6	5		9				8	11	7				10
22	Jan 1	WREXHAM	1-0	Lane	8614	1		2	3			4			6	5		9	7	11		8						10
23	5	DARLINGTON	5-1	Birch (p), Crockford 3, Whitfield	6280	1		2	3			4			6	5		9	7	11		8						10
24	12	Lincoln City	1-0	Henshall	6000	1		2	3			4			6	5		9	7	11		8						10
25	19	GRIMSBY TOWN	4-2	Fisher, Lane, Birch (p), Whitfield	7373	1		2	3			4			6	5		9	7	11		8						10
26	26	Grimsby Town	0-0		7000	1		2	3			4			6	5		9	7			8			11			10
27	Feb 6	Bradford Park Avenue	1-2	Lane	4000	1		2	3			4			6	5		9	7			8			11			10
28	9	Halifax Town	0-2		4000	1		2	3			4			6	5		9	7			8			11			10
29	16	HARTLEPOOLS UNITED	5-1	Crockford 2, Thompson, Lane, Whitfield	5909	1		2	3			4			6	5		9	7	11		8						10
30	23	Hartlepools United	3-2	Whitfield 2, Crockford	2800	1		2	3			4			6	5		9		11		8		7				10
31	Mar 1	ACCRINGTON STANLEY	3-0	Crockford, Fisher, Whitfield	5000	1	2		3			4			6	5		9	7	11		8						10
32	8	Accrington Stanley	0-2		5000	1	2		3			4			6	5		9	7	11		8						10
33	15	Crewe Alexandra	1-0	Whitfield	6000	1	2		3			4			6	5		9	7	11		8						10
34	22	CREWE ALEXANDRA	2-1	Fisher, Crockford	6000	1	2		3			4			6		5	9	7	11		8						10
35	26	HALIFAX TOWN	1-1	Lane	4000	1	2		3			4			6	5		9	7	11		8						10
36	29	Durham City	1-1	Whitfield	4000	1	2		3			4			6	5		9	7	11		8						10
37	Apr 5	Tranmere Rovers	0-0		6000	1	2		3			4			6	5		9	7	11		8						10
38	12	Wigan Borough	1-3	Whitfield	5000	1	2		3			4			6	5		9	7	11		8						10
39	18	DURHAM CITY	1-1	Birch (p)	7535	1	2		3			4			6	5		9	7	11		8						10
40	19	WIGAN BOROUGH	1-0	Birch (p)	6000	1	2		3			4			6	5				11	9	8		7				10
41	26	Ashington	1-1	Crockford	4000	1	2		3			4			6	5		11	7		9	8						10
42	May 3	ASHINGTON	2-0	Crockford 2	4000	1	2		3			4			6	5		9	7			8			11			10
		Apps				42	12	13	42	17	8	34	12	1	40	29	2	33	38	33	8	39	4	4	4	11	2	34
		Goals				5									1			19	8	3	1	11				3		18

One own goal

F.A. Cup

#	Date	Opponent	Res	Scorers	Att	Birch A	Dennis W	Greatorex W	Potts JF	Saxby A	Bradley J	Edwards W	Hampson W	Mellon DJM	Thompson O	Tyler HE	Wass H	Crockford HA	Fisher J	Henshall HV	Ingham TW	Lane JW	McIntyre TA	Milner H	Oxley C	Sharp F	Shaw W	Whitfield N
Q5	Dec 1	Worksop Town	2-0	Whitfield 2	6200	1			3	2		4			6	5		9	7	11		8						10
Q6	15	GRIMSBY TOWN	0-0		12176	1			3	2		4			6	5		9	7	11		8						10
rep	18	Grimsby Town	0-2		9000	1			3	2	6	4				5			7	11		8					9	10

		P	W	D	L	F	A	W	D	L	F	A	Pts
1	Wolverhampton Wan.	42	18	3	0	51	10	6	12	3	25	17	63
2	Rochdale	42	17	4	0	40	8	8	8	5	20	18	62
3	CHESTERFIELD	42	16	4	1	54	15	6	6	9	16	24	54
4	Rotherham County	42	16	3	2	46	13	7	3	11	24	30	52
5	Bradford Park Ave.	42	17	3	1	50	12	4	7	10	19	31	52
6	Darlington	42	16	5	0	51	19	4	3	14	19	34	48
7	Southport	42	13	7	1	30	10	3	7	11	14	32	46
8	Ashington	42	14	4	3	41	21	4	4	13	18	40	44
9	Doncaster Rovers	42	13	4	4	41	17	2	8	11	18	36	42
10	Wigan Borough	42	12	5	4	39	15	2	9	10	16	38	42
11	Grimsby Town	42	11	9	1	30	7	3	4	14	19	40	41
12	Tranmere Rovers	42	11	5	5	32	21	2	10	9	19	39	41
13	Accrington Stanley	42	12	5	4	35	21	4	3	14	13	40	40
14	Halifax Town	42	11	4	6	26	17	4	6	11	16	42	40
15	Durham City	42	12	5	4	40	23	3	4	14	19	37	39
16	Wrexham	42	8	11	2	24	12	2	7	12	13	32	38
17	Walsall	42	10	5	6	31	20	4	3	14	13	39	36
18	New Brighton	42	9	9	3	28	10	2	4	15	12	43	35
19	Lincoln City	42	8	8	5	29	22	2	4	15	19	37	32
20	Crewe Alexandra	42	6	7	8	20	24	1	6	14	12	34	27
21	Hartlepools United	42	5	7	9	22	24	2	4	15	11	46	25
22	Barrow	42	7	7	7	25	24	1	2	18	10	56	25

1924/25   7th in Division 3(N)

#	Date	Opponent	Res	Scorers	Att	Birch A	Dennis W	Potts JF	Saxby A	Whitworth JW	Abbott SW	Edwards W	Hodnett JE	Thompson O	Tyler HE	Wass H	Addenbrooke JE	Black JR	Crockford HA	Dye L	Fisher J	Hart JL	Hopkinson S	Hutchinson R	Lane JW	McCulloch MJ	Oxley C	Rumney J	Whitfield N
1	Aug 30	Ashington	1-2	Rumney	5000	1		3	2			4	5	6					10		7			11	8			9	
2	Sep 6	ACCRINGTON STANLEY	1-0	Rumney	8900	1		3	2			4	5	6					10		7			11	8			9	
3	8	WALSALL	1-0	Rumney	6580	1		3	2			4		6	5						7			11	8	10		9	
4	13	Halifax Town	0-1		7000	1		3	2			4		6	5						7			11	8	10		9	
5	17	Wrexham	0-0		7000	1	3		2			4		6	5			9			7			11	8				10
6	20	NEW BRIGHTON	3-0	Lane 2, Hodnett	9000	1	3		2			4	5	6				9			7			11	8				10
7	27	Grimsby Town	0-0		9000	1	3		2			4	5	6				9			7			11	8			10	
8	Oct 4	HARTLEPOOLS UNITED	4-0	Hutchinson, Rumney, Dennis (p), one og	9000	1	3		2		5	4		6				9			7			11	8			10	
9	11	Rochdale	1-2	Crockford	8000	1	3		2		5	4		6					9		7		11	10	8				
10	18	DARLINGTON	0-1		10000	1	3		2		5	4		6					9		7			11	8			10	
11	25	Southport	2-0	Crockford 2	5000	1	3		2		5	4		6				8	9		7			11	10				
12	Nov 1	DONCASTER ROVERS	2-1	Lane, Hopkinson	8000	1	3		2		5	4		6				8	9		7		11		10				
13	8	Durham City	1-1	Crockford	4000	1	3		2		5	4		6				8	9		7		11		10				
14	22	WIGAN BOROUGH	3-1	Abbott, Lane, Hopkinson	9000	1	3		2		5	4		6				8	9		7		11		10				
15	Dec 6	Tranmere Rovers	1-5	Crockford	5000	1	3		2		5	4		6				8	9		7		11		10				
16	20	Barrow	0-1		3400	1	3		2		5	4		6					9		7		11		8				10
17	25	Nelson	0-1		6000	1	3		2		5	4		6			7		9		8		11					10	
18	26	NELSON	0-1		9000	1	3		2		5	4		6			7		8				11		10			9	
19	27	ASHINGTON	1-1	Fisher	4000	1	3		2		5	4		10			6		9		7			11	8				
20	Jan 1	WREXHAM	3-0	Crockford, Edwards, Lane	4300	1	3		2		5	8	4	6					9		7				10		11		
21	3	Accrington Stanley	2-2	Oxley, Lane	5000	1	3	2			5	8	4				6		9		7				10		11		
22	10	CREWE ALEXANDRA	1-0	Crockford	4230	1	3	2			5	8	4				6		9		7				10		11		
23	17	HALIFAX TOWN	1-3	Crockford	4000	1	3	2			5	4		6					9		7				8	10	11		
24	24	New Brighton	1-2	Crockford	3000	1	3		2			4	5	6					9	10	7			8			11		
25	Feb 7	Hartlepools United	0-1		4443	1	3		2		5	4		6					9	10	7			8			11		
26	14	ROCHDALE	2-0	Dennis (p), Fisher	6000	1	3	2			5	4		6				8			7						11	9	10
27	21	Darlington	3-3	Fisher 2, Whitfield	5000	1	3		2		5	4		6			9				7						11		10
28	28	SOUTHPORT	1-2	Lane	7000	1	3		2		5	4		6					9		7				8		11		10
29	Mar 7	Doncaster Rovers	1-0	Whitfield	5000	1	3		2		5	4		6			9				7						11		10
30	11	LINCOLN CITY	2-0	Lane, Whitfield	5000	1	3		2		5	4		6			9				7				8		11		10
31	14	DURHAM CITY	6-0	*See below	5000	1	3		2		5	4		6			9	8			7		11						10
32	21	Crewe Alexandra	1-1	Dennis (p)	5000	1	3		2		5		4	6			9	8			7		11						10
33	28	Wigan Borough	0-0		6000	1	3		2		5		4	6			9	8					11				7		10
34	30	ROTHERHAM COUNTY	3-2	Whitfield 2, Hopkinson	2600	1	3		2				4	6			5	8	9				11				7		10
35	Apr 4	Walsall	0-0		3029	1	3		2		5			6			4	8	9				11				7		10
36	10	BRADFORD PARK AVE.	1-1	Addenbrooke	8000	1	3		2					6			5	8	4		7	9	11						10
37	11	TRANMERE ROVERS	4-1	Dennis (p), Hopkinson, Whitfield, Fisher	5149	1	3		2					6			5	8	4		7	9	11						10
38	13	Bradford Park Avenue	0-3		5000	1	3	5	2					6				8	4		7	9	11						10
39	14	GRIMSBY TOWN	2-0	Whitfield, Hart	4161	1	3	5	2					6				8	4		7	9	11						10
40	18	Lincoln City	1-3	Addenbrooke	5000	1	3	5	2					6			9	8	4		7		11						10
41	25	BARROW	1-1	Addenbrooke	4000	1	3		2	5				6			9	8	4		7		11						10
42	May 2	Rotherham County	3-1	Whitfield 2, Oxley	4000	1	3		2		5			6				4	9		7		11				8		10
Apps						42	38	11	37	1	27	31	12	38	3	14	15	19	19	3	39	4	21	13	26	3	15	11	20
Goals							6				1	1	1				4		9		5	1	5	1	8		2	4	11

Scorers in game 31: Whitfield 2, Dennis 2 (1p), Addenbrooke, Hopkinson

One own goal

F.A. Cup

#	Date	Opponent	Res	Scorers	Att	Birch A	Dennis W	Potts JF	Saxby A	Whitworth JW	Abbott SW	Edwards W	Hodnett JE	Thompson O	Tyler HE	Wass H	Addenbrooke JE	Black JR	Crockford HA	Dye L	Fisher J	Hart JL	Hopkinson S	Hutchinson R	Lane JW	McCulloch MJ	Oxley C	Rumney J	Whitfield N
Q5	Nov 29	Grimsby Town	2-1	Crockford 2	10000	1	3		2		5	4		6				8	9		7		11		10				
Q6	Dec 13	Accrington Stanley	0-1		4000	1	3		2		5	4		6				8	9		7		11		10				

		P	W	D	L	F	A	W	D	L	F	A	Pts
1	Darlington	42	16	4	1	50	14	8	6	7	28	19	58
2	Nelson	42	18	2	1	58	14	5	5	11	21	36	53
3	New Brighton	42	17	3	1	56	16	6	4	11	19	34	53
4	Southport	42	17	2	2	41	7	5	5	11	18	30	51
5	Bradford Park Ave.	42	15	5	1	59	13	4	7	10	25	29	50
6	Rochdale	42	17	2	2	53	16	4	5	12	22	37	49
7	CHESTERFIELD	42	14	3	4	42	15	3	8	10	18	29	45
8	Lincoln City	42	13	4	4	39	19	5	4	12	14	39	44
9	Halifax Town	42	11	5	5	36	22	5	6	10	20	30	43
10	Ashington	42	13	4	4	41	24	3	6	12	27	52	42
11	Wigan Borough	42	10	7	4	39	16	5	4	12	23	49	41
12	Grimsby Town	42	10	6	5	38	21	5	3	13	22	39	39
13	Durham City	42	11	6	4	38	17	2	7	12	12	51	39
14	Barrow	42	14	4	3	39	22	2	3	16	12	52	39
15	Crewe Alexandra	42	11	7	3	35	24	2	6	13	18	54	39
16	Wrexham	42	11	5	5	37	21	4	3	14	16	40	38
17	Accrington Stanley	42	12	5	4	43	23	3	3	15	17	49	38
18	Doncaster Rovers	42	12	5	4	36	17	2	5	14	18	48	38
19	Walsall	42	10	6	5	27	16	3	5	13	17	37	37
20	Hartlepools United	42	9	8	4	28	21	3	3	15	17	42	35
21	Tranmere Rovers	42	11	3	7	40	29	1	1	17	19	49	32
22	Rotherham County	42	6	5	10	27	31	1	2	18	15	57	21

1925/26 4th in Division 3(N)

#	Mon	Date	Opponent	Score	Scorers	Att	Bilcliff B	Birch A	Dennis W	Saxby A	Whitworth JW	Abbott SW	Black JR	Meads J	Thompson O	Wass H	Addenbrooke JE	Baker C	Cookson J	Fisher J	Hopkinson S	Moore J	Oxley B	Oxley C	Roseboom E	Smelt T	Whitfield N
1	Aug	29	HALIFAX TOWN	1-0	Whitfield	6907		1	3	2		5			4	6	9			7				11	8		10
2		31	Bradford Park Avenue	0-1		7853		1	3	2		5			4	6	9			7				11	8		10
3	Sep	5	Accrington Stanley	0-2		5322		1	3	2		5			4	6				7				11	8	9	10
4		7	BRADFORD PARK AVE.	1-1	Smelt	4174		1	3	2		5			4	6		8		7				11		9	10
5		12	DURHAM CITY	2-0	Whitfield, Fisher	5534		1	3	2		5			4	6	9			7				11	8		10
6		19	Hartlepools United	1-2	Addenbrooke	5708		1	3	2		5			4	6	9			7				11	8		10
7		21	Lincoln City	1-2	C Oxley	5126		1	3	2		5			4	6	9			7				11	8		10
8		26	ROCHDALE	1-2	Whitfield	5073		1	3			5			4	6	9	2		7				11	8		10
9	Oct	3	Tranmere Rovers	4-0	Cookson 3 (1p), Whitfield	7142		1	3	2		5			4	6			9	7				11	8		10
10		10	WALSALL	4-0	Roseboom, Whitfield, Fisher, Cookson	6153		1	3	2		5			4	6			9	7				11	8		10
11		17	CREWE ALEXANDRA	4-2	Whitfield, C Oxley, Cookson, Yates (og)	5535		1	3	2		5			4	6			9	7				11	8		10
12		24	New Brighton	2-1	Whitfield, Roseboom	4799		1	3	2		5			4	6				7				11	8	9	10
13		31	DONCASTER ROVERS	2-2	Fisher, Cookson	7154		1	3	2		5			4	6			9	7	11				8		10
14	Nov	7	Southport	3-1	Cookson 2, Whitfield	2310		1	3	2		5			4	6			9	7	11				8		10
15		14	BARROW	3-1	Abbott, Cookson (p), Roseboom	5309		1		2	3	5			4	6			9	7	11				8		10
16	Dec	5	Wrexham	1-1	Cookson	4220		1	3	2		5			4	6			9	7	11				8		10
17		19	Ashington	0-0		1646		1	3	2		5			4	6			9	7	11				8		10
18		25	Rotherham United	1-0	Cookson	10571		1	3	2		5			4	6			9	7	11				8		10
19		26	ROTHERHAM UNITED	6-1	Cookson 3, Whitfield 2, Hopkinson	9404		1	3	2		5			4	6			9	7	11				8		10
20	Jan	1	LINCOLN CITY	2-0	Roseboom 2	6181		1	3	2		5			4	6			9	7	11				8		10
21		2	Halifax Town	0-2		10940		1	3	2		5			4	6			9	7	11				8		10
22		16	ACCRINGTON STANLEY	7-2	Cookson 4, Fisher, Hopkinson, Whitfield	3160		1	3	2		5			4	6			9	7	11				8		10
23		23	Durham City	2-5	Cookson 2	1980		1	3		2	5			4	6			9	7	11				8		10
24		30	HARTLEPOOLS UNITED	5-2	Roseboom 2, Cookson 2 (1p), Fisher	4316	1		3	2		5			4	6			9	7	11				8		10
25	Feb	6	Rochdale	4-2	Cookson 2, Whitfield 2	8342		1	3	2		5			4	6			9	7	11				8		10
26		13	TRANMERE ROVERS	4-0	Whitfield 2, Roseboom, Fisher	6445		1	3	2		5			4	6			9	7	11				8		10
27		20	Walsall	1-3	Roseboom	3782		1	3	2		5			4	6			9	7	11				8		10
28		24	WIGAN BOROUGH	4-0	Fisher, Roseboom, Cookson, Hopkinson	3581		1	3	2		5			4	6			9	7	11				8		10
29		27	Crewe Alexandra	0-2		5591		1	3	2		5			4	6			9	7	11				8		10
30	Mar	6	NEW BRIGHTON	3-0	Cookson 2, Hopkinson	4873		1	3	2		5			4	6			9	7	11				8		10
31		13	Doncaster Rovers	0-3		7922		1	3	2		5			4	6			9	7	11				8		10
32		17	COVENTRY CITY	4-3	Cookson 2, Roseboom, Hopkinson	4206		1	3	2		5			4	6			9	7	11	10			8		
33		20	SOUTHPORT	3-0	Hopkinson, Roseboom, Cookson	5600		1	3	2		5			4	6			9	7	11	10			8		
34		27	Barrow	3-0	Cookson 2 (1p), Hopkinson	2821		1	3	2		5		7	4	6			9		11	10			8		
35	Apr	2	Grimsby Town	0-1		16086		1	3	2		5			4	6			9		11	10	7		8		
36		3	NELSON	3-1	Cookson, Whitfield, Roseboom	8743	1		3	2		5			4	6			9	7	11				8		10
37		5	GRIMSBY TOWN	2-0	Hopkinson, Whitfield	11867	1		3	2		5			4	6			9	7	11				8		10
38		10	Coventry City	4-2	Cookson 3, Moore	6002	1		3	2		5			4	6			9	7	11	10			8		
39		17	WREXHAM	3-1	Cookson 2, Hopkinson	3570	1		3	2		5	4			6			9	7	11	10			8		
40		20	Nelson	3-3	Cookson 2, Moore	3989	1		3	2		5			4	6			9	7	11	10			8		
41		24	Wigan Borough	0-2		3801	1		3	2		5			4	6			9	7	11	10			8		
42	May	1	ASHINGTON	6-1	Cookson 4, Hopkinson, Moore	2306		1	3	2			4	5		6			9	7	11	10			8		
			Apps				7	35	41	40	2	41	2	11	33	40	6	2	34	38	33	11	1	12	39	3	31
			Goals									1				1			44	7	10	3		2	13	1	17

One own goal

F.A. Cup

		Date	Opponent	Score	Scorers	Att	Bilcliff B	Birch A	Dennis W	Saxby A	Whitworth JW	Abbott SW	Black JR	Meads J	Thompson O	Wass H	Addenbrooke JE	Baker C	Cookson J	Fisher J	Hopkinson S	Moore J	Oxley B	Oxley C	Roseboom E	Smelt T	Whitfield N
R1	Nov	28	Wath Athletic	5-0	Cookson 2 (1p), Fisher, Roseboom, Whitfield	6000		1	3	2		5			4	6			9	7	11				8		10
R2	Dec	12	Woksop Town	2-1	Whitfield, Hopkinson	8171		1	3	2		5			4	6			9	7	11				8		10
R3	Jan	9	CLAPTON ORIENT	0-1		15752		1	3	2		5			4	6			9	7	11				8		10

	Team	P	W	D	L	F	A	W	D	L	F	A	Pts
1	Grimsby Town	42	20	1	0	61	8	6	8	7	30	32	61
2	Bradford Park Ave.	42	18	2	1	65	10	8	6	7	36	33	60
3	Rochdale	42	16	1	4	55	25	11	4	6	49	33	59
4	CHESTERFIELD	42	18	2	1	70	19	7	3	11	30	35	55
5	Halifax Town	42	12	5	4	34	19	5	6	10	19	31	45
6	Hartlepools United	42	15	5	1	59	23	3	3	15	23	50	44
7	Tranmere Rovers	42	15	2	4	45	27	4	4	13	28	56	44
8	Nelson	42	12	8	1	67	29	4	3	14	22	42	43
9	Ashington	42	11	6	4	44	23	5	5	11	26	39	43
10	Doncaster Rovers	42	11	7	3	52	25	5	4	12	28	47	43
11	Crewe Alexandra	42	14	4	3	44	23	3	6	12	20	38	43
12	New Brighton	42	13	4	4	51	29	4	4	13	18	38	42
13	Durham City	42	14	5	2	45	19	4	1	16	18	51	42
14	Rotherham United	42	13	5	3	44	28	4	4	13	25	64	41
15	Lincoln City	42	14	2	5	42	28	3	3	15	24	54	39
16	Coventry City	42	13	6	2	47	19	3	0	18	26	63	38
17	Wigan Borough	42	12	5	4	53	22	1	6	14	15	52	37
18	Accrington Stanley	42	14	0	7	49	34	3	3	15	32	71	37
19	Wrexham	42	9	6	6	39	31	2	4	15	24	61	32
20	Southport	42	9	6	6	37	34	2	4	15	25	58	32
21	Walsall	42	9	4	8	40	34	1	2	18	18	73	26
22	Barrow	42	4	2	15	28	49	3	2	16	22	49	18

#	Date	Opponent	Score	Scorers	Att	Bilcliff B	Birch A	Dennis W	Dimmick E	Gittins JH	Saxby A	Worthy A	Abbott SW	Cousins H	Jones JLM	Meads J	Thompson O	Wass H	Cookson J	Fisher J	Hopkinson S	Moore J	Nutter W	Oxley B	Ralphs BVH	Roberts Harry	Roseboom E	Whitfield N
1	Aug 28	Wrexham	1-3	Cookson	6946		1	3	2				5		4		6		9	7	11	10					8	
2	30	ACCRINGTON STANLEY	1-1	Abbott	5304		1	3	2				5		4		6		9	7	11	10					8	
3	Sep 4	WIGAN BOROUGH	5-2	Cookson 4 (1p), Roberts	5680		1	3	2				5				6	4	9	7	11	10				8		
4	11	Doncaster Rovers	3-0	Moore 2, Cookson	4001		1	3			2		5				6	4	9	7	11	10					8	
5	13	SOUTHPORT	5-1	Roseboom 3, Cookson 2	4783		1	3			2		5				6	4	9	7	11	10					8	
6	18	STOKE CITY	1-1	Cookson	9916		1	3			2		5				6	4	9	7	11	10					8	
7	25	Rotherham United	4-0	Moore, Abbott 2, Hopkinson	7510		1	3			2		5				6	4	9	7	11	10					8	
8	27	ASHINGTON	4-1	Fisher 2, Cookson, Whitfield	4623		1	3			2		5			4	6		9	7	11					8		10
9	Oct 2	BRADFORD PARK AVE.	3-2	Moore, Fisher, Cookson	8571		1	3			2		5		4		6		9	7	11	10					8	
10	9	Walsall	1-0	Cookson	6043		1	3				2	5				6		9	7	11	10			4		8	
11	16	TRANMERE ROVERS	3-1	Cookson 3 (2p)	7998		1	3			2		5				6		9	7	11	10			4		8	
12	23	Durham City	1-2	Cookson	2248		1	3			2		5				6		9	7	11	10			4		8	
13	30	LINCOLN CITY	4-2	Moore 2, Cookson, Ralphs	7206		1	3			2		5				6	4	9	7		10			11		8	
14	Nov 6	Halifax Town	1-3	Cookson	7089		1	3			2		5				6	4	9	7		10			11		8	
15	13	BARROW	8-1	Cookson 3(1p), Moore 3, Roseboom 2	4114		1	3			2		5				6	4	9	7		10			11		8	
16	20	Crewe Alexandra	0-0		4411		1	3			2		5				6	4	9	7		10			11		8	
17	Dec 4	Stockport County	0-4		7982		1	3			2						6	5	9	7	11	10			4		8	
18	18	Rochdale	1-8	Cookson	5768		1	3			2			4			5	6	9	7	11	8						10
19	25	NEW BRIGHTON	3-1	Ralphs, Cookson, Moore	7751		1	3			2		5				6	4	9		7				11	8	10	
20	27	New Brighton	0-1		8409		1	3			2		5				6	4	9		7				11	8	10	
21	Jan 1	Accrington Stanley	1-2	Ralphs	5114		1	3				2	5				6	4	9	7					11	8	10	
22	3	Ashington	1-2	Moore	4635		1	3			2		5				6	4		7		10			11	9	8	
23	15	WREXHAM	1-3	Roseboom	6060	1		3		2			5				6	4		7	11	10			9		8	
24	29	DONCASTER ROVERS	1-1	Moore	4728	1		3		2			5				6	4	9	7		10			11		8	
25	Feb 5	Stoke City	2-3	Fisher, Moore	9828	1		3		2			5				6	4	9	7		10			11		8	
26	12	ROTHERHAM UNITED	5-2	Cookson 2 (1p), Moore, Ralphs, Fisher	3892	1		3		2			5				6	4	9	7		10			11		8	
27	19	Bradford Park Avenue	0-5		11693	1		3		2			5				6	4	9	7		10			11		8	
28	26	WALSALL	2-0	Hopkinson, Cookson	5883	1		3		2			5				6	4	9	7	10	11					8	
29	Mar 5	Tranmere Rovers	2-3	Cookson 2	4686	1		3		2			5				6	4	9	7	10	8			11			
30	12	DURHAM CITY	7-1	Moore 3, Ralphs 2, Cookson, Wass	3961	1		3		2			5				6	4	9	7	10	8			11			
31	19	Lincoln City	1-3	Moore	5521	1		3		2			5		4		6		9	7	10	8			11			
32	26	HALIFAX TOWN	2-0	Cookson 2 (1p)	3607	1		3		2			5				6	4	9	7			11		10		8	
33	28	Wigan Borough	2-1	Cookson 2	3608	1		3			2		5				6	4	9	7			11		10		8	
34	Apr 2	Barrow	0-1		4850	1		3			2		5				6	4	9	7			11		10		8	
35	9	CREWE ALEXANDRA	3-0	Roseboom, Cookson, one og	2868	1		3			2		5				6	4	9	7					11	8	10	
36	15	NELSON	1-1	Cookson	12744	1		3				2	5				6	4	9	7					11	8	10	
37	16	Hartlepools United	2-1	Roberts, Roseboom	3122	1		3				2	5				6	4	9	7					11	8	10	
38	18	Nelson	1-0	Cookson 3	6699	1		3				2	5				6	4	9					7	11	8	10	
39	19	HARTLEPOOLS UNITED	1-0	Ralphs	4405	1		3				2	5				6	4	9					7	11	8	10	
40	23	STOCKPORT COUNTY	3-0	Cookson, Thompson, Roseboom	5292	1		3			2		5				6	4	9					7	11	8	10	
41	30	Southport	1-2	Cookson	3378	1		3			2		5				6	4	9	7					11	8	10	
42	May 7	ROCHDALE	2-3	Cookson, Hopkinson	4307	1		3				2	5				6	4	9	7	11					8	10	
Apps						20	22	42	3	10	22	7	40	1	4	1	42	34	40	37	22	30	3	3	32	12	33	2
Goals												3					1	1	41	5	3	18			7	2	9	1

One own goal

F.A. Cup

Rd	Date	Opponent	Score	Scorers	Att	Bilcliff B	Birch A	Dennis W	Dimmick E	Gittins JH	Saxby A	Worthy A	Abbott SW	Cousins H	Jones JLM	Meads J	Thompson O	Wass H	Cookson J	Fisher J	Hopkinson S	Moore J	Nutter W	Oxley B	Ralphs BVH	Roberts Harry	Roseboom E	Whitfield N
R1	Dec 1	MEXBOROUGH ATH.	2-1	Roseboom, Cookson	6753		1	3			2		5				6	4	9	7		10			11		8	
R2	11	Doncaster Rovers	1-0	Cookson			1	3			2				4		5	6	9	7		8			11			10
R3	Jan 8	Fulham	3-4	Roseboom 2, Ralphs	16573		1	3			2		5				6	4		7	11	10			9		8	

	P	W	D	L	F	A	W	D	L	F	A	Pts
1 Stoke City	42	17	3	1	57	11	10	6	5	35	29	63
2 Rochdale	42	18	2	1	72	22	8	4	9	33	43	58
3 Bradford Park Ave.	42	18	3	0	74	21	6	4	11	27	38	55
4 Halifax Town	42	13	6	2	46	23	8	5	8	24	30	53
5 Nelson	42	16	2	3	64	20	6	5	10	40	55	51
6 Stockport County	42	13	4	4	60	31	9	3	9	33	38	49
7 CHESTERFIELD	42	15	4	2	65	24	6	1	14	27	44	47
8 Doncaster Rovers	42	13	4	4	58	27	5	7	9	23	38	47
9 Tranmere Rovers	42	13	5	3	54	22	6	3	12	31	45	46
10 New Brighton	42	14	2	5	49	21	4	8	9	30	46	46
11 Lincoln City	42	9	5	7	50	33	6	7	8	40	45	42
12 Southport	42	11	5	5	54	32	4	4	13	26	53	39
13 Wrexham	42	10	5	6	41	26	4	5	12	24	47	38
14 Walsall	42	10	4	7	35	22	4	6	11	33	59	38
15 Crewe Alexandra	42	11	5	5	46	28	3	4	14	25	53	37
16 Ashington	42	9	8	4	42	30	3	4	14	18	60	36
17 Hartlepools United	42	11	4	6	43	26	3	2	16	23	55	34
18 Wigan Borough	42	10	6	5	44	28	1	4	16	22	55	32
19 Rotherham United	42	8	6	7	41	35	2	6	13	29	57	32
20 Durham City	42	9	4	8	35	35	3	2	16	23	70	30
21 Accrington Stanley	42	9	3	9	45	38	1	4	16	17	60	27
22 Barrow	42	5	6	10	22	40	2	2	17	12	77	22

1927/28   16th in Division 3(N)

#		Date	Opponent	Score	Scorers	Att	Bilcliff B	Thomson JY	Beeson GW	Betton A	Dennis W	Saxby A	Abbott SW	Cousins H	Elwood JH	Thompson O	Wass H	Whitworth E	Clayson WJ	Hall JG	Hooper C	Matthews F	Nutter W	Oxley B	Price FT	Roberts, Harry	Roseboom E	Stevenson WH	Tuckley WL	Turnbull WJ	Williams RS	Winfield W
1	Aug	27	WREXHAM	0-1		7164	1			3	2				5	6	4		8				10		11					7	9	
2		29	DURHAM CITY	4-2	Price 2, Clayson, Turnbull	3833	1			3	2				5	6	4		8						11	9	10			7		
3	Sep	3	Halifax Town	2-1	Turnbull 2	9464	1			3	2				5	6	4		8						11	9	10			7		
4		7	Durham City	0-2		1222	1			3	2				5	6	4		8						11	9	10			7		
5		10	Bradford Park Avenue	0-1		12816	1			3	2				5	6	4		8						11	9	10			7		
6		17	TRANMERE ROVERS	2-2	Clayson, Matthews	5681	1			3	2				5	6	4		9			8			11		10			7		
7		24	Stockport County	0-3		6252	1		3		2				5	6	4		9					8	11					7	10	
8	Oct	1	BARROW	6-0	Clayson 3, Williams 2, Price	2338	1		3		2				5	6	4		9					8	11					7	10	
9		8	Nelson	3-3	Clayson, Williams, Price	4659	1		3		2				5	6	4		9					8	11					7	10	
10		15	ROCHDALE	1-3	Oxley	5439	1		3		2				5	6	4		9					8	11					7	10	
11		22	DARLINGTON	1-3	Clayson	2899	1			3	2				5	6	4		8					7	11		10				9	
12		29	Ashington	0-0		2310	1			3	2	5			6	10	4		8					7	11						9	
13	Nov	5	CREWE ALEXANDRA	3-2	Roseboom, Elwood, Tuckley	3471	1			3	2	5			4	6			8					7	11		10		9			
14		12	Doncaster Rovers	0-4		8373	1			3	2	5			4	6			8					7	11		10		9			
15		19	WIGAN BOROUGH	0-0		2354	1	2		3		5			6	4			9					7	11						10	
16	Dec	3	HARTLEPOOLS UNITED	1-3	Roberts	2505	1	2		3		5			6	4			9	11				7		8	10					
17		10	Accrington Stanley	0-0		3771	1		3		2				8	6	4	5						7	11					9	10	
18		17	NEW BRIGHTON	2-3	Oxley, Elwood	1984	1		3		2				8	6	4	5			11			7						9	10	
19		24	Bradford City	3-3	Turnbull 2, Williams	7236	1		3		2			4	8	6		5						7	11					9	10	
20		26	Rotherham United	2-1	Price, Turnbull	6748	1		3		2			4	8	6		5						7	11					9	10	
21		27	ROTHERHAM UNITED	2-5	Turnbull, Oxley	5227	1		3		2			4	8	6		5						7	11					9	10	
22		31	Wrexham	2-1	Oxley, Williams	2399	1		3			2			8	6	4	5						7	11					9	10	
23	Jan	7	HALIFAX TOWN	3-0	Turnbull 2, Elwood	3437	1			3		2			8	6	4	5						7	11					9	10	
24		14	ACCRINGTON STANLEY	3-1	Williams, Price, Turnbull	3358	1			3	2				8	6	4	5						7	11					9	10	
25		21	BRADFORD PARK AVE.	0-0		6465	1			3	2				8	6	4						11	7						9	10	
26		28	Tranmere Rovers	3-6	Williams 2, Nutter	4162	1			3	2				8	6	4						11	7						9	10	
27	Feb	4	STOCKPORT COUNTY	1-1	Nutter	4768	1			3	2				8	6	4	5					11	7						9	10	
28		11	Barrow	0-2		3166	1			3	2				8	6	4	5					11	7						9	10	
29		18	NELSON	6-0	*See below	3804	1			3	2				8	6	4	5	9						11					7	10	
30		25	Rochdale	1-5	Williams	2602	1			3	2				8	6	4	5	9						11					7	10	
31	Mar	3	Darlington	2-4	Oxley, Nutter	6003	1		2	3					5	6	4		9			8	11	7						7	10	
32		10	ASHINGTON	3-0	Clayson, Oxley, Williams	2422	1		2	3					4	5		6	8				11	7						9	10	
33		17	Crewe Alexandra	1-4	Wass	4123	1		2	3					4	5	6				8		11	7						9	10	
34		24	DONCASTER ROVERS	1-0	Stevenson	4696	1		2		3				8	6	4	5					11	7			9				10	
35		31	Wigan Borough	2-3	Oxley, Williams	3299	1			3	2				8	6	4	5					11	7			9				10	
36	Apr	6	Southport	1-2	Williams	4369	1			3	2		6	5			4				8		11	7			10				9	
37		7	LINCOLN CITY	0-1		4770	1			3	2		6	5			4		8	10			7	11							9	
38		9	SOUTHPORT	5-2	Williams 2, Oxley 2, Clayson	3515	1		3			2			5	6	4		9				11	7			8				10	
39		11	Lincoln City	0-0		3650	1		3			2			5	6	4		9				11	7			8				10	
40		14	Hartlepools United	0-1		1314	1		3			2		4	5	6			9				11	7			8				10	
41		28	New Brighton	3-3	Turnbull, Nutter, Oxley	2702	1		2			3		4		6		5					11	7			8			9	10	
42	May	5	BRADFORD CITY	2-0	Roseboom 2	2152	1		2			3		4		6		5						7			8	10		9		11

Scorers in game 29: Wass 2(1p), Clayson 2, Elwood, Williams

	Bilcliff B	Thomson JY	Beeson GW	Betton A	Dennis W	Saxby A	Abbott SW	Cousins H	Elwood JH	Thompson O	Wass H	Whitworth E	Clayson WJ	Hall JG	Hooper C	Matthews F	Nutter W	Oxley B	Price FT	Roberts, Harry	Roseboom E	Stevenson WH	Tuckley WL	Turnbull WJ	Williams RS	Winfield W
Apps	20	22	11	21	32	18	9	11	38	34	37	17	22	2	3	2	14	33	25	5	18	3	4	29	31	1
Goals									4		3		11			1	4	10	6	1	3	1	1	11	15	

F.A. Cup

		Date	Opponent	Score	Scorers		Bilcliff B		Beeson GW	Betton A	Dennis W				Elwood JH	Thompson O	Wass H		Clayson WJ					Oxley B	Price FT		Roseboom E					Williams RS
R1		Nov 26	Darlington	1-4	Roseboom		1		3	2	5				6	4			10					7	11		8					9

		P	W	D	L	F	A	W	D	L	F	A	Pts
1	Bradford Park Ave.	42	18	2	1	68	22	9	7	5	33	23	63
2	Lincoln City	42	15	4	2	53	20	9	3	9	38	44	55
3	Stockport County	42	16	5	0	62	14	7	3	11	27	37	54
4	Doncaster Rovers	42	15	4	2	59	18	8	3	10	21	26	53
5	Tranmere Rovers	42	14	6	1	68	28	8	3	10	37	44	53
6	Bradford City	42	15	4	2	59	19	3	8	10	26	41	48
7	Darlington	42	15	1	5	63	28	6	4	11	26	46	47
8	Southport	42	15	2	4	55	24	5	3	13	24	46	45
9	Accrington Stanley	42	14	4	3	49	22	4	4	13	27	45	44
10	New Brighton	42	10	7	4	45	22	4	7	10	27	40	42
11	Wrexham	42	15	1	5	48	19	3	5	13	16	48	42
12	Halifax Town	42	11	7	3	47	24	2	8	11	26	47	41
13	Rochdale	42	13	4	4	45	24	4	3	14	29	53	41
14	Rotherham United	42	11	6	4	39	19	3	5	13	26	50	39
15	Hartlepools United	42	10	3	8	41	35	6	3	12	28	46	38
16	CHESTERFIELD	42	10	4	7	46	29	3	6	12	25	49	36
17	Crewe Alexandra	42	10	6	5	51	28	2	4	15	26	58	34
18	Ashington	42	10	5	6	54	36	1	6	14	23	67	33
19	Barrow	42	10	8	3	41	24	0	3	18	13	78	31
20	Wigan Borough	42	8	5	8	30	32	2	5	14	26	65	30
21	Durham City	42	10	5	6	37	30	1	2	18	16	70	29
22	Nelson	42	8	4	9	50	49	2	2	17	26	87	26

#	Date		Opponent	Score	Scorers	Att	Bilcliff B	Dolman HW	Peake G	Beeson GW	Betton A	Bicknell C	Cousins H	Fell G	Neale T	Tubb AE	Wass H	Bloxham A	Castle FR	Cowan W	Howe H	Keightley A	Lee J	Lee JW	Roseboom E	Taylor S	Woodhouse H	Yarwood HR
1	Aug	25	Wrexham	3-4	Roseboom, Bloxham, Cowan	5463	1			2		3		5	6		4	7		9					11	8	10	
2	Sep	1	STOCKPORT COUNTY	1-2	Roseboom (p)	6410	1			2		3		5	6		4	7					9	11	8	10		
3		8	BARROW	3-0	Roseboom, Taylor, Clarke (og)	5117	1			2		3		5	6		4	7					9	11	8	10		
4		10	New Brighton	3-2	J Lee, Taylor, Roseboom	3553	1			2		3		5	6		4	7					9	11	8	10		
5		15	Doncaster Rovers	0-2		7143	1			2		3	6	5			4	7					9	11	8	10		
6		22	ASHINGTON	4-1	Fell 2, Taylor, Yarwood	4978	1			2		3	6	5			4	7						11	8	10		9
7		29	South Shields	3-6	Taylor, JW Lee, Roseboom	4696	1			2		3	6	5			4	7	9					11	8	10		
8	Oct	6	NELSON	3-2	Roseboom 2 (1p), Castle	5247	1			2		3		5		6	4		9		7			11	8	10		
9		13	Darlington	2-2	Roseboom, Castle	4674	1			2		3		5	6		4		9		7			11	8	10		
10		20	Halifax Town	1-1	Taylor	5351			1	2		3		5	6		4		9		7			11	8	10		
11		27	LINCOLN CITY	1-1	JW Lee	3990			1	2		3		5	6		4		9		7			11	8	10		
12	Nov	3	Bradford City	1-6	Castle	17495	1			2		3		5	6		4		9		7			11	8	10		
13		10	ACCRINGTON STANLEY	4-1	Fell, Howe, Roseboom (p), Taylor	2897			1	2		3		5	6		4		9		7			11	8	10		
14		17	Hartlepools United	2-0	Robertson (og), Castle	2264			1	2		3		5	6		4		9		7			11	8	10		
15	Dec	1	Rotherham United	0-2		5795			1	2		3		5	6		4		9		7			11	8	10		
16		15	Crewe Alexandra	1-6	Neale	2868			1	2		3		5			4				7			11	8	10		9
17		22	TRANMERE ROVERS	4-1	JW Lee, Roseboom, Castle, Taylor	3027			1	2		3		5	6		4		9		7			11	8	10		
18		25	Southport	0-1		5367			1	2		3	6	5			4		9					11	8	10		7
19		26	SOUTHPORT	6-0	Taylor 4, JW Lee, Castle	6093			1	2		3	6	5			4		9		7			11	8	10		
20		29	WREXHAM	3-1	Taylor 2, Fell	5029	1			2		3		5	6		4		9		7			11		10		8
21	Jan	1	NEW BRIGHTON	0-2		6448	1			2		3		5	6		4		9		7			11		10		8
22		5	Stockport County	1-3	Keightley	9402	1			2		3		5	6		4				7	9		11		10		8
23		19	Barrow	2-1	Taylor, Yarwood	5703			1	2		3		5	6		4				7	9		11		10		8
24		26	DONCASTER ROVERS	0-1		5201			1	2		3		5	6		4				7	9		11		10		8
25	Feb	2	Ashington	2-0	JW Lee, Castle	1039			1	2		3		5	6		4		9		7			11	8	10		
26		9	SOUTH SHIELDS	3-2	Taylor, Castle, Roseboom	3258			1	2		3		5	6		4		9		7			11	8	10		
27		16	Nelson	0-1		2943	1			2		3		5	6		4		9		7			11	8	10		
28		23	DARLINGTON	2-1	Castle, Taylor	3007	1			2		3		5	6		4		9		7			11	8	10		
29	Mar	2	HALIFAX TOWN	3-2	JW Lee 2, Yarwood	3212	1			2		3		5	6		4		9		7			11	8			10
30		9	Lincoln City	0-1		5371	1			2		3		5	6		4		9		7			11		10		8
31		13	CARLISLE UNITED	1-2	JW Lee	2589	1			2		3		5	6		4		9		7			11		10		8
32		16	BRADFORD CITY	0-5		4811	1			2		3		5	6		4				7			11	8	10		9
33		23	Accrington Stanley	0-0		3507	1			2		3	2	6	5	9	4					7		11				8
34		29	ROCHDALE	2-1	Cowan 2	4730	1			2		3	2	6	5		4			9	7			11	8	10		
35		30	HARTLEPOOLS UNITED	4-1	Taylor 2, Cowan, JW Lee	3394	1			2		3	2		5	6	4			9	7			11	8	10		
36	Apr	1	Rochdale	1-2	Cowan	3329	1			2		3	2		5	6	4			9	7			11	8	10		
37		6	Carlisle United	2-1	Cowan, Taylor	6059	1			2		3	2	6	5		4			9	7			11	8	10		
38		8	WIGAN BOROUGH	0-0		2143	1			2		3	2	6	5		4			9	7			11	8	10		
39		13	ROTHERHAM UNITED	1-2	Taylor	2545	1			2		3	2	6	5		4			9	7			11	8	10		
40		20	Wigan Borough	1-5	Roseboom	3534	1			2		3	2	6	5		4		9		7			11	8	10		
41		27	CREWE ALEXANDRA	1-0	Roseboom	1972	1			2		3	2	10	5	6	4		9		7				8		11	
42	May	4	Tranmere Rovers	0-3		2072	1			2		3	2	6	5		4		9		7				8	10	11	

	Bilcliff B	Dolman HW	Peake G	Beeson GW	Betton A	Bicknell C	Cousins H	Fell G	Neale T	Tubb AE	Wass H	Bloxham A	Castle FR	Cowan W	Howe H	Keightley A	Lee J	Lee JW	Roseboom E	Taylor S	Woodhouse H	Yarwood HR
Apps	13	16	13	32	10	42	13	42	28	3	42	7	24	7	17	20	4	40	34	40	2	13
Goals							4	1				1	9	6	1	1	1	9	13	20		3

Two own goals

F.A. Cup

#	Date		Opponent	Score	Scorers	Att	Bilcliff B	Dolman HW	Peake G	Beeson GW	Betton A	Bicknell C	Cousins H	Fell G	Neale T	Tubb AE	Wass H	Bloxham A	Castle FR	Cowan W	Howe H	Keightley A	Lee J	Lee JW	Roseboom E	Taylor S	Woodhouse H	Yarwood HR
R1	Nov	24	ROCHDALE	3-2	Taylor, Roseboom(p), Neale	5214			1	2		3		5	6		4		9		7			11	8	10		
R2	Dec	8	Gainsborough Trinity	3-2	Roseboom, Yarwood, JW Lee	6300			1	2		3		5	6		4				7			11	8	10		9
R3	Jan	12	HUDDERSFIELD TOWN	1-7	Wadsworth (og)		1			2		3		5	6		4				7	9		11	8	10		

		P	W	D	L	F	A	W	D	L	F	A	Pts
1	Bradford City	42	17	2	2	82	18	10	7	4	46	25	63
2	Stockport County	42	19	2	0	77	23	9	4	8	34	35	62
3	Wrexham	42	17	2	2	59	25	4	8	9	32	44	52
4	Wigan Borough	42	16	4	1	55	16	5	5	11	27	33	51
5	Doncaster Rovers	42	14	3	4	39	20	6	7	8	37	46	50
6	Lincoln City	42	15	3	3	58	18	6	3	12	33	49	48
7	Tranmere Rovers	42	15	3	3	55	21	7	0	14	24	56	47
8	Carlisle United	42	15	3	3	61	27	4	5	12	25	50	46
9	Crewe Alexandra	42	11	6	4	47	23	7	2	12	33	45	44
10	South Shields	42	13	5	3	57	24	5	3	13	26	50	44
11	CHESTERFIELD	42	13	2	6	46	28	5	3	13	25	49	41
12	Southport	42	13	5	3	52	27	3	3	15	23	58	40
13	Halifax Town	42	11	7	3	42	24	2	6	13	21	38	39
14	New Brighton	42	11	3	7	40	28	4	6	11	24	43	39
15	Nelson	42	14	1	6	48	28	3	4	14	29	62	39
16	Rotherham United	42	12	5	4	44	23	3	4	14	16	54	39
17	Rochdale	42	12	4	5	55	34	1	6	14	24	62	36
18	Accrington Stanley	42	11	5	5	42	22	2	3	16	26	60	34
19	Darlington	42	12	6	3	47	26	1	1	19	17	62	33
20	Barrow	42	7	6	8	42	37	3	2	16	22	56	28
21	Hartlepools United	42	9	4	8	35	38	1	2	18	24	74	26
22	Ashington	42	6	5	10	31	52	2	2	17	14	63	23

30

1929/30 4th in Division 3(N)

No	Date	Opponent	Score	Scorers	Att	Dolman HW	Peake G	Bicknell C	Schofield H	Wass E	Clayton J	Cousins H	Duckworth R	Machent A	Wass H	Wightman H	Andrews H	Bullock J	Dennison R	Edmunds CT	Hunt GS	Jobe T	Lee JW	Parkin JT	Parle JJ	Taylor S	Taylor SJ	Thornewell G
1	Aug 31	SOUTH SHIELDS	1-2	Bullock	5404	1		3	2				6		4	5		9		8			11			10		7
2	Sep 3	Rochdale	1-2	Lee	5878	1		3	2				6		4	5		9	10				11	8				7
3	7	Accrington Stanley	0-3		6335		1	3	2				6		4	5		9	8				11			10		7
4	14	DARLINGTON	4-1	Bullock 3, S Taylor	6024		1	3	2				6		4	5		9	8				11			10		7
5	21	Hartlepools United	0-0		4925		1	3	2				6		4	5		9	8				11			10		7
6	23	TRANMERE ROVERS	1-0	Lee	4263		1	3	2				6		4	5		9	8				11			10		7
7	28	DONCASTER ROVERS	2-1	Dennison, Bullock	6701		1	3	2				6		4	5		9	8				11			10		7
8	Oct 5	York City	1-1	Bullock	4773		1	3	2				6		4	5		9	8				11			10		7
9	12	Lincoln City	1-2	Dennison	5612		1	3	2				6		4	5		9	10				11	8				7
10	19	CREWE ALEXANDRA	5-1	Bullock 3, Dennison, Thornewell	5317		1	3	2			6			4	5		9	10				11	8				7
11	26	Southport	1-5	Bullock	3136		1	3	2			6			4	5		9	10				11	8				7
12	Nov 2	NELSON	3-0	Bullock 2, Davison	3956		1	3	2				6		4	5		9	10				11	8				7
13	9	Carlisle United	0-6		7250	1		3	2				6		4	5		9	10				11	8				7
14	16	WIGAN BOROUGH	5-0	Bullock 3 (1p), Dennison, Parkin	3159	1		3	2				6		4	5		9	10				11	8				7
15	23	Wrexham	1-1	Wightman	4099	1		3	2				6		4	5		9	10		11			8				7
16	Dec 7	Port Vale	1-4	Dennison	5682	1		3	2				6		4	5		9	10				11			7	8	
17	21	Stockport County	0-1		8295	1		3	2				6		4	5		9	10				11				8	7
18	25	Rotherham United	1-1	S Taylor	5645	1		3	2				6		4	5		9	10				11				8	7
19	26	ROTHERHAM UNITED	2-1	Dennison, Bullock	8484	1		3	2				6		4	5		9	10				11	8	7			
20	28	South Shields	1-3	Bullock	2743	1			3	2			6		4	5		9	10				11	8	7			
21	Jan 1	ROCHDALE	2-0	Hunt, Bullock	5293	1			3	2			6		4	5		8			9		11			10		7
22	4	ACCRINGTON STANLEY	4-2	Bullock, Duckworth, SJ Taylor, H Wass	4831	1			3	2			6		4	5		9			8		11			10		7
23	18	Darlington	4-1	Bullock 3, S Taylor	4686	1			3		6	4			2			9	5				11			8	10	7
24	25	HARTLEPOOLS UNITED	2-0	Hunt, SJ Taylor	5888	1			3			4			2	5		9	6		8		11			7	10	
25	Feb 1	Doncaster Rovers	1-2	Bullock	6386	1		3	2				6		4	5		9					11		7	8	10	
26	8	YORK CITY	3-0	Bullock 2, Lee	4830	1		3	2		6	4			5			9	10				11				8	7
27	15	LINCOLN CITY	2-1	S Taylor 2	3932	1		3	2			4	6					9	5				11			10	8	7
28	22	Crewe Alexandra	1-2	Lee	3731	1		3	2			4	6			5		9	10				11				8	7
29	Mar 1	SOUTHPORT	2-0	Parle, Wyness (og)	3832	1		2	3			4	6			5		9	10						7	8		11
30	8	Nelson	2-0	Bullock, Hunt	3077	1		2	3			4	6			5		9	10		8		11		7			
31	12	BARROW	2-1	Bullock, SJ Taylor	1966	1		2	3			4	6			5		9		8		11			7		10	
32	15	CARLISLE UNITED	3-1	Hunt 2, SJ Taylor	1864	1		2				4	6		3		11	9	5		8				7		10	
33	22	Wigan Borough	1-2	Bullock	2710	1		2				4	6		3			9	5	8			11		7		10	
34	29	WREXHAM	5-0	Bullock 2, SJ Taylor, Thornewell, Lee	3892	1		2	3			4	6			5		9		8			11				10	7
35	Apr 5	Barrow	1-0	Lee	4448	1		3	2			4	6			5		9		8			11				10	7
36	7	NEW BRIGHTON	1-0	Bullock	2794	1		3	2				6	4		5		9		8			11				10	7
37	12	PORT VALE	1-1	Wightman	7450	1		3	2			4	6			5		9					11		7		10	11
38	18	HALIFAX TOWN	2-0	Hunt 2	5363	1		3	2			4	6			5		9	10		8		11					7
39	19	New Brighton	1-1	Hunt	3469	1		3	2			4	6			5				8	9		11			10		7
40	21	Halifax Town	2-3	Edmunds, Hunt	2942	1		3	2			4	6			5				8	9		11		7	10		
41	22	Tranmere Rovers	2-1	S Taylor, Lee	1768	1		3	2		4	5	6							8	9		11			10		7
42	26	STOCKPORT COUNTY	1-3	Lee	4519	1		3	2			4	6			5		9	10	8			11					7
		Apps				32	10	37	40	3	5	19	36	1	26	38	1	39	28	8	14	2	37	10	12	19	13	32
		Goals											1		1	2		31	7	1	9		8	1	1	6	5	2

One own goal

F.A. Cup

No	Date	Opponent	Score	Scorers	Att	Dolman HW	Peake G	Bicknell C	Schofield H	Wass E	Clayton J	Cousins H	Duckworth R	Machent A	Wass H	Wightman H	Andrews H	Bullock J	Dennison R	Edmunds CT	Hunt GS	Jobe T	Lee JW	Parkin JT	Parle JJ	Taylor S	Taylor SJ	Thornewell G
R1	Nov 30	Southport	0-0		4000	1		3	2				6		4	5		9					11			8	10	7
rep	Dec 4	SOUTHPORT	3-2	Lee, S Taylor, Holmes (og)	6660	1		3	2				6		4	5		9					11			8	10	7
R2	14	PORT VALE	2-0	S Taylor, Bullock	11740	1		3	2				6		4	5		9	10				11			8		7
R3	Jan 11	MIDDLESBROUGH	1-1	S Taylor	16554	1			3			4	6		2	5		9	10				11			8		7
rep	15	Middlesbrough	3-4	Lee 2, SJ Taylor	18793	1			3			4			2	5		9	6				11			8	10	7

		P	W	D	L	F	A	W	D	L	F	A	Pts
1	Port Vale	42	17	2	2	64	18	13	5	3	39	19	67
2	Stockport County	42	15	3	3	67	20	13	4	4	39	24	63
3	Darlington	42	14	2	5	71	29	8	4	9	37	44	50
4	CHESTERFIELD	42	18	1	2	53	15	4	5	12	23	41	50
5	Lincoln City	42	12	8	1	54	23	5	6	10	29	38	48
6	York City	42	11	7	3	43	20	4	9	8	34	44	46
7	South Shields	42	11	6	4	49	32	7	4	10	28	42	46
8	Hartlepools United	42	13	4	4	50	24	4	7	10	31	50	45
9	Southport	42	11	5	5	49	31	4	8	9	32	43	43
10	Rochdale	42	14	3	4	57	30	4	4	13	32	61	43
11	Crewe Alexandra	42	12	5	4	55	28	5	3	13	27	43	42
12	Tranmere Rovers	42	12	4	5	57	35	4	5	12	26	51	41
13	New Brighton	42	13	4	4	48	22	3	4	14	21	57	40
14	Doncaster Rovers	42	13	5	3	39	22	2	4	15	23	47	39
15	Carlisle United	42	13	4	4	63	34	3	3	15	27	67	39
16	Accrington Stanley	42	11	4	6	55	30	3	5	13	29	51	37
17	Wrexham	42	10	5	6	42	28	3	3	15	25	60	34
18	Wigan Borough	42	12	4	5	44	26	1	3	17	16	62	33
19	Nelson	42	9	4	8	31	25	4	3	14	20	55	33
20	Rotherham United	42	9	4	8	46	40	2	4	15	21	73	30
21	Halifax Town	42	7	7	7	27	26	3	1	17	17	53	28
22	Barrow	42	9	4	8	31	28	2	1	18	10	70	27

1930/31 — Champions of Division 3(N)

#	Date	Opponent	Res	Scorers	Att	Dolman HW	Bell AE	Schofield H	Wass H	Binks S	Cousins H	Duckworth R	Holmes J	Robb D	Abel SC	Andrews H	Baldwin W	Bell T	Bullock J	Lee JW	Pynegar AE	Taylor SJ	Tepper GSB	Thornewell G	Wallbanks F	Wilson GM
1	Aug 30	CARLISLE UNITED	2-1	Lee, Bullock	5524	1	2	3	5		4	6						8	9	11		10		7		
2	Sep 1	Rochdale	3-2	Lee 2, S Taylor	4384	1	2	3	5		4	6						8	9	11		10		7		
3	6	York City	2-2	Lee 2	5373	1	2	3			4	6		5				8	9	11		10		7		
4	8	CREWE ALEXANDRA	2-0	S Taylor, Harold Morris(og)	4838	1	2	3			4	6		5				8	9	11		10		7		
5	13	ROTHERHAM UNITED	2-1	Wallbanks 2	6777	1	2	3			5	6		4				8	9			10		7	11	
6	17	Crewe Alexandra	1-2	Thornewell	2486	1	2	3			4	6		5				8	9			10		7	11	
7	20	Hull City	1-3	Schofield (p)	7937	1	2	3			4	6		5					9			10		7	11	8
8	27	Barrow	3-0	Baldwin, T Bell, Thornewell	5969	1	2	3	5		4	6				11	9	8				10		7		
9	Oct 4	SOUTHPORT	2-1	S Taylor, Thornewell	5834	1		3	2	5	4	6				11	9	8				10		7		
10	11	Accrington Stanley	3-1	Schofield (p), Baldwin 2	4168	1		3	2	5	4	6					9	8		11		10		7		
11	18	DONCASTER ROVERS	2-1	T Bell, Lee	6485	1		3	2	5	4	6					9	8		11		10		7		
12	25	Lincoln City	1-1	Wallbanks	10840	1		3	2	5		6		4				8		11				7	9	10
13	Nov 1	STOCKPORT COUNTY	1-1	Pynegar	7177	1		3	2	5		6		4				8		11	10			7	9	
14	8	New Brighton	1-3	Wilson	3198	1		3	2	5	4	6						8		11	9			7		10
15	15	HALIFAX TOWN	7-0	T Bell 2, Lee, Pynegar 4	3991	1		3	2	5	4	10		6				8		11	9			7		
16	22	Darlington	1-5	Pynegar	2743	1		3	2	5	4	10		6				8		11	9			7		
17	Dec 6	Wigan Borough	5-1	Binks, Lee 2, T Bell, Thornewell	6589	1		3	2	9	4	6		5				8		11	10			7		
18	13	HARTLEPOOLS UNITED	3-0	Binks, Pynegar 2	4745	1		3	2	9	4	6		5				8		11	10			7		
19	20	Gateshead	3-3	T Bell 2, Binks	6405	1		3	2	9	4	6		5				8		11	10			7		
20	25	WREXHAM	4-0	Binks, Pynegar 3	7781	1		3	2	9	4	6		5				8		11	10			7		
21	26	Wrexham	1-2	Binks	11338	1		3	2	9	4	6		5				8		11	10			7		
22	27	Carlisle United	0-0		7361	1		3	2		4	6		5				8		11	9			7	10	
23	Jan 1	TRANMERE ROVERS	5-1	Pynegar 2, Lee 2, Robb	10087	1		3	2	9	4	6		5		7		8		11	10					
24	3	YORK CITY	3-1	Lee 2, T Bell	4760	1		3	2	9	4	6		5		7		8		11	10					
25	10	NELSON	2-1	Binks, T Bell	5296	1		3	2	9	4	6		5		7		8		11	10					
26	17	Rotherham United	1-0	Thornewell	9690	1		3	2	9	4	6		5				8		11	10			7		
27	24	HULL CITY	0-4		7708	1		3	2	9	4	6		5				8		11	10			7		
28	31	BARROW	3-1	T Bell 2, Pynegar	3216	1	2	3			4	10		5	6			8		11	9			7		
29	Feb 7	Southport	0-3		4539	1		3	2	9	4	6						8		11	10			7		
30	14	ACCRINGTON STANLEY	7-3	Binks 2, T Bell 4, Andrews	4514	1		3	2	9	4	6		5		11		8			10			7		
31	21	Doncaster Rovers	0-1		5937	1		3	2		4	6	9	5		7		8		11	10					
32	Mar 7	Stockport County	1-2	Abel	4337	1		3	2	11	4	6		5	9			8			10			7		
33	14	NEW BRIGHTON	1-0	Pynegar	4786	1		3	2		4	6		5	9			8		11	10			7		
34	21	Halifax Town	1-1	Duckworth	5312	1		3	2		4	6		5				8		11	10			7		
35	28	DARLINGTON	2-1	Pynegar, Abel	3591	1		3	2		4	6		5	9			8		11	10			7		
36	Apr 3	Tranmere Rovers	0-2		15715	1		3	2	9	4	6		5		11		8			10			7		
37	4	Nelson	5-0	Martin(og), Thornewell, T Bell 3	1827	1		3	2	10	4	6		5				8					11	7		
38	6	ROCHDALE	4-1	Pynegar 3, Binks	5089	1		3	2	10	4	6		5				8			9		11	7		
39	11	WIGAN BOROUGH	3-1	Pynegar, Binks, Duckworth	3759	1		3	2	10	4	6		5				8			9		11	7		
40	18	Hartlepools United	3-1	Pynegar, Holmes, Bell	1434	1		3	2	10	4	6	5					8		11	9			7		
41	22	LINCOLN CITY	3-2	Lee, Pynegar 2	20092	1		3	2	10	4	6		5				8		11	9			7		
42	25	GATESHEAD	8-1	*see below	5733	1		3	2	10	4	6		5				8		11	9			7		
		Apps				42	9	41	35	30	33	36	26	23	7	7	4	42	6	31	29	11	3	38	6	3
		Goals						3		11	2	1	1	2	1	3		20	1	15	26	3		7	3	1

Scorers in game 42: Pynager 3, Binks, Lee, Bell, Schofield (p), Thornewell

Two own goals

F.A. Cup

Rnd	Date	Opponent	Res	Scorers	Att	Dolman HW	Bell AE	Schofield H	Wass H	Binks S	Cousins H	Duckworth R	Holmes J	Robb D	Abel SC	Andrews H	Baldwin W	Bell T	Bullock J	Lee JW	Pynegar AE	Taylor SJ	Tepper GSB	Thornewell G	Wallbanks F	Wilson GM
R1	Nov 29	NOTTS COUNTY	1-2	Pynegar	13401	1		3	2	5	4	6						8		11	10			7		

Played at no. 9: F Mundy

	Team	P	W	D	L	F	A	W	D	L	F	A	Pts
1	CHESTERFIELD	42	19	1	1	66	22	7	5	9	36	35	58
2	Lincoln City	42	16	3	2	60	19	9	4	8	42	40	57
3	Wrexham	42	16	4	1	61	25	5	8	8	33	37	54
4	Tranmere Rovers	42	16	3	2	73	26	8	3	10	38	48	54
5	Southport	42	15	3	3	52	19	7	6	8	36	37	53
6	Hull City	42	12	7	2	64	20	8	3	10	35	55	50
7	Stockport County	42	15	5	1	54	19	5	4	12	23	42	49
8	Carlisle United	42	13	4	4	68	32	7	1	13	30	49	45
9	Gateshead	42	14	4	3	46	22	2	9	10	25	51	45
10	Wigan Borough	42	14	4	3	48	25	5	1	15	28	61	43
11	Darlington	42	9	6	6	44	30	7	4	10	27	29	42
12	York City	42	15	3	3	59	30	3	3	15	26	52	42
13	Accrington Stanley	42	14	2	5	51	31	1	7	13	33	77	39
14	Rotherham United	42	9	6	6	50	34	4	6	11	31	49	38
15	Doncaster Rovers	42	9	8	4	40	18	4	3	14	25	47	37
16	Barrow	42	13	4	4	45	23	2	3	16	23	66	37
17	Halifax Town	42	11	6	4	30	16	2	3	16	25	73	35
18	Crewe Alexandra	42	13	2	6	52	35	1	4	16	14	58	34
19	New Brighton	42	12	4	5	36	25	1	3	17	13	51	33
20	Hartlepools United	42	10	2	9	47	37	2	4	15	20	49	30
21	Rochdale	42	9	1	11	42	50	3	5	13	20	57	30
22	Nelson	42	6	7	8	28	40	0	0	21	15	73	19

Division 2 — Match-by-match results

#	Date	Opponent	Score	Scorers	Att
1	Aug 29	Stoke City	1-2	Binks	13404
2	31	PLYMOUTH ARGYLE	1-2	Pynegar	13471
3	Sep 5	CHARLTON ATHLETIC	3-2	Pynegar 2, Duckworth	7509
4	7	Burnley	2-2	Pynegar, Bell	9207
5	12	Wolverhampton Wan.	0-6		9805
6	19	BRADFORD PARK AVE.	3-2	Frith, Bell, Pynegar	11398
7	26	Manchester United	1-3	Jones (og)	10834
8	Oct 3	TOTTENHAM HOTSPUR	4-2	Pynegar 3, Thornewell	15192
9	10	Nottingham Forest	0-4		15570
10	17	Bristol City	1-1	Frith	8919
11	24	OLDHAM ATHLETIC	0-2		8870
12	31	Bury	1-0	Abel	7799
13	Nov 7	NOTTS COUNTY	1-4	Abel	10303
14	14	Millwall	0-5		14155
15	21	BRADFORD CITY	2-2	Lee, Abel	7737
16	28	Leeds United	3-3	Abel, Frith, Lee	13483
17	Dec 5	SWANSEA TOWN	1-2	Pynegar	7906
18	12	Barnsley	1-3	Abel	6455
19	19	PORT VALE	4-0	Abel, Austin, Ruddy, Pynegar	7966
20	25	SOUTHAMPTON	1-0	Ruddy	14508
21	26	Southampton	2-1	Abel 2	21856
22	Jan 1	BURNLEY	5-1	Ruddy, Abel 2, Lee 2	11839
23	2	STOKE CITY	1-3	Lee	10633
24	16	Charlton Athletic	0-0		7177
25	27	WOLVERHAMPTON W.	1-2	Abel	8348
26	30	Bradford Park Avenue	0-1		12007
27	Feb 6	MANCHESTER UNITED	1-3	Abel	9457
28	13	Tottenham Hotspur	3-3	Lee 2, Ruddy	21591
29	20	NOTTM. FOREST	1-0	Cochrane	9248
30	27	BRISTOL CITY	3-1	Lee 2, Austin (p)	8195
31	Mar 5	Oldham Athletic	1-6	Pynegar	6066
32	12	BURY	4-1	Abel 3, Pynegar	10255
33	19	Notts County	1-1	Austin	14507
34	25	Preston North End	2-2	Abel, Austin (p)	10167
35	26	MILLWALL	1-0	Pynegar	12676
36	28	PRESTON NORTH END	3-1	Austin, Ruddy 2	13502
37	Apr 2	Bradford City	0-3		13169
38	9	LEEDS UNITED	1-1	Lee	11992
39	16	Swansea Town	1-1	Abel (p)	6847
40	23	BARNSLEY	2-2	Abel 2	8928
41	30	Port Vale	1-2	Abel	4663
42	May 7	Plymouth Argyle	0-4		11556

Appearances grid (shirt numbers)

#	Ashmore GSA	Dolman HW	Bowman J	Hamilton HH	Kidd WE	Machent A	Schofield H	Wright R	Cousins H	Duckworth R	Froggatt F	Helliwell E	McIntyre JMcM	Seabrook E	Sliman AM	Wass H	Abel SC	Austin SW	Bell T	Binks S	Cochrane AF	Frith W	Jeavons WH	Lee JW	Pynegar AE	Ruddy T	Thornewell G
1		1		2				3		6	5					4			8	10	11				9		7
2		1		2				3		6	5					4			8	10	11				9		7
3		1		2				3		6	5					4			8	10	11				9		7
4		1		2				3		6				5		4			8	10	11				9		7
5		1		2				3		6				5		4			8	10	11				9		7
6		1		2				3		6						4			8	5	11	10			9		7
7		1		2				3		6						4			8	5	11	10			9		7
8	1			2				3	6							4			8	5	11	10			9		7
9	1			2				3	6							4			8	5	11	10			9		7
10	1			2				3	6							4				5	9	8		10	11		7
11	1			2				3	6							4				5	9	8		10	11		7
12	1			2			3			6						4	9		8	5	11			10			7
13	1			2			3			6						4	9		8	5	11			10			7
14	1			2			3			6						4	9		8	5	11			10	7		
15	1			2						6	5		4			3	9				11	8		10	7		
16		1		2						6	5		4			3	9				11	8		10	7		
17	1			2						6	5		4			3	9				11	8		10	7		
18	1			2						6	5		4			3	9	7			11			10	8		
19	1			2						6	5		4			3	9	7			11				8	10	
20	1			2						6	5		4			3	9	7			11			10	8		
21	1			2						6	5		4			3	9	7					10	11	8		
22	1			2					6		5		4			3	9	7			11			8		10	
23	1			2			3		6		5		4				9				11			10	8		7
24	1			3		2			6		5		4				9	7			11			10	8		
25	1			2			3		6		5		4				9	7			11				8	10	
26	1			2			3		6		5		4				9	7			11				8	10	
27	1			2			3				5	6	4				9	7			11			10	8		
28	1		3	2							5	6	4				9	7						11	8	10	
29	1		3	2							5	6	4				9	7			10			11	8		
30	1		3	2							5	6	4				9	7					10	11	8		
31	1			2		3						6	4		5		9	7						11	8	10	
32	1			2	3							6	4		5		9	7						11	8	10	
33	1			2	3							6	4		5		9	7						11	8	10	
34	1		3	2								6	4		5		9	7						11	8	10	
35	1		3	2								6	4		5		9	7						11	8	10	
36	1		3	2								6	4		5		9	7						11	8	10	
37	1			2	3							6	4		5		9	7						11	8	10	
38	1			2	3							6	4		5		9	7						11	8	10	
39	1		3	2								6	4		5		9	7						11	8	10	
40	1		3	2								6	4		5		9	7					10	11	8		
41	1		3	2								6	4		5		9	7						11	8	10	
42	1		3	2								6	4		5		9	7						11	8	10	
Apps	34	8	10	42	4	2	7	11	9	17	22	19	25	2	11	22	27	23	13	14	27	9	4	33	35	18	14
Goals										1							20	5	2	1	1	3		10	13	6	1

One own goal

F.A. Cup

Rd	Date	Opponent	Score	Scorers	Att	Ashmore GSA	Hamilton HH	Schofield H	McIntyre JMcM	Froggatt F	Helliwell E	Wass H	Abel SC	Austin SW	Cochrane AF	Lee JW	Pynegar AE	Ruddy T
R3	Jan 9	NOTTM. FOREST	5-2	Abel 2, Ruddy 2, Lee	21375	1	2		4	5	6	3	9	7		11	8	10
R4	23	LIVERPOOL	2-4	Ruddy, Abel	28393	1	2	3	4	5	6		9	7		11	8	10

Final League Table — Division 2

		P	W	D	L	F	A	W	D	L	F	A	Pts
1	Wolverhampton Wan.	42	17	3	1	71	11	7	5	9	44	38	56
2	Leeds United	42	12	5	4	36	22	10	5	6	42	32	54
3	Stoke City	42	14	6	1	47	19	5	8	8	22	29	52
4	Plymouth Argyle	42	14	4	3	69	29	6	5	10	31	37	49
5	Bury	42	13	4	4	44	21	8	3	10	26	37	49
6	Bradford Park Ave.	42	17	2	2	44	18	4	5	12	28	45	49
7	Bradford City	42	10	7	4	53	26	6	6	9	27	35	45
8	Tottenham Hotspur	42	11	6	4	58	37	5	5	11	29	41	43
9	Millwall	42	13	3	5	43	21	4	6	11	18	40	43
10	Charlton Athletic	42	11	5	5	38	28	6	4	11	23	38	43
11	Nottingham Forest	42	13	4	4	49	27	3	6	12	28	45	42
12	Manchester United	42	12	3	6	44	31	5	5	11	27	41	42
13	Preston North End	42	11	6	4	37	25	5	4	12	38	52	42
14	Southampton	42	10	5	6	39	30	7	2	12	27	47	41
15	Swansea Town	42	12	4	5	45	22	4	3	14	28	53	39
16	Notts County	42	10	4	7	43	30	3	8	10	32	45	38
17	CHESTERFIELD	42	11	3	7	43	33	2	8	11	21	53	37
18	Oldham Athletic	42	10	4	7	41	34	3	6	12	21	50	36
19	Burnley	42	7	8	6	36	36	6	1	14	23	51	35
20	Port Vale	42	8	4	9	30	33	5	3	13	28	56	33
21	Barnsley	42	8	7	6	35	30	4	2	15	20	61	33
22	Bristol City	42	4	7	10	22	37	2	4	15	17	41	23

#	Date		Opponent	Score	Scorers	Att	Ashmore GSA	Dolman HW	Bowman J	Gregg W	Hamilton HH	Kidd WE	Wass H	Froggatt F	Helliwell E	McIntyre JMcM	Poynton W	Sliman AM	Abel SC	Austin SW	Bacon A	Barks W	Beedall F	Cook C	Crosbie JA	Hill H	Lee JW	McCormick J	Malam A	Weaver RW	Wrigglesworth W
1	Aug	27	Burnley	1-1	Helliwell	8935	1				2		3		6	4		5	9	7	8					10	11				
2	Sep	3	BRADFORD CITY	1-2	Lee	11315	1		3				2		6	4		5	9	7	10					8	11				
3		5	Fulham	2-2	Abel 2	10976	1		3				2		6	4		5	9	7						8	10	11			
4		10	Swansea Town	0-3		10424	1		3				2		6	4		5	9	7				8			10	11			
5		17	NOTTS COUNTY	0-0		11049		1	3				2		6	4		5	9	11				8			10		7		
6		24	Port Vale	1-9	Abel	9950		1	3	2					6	4		5	9	7	8						10	11			
7	Oct	1	MILLWALL	1-0	Abel (p)	6933		1	3				2		6	4	8	5	9	7							10	11			
8		8	Southampton	1-2	Lee	9447		1	3				2		6	4		5	9					8			10	11	7		
9		15	BURY	1-3	Cook	9559		1	3				2		6	4		5	8	7				9			10	11			
10		22	Bradford Park Avenue	1-5	Cook	9748	1		3				2		6		4	5	9	10				8				11	7		
11		29	PLYMOUTH ARGYLE	1-1	Abel	6224	1					3	2			4	6	5	9					8	10				7		11
12	Nov	5	Nottingham Forest	3-2	Sliman, Bacon, Abel	10439	1					3	2			4	6	5	9					8	10				7		11
13		12	PRESTON NORTH END	4-3	Abel 2, McCormick, Sliman	9772	1					3	2			4	6	5	9					8	10				7		11
14		19	Tottenham Hotspur	1-4	Abel	24584	1					3	2			4	6	5	9					8	10				7		11
15		26	MANCHESTER UNITED	1-1	Wigglesworth	10277	1		2				3			4	6	5	9					8	10				7		11
16	Dec	3	Stoke City	1-2	McCormick	12257	1		2				3			4	6	5	9					8	10				7		11
17		10	GRIMSBY TOWN	1-2	Malam	8138	1					3	2			4	6	5	9									7	10		11
18		17	Oldham Athletic	0-2		4280	1					3	2			4	6	5						7	9	10			8		11
19		24	CHARLTON ATHLETIC	2-3	Bacon, Malam	7644	1					3	2			4	6	5	9	7	10							8		11
20		26	Lincoln City	3-5	Cook, Abel 2	9314	1		2				3		4	6		5	8	7	10			9				11			
21		27	LINCOLN CITY	3-0	Cook 2, Bacon	12792	1		2				3			6		5			10			9				11	7	8	
22		31	BURNLEY	6-0	Cook 3, Bacon 2, Lee	8403	1		2				3			6		5			10			7				11		8	
23	Jan	2	FULHAM	3-2	Sliman, Malam, Cook	11390	1		2				3			6		5			7			10				11	8		
24		7	Bradford City	2-4	Lee, Malam	14271	1		2				3			6		5			7			10				11	8		
25		21	SWANSEA TOWN	1-0	Lee	9647	1						3	2		6		5	8	7	10			9				11			
26	Feb	1	Notts County	1-1	Lee	4799	1						3	2		6		5	8	7	10			9				11			
27		4	PORT VALE	2-2	Bacon, Austin	11748	1						3	2		6		5	8	7	10			9				11			
28		11	Millwall	0-0		13368	1						3	2		6		5	8	7	10			9				11			
29		22	SOUTHAMPTON	1-0	Abel (p)	5134	1						3	2		6		5	9		10							11	7	8	
30		25	Bury	0-6		3141	1						3	2	5	6			9		10							11	7	8	
31	Mar	4	BRADFORD PARK AVE.	2-1	Cook, Abel	8280	1						3	2			4	6	5	8	10			9				11	7		
32		11	Plymouth Argyle	0-1		16893	1						3	2			4	6	5	9	10							11	7	8	
33		18	NOTTM. FOREST	0-1		12216	1				2		3			5					7			10				11		8	9
34		25	Preston North End	0-2		10245	1		3		2				5				10	7										8	9	11
35	Apr	1	TOTTENHAM HOTSPUR	1-1	Hill	10631	1					2	3	4		6		5	9							10			8	7	11
36		8	Manchester United	1-2	Malam	16031	1					2	3			6		5	9			4					10	11	8	7	
37		14	WEST HAM UNITED	1-0	Abel	11974	1					2	3			6		5	9			4					10	11	8	7	
38		15	STOKE CITY	1-2	Abel	11904	1		3			2				6		5	9	7		4					10	11	8		
39		17	West Ham United	1-3	Hill	18394	1					2	3		4	6		5	8	7					9	10	11				
40		22	Grimsby Town	1-1	Abel	7351	1					2	3		6			5	9		10	4					11		8	7	
41		29	OLDHAM ATHLETIC	3-1	Abel, Lee, Weaver	4058	1					2	3	4			6	5	9		10						11		8	7	
42	May	6	Charlton Athletic	5-2	Malam 4, Weaver	5419	1					2	3	4			6	5	9		10						11		8	7	
			Apps				37	5	19	1	10	30	30	1	32	33	12	39	36	22	30	7	7	13	3	11	31	15	19	8	11
			Goals										1					3	17	1	6			10		2	7	2	9	2	1

F.A. Cup

	Date		Opponent	Score	Scorers	Att	Ashmore GSA	Wass H	Froggatt F	Helliwell E	McIntyre JMcM	Poynton W	Sliman AM	Abel SC	Austin SW	Bacon A	Cook C	Lee JW
R3	Jan	14	Sheffield Wednesday	2-2	Lee, Cook	30178	1	3	2		4	6	5	8	7	10	9	11
rep		18	SHEFFIELD WEDNESDAY	4-2	Cook, Abel, Lee, Bacon	19652	1	3	2		4	6	5	8	7	10	9	11
R4	Feb	28	Darlington	2-0	Austin, Lee	12455	1	3	2	6	4		5	8	7	10	9	11
R5		18	Burnley	0-1		31699	1	3	2	6	4		5	8	7	10	9	11

		P	W	D	L	F	A	W	D	L	F	A	Pts
1	Stoke City	42	13	3	5	40	15	12	3	6	38	24	56
2	Tottenham Hotspur	42	14	7	0	58	19	6	8	7	38	32	55
3	Fulham	42	12	5	4	46	31	8	5	8	32	34	50
4	Bury	42	13	7	1	55	23	7	2	12	29	36	49
5	Nottingham Forest	42	9	8	4	37	28	8	7	6	30	31	49
6	Manchester United	42	11	5	5	40	24	4	8	9	31	44	43
7	Millwall	42	11	7	3	40	20	5	4	12	19	37	43
8	Bradford Park Ave.	42	13	4	4	51	27	4	4	13	26	44	42
9	Preston North End	42	12	2	7	53	36	4	8	9	21	34	42
10	Swansea Town	42	17	0	4	36	12	2	4	15	14	42	42
11	Bradford City	42	10	6	5	43	24	4	7	10	22	37	41
12	Southampton	42	15	3	3	48	22	3	2	16	18	44	41
13	Grimsby Town	42	8	10	3	49	34	6	3	12	30	50	41
14	Plymouth Argyle	42	13	4	4	45	22	3	5	13	18	45	41
15	Notts County	42	10	4	7	41	31	5	6	10	26	47	40
16	Oldham Athletic	42	10	4	7	38	31	5	4	12	29	49	38
17	Port Vale	42	12	3	6	49	27	2	7	12	17	52	38
18	Lincoln City	42	11	6	4	46	28	1	7	13	26	59	37
19	Burnley	42	8	9	4	35	20	3	5	13	32	59	36
20	West Ham United	42	12	6	3	56	31	1	3	17	19	62	35
21	CHESTERFIELD	42	10	5	6	36	25	2	5	14	25	59	34
22	Charlton Athletic	42	9	3	9	35	35	3	4	14	25	56	31

1933/34 2nd in Division 3(N)

Player columns (left to right): Moody J, Hamilton HH, Kidd WE, Forrest A, Froggatt F, Poynton W, Sliman AM, Wass H, Bedford H, Brown HS, Clifton H, Cook C, Hales H, Hughes A, Malam A, Robinson TE, Weaver RW, Wrigglesworth W

#	Date	Opponent	Score	Scorers	Att	Moody	Hamilton	Kidd	Forrest	Froggatt	Poynton	Sliman	Wass	Bedford	Brown	Clifton	Cook	Hales	Hughes	Malam	Robinson	Weaver	Wrigglesworth
1	Aug 26	GATESHEAD	6-2	Cook 3, Bedford 3	8771	1	2	3	6			5	4	10			9		11	7	8		
2	30	Wrexham	3-2	Cook, Hales, Hughes	9930	1	2	3	6			5	4	10			9	11	7	8			
3	Sep 2	Accrington Stanley	0-1		4867	1	2	3	6			5	4	10			9	11	7	8			
4	6	WREXHAM	4-0	Malam 2, Cook, Wrigglesworth	8561	1	2	3	6			5	4	10			9		7	8			11
5	9	HALIFAX TOWN	4-2	Cook 3, Bedford	10884	1	2	3	6			5	4	10			9		7	8			11
6	16	ROCHDALE	3-0	Cook 2, Bedford (p)	9969	1	2	3	6			5	4	10			9	11	7	8			
7	23	Tranmere Rovers	1-0	Cook	7541	1	2	3	6			5	4	10			9	11	7	8			
8	30	BARNSLEY	3-0	Malam, Hales, Bedford	20592	1	2	3	6			5	4	10			9	11	7	8			
9	Oct 2	Mansfield Town	3-0	Bedford 2, Malam	14184	1	2	3	6			5	4	10			9		7	8			11
10	14	HARTLEPOOLS UNITED	3-1	Cook, Hughes, Hales	12341	1	2	3	6			5	4				9	11	7	8	10		
11	21	Crewe Alexandra	2-1	Hales 2	5959	1	2	3	6			5	4				9	11	7	8	10		
12	28	NEW BRIGHTON	4-0	Hughes 2, Forrest, Malam	8866	1	2	3	6			5	4				9	11	7	8	10		
13	Nov 4	Rotherham United	3-1	Cook 2, Malam	13732	1	2	3	6			5	4				9	11	7	8	10		
14	11	WALSALL	1-2	Malam	12177	1	2	3	6			5	4				9	11	7	8	10		
15	18	York City	2-1	Malam 2	6103	1	2	3	6			5	4	10			9	11	7	8			
16	Dec 2	Doncaster Rovers	3-1	Cook, Bedford (p), Hales	11446	1	2	3	6			5	4	10			9	11	7	8			
17	13	BARROW	2-1	Malam 2	3709	1	2	3	6			5	4	10			9	11	7	8			
18	16	Carlisle United	1-1	Cook	4393	1	2	3	6			5	4	10			9	11	7	8			
19	23	STOCKPORT COUNTY	1-0	Cook	12544	1	2	3	6			5	4	10			9	11	7	8			
20	25	DARLINGTON	0-1		13309	1	2	3	6	5			4	10			9	11	7	8			
21	26	Darlington	1-1	Cook	5136	1	2	3	6	5			4				9	11	7	8	10		
22	30	Gateshead	1-2	Hughes	5394	1	2	3	6	5			4	10			9	11	7	8			
23	Jan 1	CHESTER	6-1	Cook 2, Hales 2, Bedford, Robinson	10957	1	2	3	6	5			4	8			9	11			10	7	
24	6	ACCRINGTON STANLEY	1-0	Cook	8213	1	2	3	6	5			4	8			9	11			10	7	
25	20	Halifax Town	0-5		10237	1	2	3	6			5	4				9	11	7	8	10		
26	27	Rochdale	1-0	Cook	4151	1	2	3	6			5	4	10			9		7	8			11
27	Feb 3	TRANMERE ROVERS	1-0	Malam	10772	1	2	3	6			5	4		10		9		7	8			11
28	10	Barnsley	2-3	Cook, Robinson	23960	1	2	3	6			5	4		10		9		7		8		11
29	12	MANSFIELD TOWN	3-2	Robinson, Clifton, Hales	12298	1	2	3	6			5	4		8	10		11	7		9		
30	24	Hartlepools United	3-0	Hughes 2, Robinson	5739	1	2	3	6			5	4		8		9	11	7		10		
31	Mar 3	CREWE ALEXANDRA	3-2	Sliman, Cook, Robinson	9108	1	2	3	6			5	4		8		9	11	7		10		
32	10	New Brighton	0-0		4958	1	2	3			6	5	4	8			9	11	7		10		
33	12	ROTHERHAM UNITED	2-1	Bedford, Hamilton (p)	8784	1	2	3			6	5	4	9	8			11	7		10		
34	24	Walsall	2-2	Hughes, Bedford	10932	1	2	3	6			5	4	10			9	11	7	8			
35	30	SOUTHPORT	2-1	Cook 2	12885	1	2	3	6			5	4				9	11		8	10	7	
36	31	YORK CITY	2-0	Cook, H Brown	10163	1	2	3	6			5	4		7		9	11		8	10		
37	Apr 2	Southport	0-0		9051	1	2	3	6			5	4		7		9			8	10		11
38	7	Chester	2-3	Wrigglesworth, Cook	5632	1	2	3	6			5	4				9		7	8	10		11
39	14	DONCASTER ROVERS	1-1	Hamilton (p)	10801	1	2	3	6			5	4	10			9		7	8			11
40	21	Barrow	0-2		8096	1	2	3	6			5	4	10	8			11	7		9		
41	28	CARLISLE UNITED	4-0	Malam 2, Robinson 2	6351	1	2	3	6			5	4	10	7			11		8	9		
42	May 5	Stockport County	0-0		21309	1	2	3	6			5	4	8	7			11		10	9		
		Apps				42	42	42	40	5	2	37	42	25	12	1	37	33	35	33	22	3	9
		Goals					2		1			1		12	1	1	28	10	7	14	7		2

F.A. Cup

Rd	Date	Opponent	Score	Scorers	Att	Moody	Hamilton	Kidd	Forrest	Froggatt	Poynton	Sliman	Wass	Bedford	Brown	Clifton	Cook	Hales	Hughes	Malam	Robinson	Weaver	Wrigglesworth
R3	Jan 13	ASTON VILLA	2-2	Hughes, Cook	23878	1	2	3	6			5	4				9	11	7	8	10		
rep	17	Aston Villa	0-2			1	2	3	6			5	4				9	11	7	8	10		

Third Division North Cup

Rd	Date	Opponent	Score	Scorers	Att	Moody	Hamilton	Kidd	Forrest	Froggatt	Poynton	Sliman	Wass	Bedford	Brown	Clifton	Cook	Hales	Hughes	Malam	Robinson	Weaver	Wrigglesworth
R1	Oct 25	DONCASTER ROVERS	3-2	Robinson, Malam, Hales	2703	1	2	3	6			5	4				9	11	7	8	10		
R2	Feb 14	ROTHERHAM UNITED	4-1	Robinson 3, Hales	2055	1	2	3				5	6	4	8		10	11	7		9		
R3	Mar 21	Mansfield Town	1-4	Clifton	3500	1	2	3				5	6		8					9	7	11	

Played in game 3: W Barks (at 10), F Beedall (at 4).

Pos	Team	P	W	D	L	F	A	W	D	L	F	A	Pts
1	Barnsley	42	18	3	0	64	18	9	5	7	54	43	62
2	CHESTERFIELD	42	18	1	2	56	17	9	6	6	30	26	61
3	Stockport County	42	18	3	0	84	23	6	8	7	31	29	59
4	Walsall	42	18	2	1	66	18	5	5	11	31	42	53
5	Doncaster Rovers	42	17	1	3	58	24	5	8	8	25	37	53
6	Wrexham	42	14	1	6	68	35	9	4	8	34	38	51
7	Tranmere Rovers	42	16	2	3	57	21	4	5	12	27	42	47
8	Barrow	42	12	5	4	78	45	7	4	10	38	49	47
9	Halifax Town	42	15	2	4	57	30	5	2	14	23	61	44
10	Chester	42	11	6	4	59	26	6	0	15	30	60	40
11	Hartlepools United	42	14	3	4	54	24	2	4	15	35	69	39
12	York City	42	11	5	5	44	28	4	3	14	27	46	38
13	Carlisle United	42	11	6	4	43	23	4	2	15	23	58	38
14	Crewe Alexandra	42	12	3	6	54	38	3	3	15	27	59	36
15	New Brighton	42	13	3	5	41	25	1	5	15	21	62	36
16	Darlington	42	11	4	6	47	35	2	5	14	23	66	35
17	Mansfield Town	42	9	7	5	49	29	2	5	14	32	59	34
18	Southport	42	6	11	4	35	29	2	6	13	28	61	33
19	Gateshead	42	10	3	8	46	40	2	6	13	30	70	33
20	Accrington Stanley	42	10	6	5	44	38	3	1	17	21	63	33
21	Rotherham United	42	5	7	9	31	35	5	1	15	22	56	28
22	Rochdale	42	7	5	9	34	30	2	1	18	19	73	24

#	Date	Opponent	Score	Scorers	Att	Moody J	Strong GJ	Ellison I	Hamilton HH	Kidd WE	Ordish CS	Askew W	Dawson A	Hardy JH	Howshall JH	Sliman AM	Wass H	Bottrill WG	Brown A	Brown AR	Brown HS	Callender J	Clifton H	Forrest A	Hales H	Haywood G	Hughes A	Lovett AW	Malam A	Rowe L	Turner H	Wrigglesworth W
1	Aug 25	Rotherham United	2-2	Malam, Sliman	8041	1			2	3					6	5	4				8				11	9	7		10			
2	27	TRANMERE ROVERS	0-2		7560	1			2	3					6	5	4				8				11	9	7		10			
3	Sep 1	WALSALL	2-0	H Brown, Malam	6257	1			2	3					6	5	4				8					9			10		7	11
4	3	Tranmere Rovers	1-2	Wrigglesworth	8092	1			2	3					6	5	4				10					9			8		7	11
5	8	Crewe Alexandra	0-1		4567	1			2	3					6	5	4				8					9			10		7	11
6	15	Mansfield Town	0-1		8424	1			2	3					6	5	4				10	7				9			8			11
7	22	BARROW	3-0	Rowe, Wrigglesworth, Turner	3214	1			2	3			8		6	5	4				10									7	9	11
8	29	Carlisle United	1-3	Turner	3960	1			2	3			8		6	5	4				10										9	11
9	Oct 6	ROCHDALE	2-0	H Brown, Turner	4413	1			2	3					6	5	4			10	8	7									9	11
10	13	Lincoln City	0-2		6436	1			2	3		5			6		4	8			10				7							11
11	20	HARTLEPOOLS UNITED	4-0	H Brown 2, Bottrill, AR Brown	4915	1			2	3					6	5	4	8		9	10				7							11
12	27	Doncaster Rovers	2-0	Bottrill, Hamilton (p)	10947	1			2	3					6	5	4	8		9	10				11							7
13	Nov 3	SOUTHPORT	3-3	H Brown, Hales, AR Brown	5587	1			2	3					6	5	4			9	8				11	10						7
14	10	Chester	1-1	Wrigglesworth	6230		1		2	3		5			6		4	8		9	10				11							7
15	17	NEW BRIGHTON	1-0	H Brown	4649		1		2	3					6	5	4	8		9	10				11							7
16	Dec 1	DARLINGTON	2-2	Sliman, Callender	4989		1		2	3					6	5	4	8		9	10	7										11
17	8	Accrington Stanley	0-1		2607		1		2	3					6	5	4	8		9	10				11							7
18	15	GATESHEAD	3-1	Lovett, Haywood, Bottrill	3054		1		2	3					6	5	4	8		10	7					9		11				
19	22	Stockport County	2-4	Haywood 2	8133		1		2	3					6	5	4	10		8	7					9		11				
20	25	Halifax Town	2-0	Haywood, Kidd	12655		1		2	3					6	5	4	8		10	7					9		11				
21	29	ROTHERHAM UNITED	2-1	AR Brown, Haywood	5464		1		2	3				8	6	5	4			10	7					9		11				
22	Jan 1	HALIFAX TOWN	4-0	Haywood 2, H Brown, Clifton	7347		1		2					4	6	5	3		11	10	7		8			9						
23	5	Walsall	1-2	A Brown	6634		1		2					4	6	5	3		11	10	7		8									9
24	19	CREWE ALEXANDRA	1-2	Dawson	4405		1		2				4	8	6	5	3			10	7					9		11				
25	26	MANSFIELD TOWN	0-0		5026		1		2	3				6		5	4			10	7		8			9		11				
26	Feb 2	Barrow	1-1	Clifton	2959		1			3	2		4		6	5				10	7		8			9		11				
27	9	CARLISLE UNITED	3-0	Dawson 2, AR Brown (p)	4007		1		2	3			8	6		5	4			10	7					9		11				
28	16	Rochdale	2-0	Dawson, Lovett	2033		1		2	3			8	6		5	4			10	7					9		11				
29	23	LINCOLN CITY	3-1	Clifton 2, H Brown	5418		1		2				8	3	6	5	4			10	7		9					11				
30	Mar 2	Hartlepools United	1-1	Clifton	3895		1		2				8	3	6	5	4			10	7		9					11				
31	9	DONCASTER ROVERS	3-2	AR Brown (p), Sliman, H Brown	14284		1		2	3			8		6	5	4			10	7		9					11				
32	16	Southport	1-1	Clifton	1715	1			2	3					6	5	4		8	10	7		9					11				
33	23	CHESTER	1-2	AR Brown	3479	1			2	3			8		6	5	4			10	7		9					11				
34	27	York City	1-1	H Brown	1862	1		3	2						6	5	4	8		10	7		9				11					
35	30	New Brighton	1-3	Bottrill	2652	1		3	2						6	5	4	8		10	7		9				11					
36	Apr 6	YORK CITY	3-1	Bottrill, Clifton, AR Brown	2781	1			2	3					6	5	4	8	11	10	7		9									
37	13	Darlington	1-2	AR Brown	3325	1			2	3					6	5	4	8	11	9	7		10									
38	19	WREXHAM	1-4	Clifton	4834	1			2	3					6	5	4	8		11	7		10					9				
39	20	ACCRINGTON STANLEY	0-0		1938	1				3			4		6	5	2			10	8							11		9	7	
40	22	Wrexham	1-2	H Brown	4498	1	11			3			4		6	5	2			10	8									9	7	
41	27	Gateshead	4-1	H Brown 2, Askew, Clifton	1407	1				3	4	5			6		2			9	8		10					11				
42	May 4	STOCKPORT COUNTY	5-0	AR Brown 2(1p), Rowe 2, H Brown	2400	1			2	3					6	5	4			9	8		10							11	7	
		Apps				24	18	3	38	35	1	3	16	19	25	39	41	16	8	27	42	5	21	2	9	16	2	17	6	8	7	14
		Goals							1	2		1	3			3		5	1	10	14	1	9		1	7		2	2	3	3	3

F.A. Cup

Rd	Date	Opponent	Score	Scorers	Att	Moody J	Strong GJ	Ellison I	Hamilton HH	Kidd WE	Ordish CS	Askew W	Dawson A	Hardy JH	Howshall JH	Sliman AM	Wass H	Bottrill WG	Brown A	Brown AR	Brown HS	Callender J	Clifton H	Forrest A	Hales H	Haywood G	Hughes A	Lovett AW	Malam A	Rowe L	Turner H	Wrigglesworth W
R3	Jan 12	Swindon Town	1-2	Dawson	19165		1		2				4	6	11	5	3	10			7		8			9						

Third Division North Cup

Rd	Date	Opponent	Score	Scorers	Att	Moody J	Strong GJ	Ellison I	Hamilton HH	Kidd WE	Ordish CS	Askew W	Dawson A	Hardy JH	Howshall JH	Sliman AM	Wass H	Bottrill WG	Brown A	Brown AR	Brown HS	Callender J	Clifton H	Forrest A	Hales H	Haywood G	Hughes A	Lovett AW	Malam A	Rowe L	Turner H	Wrigglesworth W
R1	Jan 30	MANSFIELD TOWN	8-1	AR Brown 5, Haywood, Lovett, Sliman	1501		1	3	2					6		5	4			10	7		8			9		11				
R2	Feb 13	ROTHERHAM UNITED	3-0	Clifton 2, AR Brown (p)			1		2	3			8	6		5	4			10	7		9					11				
R3	Mar 13	WALSALL	1-1	AR Brown		1			2				8	3	6	5	4		11	10	7		9									
rep	Apr 4	Walsall	0-1			1			2	3					6	5	4	7	11	9	10		8									

Final League Table — Division Three (North)

	Team	P	W	D	L	F	A	W	D	L	F	A	Pts
1	Doncaster Rovers	42	16	0	5	53	21	10	5	6	34	23	57
2	Halifax Town	42	17	2	2	50	24	8	3	10	26	43	55
3	Chester	42	14	4	3	62	27	6	10	5	29	31	54
4	Lincoln City	42	14	3	4	55	21	8	4	9	32	37	51
5	Darlington	42	15	5	1	50	16	6	4	11	30	44	51
6	Tranmere Rovers	42	15	4	2	53	20	5	7	9	21	35	51
7	Stockport County	42	15	2	4	57	22	7	1	13	33	50	47
8	Mansfield Town	42	13	2	5	55	25	3	6	12	20	37	47
9	Rotherham United	42	14	4	3	56	21	5	3	13	30	52	45
10	CHESTERFIELD	42	13	4	4	46	21	4	6	11	25	31	44
11	Wrexham	42	12	5	4	47	25	4	6	11	29	44	43
12	Hartlepools United	42	12	4	5	52	34	5	3	13	28	44	41
13	Crewe Alexandra	42	12	6	3	41	25	2	5	14	25	61	39
14	Walsall	42	11	7	3	51	18	2	3	16	30	54	36
15	York City	42	12	5	4	50	20	3	1	17	28	62	36
16	New Brighton	42	9	6	6	32	25	5	2	14	27	51	36
17	Barrow	42	11	5	5	37	31	2	4	15	21	56	35
18	Accrington Stanley	42	11	5	5	44	36	1	5	15	19	53	34
19	Gateshead	42	12	4	5	36	28	1	4	16	22	68	34
20	Rochdale	42	9	5	7	39	35	2	6	13	14	36	33
21	Southport	42	6	6	9	27	36	4	6	11	28	49	32
22	Carlisle United	42	7	6	8	34	36	1	1	19	17	66	23

1935/36 Champions of Division 3(N)

#	Date		Opponent	Score	Scorers	Att	Moody J	Hamilton HH	Kidd WE	Robertson G	Bauld R	Dawson A	Hardy JH	Seagrave JW	Sliman AM	Taylor JT	Wass H	Brown HS	Clifton H	Dando M	Harvey WA	Hasson WC	Miller J	Mulrenan BW	Read CW	Spence JW
1	Aug	31	Barrow	1-1	Dando	7717	1	2	3		6				5		4	8	10	9		11				7
2	Sep	2	YORK CITY	2-2	Clifton 2	6485	1	2	3		6				5		4	8	10	9		11				7
3		7	NEW BRIGHTON	3-1	Dando 2, Clifton	5826	1	2	3				6		5		4	8	10	9					7	11
4		11	York City	1-1	Spence	5279	1	2	3				6		5		4	7	10	9	11					8
5		14	Walsall	1-1	Clifton	10594	1	2	3				6		5		4	8	10	9			11			7
6		21	Stockport County	2-2	Miller 2	9381	1	2	3				6		5		4	8	10	9			11			7
7		28	CREWE ALEXANDRA	6-0	Dando 4, Clifton 2	7119	1	2	3				6		5		4	8	10	9			11			7
8	Oct	5	Accrington Stanley	1-0	Spence	4709	1	2	3				6		5		4	8	10	9			11			7
9		12	SOUTHPORT	5-0	Dando 2, Brown, Clifton, Spence	7421	1	2	3				6		5		4	8	10	9			11			7
10		19	TRANMERE ROVERS	0-1		10264	1	2	3				6		5		4	8	10	9			11			7
11		26	Gateshead	3-3	Dando 2, Clifton	4452	1	2	3				6		5		4	8	10	9			11			7
12	Nov	2	DARLINGTON	5-1	Dando 3, Clifton, Spence	6938	1	2	3				6		5		4	8	10	9			11			7
13		9	Halifax Town	3-2	Miller 2, Dando	9560	1	2	3				6		5		4	8	10	9			11			7
14		16	OLDHAM ATHLETIC	3-0	Hardy, Hamilton, Brown	10655	1	2	3				6		5		4	8	10	9			11			7
15		23	Wrexham	1-0	Brown	7570	1	2	3				6		5		4	8	10		9		11			7
16	Dec	7	Mansfield Town	1-0	Wass	6230	1	2	3				6		5		4	8	10		9		11			7
17		21	Carlisle United	1-2	Clifton	4161	1	2	3				6		5		4	8	10		9		11			7
18		25	Chester	1-1	Hamilton	7880	1	2	3				6		5		4	8	10		9		11			7
19		26	CHESTER	1-0	Dando	7310	1	2	3				6		5		4	8	10	9			11			7
20		28	BARROW	6-1	Dando 3, Clifton 3	8023	1	2	3				6		5		4		10	9	8		11			7
21	Jan	1	ROCHDALE	2-2	Dando 2	11138	1	2	3				6		5		4		10	9	8		11			7
22		4	New Brighton	2-1	Dando, Clifton	3216	1	2	3				6		5		4	8	10	9			11			7
23		11	ROTHERHAM UNITED	5-0	Clifton 2, Miller, Dando, Heelbeck (og)	9945	1	2	3				6		5		4	8	10	9			11			7
24		18	WALSALL	3-0	Brown, Clifton, Miller	6887	1	2	3				6		5		4	8	10	9			11			7
25	Feb	1	Crewe Alexandra	6-5	Spence 2 (2p), Dando 2, Clifton, Miller	5631	1	2	3			4	6		5			8	10	9			11			7
26		8	ACCRINGTON STANLEY	0-3		8119	1	2	3				6		5		4	8	10	9			11			7
27		15	Southport	0-1		3344	1	2		3			6		5		4	8	10	9			11			7
28		22	Tranmere Rovers	3-1	Reed, Spence, Dando	17481	1	2	3					6	5	4		8		9			11		10	7
29		29	HALIFAX TOWN	3-1	Miller 2, Dando	3341	1	2	3					4	5	6		8		9			11		10	7
30	Mar	7	Darlington	2-1	Dando 2	4576	1	2	3					4	5	6		8		9			11		10	7
31		14	GATESHEAD	2-0	Miller, Inskip (og)	8595	1	2	3					4	5	6		8		9			11		10	7
32		21	Oldham Athletic	0-0		7423	1	2	3					4	5	6		8			9		11		10	7
33		28	WREXHAM	5-0	Harvey 3, Miller, Read	8398	1	2	3					4	5	6		8			9		11		10	7
34		30	STOCKPORT COUNTY	0-0		8388	1	2	3					4	5	6		8			9		11		10	7
35	Apr	4	Rotherham United	0-0		7139	1	2	3					4	5	6		8			9		11		10	7
36		10	Lincoln City	1-0	Harvey	14586	1	2	3					4	5	6		8			9		11		10	7
37		11	MANSFIELD TOWN	2-1	Brown, Sliman	10523	1	2	3					4	5	6		8			9		11		10	7
38		13	LINCOLN CITY	0-1		15282	1	2	3					4	5	6		8			9		11		10	7
39		18	Hartlepools United	1-2	Taylor	4073	1		3	2				4	5	6		8			9		11		10	7
40		25	CARLISLE UNITED	5-0	Read 2, Miller, Spence, Clifton	8225	1	2	3					4	5	6		8	10				11		9	7
41		27	HARTLEPOOLS UNITED	2-0	Miller, Clifton	7552	1	2	3					4	5	6		8	10				11		9	7
42	May	2	Rochdale	1-1	Brown	3551	1	2	3					4	5	6		8					11	10	9	7
			Apps				42	41	41	2	2	1	25	15	42	15	26	40	31	27	14	2	38	1	15	42
			Goals					2					1		1	1	1	6	20	29	4		13		4	8

Two own goals

F.A. Cup

	Date		Opponent	Score	Scorers	Att	Moody J	Hamilton HH	Kidd WE	Robertson G	Bauld R	Dawson A	Hardy JH	Seagrave JW	Sliman AM	Taylor JT	Wass H	Brown HS	Clifton H	Dando M	Harvey WA	Hasson WC	Miller J	Mulrenan BW	Read CW	Spence JW
R1	Nov	30	SOUTHPORT	3-0	Spence 2 (1p), Harvey	10207	1	2	3				6		5		4	8	10		9		11			7
R2	Dec	14	WALSALL	0-0		12409	1	2	3				6		5		4	8	10		9		11			7
rep		19	Walsall	1-2	Hamilton	9006	1	2	3				6		5		4	8	10		9		11			7

Third Division North Cup

	Date		Opponent	Score	Scorers	Att	Moody J	Hamilton HH	Kidd WE	Robertson G	Bauld R	Dawson A	Hardy JH	Seagrave JW	Sliman AM	Taylor JT	Wass H	Brown HS	Clifton H	Dando M	Harvey WA	Hasson WC	Miller J	Mulrenan BW	Read CW	Spence JW
R1	Oct	21	MANSFIELD TOWN	2-2	Spence, Wass		1	2	3				6				4	8		9			11			7
rep	Nov	13	Mansfield Town	4-0	Jackson, Brown, Dando, Miller		1		3	2	6	4			5			8		9			11			7
R2	Feb	10	WALSALL	0-0		454	1	2	3				6		5	4		8	10	9						
rep		24	Walsall	2-1	Dando, Brown	755	1	2	3					4		6		8	10	9	7		11			
R3	Mar	11	LINCOLN CITY	0-3			1	2	3					4		6		8	10	9						7

R2 replay a.e.t.

Played in R1, R2 replay and R3: W Askew (at 5). In R1 and R1 replay: J Jackson (at 10).
Played in R2: Reay (at 11) and Siddall (at 7). Played in R3: Reay (at 11).

		P	W	D	L	F	A	W	D	L	F	A	Pts
1	CHESTERFIELD	42	15	3	3	60	14	9	9	3	32	25	60
2	Chester	42	14	5	2	69	18	8	6	7	31	27	55
3	Tranmere Rovers	42	17	2	2	75	28	5	9	7	18	30	55
4	Lincoln City	42	18	1	2	64	14	4	8	9	27	37	53
5	Stockport County	42	15	2	4	45	18	5	6	10	20	31	48
6	Crewe Alexandra	42	14	4	3	55	31	5	5	11	25	45	47
7	Oldham Athletic	42	13	5	3	60	25	5	4	12	26	48	45
8	Hartlepools United	42	13	6	2	41	18	2	6	13	16	43	42
9	Accrington Stanley	42	12	5	4	43	24	5	3	13	20	48	42
10	Walsall	42	15	2	4	58	13	1	7	13	21	46	41
11	Rotherham United	42	14	4	3	52	13	2	6	13	17	53	41
12	Darlington	42	16	3	2	60	26	1	3	17	14	53	40
13	Carlisle United	42	13	5	3	44	19	1	7	13	12	43	40
14	Gateshead	42	11	10	0	37	18	2	4	15	19	58	40
15	Barrow	42	9	9	3	33	16	4	3	14	25	49	38
16	York City	42	10	8	3	41	28	3	4	14	21	67	38
17	Halifax Town	42	12	3	6	34	22	3	4	14	23	39	37
18	Wrexham	42	12	3	6	39	18	3	4	14	27	57	37
19	Mansfield Town	42	13	5	3	55	25	1	4	16	25	66	37
20	Rochdale	42	8	10	3	35	26	2	3	16	23	62	33
21	Southport	42	9	8	4	31	26	2	1	18	17	64	31
22	New Brighton	42	8	5	8	29	33	1	1	19	14	69	24

No	Date	Opponent	Score	Scorers	Att	Moody J	Lamb A	Hamilton HH	Kidd WE	Seagrave JW	Watson AE	Askew W	Hardy JH	McMillen WS	Sliman AM	Taylor JT	Wass H	Weightman JE	Bonass AE	Brown HS	Clifton H	Davies E	Hughes JH	McAninly J	Ottewell S	Ponting WT	Spence JW	Woodward W	Read CW
1	Aug 29	Southampton	2-3	Ponting, Brown	15938	1		2	3						5	6	4		11	8			7			9		10	
2	31	NORWICH CITY	3-1	Bonass, Ponting, Hughes	14749	1		2	3						5	6	4		11	8			7			9		10	
3	Sep 5	BURNLEY	4-1	Ponting 2, Brown, Bonass	14762	1		2	3						5	6	4		11	8			7			9		10	
4	9	Norwich City	0-2		18806	1		2	3						5	6	4		11	8			7			9		10	
5	12	Fulham	0-1		15287	1		2	3						5		4		11	8			7			9		10	6
6	19	DONCASTER ROVERS	5-1	Read 3, Ponting, Bonass	15174	1		2	3				6		5		4		11	8			7			9			10
7	26	Coventry City	1-2	Bonass	22567	1		2	3						5	6	4		11	8			7			9			10
8	Oct 3	PLYMOUTH ARGYLE	0-1		14382	1		2	3	4					5	6			11	8			7			9			10
9	10	Nottingham Forest	2-2	Hughes, Ponting	17200	1		2	3				6		5		4		11	8			7			9			10
10	17	Newcastle United	2-1	Ponting, Hughes	27442	1		2	3						5		4	6	11	8			7			9			10
11	24	BRADFORD PARK AVE.	4-2	Bonass 2, Ponting, Brown	13263	1		2	3						5		4	6	11	8			7			9			10
12	31	Barnsley	1-1	Hughes	14537	1		2	3						5		4	6	11	8			7			9			10
13	Nov 7	SHEFFIELD UNITED	2-2	Ponting, Brown	26519	1		2	3						5		4	6	11	8			7			9			10
14	14	Tottenham Hotspur	1-5	Hughes	30054	1		2	3						5		4	6	11	8			7			9			10
15	21	BLACKPOOL	0-4		15116	1		2	3						5		4	6	11	8	10		7			9			
16	28	Blackburn Rovers	2-5	Bonass 2	10954	1					2	3			5		4	6	11	8	10		7			9			
17	Dec 5	BURY	1-1	Clifton	9024	1					2	3			5		4	6	11	8	10		7			9			
18	12	Leicester City	1-3	Read	19857	1					2			4	5		3	6	11		10		7	8					9
19	19	WEST HAM UNITED	1-1	Read	9918	1				3				4	5		2	6	11		8						7	10	9
20	25	ASTON VILLA	1-0	Bonass	19795	1		3	2						5		4	6	11		8					9	7		10
21	26	SOUTHAMPTON	3-0	Clifton 2, Spence	17555	1		3	2						5		4	6	11		8					9	7		10
22	28	Aston Villa	2-6	Spence, Woodward	29217	1		3	2						5		4	6			8					9	7	10	11
23	Jan 1	SWANSEA TOWN	4-0	Bonass 2, Read, Clifton	9217	1		3	2						5		4	6	11		8					9	7		10
24	2	Burnley	1-3	Woodward	8476	1			2	3					5			6			8					9	7	10	4
25	9	FULHAM	4-1	Ponting 3, Clifton	10094	1		2		3				4	5			6	11		8		7			9		10	
26	23	Doncaster Rovers	4-0	Ponting 2, Hughes, Woodward	5419	1		2	3					4	5			6	11		8		7			9		10	
27	Feb 3	COVENTRY CITY	2-3	Woodward, Clifton	5101	1		2	3					4	5			6	11		8		7			9		10	
28	6	Plymouth Argyle	1-1	Ponting	19969	1			2	3				4	5			6	11		8		7			9		10	
29	13	NOTT'M. FOREST	4-2	Clifton, Ponting, McMillen, Bonass	10224	1			2	3				4	5			6	11		8		7			9		10	
30	20	NEWCASTLE UNITED	4-0	Ponting 2, Woodward 2	10163	1			2	3				4	5			6	11		8		7			9		10	
31	27	Bradford Park Avenue	5-4	Ponting 2, Clifton, Bonass, Woodward	9198	1		2	3	4					5			6	11		8		7			9		10	
32	Mar 6	BARNSLEY	2-1	Ponting, Clifton	10958	1			2	3				4	5			6	11		8		7			9		10	
33	13	Sheffield United	0-5		28248	1			2	3	4				5			6	11		8		7			9		10	
34	20	TOTTENHAM HOTSPUR	1-3	Hughes (p)	13621	1			2	3				4	5			6	11		8		7			9		10	
35	26	BRADFORD CITY	7-1	Woodward 3, Ponting 2, Clifton, McMillen	11729		1		2	3				4	5			6	11		8		7			9		10	
36	27	Blackpool	1-0	Ponting	21668		1		2	3				4	5			6	11		8		7			9		10	
37	29	Bradford City	2-2	Ponting, Clifton	11741		1		2	3			6	4	5						8		7			9	11	10	
38	Apr 3	BLACKBURN ROVERS	0-4		11361		1		2	3	5							6	11		8		7		10	9			4
39	10	Bury	0-4		11083		1		2	3				4	5				11		8		7			9		10	6
40	17	LEICESTER CITY	2-5	Ponting, Bonass	13200		1		2	3				4	5				11		8		7			9		10	6
41	24	West Ham United	1-1	Sliman	16353		1		2	3				4	5			6	11		8		7			9			10
42	May 1	Swansea Town	1-4	Woodward	3620		1		2	3					5			6	11		8		7			9		10	4
				Apps		34	8	19	36	21	5	2	4	18	41	7	22	29	40	17	27	2	34	2	1	40	8	23	22
				Goals										2	1				14	4	11		7			26	2	11	6

F.A. Cup

Rd	Date	Opponent	Score	Scorers	Att	Moody J	Lamb A	Hamilton HH	Kidd WE	Seagrave JW	Watson AE	Askew W	Hardy JH	McMillen WS	Sliman AM	Taylor JT	Wass H	Weightman JE	Bonass AE	Brown HS	Clifton H	Davies E	Hughes JH	McAninly J	Ottewell S	Ponting WT	Spence JW	Woodward W	Read CW
R3	Jan 16	ARSENAL	1-5	Sliman (p)	21706	1		2	3					4	5			6	11		8		7			9			10

	Team	P	W	D	L	F	A	W	D	L	F	A	Pts
1	Leicester City	42	14	4	3	56	26	10	4	7	33	31	56
2	Blackpool	42	13	4	4	49	19	11	3	7	39	34	55
3	Bury	42	13	4	4	46	26	9	4	8	28	29	52
4	Newcastle United	42	11	3	7	45	23	11	2	8	35	33	49
5	Plymouth Argyle	42	11	6	4	42	22	7	7	7	29	31	49
6	West Ham United	42	14	5	2	47	18	5	6	10	26	37	49
7	Sheffield United	42	16	4	1	48	14	2	6	13	18	40	46
8	Coventry City	42	11	5	5	35	19	6	6	9	31	35	45
9	Aston Villa	42	10	6	5	47	30	6	6	9	35	40	44
10	Tottenham Hotspur	42	13	3	5	57	26	4	6	11	31	40	43
11	Fulham	42	11	5	5	43	24	4	8	9	28	37	43
12	Blackburn Rovers	42	11	3	7	49	32	5	7	9	21	30	42
13	Burnley	42	11	5	5	37	20	5	5	11	20	41	42
14	Barnsley	42	11	6	4	30	23	5	3	13	20	41	41
15	CHESTERFIELD	42	12	3	6	54	34	4	5	12	30	55	40
16	Swansea Town	42	14	2	5	40	16	1	5	15	10	49	37
17	Norwich City	42	8	6	7	38	29	6	2	13	25	42	36
18	Nottingham Forest	42	10	6	5	42	30	2	4	15	26	60	34
19	Southampton	42	10	8	3	38	25	1	4	16	15	52	34
20	Bradford Park Ave.	42	10	4	7	33	33	2	5	14	19	55	33
21	Bradford City	42	8	8	5	36	31	1	4	16	18	63	30
22	Doncaster Rovers	42	6	6	9	18	29	1	4	16	12	55	24

1937/38   11th in Division 2

							Moody J	Kidd WE	Milburn GW	Watson AE	Devine J	McMillen WS	Seagrave JW	Sliman AM	Spedding JJ	Weightman JE	Bonass AE	Clifton H	Fisher FW	Hughes JH	Ponting WT	Ramage P	Sadler A	Spence JW	Woodward W	Wright E
1	Aug	28	SHEFFIELD WEDNESDAY	1-0	Clifton	25086	1	3	2		6	4		5			11	8		7	9	10				
2	Sep	1	Southampton	1-0	Milburn	13478	1	3	2		6	4		5			11	8		7	9	10				
3		4	Fulham	1-1	Clifton	16712	1	3	2		6	4		5			11	8		7	9	10				
4		6	SOUTHAMPTON	5-0	Clifton 3, Bonass, McMillen	14489	1	3	2		6	4		5			11	8		7	9	10				
5		11	PLYMOUTH ARGYLE	2-0	Hughes, Ramage	17684	1	3	2		6	4		5			11	8		7	9	10				
6		13	West Ham United	0-5		15010	1	3	2		6	4		5			11	8		7	9	10				
7		18	Coventry City	2-2	Ponting, Hughes	27727	1	3	2		6	4		5			11	8		7	9	10				
8		25	Swansea Town	0-1		12833	1	3	2		6	4		5			11	8		7	9	10				
9	Oct	2	NORWICH CITY	6-2	Clifton 3, McMillen 2, Bonass	15245	1	3	2			4	5			6	11	8		7	9	10				
10		9	Aston Villa	2-0	Clifton 2	50621	1	3	2		6	4		5			11	8		7	9	10				
11		16	BURY	1-2	Clifton	17707	1	3	2		6	4		5			11	8		7	9	10				
12		23	Burnley	2-0	Clifton 2	9329	1	3		2	6	4		5			11	8		7	9	10				
13		30	TOTTENHAM HOTSPUR	2-2	Clifton, Ponting	16092	1	3		2	6	4		5			11	8		7	9	10				
14	Nov	6	Sheffield United	2-0	Clifton, Ponting	32304	1	3		2	6	4		5			11	8		7	9	10				
15		13	MANCHESTER UNITED	1-7	McMillen	17407	1	3		2	6	4		5			11	8		7	9	10				
16		20	Luton Town	1-1	Ponting	17088	1	3	2		6	4	5				11	8		7	9	10				
17		27	BARNSLEY	0-0		13753	1	3	2		6		5		4		11	8		7	9	10				
18	Dec	4	Stockport County	1-1	Bonass	10275	1	3	2		6		5		4		11	8			10			7	9	
19		18	Nottingham Forest	2-4	Woodward, Bonass	13951	1	3	2		6	4	5				11	8		7		10				9	
20		25	Blackburn Rovers	3-3	Clifton 2, McMillen	26810	1	3	2		6	4	5					8		7		10	11			9	
21		27	BLACKBURN ROVERS	3-0	Clifton 2, Woodward	16924	1	3	2		6	4	5					8		7		10	11			9	
22	Jan	1	Sheffield Wednesday	0-1		43199	1	3	2			4	5		6			8		7		10	11			9	
23		15	FULHAM	0-2		6680	1	3	2		6	4		5			11				9	8		7	10	
24		26	Plymouth Argyle	1-1	Milburn	7362	1	3	2				6	5	4		11	8		7	9	10				
25		29	COVENTRY CITY	4-0	Clifton 2, Ponting, Ramage	11122	1	3	2		6	4		5			11	8			9	10		7		
26	Feb	5	SWANSEA TOWN	4-1	Ponting, Bonass, McMillen, Milburn	12862	1	3	2		6	4		5			11	8			9	10		7		
27		19	ASTON VILLA	0-1		18454	1	3	2			4		5		6	11	8			9	10		7		
28		24	Norwich City	1-2	McMillen	7481	1	3	2			4		5		6	11	8			9	10		7		
29		26	Bury	0-4		8964	1	3	2			4		5	6		11	8			9	10		7		
30	Mar	5	BURNLEY	0-1		12208	1	3	2			4		5		6	11	8	7		9	10				
31		12	Tottenham Hotspur	0-2		20915	1	3	2			4		5		6	11	8	7		9	10				
32		19	SHEFFIELD UNITED	1-0	Clifton	19104	1	3	2			4		5		4	6	11	8	9	7		10			
33		26	Manchester United	1-4	Hughes	27311	1	3	2			4		5		4	6	11	8	9	7		10			
34	Apr	2	LUTON TOWN	5-2	Clifton 2, Fisher, McMillen, Bonass	9212	1	3	2			4		5		6	11	8	9	7		10				
35		9	Barnsley	1-1	McMillen	10310	1	3	2			4		5		6	11	8	9	7		10				
36		15	BRADFORD PARK AVE.	0-3		13404	1	3	2				5	4	6	11	8	9	7		10					
37		16	STOCKPORT COUNTY	1-0	Clifton	9710	1	3	2				5	4	6	11	8	7		9	10					
38		18	Bradford Park Avenue	2-3	Ponting, Clifton	8676	1	3	2				5	4	6		10	7		9		11			8
39		23	Newcastle United	1-3	McMillen	15345	1	3	2			4		5	4	6	11	10	7		9					
40		25	NEWCASTLE UNITED	2-0	Spedding, Ponting	6311	1	3	2			4		5	10	6		8	7	11	9					
41		30	NOTTM. FOREST	1-0	Weightman	10632	1	3	2			4		5	10	6		8	7	11	9					
42	May	7	WEST HAM UNITED	0-1		7202	1	3	2			4		5	10	6		8	7	11	9					
			Apps				42	42	38	4	23	36	9	32	14	16	35	41	13	30	32	37	4	7	6	1
			Goals						3			10			1	1	6	26	1	3	8	2			2	

F.A. Cup

							Moody J	Kidd WE	Milburn GW	Watson AE	Devine J	McMillen WS	Seagrave JW	Sliman AM	Spedding JJ	Weightman JE	Bonass AE	Clifton H	Fisher FW	Hughes JH	Ponting WT	Ramage P	Sadler A	Spence JW	Woodward W	Wright E
R3	Jan	8	Bradford City	1-1	Clifton	13088	1	3	2		6	4		5			11	8			9	10				
rep		12	BRADFORD CITY	1-1	Spence		1	3	2					5	4	6		8			9	10		7	11	
rep2		17	Bradford City	2-0	Ponting, Clifton		1	3	2		6	4		5			11	8			9	10		7		
R4		22	BURNLEY	3-2	Ponting 2, Spence	21620	1	3	2		6	4		5			11	8			9	10		7		
R5	Feb	12	TOTTENHAM HOTSPUR	2-2	Clifton, Sliman	30413	1	3	2		6	4		5			11	8			9	10		7		
rep		16	Tottenham Hotspur	1-2	Ponting		1	3	2			4		5		6	11	8			9	10		7		

R3 replay a.e.t. Replay 2 at Bramall Lane   Played in R3: E Davies (at 7)

		P	W	D	L	F	A	W	D	L	F	A	Pts
1	Aston Villa	42	17	2	2	50	12	8	5	8	23	23	57
2	Manchester United	42	15	3	3	50	18	7	6	8	32	32	53
3	Sheffield United	42	15	4	2	46	19	7	5	9	27	37	53
4	Coventry City	42	12	5	4	31	15	8	7	6	35	30	52
5	Tottenham Hotspur	42	14	3	4	46	16	5	3	13	30	38	44
6	Burnley	42	15	4	2	35	11	2	6	13	19	43	44
7	Bradford Park Ave.	42	14	4	4	51	22	4	5	12	18	34	43
8	Fulham	42	10	7	4	44	23	6	4	11	17	34	43
9	West Ham United	42	13	5	3	34	16	1	9	11	19	36	42
10	Bury	42	12	3	6	43	26	6	2	13	20	34	41
11	CHESTERFIELD	42	12	2	7	39	24	4	7	10	24	39	41
12	Luton Town	42	10	6	5	53	36	5	4	12	36	50	40
13	Plymouth Argyle	42	10	7	4	40	30	4	5	12	17	35	40
14	Norwich City	42	11	5	5	35	28	3	6	12	21	47	39
15	Southampton	42	12	6	3	42	26	3	3	15	13	51	39
16	Blackburn Rovers	42	13	6	2	51	30	1	4	16	20	50	38
17	Sheffield Wed.	42	10	5	6	27	21	4	5	12	22	35	38
18	Swansea Town	42	12	6	3	31	21	1	6	14	14	52	38
19	Newcastle United	42	12	4	5	38	18	2	4	15	13	40	36
20	Nottingham Forest	42	12	3	6	29	21	2	5	14	18	39	36
21	Barnsley	42	7	11	3	30	20	4	3	14	20	44	36
22	Stockport County	42	8	6	7	24	24	3	3	15	19	46	31

League matches

#	Date	Opponent	Res.	Scorers	Att.	Middleton R	Moody J	Kidd WE	Milburn GW	Watson AE	Booker K	Mackie J	McMillen WS	Seagrave JW	Spedding JJ	Sutherland AG	Weightman JE	Allen W	Bonass AE	Fisher FW	Hughes JH	Lowe GW	Lyon TK	Milligan D	Ottewell S	Luke C	Ponting WT	Ramage P	Richardson A	Sullivan LG
1	Aug 27	Millwall	1-3	Richardson	31920		1	3	2			5		4			6	8		7							10		9	11
2	29	MANCHESTER CITY	0-3		15769		1	3	2			5		4			6			7							9	10	8	11
3	Sep 3	BLACKBURN ROVERS	0-2		9085	1		3		2		5		4			6			7		8					9	10		11
4	5	Swansea Town	1-1	Mackie	10820	1		3	2			5		4			6	8			7	9					10			11
5	10	Fulham	0-2		18807	1		3	2			5		4			6				7	8	9				10			11
6	17	SHEFFIELD WEDNESDAY	3-1	Lyon 2, Bonass	21867	1		3	2			6	5	4					11		7		8				9	10		
7	24	Bury	1-3	Milburn	8688	1		3	2			6	5	4					11		7		8				9	10		
8	Oct 1	WEST HAM UNITED	1-0	Bonass	11503	1		3	2				5	4			6		11		7				8		9	10		
9	8	Tranmere Rovers	1-0	Hughes	8740	1		3	2				5	4			6		11		7		8				9	10		
10	15	West Bromwich Albion	0-1		23699	1		3	2				5	4			6		11		7		8				9	10		
11	22	NORWICH CITY	2-0	Lyon, Ponting	11452	1		3	2				5		4		6		11		7		8				9	10		
12	29	Coventry City	0-2		18287	1		3	2				5		4		6		11		7		8				9	10		
13	Nov 5	PLYMOUTH ARGYLE	3-1	Bonass, Lyon, Hughes	10940	1		3	2				5	4		6			11		7		8					10	9	
14	12	Sheffield United	1-1	Lyon	27526	1		3	2				5	4		6			11		7		8	9				10		
15	19	BURNLEY	3-2	Milligan, Lyon, McMillen	13780	1		3	2				5	4		6			11		7		8	9				10		
16	26	Tottenham Hotspur	2-2	Hughes, one og	24434	1		3	2				5	4			6		11		7		8	9				10		
17	Dec 3	SOUTHAMPTON	6-1	Lyon 4, Hughes, McMillen	11097	1		3	2			10	5	4			6		11		7		8	9						
18	10	Luton Town	0-5		12744	1		3	2			10	5	4			6		11		7		8	9						
19	17	NOTTM. FOREST	7-1	Lyon 4, Mackie, Milligan, Bonass	7584	1		3	2			10	5	4			6		11		7		8	9						
20	24	MILLWALL	3-0	Bonass, Mackie, McMillen	10588	1		3	2			10	5	4			6		11		7		8	9						
21	26	Bradford Park Avenue	0-0		15236	1		3	2			10	5	4			6		11		7		8	9						
22	27	BRADFORD PARK AVE.	2-2	Bonass, Milligan	17211	1		3	2				5	4			6		11		7		8	9				10		
23	31	Blackburn Rovers	0-3		16872	1		3	2				5	4			6		11		7	10	8	9						
24	Jan 2	Newcastle United	1-0	Kidd	33701	1		3	2				5	4			6				7	10	8	9						11
25	28	BURY	2-1	Hughes, Lyon	8695	1		3	2				5	4			6		11		7		8					10	9	
26	Feb 4	West Ham United	1-1	Milligan	20108	1		3	2				5	4			6		11		7		8	9				10		
27	11	TRANMERE ROVERS	3-0	Milligan 2, Milburn	8895	1		3	2				5	4			6		11		7		8	9				10		
28	18	WEST BROMWICH ALB.	3-1	Milligan 2, Milburn	14836	1		3	2				5	4			6				7		8	9		11		10		
29	25	Norwich City	0-2		11483	1		3	2				5	4			6				7		8	9		11		10		
30	Mar 4	COVENTRY CITY	3-0	Hughes 2, Lyon	12212	1		3	2				5	4			6				7		8	9		11		10		
31	11	Plymouth Argyle	0-0		13587	1		3	2				5	4			6				7		8	9		11		10		
32	18	SHEFFIELD UNITED	1-0	Luke	22658	1		3	2				5	4			6				7		8	9		11		10		
33	20	Sheffield Wednesday	0-0		18823	1		3	2				5	4			6				7		8	9		11		10		
34	25	Burnley	2-1	Ramage 2	8095	1		3	2				5	4			6				7		8	9		11		10		
35	Apr 1	TOTTENHAM HOTSPUR	3-1	Lyon 2, Luke	15385	1		3	2				5	4			6				7		8	9		11		10		
36	7	NEWCASTLE UNITED	2-0	Milligan 2	28268	1		3	2				5	4			6				7		8	9		11		10		
37	8	Southampton	2-2	Milligan, Luke	14904	1		3	2				5	4			6				7		8	9		11		10		
38	15	LUTON TOWN	1-2	McMillen	14925	1		3	2				5	4			6				7		8	9		11		10		
39	22	Nottingham Forest	1-0	Lyon	14587	1		3	2				5	4			6				7		8	9		11		10		
40	24	FULHAM	0-1		8549	1		3	2				5	4			6				7		8	9				10		11
41	29	Manchester City	1-3	Milligan	13969	1		3	2				5	4			6		11		7		8	9				10		
42	May 6	SWANSEA TOWN	6-1	Lyon 3, Luke, Milburn, McMillen	3408	1		3	2				5	4			6						8	9		7	11	10		
		Apps				40	2	42	41	1	3	17	31	39	5	3	34	2	23	3	38	5	36	28	2	13	9	34	4	7
		Goals						1	4			3	5						6		7		22	12		4	1	2	1	

One own goal

F.A. Cup

Rd	Date	Opponent	Res.	Scorers	Att.	Middleton R	Kidd WE	Milburn GW	McMillen WS	Seagrave JW	Mackie J	Weightman JE	Hughes JH	Lyon TK	Milligan D	Ramage P	Sullivan LG
R3	Jan 11	SOUTHEND UNITED	1-1	Lyon	6121	1	3	2	5	4		6	7	8	9	10	11
rep	16	Southend United	3-4	Lyon, Hughes, Milburn(p)	11393	1	3	2	5	4	10	6	7	8	9		11

Replay after extra time: 2-2 at 90 minutes.

Division 2 final table

		P	W	D	L	F	A	W	D	L	F	A	Pts
1	Blackburn Rovers	42	17	1	3	59	23	8	4	9	35	37	55
2	Sheffield United	42	9	9	3	35	15	11	5	5	34	26	54
3	Sheffield Wed.	42	14	4	3	47	18	7	7	7	41	41	53
4	Coventry City	42	13	4	4	35	13	8	4	9	27	32	50
5	Manchester City	42	13	3	5	56	35	8	4	9	40	37	49
6	CHESTERFIELD	42	16	1	4	54	20	4	8	9	15	32	49
7	Luton Town	42	13	4	4	47	27	9	1	11	35	39	49
8	Tottenham Hotspur	42	13	6	2	48	27	6	3	12	19	35	47
9	Newcastle United	42	13	3	5	44	21	5	7	9	17	27	46
10	West Bromwich Alb.	42	15	3	3	54	22	3	6	12	35	50	45
11	West Ham United	42	10	5	6	36	21	7	5	9	34	31	44
12	Fulham	42	12	5	4	35	20	5	5	11	26	35	44
13	Millwall	42	12	6	3	44	18	2	8	11	20	35	42
14	Burnley	42	13	3	5	32	20	2	6	13	18	36	39
15	Plymouth Argyle	42	9	7	5	24	13	6	1	14	25	42	38
16	Bury	42	9	5	7	48	36	3	8	10	17	38	37
17	Bradford Park Ave.	42	8	6	7	33	35	4	5	12	28	47	35
18	Southampton	42	9	6	6	35	34	4	3	14	21	48	35
19	Swansea Town	42	8	6	7	33	30	3	6	12	17	53	34
20	Nottingham Forest	42	8	6	7	33	29	2	5	14	16	53	31
21	Norwich City	42	10	5	6	39	29	3	0	18	11	62	31
22	Tranmere Rovers	42	6	4	11	26	38	0	1	20	13	61	17

1946/47 4th in Division 2

No	Date	Opponent	Res	Scorers	Att	Middleton R	Kidd WE	Milburn GW	Milburn S	Watson W	Booker K	Cushlow R	Goodfellow S	Hart WR	Whitaker W	Collins AD	Howsam AD	Hudson J	Linacre W	McJarrow H	Milligan D	Oliver J	Ottewell S	Roberts H	Simpson J	Swinscoe TW	Wilson J
1	Aug 31	BRADFORD PARK AVE.	1-1	Booker (p)	14473	1	3			2	6		4		5			7			9			11		10	8
2	Sep 7	Manchester City	0-0		49046	1	3			2	6		4		5			7			9			11		10	8
3	11	Plymouth Argyle	0-1		25993	1	3			2	6		4		5	7					9			11		10	8
4	14	WEST HAM UNITED	3-1	Milligan, McJarrow, Swinscoe	14173	1	3			2	6		4		5	7				8	9			11		10	
5	19	Leicester City	1-0	Swinscoe	17012	1	3			2	6		4		5	7				8	9			11		10	
6	21	Sheffield Wednesday	1-0	Ottewell	28182	1	3			2	6		4		5	7				8			9	11		10	
7	28	FULHAM	1-1	Booker (p)	16812	1	3			2	6		4		5	7				8			9	11		10	
8	Oct 5	Bury	2-0	Milligan, Swinscoe	14264	1	3			2	6		4		5	7					9		8	11		10	
9	12	LUTON TOWN	2-1	Milligan, Ottewell	13190	1	3			2	6		4		5	7					9		8	11		10	
10	19	BIRMINGHAM CITY	0-1		18748	1	3			2	6		4		5	7					9		8	11		10	
11	26	Coventry City	1-1	Ottewell	15722	1	3			2	6		4		5			7			9		8	11		10	
12	Nov 2	NOTTM. FOREST	1-1	Ottewell	18756	1	3			2	6		4		5			7			9		8	11		10	
13	9	Southampton	1-1	Ottewell	19361	1	3			2	6		4		5			7					8	11		9	10
14	16	NEWPORT COUNTY	2-0	Swinscoe, Roberts	12030	1	3			2		5	4					7				10	6	11		9	8
15	23	Barnsley	2-1	Swinscoe, Oliver	16666	1	3			2		5	4					7				10	6	11		9	8
16	30	BURNLEY	0-0		16570	1	3			2		5	4					7				10	6	11		9	8
17	Dec 7	Tottenham Hotspur	4-3	Swinscoe, Ottewell, Wilson, one og	38654	1	3			2		5	4					7				10	6	11		9	8
18	14	SWANSEA TOWN	1-0	Wilson	8542	1	3			2		5	4					7				10	6	11		9	8
19	21	Newcastle United	1-2	Oliver	53675	1	3			2		5	4					7				10	6	11		9	8
20	25	Millwall	1-1	one og	18566	1	3			2	6	5	4					7				10		11		9	
21	26	MILLWALL	2-3	Oliver, Wilson	20729	1	3			2		5	4					7				10	6	11		9	8
22	28	Bradford Park Avenue	0-0		19221	1	3			2			5	4				7					8	6	11		9	10
23	Jan 1	PLYMOUTH ARGYLE	4-1	Swinscoe 2, Ottewell, Milligan	20000	1	3			2		5	4					7				10	6	11		9	8
24	4	MANCHESTER CITY	0-1		21079	1	3			2		5	4					7				8	6	11		9	10
25	18	West Ham United	0-5		23876	1	3			2	6	5	4					7				8		10	11	9	
26	Feb 15	Luton Town	1-1	Ottewell	15175	1	3			2	6	5	4					7					8	10	11	9	
27	22	Birmingham City	0-0		26139	1	3	2			6	5	4					7					8	10	11	9	
28	Mar 22	Newport County	0-3		10358	1	3			2	6	5	4					7	8					10	6	11	9	
29	29	BARNSLEY	2-1	Ottewell, Swinscoe	10436	1	3			2	6	5	4					7	8					10	11	9	
30	Apr 4	WEST BROMWICH ALB.	1-1	Milburn (p)	17772	1	3	2			6	5	4					7	8					10	11	9	
31	5	Burnley	1-1	Milburn	23719	1	3	2			6	5	4					7	8					10	11	9	
32	7	West Bromwich Albion	2-3	Hudson, Milburn (p)	29806	1	3	2			6	5	4					7	8					10	11	9	
33	12	TOTTENHAM HOTSPUR	0-0		14802	1	3	2			6	5	4						7				8	10	11	9	
34	19	Swansea Town	2-1	Milburn	24089	1	3	2			6	5	4						7			8		10	11	9	
35	26	NEWCASTLE UNITED	1-0	Milburn	14672	1	3	2			6	5	4									8	7	10	11	9	
36	May 3	SOUTHAMPTON	5-0	Swinscoe 2, Milburn 2 (1p), Oliver	10329	1	3	2			6	5	4									8	7	10	11	9	
37	10	Fulham	1-2	Milligan	10260	1		2	3		6	5	4						7		10	8		11		9	
38	17	LEICESTER CITY	2-0	Swinscoe, Ottewell	12902	1		2	3		6	5	4				8		7				10	11		9	
39	26	COVENTRY CITY	2-1	Ottewell, Roberts	13096	1		2	3		6	5	4				8		7				10	11		9	
40	27	Nottingham Forest	0-1		14888	1		2	3		6	5	4				9		7				8	11	10		
41	31	BURY	3-1	Howsam 2, Ottewell	8489	1		2	3		6	5	4				9		7				8	11	10		
42	Jun 7	SHEFFIELD WEDNESDAY	4-2	Milburn 3 (3p), Oliver	11161	1		2	3		6	5	4				9		7			8		11	10		
Apps						42	36	14	6	28	29	31	42	1	13	8	5	22	10	4	19	20	39	36	3	38	16
Goals								9			2						2	1		1	6	5	12	3		12	3

Two own goals

F.A. Cup

No	Date	Opponent	Res	Scorers	Att	Middleton R	Kidd WE	Milburn GW	Milburn S	Watson W	Booker K	Cushlow R	Goodfellow S	Hart WR	Whitaker W	Collins AD	Howsam AD	Hudson J	Linacre W	McJarrow H	Milligan D	Oliver J	Ottewell S	Roberts H	Simpson J	Swinscoe TW	Wilson J
R3	Jan 11	SUNDERLAND	2-1	Ottewell, Milligan	24000	1	3			2	6	5	4					7			8	10	11			9	
R4	25	Middlesbrough	1-2	Swinscoe	43250	1	3			2	6	5	4					7			8	10	11			9	

		P	W	D	L	F	A	W	D	L	F	A	Pts
1	Manchester City	42	17	3	1	49	14	9	7	5	29	21	62
2	Burnley	42	11	8	2	30	14	11	6	4	35	15	58
3	Birmingham City	42	17	2	2	51	11	8	3	10	23	22	55
4	CHESTERFIELD	42	12	6	3	37	17	6	8	7	21	27	50
5	Newcastle United	42	11	4	6	60	32	8	6	7	35	30	48
6	Tottenham Hotspur	42	11	8	2	35	21	6	6	9	30	32	48
7	West Bromwich Alb.	42	12	4	5	53	37	8	4	9	35	38	48
8	Coventry City	42	12	8	1	40	17	4	5	12	26	42	45
9	Leicester City	42	11	4	6	42	25	7	3	11	27	39	43
10	Barnsley	42	13	2	6	48	29	4	6	11	36	57	42
11	Nottingham Forest	42	13	5	3	47	20	2	5	14	22	54	40
12	West Ham United	42	12	4	5	46	31	4	4	13	24	45	40
13	Luton Town	42	13	4	4	50	29	3	3	15	21	44	39
14	Southampton	42	11	5	5	45	24	4	4	13	24	52	39
15	Fulham	42	12	4	5	40	25	3	5	13	23	49	39
16	Bradford Park Ave.	42	7	6	8	29	28	7	5	9	36	49	39
17	Bury	42	11	6	4	62	34	1	6	14	18	44	36
18	Millwall	42	7	7	7	30	30	7	1	13	26	49	36
19	Plymouth Argyle	42	11	3	7	45	34	3	2	16	34	62	33
20	Sheffield Wed.	42	10	5	6	39	28	2	3	16	28	60	32
21	Swansea Town	42	9	1	11	36	40	2	6	13	19	43	29
22	Newport County	42	9	1	11	41	52	1	2	18	20	81	23

1947/48   16th in Division 2

#	Date		Opponent	Score	Scorers	Att	Middleton R	Milburn GW	Kidd WE	Goodfellow S	Parker RD	Booker K	Hudson J	McJarrow H	Swinscoe TW	Lyon TK	Linacre W	Oliver J	Roberts H	Watson W	Bell, Joe	Howsam AD	Hall A	Kirkman N	Milburn S	Cushlow R	Marron C	Robinson P	Southall RJ	Capel TA	Machent SC	Holmes J	Bradshaw GH
1	Aug	23	Cardiff City	0-0		38028	1	2	3	4	5	6	7	8	9	10	11																
2		27	NEWCASTLE UNITED	0-1		20159	1	2	3	4	5	6		8	9	10	7	11															
3		30	BRADFORD PARK AVE.	0-1		12601	1	2	3		5	6		8		10	9	7	11														
4	Sep	3	Newcastle United	3-2	Howsam, Linacre, Roberts	58334	1		3	4			7	8			10		11	2	6	9											
5		6	Nottingham Forest	3-1	Linacre 2, Hall	28811	1		3	4	5		7				10		11	2	6	9	8										
6		8	Millwall	2-0	Roberts, Hall	12738	1		3	4	5		7				10		11	2	6	9	8										
7		13	DONCASTER ROVERS	0-3		17791	1		3	4	5		7				10		11	2	6	9	8										
8		20	Southampton	0-3		18590	1		3	4					9		10		11	2	6	8	7				5						
9		27	BURY	1-2	Howsam	12184	1	2		4		6	7				10		11		3	9	8				5						
10	Oct	4	West Ham United	0-4		25888	1	2		4		6	7				10		11	3		9					5						
11		11	Birmingham City	0-0		37918	1	2		4	5	6	7		8		10		11	3								9					
12		18	WEST BROMWICH ALB.	0-2		15502	1	2		4	5	6	7		8		10		11	3								9					
13		25	Barnsley	3-0	Hudson 2, Capel	22823	1	2		4	5		7						11						3		9	6	8	10			
14	Nov	1	PLYMOUTH ARGYLE	1-1	Capel	14411	1	2		4	5		7						11						3		9	6	8	10			
15		8	Luton Town	1-2	Marron	18352	1	2			5		7						11						3		9	6	8	10			
16		15	BRENTFORD	4-0	Marron 2, Capel, Hudson	11320	1	2		4	5		7						11						3		9	6	8	10			
17		22	Leicester City	2-1	Machent, Marron	26326	1	2		4	5		7						11					3			9	6		10	8		
18		29	LEEDS UNITED	3-0	Marron 2, Machent	15501	1			4	5		7						11					3	2		9	6		10	8		
19	Dec	6	Fulham	0-0		9818	1			4	5		7						11					3	2		9	6		10	8		
20		13	COVENTRY CITY	4-3	Machent, Marron, Capel, Booker(p)	15278	1			4	5		7						11					3	2		9	6		10	8		
21		20	CARDIFF CITY	2-2	Roberts, Capel	18959	1			4	5				8				11				7	3	2		9	6		10			
22		25	Tottenham Hotspur	0-3		44863	1			4	5				8				11				7	3	2		9	6		10			
23		27	TOTTENHAM HOTSPUR	3-1	Capel, Hall, Hudson	19495	1			4	5		7						11				8	3	2		9	6		10			
24	Jan	1	MILLWALL	2-0	Capel, Roberts	17964	1			4	5		7						11				8	3	2		9	6		10			
25		3	Bradford Park Avenue	3-1	Capel 2, Marron	19887	1			4	5		7						11				8	3	2		9	6		10			
26		17	NOTTM. FOREST	0-0		17783	1			4	5		7						11				8	3	2		9	6		10			
27		31	Doncaster Rovers	0-1		23527	1			4	5		7						11					3	2		9	6		10	8		
28	Feb	14	Bury	0-2		16454	1			4	5		7						11					3	2		9	6		10	8		
29		28	BIRMINGHAM CITY	0-3		15844	1			4	5		7						11					3	2		9	6		10	8		
30	Mar	6	West Bromwich Albion	0-1		25242	1			4	5		7						11				8	3	2			6		9	10		
31		13	BARNSLEY	1-1	Machent (p)	13133	1			4	5		7						11				8	3	2			6		9	10		
32		20	Plymouth Argyle	2-1	Hudson 2	21039	1			6		5	9						11				7	3	2					10	8	4	
33		26	SHEFFIELD WEDNESDAY	0-2		25524	1			6		5	9						11				7	3	2					10	8	4	
34		27	LUTON TOWN	2-0	Capel, Hall	10682	1			4		5	9						11				7	3	2			6		10	8		
35		29	Sheffield Wednesday	0-1		41123	1					5	9						11				7	3	2			6		10	8	4	
36	Apr	3	Brentford	3-0	Machent 2, Capel	24164	1					5							11				7	3	2			6		10	8	4	9
37		7	WEST HAM UNITED	6-0	Capel 3, Bradshaw, Roberts, Machent	11914	1			4		5							11				7	3	2			6		10	8		9
38		10	LEICESTER CITY	2-3	Capel 2	14362	1			4		5							11				7	3	2			6		10	8		9
39		14	SOUTHAMPTON	0-1		13378	1					5							11				7	3	2			6		10	8	4	9
40		17	Leeds United	0-3		28799	1			8		5							11					3	2			6		10		4	9
41		24	FULHAM	1-0	Southall	9031	1			4		5						7	11					3	2				6	8	10		9
42	May	1	Coventry City	0-3		12198	1			4		5						7	11					3	2				6	8	10		9
			Apps				42	12	8	38	14	32	32	4	5	5	12	4	39	8	6	7	21	25	30	3	19	28	6	30	17	6	7
			Goals									1	6				3		5			2	4				8		1	16	7		1

Played in game 15: FH Tapping (at 4).
Played in game 40: A Hill (at 7).

F.A. Cup

	Date		Opponent	Score	Scorers	Att	Middleton R	Milburn GW	Kidd WE	Goodfellow S	Parker RD	Booker K	Hudson J	McJarrow H	Swinscoe TW	Lyon TK	Linacre W	Oliver J	Roberts H	Watson W	Bell, Joe	Howsam AD	Hall A	Kirkman N	Milburn S	Cushlow R	Marron C	Robinson P	Southall RJ	Capel TA	Machent SC	Holmes J	Bradshaw GH
R3	Jan	10	Derby County	0-2		34077	1	9		4		5	7						11				8	3	2			6		10			

	Team	P	W	D	L	F	A	W	D	L	F	A	Pts
1	Birmingham City	42	12	7	2	34	13	10	8	3	21	11	59
2	Newcastle United	42	18	1	2	46	13	6	7	8	26	28	56
3	Southampton	42	15	3	3	53	23	6	7	8	18	30	52
4	Sheffield Wed.	42	13	6	2	39	21	7	5	9	27	32	51
5	Cardiff City	42	12	6	3	36	18	6	5	10	25	40	47
6	West Ham United	42	10	7	4	29	19	6	7	8	26	34	46
7	West Bromwich Alb.	42	11	4	6	37	29	7	5	9	26	29	45
8	Tottenham Hotspur	42	10	6	5	36	24	5	8	8	20	19	44
9	Leicester City	42	10	5	6	36	29	6	6	9	24	28	43
10	Coventry City	42	10	5	6	33	16	4	8	9	26	36	41
11	Fulham	42	6	9	6	24	19	9	1	11	23	27	40
12	Barnsley	42	10	5	6	31	22	5	5	11	31	42	40
13	Luton Town	42	8	8	5	31	25	6	4	11	25	34	40
14	Bradford Park Ave.	42	11	3	7	45	30	5	5	11	23	42	40
15	Brentford	42	10	6	5	31	26	3	8	10	13	35	40
16	CHESTERFIELD	42	8	4	9	32	26	8	3	10	22	29	39
17	Plymouth Argyle	42	8	9	4	27	22	1	11	9	13	36	38
18	Leeds United	42	12	5	4	44	20	2	3	16	18	52	36
19	Nottingham Forest	42	10	5	6	32	23	2	6	13	22	37	35
20	Bury	42	6	8	7	27	28	3	8	10	31	40	34
21	Doncaster Rovers	42	7	8	6	23	20	2	3	16	17	46	29
22	Millwall	42	7	7	7	27	28	2	4	15	17	46	29

#		Date	Opponent	Score	Scorers	Att.	Middleton R	Bell Joe	Kirkman N	Milburn S	Blakey D	Booker K	Halton RL	Holmes J	Machent SC	Robinson P	Southall RJ	Brown J	Capel TA	Dale G	Foster RJ	Hall A	Hudson J	Johnson A	McJarrow H	Marron C	Moore A	Roberts H	Smith D	Thompson J	Withington R
1	Aug	21	Bury	2-2	Brown 2	13832	1	3		2		5			4	6		9	10			7						11		8	
2		24	WEST HAM UNITED	0-0		16489	1	3		2		5			4	6		9	10			7						11			8
3		25	West Bromwich Albion	0-0		29021	1	3		2		5			4	6		9	10			7						11			8
4	Sep	1	WEST BROMWICH ALB.	0-0		14079	1	3		2		5			4	6		9	10			7						11			8
5		4	Tottenham Hotspur	0-4		46804	1	3		2		5		4		6		9	10		7	8						11			
6		8	GRIMSBY TOWN	0-3		11846	1	3		2		5		4		6			10	7		9	8					11			
7		11	BRENTFORD	0-1		11057	1	3		2		5		4		6			10	7		9						11		8	
8		14	Grimsby Town	3-3	Capel 2, Roberts	14838	1	3		2		5		4		6			10	7		9						11		8	
9		18	Leicester City	2-2	Hudson, Capel	27326	1	3		2		5		4		6			10	7		9						11		8	
10		25	LEEDS UNITED	3-1	Hudson 2, Capel	15150	1	3		2		5		4		6			10	7		9						11		8	
11	Oct	2	Coventry City	2-0	Hudson, Thompson	17695	1	3		2			5	4		6			10	7		9						11		8	
12		9	Nottingham Forest	1-0	Hudson	29166	1	3		2			5	4		6			10	7		9						11		8	
13		16	FULHAM	0-1		16488	1	3		2			5	4		6			10	7		9						11		8	
14		23	Plymouth Argyle	2-2	Thompson, Capel	21442	1	3		2			5	4		6			10	7						9		11		8	
15		30	BLACKBURN ROVERS	0-0		13915	1	3		2			5	4		6			10	7						9		11		8	
16	Nov	6	Cardiff City	4-3	Blakey 2, Marron, Stansfield (og)	36359	1	3		2	10	5	8			6	4			7						9				11	
17		13	QUEEN'S PARK RANGERS	2-1	Marron 2	10837	1	3		2	10	5	8			6	4			7						9		11			
18		20	Luton Town	0-1		17808	1	3		2	10	5				6	4		8	7						9		11			
19		27	BRADFORD PARK AVE.	2-3	Capel, Smith	12585	1		3	2	8	5				6	4		10				9	7					11		
20	Dec	4	Southampton	0-1		22747	1	3		2	8	5				6	4		10	7				9				11			
21		11	BARNSLEY	3-2	Capel 2, Marron	13318	1	3		2	8	5				6	4		10	7				9				11			
22		18	BURY	4-0	Marron 2, Smith, Halton	12682	1	3		2		5	6				4		10				9	7					11	8	
23		25	Lincoln City	2-2	Capel, Halton	18418	1	3		2		5	6				4		10				9	7					11	8	
24		27	LINCOLN CITY	3-1	Thompson 2, Smith	20473	1	3		2		5	6				4		10				9	7					11	8	
25	Jan	1	West Ham United	2-1	Thompson, Capel	16946	1	3		2		5	6				4		10				9	7					11	8	
26		15	TOTTENHAM HOTSPUR	1-0	Smith	15861	1	3	2			5	6				4	8					9	7					11	10	
27		22	Brentford	1-1	Halton	25549	1	3	2			5	6				4	8					9	7					11	10	
28	Feb	5	LEICESTER CITY	1-1	Halton (p)	16894	1	3	2			5	6				4	8				7	9						11	10	
29		19	Leeds United	0-1		29362	1	3	2			5	6				4	8					9	7					11	10	
30		26	COVENTRY CITY	0-0		12892	1	3	2		10	5	6				4						9	7					11	8	
31	Mar	5	NOTTM. FOREST	2-1	Hudson 2	10849	1		3	2		5	6					4					8		11			9	7	11	10
32		12	Fulham	1-2	Hudson	29096	1		3	2		5	6					4					8		11			9	7		10
33		19	PLYMOUTH ARGYLE	0-0		11846	1		3	2		5	6					4					8		11			9	7		10
34		26	Blackburn Rovers	2-0	Hudson 2	17740	1		3	2	5		6					4	10	11			9							8	7
35	Apr	2	CARDIFF CITY	0-2		14299	1		3	2	5		6					4	10	11			9							8	7
36		9	Queen's Park Rangers	1-1	Hudson	17898	1		3	2	5		6					4	10	11			9							8	7
37		15	SHEFFIELD WEDNESDAY	1-1	Capel	23493	1		3	2		5	6					4	10	11			9	7						8	
38		16	LUTON TOWN	1-0	Hudson	10938	1	3		2		5				6	4		10	11			9	7	8						
39		19	Sheffield Wednesday	0-0		30208	1	3		2		5				6	4		10	11			9	7						8	
40		23	Bradford Park Avenue	1-1	Johnson	10581	1		3	2	5		6					4	10	11			9	7						8	
41		30	SOUTHAMPTON	1-0	McJarrow	12821	1		3	2	5		6					4	10	11					7	9				8	
42	May	7	Barnsley	1-0	Halton (p)	13527	1		3	2	5		6					4	10		8					9		7		11	
			Apps				42	31	16	37	22	29	20	11	4	32	21	5	32	10	1	2	27	19	2	20	12	17	15	29	6
			Goals								2		5					2	11				12	1	1	6		1	4	5	

One own goal

F.A. Cup

| R3 | Jan | 8 | Wolverhampton Wand. | 0-6 | | 46272 | 1 | 3 | | 2 | | 5 | 6 | | | | 4 | | 10 | | | | | | 7 | | | 9 | | 11 | 8 |

		P	W	D	L	F	A	W	D	L	F	A	Pts
1	Fulham	42	16	4	1	52	14	8	5	8	25	23	57
2	West Bromwich Alb.	42	16	3	2	47	16	8	5	8	22	23	56
3	Southampton	42	16	4	1	48	10	7	5	9	21	26	55
4	Cardiff City	42	14	4	3	45	21	5	9	7	17	26	51
5	Tottenham Hotspur	42	14	4	3	50	18	3	12	6	22	26	50
6	CHESTERFIELD	42	9	7	5	24	18	6	10	5	27	27	47
7	West Ham United	42	13	5	3	38	23	5	5	11	18	35	46
8	Sheffield Wed.	42	12	6	3	36	17	3	7	11	27	39	43
9	Barnsley	42	10	7	4	40	18	4	5	12	22	43	40
10	Luton Town	42	11	6	4	32	16	3	6	12	23	41	40
11	Grimsby Town	42	10	5	6	44	28	5	5	11	28	48	40
12	Bury	42	12	5	4	41	23	5	1	15	26	53	40
13	Queen's Park Rgs.	42	11	4	6	31	26	3	7	11	13	36	39
14	Blackburn Rovers	42	12	5	4	41	23	3	3	15	12	40	38
15	Leeds United	42	11	6	4	36	21	1	7	13	19	42	37
16	Coventry City	42	12	3	6	35	20	3	4	14	20	44	37
17	Bradford Park Ave.	42	8	8	5	37	26	5	3	13	28	52	37
18	Brentford	42	7	10	4	28	21	4	4	13	14	32	36
19	Leicester City	42	6	10	5	41	38	4	6	11	21	41	36
20	Plymouth Argyle	42	11	4	6	33	25	1	8	12	16	39	36
21	Nottingham Forest	42	9	6	6	22	14	5	1	15	28	40	35
22	Lincoln City	42	6	7	8	31	35	2	5	14	22	56	28

1949/50 14th in Division 2

#		Date	Opponent	Score	Scorers	Att	Middleton R	Capel FJ	Flockett TW	Milburn S	Blakey D	Booker K	Halton RL	Smallwood JW	Southall RJ	Armstrong A	Costello MB	Dale G	Donaldson JD	Foster RJ	Hudson J	McJarrow H	Marron C	Moore A	Raine RR	Thompson J
1	Aug	20	Barnsley	2-1	Hudson, McJarrow	18428	1		3	2		5	6		4			11			8	9		7		10
2		24	BURY	2-1	McJarrow 2	14766	1		3	2		5	6		4			11			8	9		7		10
3		27	PLYMOUTH ARGYLE	2-0	McJarrow 2	14866	1		3	2		5	6		4			11			8	9		7		10
4	Sep	3	Sheffield Wednesday	2-4	Hudson, Thompson	41274	1		3	2		5	6		4			11			8	9		7		10
5		7	Bury	0-2		14744	1		3	2		5	6		4			11			8	9		7		10
6		10	HULL CITY	0-1		22868	1		3	2	5		6		4			11			8	9		7		10
7		12	LEICESTER CITY	1-0	McJarrow	13841	1		3	2	5		6		4	11	7				8	9				
8		17	Brentford	0-0		25270	1		3	2	5		6		4		7	11	10		8	9				
9		19	Leicester City	1-0	Donaldson	29173	1		3	2	5		6		4		7	11	10		8	9				
10		24	BLACKBURN ROVERS	2-1	Halton (p), Donaldson	15255	1		3	2	5		6		4		7	11	10		8	9				
11	Oct	1	Cardiff City	0-2		29619	1		3	2	5		6		4			11			8	9		7		10
12		8	West Ham United	1-1	Thompson	25869	1		3	2	5		6		4			11			8	9		7		10
13		15	SHEFFIELD UNITED	0-1		20461	1		3	2	5		6		4			11			8	9		7		10
14		22	Grimsby Town	2-5	Hudson 2	17094	1		3	2		5	6		4			11			8	9		7		10
15		29	QUEEN'S PARK RANGERS	2-1	Donaldson, Halton	12202	1		3	2		5	6		4			11	10		8	9		7		
16	Nov	5	Preston North End	0-0		29550	1		3	2		5	6		4			11	10		8	9		7		
17		12	SWANSEA TOWN	4-1	McJarrow 2, Hudson, Southall	11106	1	3		2		5	6		4			11			8	9		7		10
18		19	Leeds United	0-0		24409	1	3		2		5	6		4			11			8	9		7		10
19		26	SOUTHAMPTON	0-0		11922	1	3		2		5	6		4			11			8	9		7		10
20	Dec	3	Coventry City	0-3		20304	1	3		2		5	6		4			11	10		8	9		7		
21		10	LUTON TOWN	0-1		7937	1	3		2		5	6		4			11			8	9		7		10
22		17	BARNSLEY	1-0	McJarrow	8968	1	3		2		5	6		4		7	11			8	9				10
23		24	Plymouth Argyle	1-2	Costello	20844	1		3	2		5	6		4		7	11			8	9				10
24		26	Tottenham Hotspur	0-1		61879	1	3		2		5	6		4		7	11			8	9				10
25		27	TOTTENHAM HOTSPUR	1-1	Halton (p)	26341	1	3		2		5	6		4		7	11			8				9	10
26		31	SHEFFIELD WEDNESDAY	1-2	Hudson	25176	1	3		2		5	6		4		7	11			8	9				10
27	Jan	14	Hull City	0-1		37895	1	3		2		5	6		4		7	11			8		9			10
28		21	BRENTFORD	3-1	Marron 2, Southall	12075	1	3		2		5	6		4		7	11			8		9			10
29	Feb	4	Blackburn Rovers	1-1	Costello	18761	1	3		2		5	6		4		7	11			8		9			10
30		18	CARDIFF CITY	0-1		15042	1	3		2		5	6	8	4			11		10			9	7		
31		25	WEST HAM UNITED	1-0	Thompson	3036	1	3		2		5	6		4			11			8		9	7		10
32	Mar	4	Sheffield United	0-1		40975	1	3		2		5	6		4			11			8		9	7		10
33		11	GRIMSBY TOWN	2-1	Moore, Halton (p)	11680	1	3		2		5	6		4			11			8		9	7		10
34		18	Queen's Park Rangers	2-3	Hudson, Marron	18502	1	3		2		5	6		4			11			8		9	7		10
35		25	PRESTON NORTH END	2-0	Dale, Hudson	11230	1	3		2		5	6		4			11			8		9	7		10
36	Apr	1	Southampton	0-1		21964	1	3		2		5	6		4			11			8		9	7		10
37		7	BRADFORD PARK AVE.	1-1	Marron	14680	1	3		2		5	6		4			11			8		9	7		10
38		8	COVENTRY CITY	0-1		10193	1	3		2		5	6		4			11			8		9	7		10
39		11	Bradford Park Avenue	0-2		19596	1	3		2		5	6		4			11			8		9	7		10
40		15	Swansea Town	2-0	Marron 2	18940	1	3		2		5	6	8	4			11					9	7		10
41		22	LEEDS UNITED	3-1	Hudson, Marron, Halton	11346	1	3		2		5	6		4			11			8		9	7		10
42		29	Luton Town	1-1	Southall	7420	1	3		2		5	6	8	4			11					9	7		10
			Apps				42	25	17	42	8	33	37	14	42	1	14	40	6	1	38	23	16	29	1	33
			Goals										5		3		2	1	3		9	9	7	1		3

F.A. Cup

		Date	Opponent	Score	Scorers	Att	Middleton R	Capel FJ	Flockett TW	Milburn S	Blakey D	Booker K	Halton RL	Smallwood JW	Southall RJ	Armstrong A	Costello MB	Dale G	Donaldson JD	Foster RJ	Hudson J	McJarrow H	Marron C	Moore A	Raine RR	Thompson J
R3	Jan	7	YEOVIL TOWN	3-1	Costello 2, Thompson	24288	1	3		2		5	6		4		7	11						8	9	10
R4		28	MIDDLESBROUGH	3-2	Dale, Marron, Costello	27500	1	3		2		5	6		4		7	11				10	9	8		
R5	Feb	11	CHELSEA	1-1	Thompson	27500	1	3		2		5	6		4		7	11				10	9	8		
rep		15	Chelsea	0-3		59660	1	3		2		5	6		4			11				10	9	7		8

		P	W	D	L	F	A	W	D	L	F	A	Pts
1	Tottenham Hotspur	42	15	3	3	51	15	12	4	5	30	20	61
2	Sheffield Wed.	42	12	7	2	46	23	6	9	6	21	25	52
3	Sheffield United	42	9	10	2	36	19	10	4	7	32	30	52
4	Southampton	42	13	4	4	44	25	6	10	5	20	23	52
5	Leeds United	42	11	8	2	33	16	6	5	10	21	29	47
6	Preston North End	42	12	5	4	37	21	6	4	11	23	28	45
7	Hull City	42	11	8	2	39	25	6	3	12	25	47	45
8	Swansea Town	42	11	3	7	34	18	6	6	9	19	31	43
9	Brentford	42	11	5	5	21	12	4	8	9	23	37	43
10	Cardiff City	42	13	3	5	28	14	3	7	11	13	30	42
11	Grimsby Town	42	13	5	3	53	25	3	3	15	21	48	40
12	Coventry City	42	8	6	7	32	24	5	7	9	23	31	39
13	Barnsley	42	11	6	4	45	28	2	7	12	19	39	39
14	CHESTERFIELD	42	12	3	6	28	16	3	6	12	15	31	39
15	Leicester City	42	8	9	4	30	25	4	6	11	25	40	39
16	Blackburn Rovers	42	10	5	6	30	15	4	5	12	25	45	38
17	Luton Town	42	8	9	4	28	22	2	9	10	13	29	38
18	Bury	42	10	8	3	37	19	4	1	16	23	46	37
19	West Ham United	42	8	7	6	30	25	4	5	12	23	36	36
20	Queen's Park Rgs.	42	6	5	10	21	30	5	7	9	19	27	34
21	Plymouth Argyle	42	6	6	9	19	24	2	10	9	25	41	32
22	Bradford Park Ave.	42	7	6	8	34	34	3	5	13	17	43	31

1950/51 — 21st in Division 2: Relegated

#		Date	Opponent	Score	Scorers	Att	Middleton R	Capel FJ	Flockett TW	Milburn S	Blakey D	Booker K	Donaldson JD	Halton RL	Harrison WE	Holmes J	Percival RFJ	Smallwood JW	Southall RJ	Bacci A	Costello MB	Dale G	Foster RJ	Harvey A	Hudson J	Marron C	Marsh JK	Massart DL	Moore A	Thompson D	Thompson J
1	Aug	19	Queen's Park Rangers	1-1	Capel (p)	18381	1	3		2		5						6	4			11				10	9		7		8
2		21	GRIMSBY TOWN	2-2	Marron 2	15910	1	3		2		5						6	4			11				10	9		7		8
3		26	BARNSLEY	1-2	Capel (p)	14828	1	3		2		5	6						4			11				10	9		7		8
4		30	Grimsby Town	2-1	Dale, Booker	18268	1	3		2		5	6						4			11				10	9		7		
5	Sep	2	LEICESTER CITY	1-0	Bacci	14768	1	3		2		5	6						4	8		11				10	9		7		
6		6	Preston North End	1-4	Bacci	20896	1	3		2		5	6						4	8		11				10	9		7		
7		9	Manchester City	1-5	Marron	43631	1	3		2		5					6	4		8		11				10	9		7		
8		11	PRESTON NORTH END	2-0	Dale, Capel (p)	15568	1	3		2	10	5					6	4				11				8	9		7		
9		16	COVENTRY CITY	1-1	Capel (p)	16260	1	3		2	10	5					6	4				11				8	9		7		
10		23	Cardiff City	0-1		27754	1	3		2	10	5					6	4				11					9		7		8
11		30	BIRMINGHAM CITY	1-1	Marron	12339	1	3		2		5					6	4				11				9	10		7		8
12	Oct	7	Swansea Town	0-2		22005	1	3		2		5					6	4				11				9	10		7		8
13		14	HULL CITY	0-0		17486	1	3		2		5						6				11	8			9	10		7		4
14		21	Leeds United	0-2		23032	1		3	2	10	5						6				11	8			9			7		4
15		28	WEST HAM UNITED	1-2	Holmes	11197	1		3	2		5	6			8						11				9	10		7		4
16	Nov	4	Sheffield United	1-4	Hudson	26400	1		3	2	5	6										11			10	9	8		7		4
17		11	LUTON TOWN	1-1	Moore	10996	1	8	3	2		5						6	4			11				10			9		7
18		18	Doncaster Rovers	2-1	Marron 2	21696	1	3		2		5	6						4			11			10	9	8		7		
19		25	BRENTFORD	2-2	Hill (og), Hudson	9719	1	3		2		5	6						4			11			10	9	8		7		
20	Dec	2	Blackburn Rovers	1-1	Hudson	22284	1	3		2		5	6						4			11			10	9	8		7		
21		9	SOUTHAMPTON	2-3	Marron 2	11881	1	3		2		5	6		4							11			10	9	8		7		
22		16	QUEEN'S PARK RANGERS	3-1	Marsh, Marron, Donaldson	7421	1	3		2		5	6		4							11			10	9	8		7		
23		23	Barnsley	0-0		16573	1	3		2		5	6		4							11			10	9	8		7		
24		25	NOTTS COUNTY	0-0		20848	1	3		2	5		6		4							11			10	9	8				
25		26	Notts County	0-1		35649	1	3	2		5		6		4							11			10	9					8
26		30	Leicester City	0-1		19972	1	3	2			5	6		4							11		8	7	9	10				
27	Jan	13	MANCHESTER CITY	1-2	Smallwood	12384	1		3	2		5			4			9	6			11		8			10		7		
28		20	Coventry City	0-1		24899	1		3	2		5			4			9	6			11		8			10		7		
29	Feb	3	CARDIFF CITY	0-3		12998	1		3	2		5			4				6			11		8		9			7		10
30		17	Birmingham City	1-2	Massart	33768	1		3	2		5			4	6		8				11		7		10	9				
31		24	SWANSEA TOWN	3-1	Massart 2, Marsh	10549	1		3	2		5			4	6			8			11		7		10	9				
32	Mar	3	Hull City	1-2	Holmes	30913	1		3	2		5			4	6			8			11		7		10	9				
33		10	LEEDS UNITED	1-0	Marsh	9856	1		3	2	5				4				8			11		7		10	9				
34		17	West Ham United	0-2		15878	1		3	2	5				4				8			11		7		10	9				
35		23	Bury	2-2	Massart 2	15858	1		3	2		5			4			6	8			11		7		10	9				
36		24	SHEFFIELD UNITED	0-2		16866	1		3	2		5			4			6	8			11		7		10	9				
37		26	BURY	3-0	Hudson, Marsh, Harvey	,9918	1		3	2		5			4			6				11	8	7		10	9				
38		31	Luton Town	0-3		13055	1		3	2		5			4			6				11	8	7		10	9				
39	Apr	7	DONCASTER ROVERS	1-4	Harrison	13832	1	3		2		5			6				4			11	8	7		10	9				
40		14	Brentford	0-4		17278	1		3	2		5			10	6		4			7	11			8	9				
41		21	BLACKBURN ROVERS	4-1	Marron 2, Harrison, Holmes	8995	1		3	2		5			10	6		4			7	11			8	9				
42		28	Southampton	1-1	Hudson	13922	1		3	2		5			10	6		4			7	11			8	9				
Apps							42	24	21	40	10	38	11	4	22	7	6	22	19	4	3	42	2	7	33	28	26	11	26	2	12
Goals								4				1	1		2	3		1		2		2		1	5	11	4	5	1		

One own goal

F.A. Cup

		Date	Opponent	Score	Scorers	Att	Middleton R	Capel FJ	Flockett TW	Milburn S	Blakey D	Booker K	Donaldson JD	Halton RL	Harrison WE	Holmes J	Percival RFJ	Smallwood JW	Southall RJ	Bacci A	Costello MB	Dale G	Foster RJ	Harvey A	Hudson J	Marron C	Marsh JK	Massart DL	Moore A	Thompson D	Thompson J
R3	Jan	6	Brighton & Hove Alb.	1-2	Booker	17688	1	3	2			5			4			9	6			11		8			10		7		

		P	W	D	L	F	A	W	D	L	F	A	Pts
1	Preston North End	42	16	3	2	53	18	10	2	9	38	31	57
2	Manchester City	42	12	6	3	53	25	7	8	6	36	36	52
3	Cardiff City	42	13	7	1	36	20	4	9	8	17	25	50
4	Birmingham City	42	12	6	3	37	20	8	3	10	27	33	49
5	Leeds United	42	14	4	3	36	17	6	4	11	27	38	48
6	Blackburn Rovers	42	13	3	5	39	27	6	5	10	26	39	46
7	Coventry City	42	15	3	3	51	25	4	4	13	24	34	45
8	Sheffield United	42	11	4	6	44	27	5	8	8	28	35	44
9	Brentford	42	13	3	5	44	25	5	5	11	31	49	44
10	Hull City	42	12	5	4	47	28	4	6	11	27	42	43
11	Doncaster Rovers	42	9	6	6	37	32	6	7	8	27	36	43
12	Southampton	42	10	9	2	38	27	5	4	12	28	46	43
13	West Ham United	42	10	5	6	44	33	6	5	10	24	36	42
14	Leicester City	42	10	4	7	42	28	5	7	9	26	30	41
15	Barnsley	42	9	5	7	42	22	6	5	10	32	46	40
16	Queen's Park Rgs.	42	13	5	3	47	25	2	5	14	24	57	40
17	Notts County	42	7	7	7	37	34	6	6	9	24	26	39
18	Swansea Town	42	14	1	6	34	25	2	3	16	20	52	36
19	Luton Town	42	7	9	5	34	23	2	5	14	23	47	32
20	Bury	42	9	4	8	33	27	3	4	14	27	59	32
21	CHESTERFIELD	42	7	7	7	30	28	2	5	14	14	41	30
22	Grimsby Town	42	6	8	7	37	38	2	4	15	24	57	28

1951/52   13th in Division 3(N)

#	Date	Opponent	Res	Scorers	Att	Lomas A	Platts L	Ward R	Capel FJ	Flockett TW	Milburn S	Parkin HB	Blakey D	Booker K	Harrison WE	Holmes J	Leivers WE	McLeod T	Smallwood JW	Southall RJ	Thompson J	Allen F	Bacci A	Harvey A	Hudson J	Knight J	Marron C	Maxwell P	Mitchell N	Smith GB	Thompson D	Wilson IJG
1	Aug 18	GRIMSBY TOWN	3-1	McLeod, Harrison (p), Knight	10625	1					2	3		5	4			10	9		6					7	8	11				
2	22	Workington	1-3	Hainsworth (og)	10049	1					2	3		5	4			10	9		6					7	8	11				
3	25	Wrexham	3-0	Smallwood, McLeod, Maxwell	10653	1					2	3		5	4			10	9		6					7	8	11				
4	27	WORKINGTON	3-1	Hainsworth(og),Maxwell,Smallwood	11560	1					2	3		5	4			10	9		6					7	8	11				
5	Sep 1	York City	0-1		8969	1					2	3		5	4			10	9		6					7	8	11				
6	3	Stockport County	1-2	Smallwood	9542	1					2	3		5				6	9		4	10				7	8	11				
7	8	BRADFORD PARK AVE.	0-0		10151	1					2	3		5		4		6	9			10				7	8					
8	10	STOCKPORT COUNTY	0-1		9893	1					2	3		5		4		6	9				10			8	7	11				
9	15	Halifax Town	0-0		7104	1					2	3		5	10	4		6	9							7	8	11				
10	22	MANSFIELD TOWN	1-1	Marron	17446	1					2	3		5	4			6	9						10	7	8	11				
11	29	Rochdale	0-2		6496	1				2		3		5	4			6	9						10	7	8	11				
12	Oct 6	LINCOLN CITY	2-2	Harrison (p), McLeod	13288	1			3	2				5	4			6	9	11						7	8			10		
13	13	Scunthorpe United	1-1	Knight	9833	1			3	2				5	4			6	9	11						7	8			10		
14	20	TRANMERE ROVERS	1-1	Harrison (p)	11842	1			3	2				5	4			8	6							9	7			10		11
15	27	Southport	1-4	Knight	5942	1			3	2				5	4		6									9	8	7		10		11
16	Nov 3	CREWE ALEXANDRA	0-0		8872	1			3	2					4		5	6								8	9	7		10		11
17	10	Gateshead	1-1	Marron	8030	1			3	2					4		5	6								8	9	7		10		11
18	17	DARLINGTON	4-2	Knight, Smith, Marron 2	9018	1			3	2					4		5	6								8	9	7		10		11
19	Dec 1	HARTLEPOOLS UNITED	2-2	Wilson, Marron	9552	1			3	2					4		5	6								8	9	7		10		11
20	8	Bradford City	0-1		7564	1			3	2					4		5	6								8	9	7		10		11
21	22	WREXHAM	3-0	Wilson 2, Capel	7315	1			3	2					4		5	6								8	9	7		10		11
22	25	CHESTER	2-0	Smith, Knight	10032	1			3	2					4		5	6								8	9	7		10		11
23	26	Chester	0-3		7262	1			3	2					4		5	6								8	9	7		10		11
24	29	YORK CITY	2-1	Wilson, Mitchell	8748		1		3	2					6		5	4								8		7	9	10		11
25	Jan 1	Carlisle United	3-2	Knight, Wilson, one og	10390		1		3	2					6		5	4								8		7	9	10		11
26	5	Bradford Park Avenue	3-3	Smith 2, Wilson	12359		1		3	2					6		5	4								8		7	9	10		11
27	12	Barrow	0-2		6819		1		3	2					6		5	4								8		7	9	10		11
28	19	HALIFAX TOWN	3-1	Harrison (p), Smith, Maxwell	7615		1		3	2					6		5	4								8		7	9	10		11
29	26	Mansfield Town	1-2	Wilson	10411		1		3	2					6		5	4								8		7	9	10		11
30	Feb 2	BARROW	2-0	Harvey, Southall	9168		1		3	2					6		5	4		9				8				7		10		11
31	9	ROCHDALE	5-1	Harvey 3, Southall, Smith	9055		1		3	2					6		5	4		9				8				7		10		11
32	16	Lincoln City	1-5	Harrison (p)	15058		1		3	2				5	6			4						8				7	9	10		11
33	23	CARLISLE UNITED	3-0	Marron, Mitchell, Smith	10330		1		3	2					6		5	4						8			9		7	10		11
34	Mar 1	SCUNTHORPE UNITED	3-0	Harrison (p), Marron, Smith	10152		1		3	2					6		5	4						8			9	7		10		11
35	8	Tranmere Rovers	0-2		8805			1	3	2					6		5	4						8	10	9		7				11
36	15	SOUTHPORT	2-0	Marron 2	9046			1	3	2					6		5	4							8		9			10	7	11
37	22	Crewe Alexandra	1-2	Marron	5289			1	3	2					6		5	4							8		9			10	7	11
38	29	GATESHEAD	1-0	Wyles (og)	4361			1	3	2					6		5	4							8		9			10	7	11
39	Apr 5	Darlington	0-3		3011			1	3	2					6		5	4							8		9			10	7	11
40	11	Accrington Stanley	0-2		5639			1	3	2				5	6			4							8		9			10	7	11
41	12	OLDHAM ATHLETIC	1-0	Harrison (p)	10945	1			3	2				5	8		6	4								9				10	7	11
42	14	ACCRINGTON STANLEY	2-0	Marron 2	8236	1			3	2				5	8		6	4									9			10	7	11
43	19	Hartlepools United	1-4	Harrison	8665	1			3	2				5	8		6	4									9			10	7	11
44	22	Oldham Athletic	0-3		7925	1			3	2				5	8		6	4							10	9					7	11
45	26	BRADFORD CITY	2-2	Harrison (p), Southall	6548	1			3	2				5	8		6	4		9					10						7	11
46	30	Grimsby Town	0-2		8948	1			3	2				5			6	4								8	9			10	7	11
		Apps				29	11	6	30	20	24	18	4	19	42	5	23	25	23	23	7	2	2	6	17	35	25	16	21	30	9	33
		Goals							1						9			3	3	3				4		6	12	3	2	9		6

Four own goals

Played in game 7: MB Costello (at 11).

F.A. Cup

#	Date	Opponent	Res	Scorers	Att	Lomas A	Platts L	Ward R	Capel FJ	Flockett TW	Milburn S	Parkin HB	Blakey D	Booker K	Harrison WE	Holmes J	Leivers WE	McLeod T	Smallwood JW	Southall RJ	Thompson J	Allen F	Bacci A	Harvey A	Hudson J	Knight J	Marron C	Maxwell P	Mitchell N	Smith GB	Thompson D	Wilson IJG
R1	Nov 24	Barrow	2-0	Wilson, Marron	7970	1			3	2					4		5	6								8	9	7		10		11
R2	Dec 15	Norwich City	1-3	Marron	26086	1			3	2					7		5	6		4						8	9			10		11

		P	W	D	L	F	A	W	D	L	F	A	Pts
1	Lincoln City	46	19	2	2	80	23	11	7	5	41	29	69
2	Grimsby Town	46	19	2	2	59	14	10	6	7	37	31	66
3	Stockport County	46	12	9	2	47	17	11	4	8	27	23	59
4	Oldham Athletic	46	19	2	2	65	22	5	7	11	25	39	57
5	Gateshead	46	14	7	2	41	17	7	4	12	25	32	53
6	Mansfield Town	46	17	3	3	50	23	5	5	13	23	37	52
7	Carlisle United	46	10	7	6	31	24	9	6	8	31	33	51
8	Bradford Park Ave.	46	13	6	4	51	28	6	6	11	23	36	50
9	Hartlepools United	46	17	3	3	47	19	4	5	14	24	46	50
10	York City	46	16	4	3	53	19	2	9	12	20	33	49
11	Tranmere Rovers	46	17	2	4	59	29	4	4	15	17	42	48
12	Barrow	46	13	5	5	33	19	4	7	12	24	42	46
13	CHESTERFIELD	46	15	7	1	47	16	2	4	17	18	50	45
14	Scunthorpe United	46	10	11	2	39	23	4	5	14	26	51	44
15	Bradford City	46	12	5	6	40	32	4	5	14	21	36	42
16	Crewe Alexandra	46	12	6	5	42	28	5	2	16	21	54	42
17	Southport	46	12	6	5	36	22	3	5	15	17	49	41
18	Wrexham	46	14	5	4	41	22	1	4	18	22	51	39
19	Chester	46	13	4	6	46	30	2	5	16	26	55	39
20	Halifax Town	46	11	4	8	31	23	3	3	17	30	74	35
21	Rochdale	46	10	5	8	32	34	1	8	14	15	45	35
22	Accrington Stanley	46	6	8	9	30	34	4	4	15	31	58	32
23	Darlington	46	10	5	8	39	34	1	4	18	25	69	31
24	Workington	46	8	4	11	33	34	3	3	17	17	57	29

1952/53   13th in Division 3(N)

#	Mon	Date	Opponent	Score	Scorers	Att	Powell RWH	Ward R	Capel FJ	Flockett TW	Parkin HB	Allen F	Blakey D	Cunningham EM	Harrison WE	Leivers WE	Smallwood JW	Caton WC	Harvey A	Langland JR	Maxwell P	Mitchell N	Parsons G	Sears G	Smith GB	Southall RJ	Thompson D	Thompson J	Westcott D	Wilson IJG
1	Aug	23	MANSFIELD TOWN	4-1	Westcott 4	18506	1			2	3			6		5	4		8			7			10				9	11
2		27	CREWE ALEXANDRA	1-0	Harvey	13362	1			2	3			6		5	4		8			7			10				9	11
3		30	Halifax Town	1-3	Mitchell	8746	1		2		3			6	4	5			8			7						10	9	11
4	Sep	1	Crewe Alexandra	1-2	Wilson	6970	1		2		3			6	4	5	10		8			7							9	11
5		6	ACCRINGTON STANLEY	3-0	Westcott 2, Harrison (p)	10088	1			2	3		5	6	4							7			10	8			9	11
6		9	Oldham Athletic	1-1	Westcott	16558	1			2	3		5	6	4							7			10	8			9	11
7		13	Workington	3-2	Wilson, Smith, Southall	8721	1			2	3		5	6	4							7			10	8			9	11
8		15	OLDHAM ATHLETIC	1-2	Smith	15821	1			2	3		5	6	4							7			10	8			9	11
9		20	SOUTHPORT	1-2	Smith	11451	1			2	3		5	6	4							7			10	8			9	11
10		24	Darlington	1-3	Southall	4956	1			2	3		5	6	4					10		7				8			9	11
11		27	TRANMERE ROVERS	1-2	Westcott	8848		1		2	3		5	6	8		4			10	7								9	11
12	Oct	1	BARROW	1-1	Westcott	4692		1		2	3		5	6			4	8		10	7								9	11
13		4	York City	0-0		9594	1			2	3		5	6			4	8		10		7							9	11
14		11	Port Vale	0-3		14352	1			2	3		5	6			4		8			7			10				9	11
15		18	CHESTER	2-1	Smith 2(1p)	8675	1			2	3		5	6			4		8			7			10				9	11
16		25	Scunthorpe United	0-1		8319	1			2	3		5	6			9	4	8			7			10					11
17	Nov	1	STOCKPORT COUNTY	2-1	Wilson, Westcott	8759	1			2	3		5	6			4	8				7							9	11
18		8	Bradford City	1-2	Westcott	10225	1			2	3		5	6			4	8				7							9	11
19		15	ROCHDALE	1-0	Smith	6752	1			2	3		5	6			4	8				7			10				9	11
20		29	GATESHEAD	1-1	Smith	6163	1			2	3		5	6			4	8				7	11		10				9	
21	Dec	13	CARLISLE UNITED	4-2	Southall, Mitchell, Smith, Westcott	4991	1		2		3		5	6			4					7			10	8			9	11
22		20	Mansfield Town	4-1	Smith, Southall, Mitchell, Westcott	6802	1		2		3		5	6			4					7			10	8			9	11
23		25	Grimsby Town	0-0		18848	1		2		3		5	6			4			10		7				8			9	11
24		27	GRIMSBY TOWN	3-2	Smallwood, Wilson 2	15519	1		2		3		5	6			4					7			10	8	9			11
25	Jan	1	Barrow	1-2	Smith	6304	1		2		3		5	6	8		4					7			10		9			11
26		3	HALIFAX TOWN	2-1	Wilson, Capel	9295	1		2		3		5	6			4					7			10	8			9	11
27		10	BRADFORD PARK AVE.	1-1	Smith	8997	1		2	3			5	6			4					7			10	8			9	11
28		17	Accrington Stanley	1-1	Westcott	4977	1		2	3			5	6			4					7			10	8			9	11
29		24	WORKINGTON	1-1	Wilson	8483	1		2	3			5	6			4					7			10	8			9	11
30		31	Bradford Park Avenue	1-0	Wilson	7559	1		2	3			5	6			4					7			10	8			9	11
31	Feb	7	Southport	0-1		4414	1		2	3			5	6			4					7			10	8			9	11
32		14	Tranmere Rovers	1-3	Westcott	6209	1		2	3			5	6			4					7			10	8			9	11
33		21	YORK CITY	1-2	Mitchell	8736	1		2		3		5	6			4					7			10	8			9	11
34		28	PORT VALE	1-0	Wilson	9772	1		2		3		5	6			4					7			10	8	9			11
35	Mar	7	Chester	0-2		3794	1		2		3		5	6			4					7			10	8	9			11
36		14	SCUNTHORPE UNITED	1-1	Wilson	8337	1		2		3		5	6			4					7			10	8	9			11
37		21	Stockport County	1-4	Westcott	8046	1		2		3		5	6			4		8			7			10				9	11
38		28	BRADFORD CITY	1-1	Smith	4730	1		2		3		5	6			4		8			7			10				9	11
39	Apr	3	Wrexham	2-2	Smith 2	18948	1		2		3		5	6			4		8			7			10				9	11
40		4	Rochdale	2-0	Wilson (p), Harvey	4803	1		2		3		5	6			4		8			7			10				9	11
41		6	WREXHAM	2-1	Sears, Westcott	8507	1		2		3		5	6			4		8			7		11			10		9	
42		11	DARLINGTON	3-0	Harvey 2, Westcott	6975	1		2		3		5	6			4		8			7					10		9	11
43		18	Gateshead	4-2	Mitchell, Westcott 2, Wilson	3253	1		2		3		5	6			4		8			7			10				9	11
44		20	Hartlepools United	0-2		6996	1		2	3			5	6			4		8			7			10				9	11
45		25	HARTLEPOOLS UNITED	2-0	Smith, Westcott	6511	1		2			3	5	6			4		8			7			10				9	11
46		30	Carlisle United	0-3		4258	1		3	2			5	6			4		8			7			10				9	11
Apps							44	2	28	26	37	1	42	46	10	4	39	7	14	6	2	45	1	1	37	16	13	1	40	44
Goals									1						1		1		4			5		1	15	4			21	12

F.A. Cup

#	Mon	Date	Opponent	Score	Scorers	Att	Powell RWH	Ward R	Capel FJ	Flockett TW	Parkin HB	Allen F	Blakey D	Cunningham EM	Harrison WE	Leivers WE	Smallwood JW	Caton WC	Harvey A	Langland JR	Maxwell P	Mitchell N	Parsons G	Sears G	Smith GB	Southall RJ	Thompson D	Thompson J	Westcott D	Wilson IJG
R1	Nov	22	WORKINGTON	1-0	Westcott	8402	1			2	3		5	6			4		8	10		7	11						9	
R2	Dec	6	Shrewsbury Town	0-0		13371	1			2	3		5	6			4	8				7	11		10				9	
rep		10	SHREWSBURY TOWN	2-4	Smith, Westcott	8060	1			2	3		5	6			4	8				7	11		10				9	

		P	W	D	L	F	A	W	D	L	F	A	Pts
1	Oldham Athletic	46	15	4	4	48	21	7	11	5	29	24	59
2	Port Vale	46	13	9	1	41	10	7	9	7	26	25	58
3	Wrexham	46	18	3	2	59	24	6	5	12	27	42	56
4	York City	46	14	5	4	35	16	6	8	9	25	29	53
5	Grimsby Town	46	15	5	3	47	19	6	5	12	28	40	52
6	Southport	46	16	4	3	42	18	4	7	12	21	42	51
7	Bradford Park Ave.	46	10	8	5	37	23	9	4	10	38	38	50
8	Gateshead	46	13	6	4	51	24	4	9	10	25	36	49
9	Carlisle United	46	13	7	3	57	24	5	6	12	25	44	49
10	Crewe Alexandra	46	13	5	5	46	28	7	3	13	24	40	48
11	Stockport County	46	13	8	2	61	26	4	5	14	21	43	47
12	Tranmere Rovers	46	16	4	3	45	16	5	1	17	20	47	47
13	CHESTERFIELD	46	13	6	4	40	23	5	5	13	25	40	47
14	Halifax Town	46	13	5	5	47	31	3	10	10	21	37	47
15	Scunthorpe United	46	10	6	7	38	21	6	8	9	24	35	46
16	Bradford City	46	14	7	2	54	29	0	11	12	21	51	46
17	Hartlepools United	46	14	6	3	39	16	2	8	13	18	45	46
18	Mansfield Town	46	11	9	3	34	25	5	5	13	21	37	46
19	Barrow	46	15	6	2	48	20	1	6	16	18	51	44
20	Chester	46	10	7	6	39	27	1	8	14	25	58	37
21	Darlington	46	13	4	6	33	27	1	2	20	25	69	34
22	Rochdale	46	12	5	6	41	27	2	0	21	21	56	33
23	Workington	46	9	5	9	40	33	2	5	16	15	58	32
24	Accrington Stanley	46	7	9	7	25	29	1	2	20	14	60	27

1953/54   6th in Division 3(N)

#		Date	Opponent	Score	Scorers	Att	Powell RWH	Bannister K	Capel FJ	Flockett TW	Blakey D	Brown G	Cunningham EM	Smallwood JW	Bellis A	Brindley J	Edwards R	Hatton C	Havenhand K	Keating PJ	Marsden K	McGoldrick TJ	Sears G	Showler K	Smith FD	Smith GB	Whiteside EK	Witheford JD	Wood H
1	Aug	19	DARLINGTON	1-1	G Smith	10227	1	2		3	5		6	4	11			8				9		7		10			
2		22	BARROW	1-1	Bellis	8185	1	2		3	5		6	4	11			8				9		7		10			
3		26	Wrexham	2-1	Smallwood, McGoldrick	13099	1	2		3	5		6	4	11			8				9		7		10			
4		29	Bradford City	0-2		7687	1	2	3		5		6	4	11			8				9		7		10			
5		31	WREXHAM	1-0	Hatton	7174	1	2	3		5		6	4	11			8				9		7		10			
6	Sep	5	Barnsley	1-4	McGoldrick	12640	1	2	3		5		6	4				8				9		7		10			
7		12	TRANMERE ROVERS	2-1	McGoldrick, Hatton	7563	1	2	3		5		6	4				8				9	11	7		10			
8		14	Mansfield Town	2-2	McGoldrick, G Smith	11185	1	2	3		5	6		4				8				9	11			10			7
9		19	Halifax Town	1-2	G Smith	6265	1	2	3		5	6		4				8				9			7	10			
10		22	Rochdale	1-0	G Smith	3070	1	2	3		5	6		4	11			8				9			7	10			
11		26	CARLISLE UNITED	5-0	Bellis, G Smith, McGoldrick 2, Hatton	8683	1	2	3		5	6		4	11			8				9			7	10			
12		28	ROCHDALE	2-1	McGoldrick	8308	1	2	3		5	6		4	11		10					9			7			8	
13	Oct	3	Accrington Stanley	2-2	Bellis, Hatton	8297	1	2	3		5	6		4	11			8				9			7			10	
14		10	PORT VALE	1-2	Hatton	15806	1	2	3		5	6		4	11			8				9			7	10			
15		17	Crewe Alexandra	0-2		8252	1	2	3		5	6		4	11			8				9			7	10			
16		24	CHESTER	4-0	Edwards, McGoldrick, G Smith 2	8229	1	2	3		5	6		4	11		7	8				9				10			
17		31	Southport	1-2	Smallwood	3055	1	2	3		5	6		4	11		7	8				9				10			
18	Nov	7	YORK CITY	3-2	Hatton (p), G Smith 2	6770	1		3	2	5	6		4			7	8		11		9				10			
19		14	Scunthorpe United	1-2	G Smith	8247	1		3	2	5	6		4			7	8		11		9				10			
20		28	Gateshead	3-3	Keating, Edwards, G Smith	6005	1		3	2	5	6		4			7	8		11		9				10			
21	Dec	5	HARTLEPOOLS UNITED	2-1	Marsden 2	7038	1		3	2	5	6		4			7	8		11	9					10			
22		19	Barrow	2-2	G Smith, Marsden	5462	1		3	2	5	6		4			7	8		11	9					10			
23		25	Stockport County	1-6	G Smith	8822	1		3	2	5	6		4			7	8		11	9					10			
24		26	STOCKPORT COUNTY	4-0	Hatton, G Smith, Marsden 2	10668	1		3	2	5	6		4				8		11	9					10		7	
25	Jan	1	MANSFIELD TOWN	0-0		12259	1		3	2	5	6		4		10	7	8		11	9								
26		2	BRADFORD CITY	2-3	Marsden 2	9141	1		3	2	5	6		4			8	10		11	9							7	
27		16	BARNSLEY	1-1	Brown (p)	8399	1		3	2	5	6		4						11	9					10	8	7	
28		23	Tranmere Rovers	2-1	Whiteside, Marsden	4571	1		3	2	5	6		4			7			11	9					10	8		
29	Feb	6	HALIFAX TOWN	1-2	Brown (p)	6574	1		3	2	5	6		4			7	10		11	9						8		
30		13	Carlisle United	3-2	Marsden 2, Keating	4918	1		3	2	5	6	7	4						11	9					10	8		
31		20	ACCRINGTON STANLEY	0-0		7013	1		3	2	5	6	8	4						11	9					10		7	
32		27	Port Vale	2-2	G Smith, Whiteside	19886	1		3	2	5	6		4						11	9					10	8	7	
33	Mar	6	CREWE ALEXANDRA	0-2		6212	1		3	2	5	6		4						11	9					10	8	7	
34		10	Bradford Park Avenue	1-1	Marsden	2371	1		3	2	5	6		4			8			11	9	7				10			
35		13	Chester	2-2	Whiteside, Keating	4404	1		3	2	5	6		4						11		9				10	8	7	
36		20	SOUTHPORT	2-0	Hatton, G Smith	5598	1		3	2	5	6		4			8			11		9				10		7	
37		24	BRADFORD PARK AVE.	5-1	G Smith 2, Wood, Brown (p), McGoldrick	2118	1		3	2	5	6		4			8			11		9				10			7
38		27	York City	3-1	Brown (p), McGoldrick, G Smith	4769	1		3	2	5	6		4			8			11		9				10			7
39		31	Darlington	2-3	McGoldrick 2	3075	1		3	2	5	6		4			8			11		9				10			7
40	Apr	3	SCUNTHORPE UNITED	1-0	Hatton	5769	1		3	2	5	6		4			8			11		9				10			7
41		10	Workington	1-2	Hatton	8501	1		3	2	5	6		4			8			11		9				10			7
42		16	Grimsby Town	1-1	McGoldrick	11913	1		3	2	5	6		4			8			11		9				10			7
43		17	GATESHEAD	1-1	Keating	7570	1		3	2	5	6		4						11	9	8				10			7
44		19	GRIMSBY TOWN	1-0	McGoldrick	7475	1		3	2	5	6		4						11	9	8				10			7
45		24	Hartlepools United	1-0	Keating	6238	1		3	2	5	6		4			8			11		9				10		7	
46		26	WORKINGTON	1-0	McGoldrick	6228	1		3	2	5	6		4	7				8	11		9				10			
						Apps	46	17	43	32	46	39	9	46	13	1	13	36	1	29	17	32	2	7	7	41	9	9	9
						Goals						4		2	3		2	10		5	11	16				19	3		1

Played in game 6 (at 11): H Lack. In game 9 (at 11): JR Langland.

F.A. Cup

		Date	Opponent	Score	Scorers	Att	Powell	Capel	Flockett	Blakey	Brown	Smallwood	Edwards	Hatton	Keating	Marsden	McGoldrick	Smith GB	Whiteside
R1	Nov	21	Gainsborough Trinity	4-1	Marsden 2, Edwards, Hatton	6144	1	3	2	5	6	4	7	8	11	9		10	
R2	Dec	12	Southend United	2-1	G Smith, Keating	10184	1	3	2	5	6	4	7	8	11	9		10	
R3	Jan	9	BURY	2-0	Marsden 2	9141	1	3	2	5	6	4	7	8	11	9		10	
R4		30	Sheffield Wednesday	0-0		46188	1	3	2	5	6	4	7		11	9		10	8
rep	Feb	3	SHEFFIELD WEDNESDAY	2-4	Marsden, Whiteside	21808	1	3	2	5	6	4	7		11	9		10	8

		P	W	D	L	F	A	W	D	L	F	A	Pts
1	Port Vale	46	16	7	0	48	5	10	10	3	26	16	69
2	Barnsley	46	16	3	4	54	24	8	7	8	23	33	58
3	Scunthorpe United	46	14	7	2	49	24	7	8	8	28	32	57
4	Gateshead	46	15	4	4	49	22	6	9	8	25	33	55
5	Bradford City	46	15	6	2	40	14	7	3	13	20	41	53
6	CHESTERFIELD	46	13	6	4	41	19	6	8	9	35	45	52
7	Mansfield Town	46	15	5	3	59	22	5	6	12	29	45	51
8	Wrexham	46	16	4	3	59	19	5	5	13	22	49	51
9	Bradford Park Ave.	46	13	6	4	57	31	5	8	10	20	37	50
10	Stockport County	46	14	6	3	57	20	4	5	14	20	47	47
11	Southport	46	12	5	6	41	26	5	7	11	22	34	46
12	Barrow	46	12	7	4	46	26	4	5	14	26	45	44
13	Carlisle United	46	10	8	5	53	27	4	7	12	30	44	43
14	Tranmere Rovers	46	11	4	8	40	34	7	3	13	19	36	43
15	Accrington Stanley	46	12	7	4	41	22	4	3	16	25	52	42
16	Crewe Alexandra	46	9	8	6	30	26	5	5	13	19	41	41
17	Grimsby Town	46	14	5	4	31	15	2	4	17	20	62	41
18	Hartlepools United	46	10	8	4	41	19	4	4	14	19	44	40
19	Rochdale	46	12	5	6	40	20	3	5	15	19	57	40
20	Workington	46	10	9	4	36	22	3	5	15	23	58	40
21	Darlington	46	11	3	9	31	27	1	11	11	19	44	38
22	York City	46	8	7	8	39	32	4	6	13	25	54	37
23	Halifax Town	46	9	6	8	26	21	3	4	16	18	52	34
24	Chester	46	10	7	6	39	22	1	3	19	9	45	32

#	Date	Opponent	Score	Scorers	Att	Powell RWH	Capel FJ	Clarke G	Flockett TW	Sears G	Blakey D	Brown G	Cunningham EM	Galley M	Hutchinson JB	Smallwood JW	Boyle DW	Keating PJ	Keen A	Marsden K	McGoldrick TJ	Ryan G	Smith GB	Stiffle NE	Sowden W	Watson V
1	Aug 21	Gateshead	3-1	Stiffle, Watson, Smith	6374	1	3		2		5	6				4		11	8				10	7		9
2	25	Workington	3-2	Watson 2, Keating	10364	1	3		2		5	6				4		11	8				10	7		9
3	28	DARLINGTON	2-0	Smith, Watson	13707	1	3		2		5	6				4		11	8				10	7		9
4	30	WORKINGTON	2-0	Keating, Stiffle	13223	1	3		2		5	6				4		11	8				10	7		9
5	Sep 4	Mansfield Town	0-2		16759	1	3		2		5	6				4		11	8				10	7		9
6	6	TRANMERE ROVERS	2-1	Keating, Smith	10663	1	3		2		5	6				4		11	8				10	7		9
7	11	Crewe Alexandra	2-2	Keen, Brown (p)	5532	1	3		2		5	6				4		11	8				10	7		9
8	14	Tranmere Rovers	0-0		6242	1	3		2		5	6				4		11	8				10	7		9
9	18	CARLISLE UNITED			11649	1	3		2		5	6				4		11	8				10	7		9
10	20	Bradford Park Avenue	3-1	Flockett, Keating, Smith	5093	1	3		2		5	6				4		11	8				10	7		9
11	25	Chester	0-1		6735	1	3		2		5	6				4		11	8				10	7		9
12	27	BRADFORD PARK AVE.	1-3	Keating	9735	1	3		2		5	6				4	8	11					10	7		9
13	Oct 2	GRIMSBY TOWN	1-0	Boyle	11125	1	3		2		5	6				4	8	11				9	10	7		
14	9	BARROW	4-1	Smallwood, Keen, Boyle 2	10932	1	3		2		5	6				4	9	11	8				10	7		
15	16	Southport	0-0		3932	1	3		2		5	6				4	9	11	8				10	7		
16	23	YORK CITY	0-3		10395	1	3		2		5	6				4	9	11	8				10	7		
17	30	Halifax Town	0-2		6416	1	3		2		5	6				4	8	11	7				10			9
18	Nov 6	OLDHAM ATHLETIC	1-3	Boyle	6037	1	3		2		5	6				4	8	11	7				10		9	
19	13	Bradford City	1-1	Sowden	6672	1	3		2		5	6				4	8	11					10	7	9	
20	27	Scunthorpe United	1-2	Sowden	8739	1	3		2		5	6				4		11	8				10	7	9	
21	Dec 4	WREXHAM	3-1	Smith, Stiffle, Sowden	4680	1	3		2		5	6				4		11	8				10	7	9	
22	18	GATESHEAD	1-3	Keen	6272	1	3		2		5	6				4		11	8	9			10	7		
23	25	Stockport County	2-3	Keating, Stiffle	5557	1	3		2		5	6				4		11	8	9			10	7		
24	27	STOCKPORT COUNTY	3-7	Marsden 2, Keen	9408	1	3		2		5	6				4		11	8	9	7		10			
25	Jan 1	Darlington	2-0	Marsden 2	9588	1	3		2		5	6				4		11	8	9	7		10			
26	3	Accrington Stanley	1-4	Smith	10752	1	3		2		5	6				4	8	11		9	7		10			
27	29	Rochdale	0-0		5171	1	3		2		5	6				4		11	8		7	9	10			
28	Feb 5	Carlisle United	2-1	Keen, Smith	6130	1	3		2		5			4		6		11	8				10	7	9	
29	12	CHESTER	5-3	Smith, Capel, Sowden 2, Keating	4674	1	3		2		5			4		6		11	8				10	7	9	
30	19	Grimsby Town	2-1	Keating, Freeburn (og)	5517	1	3		2		5			4		6		11	8				10	7	9	
31	Mar 5	SOUTHPORT	2-1	Keen, Stiffle	5893	1	3		2		5			4		6		11	8				10	7	9	
32	16	York City	2-3	Keating, Smith	10614	1	3		2		5			4		6		11	8				10	7	9	
33	19	HALIFAX TOWN	2-1	Sowden, Stiffle	6006	1	3		2		5				4	6		11	8				10	7	9	
34	26	Oldham Athletic	1-4	Capel	3455	1	3		2		5				4	6		11	8				10	7	9	
35	30	MANSFIELD TOWN	4-1	Smith 2, Sowden, Stiffle	6772	1	3		2		5			6		4		11	8				10	7	9	
36	Apr 2	BRADFORD CITY	2-1	Smith, Walsh (og)	6483	1	3		2		5			6		4	8	11					10	7	9	
37	8	HARTLEPOOLS UNITED	3-0	Sowden, Smith, Galley	10886	1	3		2		5			6		4	8	11					10	7	9	
38	9	Barnsley	0-3		17248	1	3		2		5			6		4	8	11					10	7	9	
39	11	Hartlepools United	0-2		9551	1	3		2		5			6		4	8	11					10	7	9	
40	13	CREWE ALEXANDRA	0-0		5436	1	2			3	5			6		4		11	8			9	10	7		
41	16	SCUNTHORPE UNITED	2-0	Keating, Stiffle	7304	1	2			3	5			6		4		11	8			9	10	7		
42	21	Barrow	0-2		3743	1	3	2			5			6		4		11	8				10	7	9	
43	23	Wrexham	2-0	Stiffle, Smith	4614	1	3	2			5			6		4		11	8				10	7	9	
44	25	BARNSLEY	3-1	Keen, Sowden, Smith	13148	1	3	2			5			6		4		11	8				10	7	9	
45	30	ACCRINGTON STANLEY	6-1	Sowden 4, Smith, Blakey	8813	1	2	6		3	5					4		11	8				10	7	9	
46	May 2	ROCHDALE	3-1	Keating, Smith, Sowden	5622	1	3	2			5		6			4		11	8				10	7	9	
		Apps				46	46	5	39	3	46	27	1	17	2	44	13	46	39	5	4	3	45	38	24	13
		Goals					2		1		1	1		1		1	4	11	7	4			18	9	14	5

Two own goals

F.A. Cup

#	Date	Opponent	Score		Att	Powell RWH	Capel FJ	Clarke G	Flockett TW	Sears G	Blakey D	Brown G	Cunningham EM	Galley M	Hutchinson JB	Smallwood JW	Boyle DW	Keating PJ	Keen A	Marsden K	McGoldrick TJ	Ryan G	Smith GB	Stiffle NE	Sowden W	Watson V
R1	Nov 20	Hartlepools United	0-1		12643	1	3		2		5	6				4		11	8				10	7	9	

		P	W	D	L	F	A	W	D	L	F	A	Pts
1	Barnsley	46	18	3	2	51	17	12	2	9	35	29	65
2	Accrington Stanley	46	18	2	3	65	32	7	9	7	31	35	61
3	Scunthorpe United	46	14	6	3	45	18	9	6	8	36	35	58
4	York City	46	13	5	5	43	27	11	5	7	49	36	58
5	Hartlepools United	46	16	3	4	39	20	9	2	12	25	29	55
6	CHESTERFIELD	46	17	1	5	54	33	7	5	11	27	37	54
7	Gateshead	46	11	7	5	38	26	9	5	9	27	43	52
8	Workington	46	11	7	5	39	23	7	7	9	29	32	50
9	Stockport County	46	13	4	6	50	27	5	8	10	34	43	48
10	Oldham Athletic	46	14	5	4	47	22	5	5	13	27	46	48
11	Southport	46	10	9	4	28	18	6	7	10	19	26	48
12	Rochdale	46	13	7	3	39	20	4	7	12	30	46	48
13	Mansfield Town	46	14	4	5	40	28	4	5	14	25	43	45
14	Halifax Town	46	9	9	5	41	27	6	4	13	22	40	43
15	Darlington	46	10	7	6	41	28	4	7	12	21	45	42
16	Bradford Park Ave.	46	11	7	5	29	21	4	4	15	27	49	41
17	Barrow	46	12	4	7	39	34	5	2	16	31	55	40
18	Wrexham	46	9	6	8	40	35	4	6	13	25	42	38
19	Tranmere Rovers	46	9	6	8	37	30	4	5	14	18	40	37
20	Carlisle United	46	12	1	10	53	39	3	5	15	25	50	36
21	Bradford City	46	9	5	9	30	26	4	5	14	17	29	36
22	Crewe Alexandra	46	8	10	5	45	35	2	4	17	23	56	34
23	Grimsby Town	46	10	4	9	28	32	3	4	16	19	46	34
24	Chester	46	10	3	10	23	25	2	6	15	21	52	33

#	Date	Opponent	Score	Scorers	Att	Pow	Cap	Cla	Flo	Ban	Bla	Gal	Hut	Sma	Boy	Dod	Hav	Kea	Keen	Mac	McK	Smi	Sow	Whe	Wil	Woo
1	Aug 20	Carlisle United	1-1	Keating	10478	1	3		2		5			4	6			11	8			10	9	7		
2	24	DARLINGTON	2-1	Sowden, Smith	9155	1	3		2		5			4	6			11	8			10	9	7		
3	27	GRIMSBY TOWN	1-0	Smith	8881	1	3		2		5			4	6			11	8			10	9	7		
4	31	Darlington	1-2	Sowden	7193	1	3		2		5			4	6			11	8			10	9		7	
5	Sep 3	Bradford Park Avenue	5-0	Keen, Sowden 3, Williams	10328	1	3		2		5			4	6			11	8			10	9		7	
6	7	ACCRINGTON STANLEY	0-1		10883	1	3		2		5			4	6			11	8			10	9		7	
7	10	ROCHDALE	7-2	Woodhead 3, Smith 2, Keen, Sowden	9381	1	3		2		5			4	6				8			10	9		7	11
8	14	Accrington Stanley	1-5	Woodhead	9858	1	3		2		5			4	6				8			10	9		7	11
9	17	WORKINGTON	2-4	Keen, Woodhead	10230	1	3		2		5			4	6				8			10	9		7	11
10	21	BARROW	2-0	Hall (og), Williams	6381	1	3	2			5		6	4	8							10	9		7	11
11	24	Tranmere Rovers	1-0	Millington (og)	7442	1	3	2			5		6	4	8							10	9		7	11
12	26	Gateshead	3-3	Sowden 2, Williams	2014	1	3	2			5		6	4	8							10	9		7	11
13	Oct 1	SOUTHPORT	5-1	Boyle 2, Williams, Woodhead, Sowden	9077	1	3	2			5		6	4	8							10	9		7	11
14	8	Derby County	0-3		22616	1	3	2			5		6	4	8							10	9		7	11
15	15	OLDHAM ATHLETIC	1-0	Boyle	8021	1	3	2			5		6	4	8		11					10	9		7	
16	22	Hartlepools United	0-3		5479	1	3	2			5		6	4	8		11					10	9		7	
17	29	STOCKPORT COUNTY	2-3	Boyle, Smith	7966	1	3	2			5	9	6	4	8		11					10			7	
18	Nov 5	Mansfield Town	1-0	Sowden	8375	1	3	2			5			4	6		8	11				10	9		7	
19	12	WREXHAM	2-0	Sowden 2	7085	1	3	2			5			4	6		8	11				10	9		7	
20	26	BRADFORD CITY	1-1	Keating	7281	1	3	2			5			4	6		8	11				10	9		7	
21	Dec 3	Scunthorpe United	0-2		7114	1	3	2			5			4	6		8	11				10	9		7	
22	17	CARLISLE UNITED	2-1	Keating, Smith	5340	1	3	2		4	5			6			8	11		7		10	9			
23	24	Grimsby Town	0-3		13304	1	3	2		4	5			6			8			7		10	9			11
24	26	CHESTER	2-1	Sowden, Smith	5815	1	3	2		4	5			6	11		8			7		10	9			
25	27	Chester	1-2	Sowden	4331	1	3	2		4	5			6	10		8			7			9			11
26	31	BRADFORD PARK AVE.	5-1	Sowden 2, Boyle, Havenhand, Capel (p)	7287	1	3	2		4	5			6	10		8			7			9			11
27	Jan 2	GATESHEAD	3-0	Sowden, Keen, Bannister	6721	1	3	2		4	5			6			8			7	10		9			11
28	7	Halifax Town	0-3		7939	1	3	2		4	5			6			8			7	10		9			11
29	21	Workington	1-0	Sowden	4911	1	3	2		4	5			6			8	11		7	10		9			
30	28	CREWE ALEXANDRA	8-0	*see below	6065	1	3	2		4	5			6			8	11		7	10		9			
31	Feb 4	TRANMERE ROVERS	2-0	Havenhand, Sowden	6028	1	3	2		4	5			6	11		8			7	10		9			
32	11	Southport	0-1		5693	1	3	2		4	5			6	11		8			7	10		9			
33	18	DERBY COUNTY	2-0	Boyle, MaCabe	22505	1	3	2		4	5			6	11		8			7		10	9			
34	25	Oldham Athletic	2-2	Smith, Sowden	6294	1	3	2		4	5			6	11		8			7		10	9			
35	Mar 3	HARTLEPOOLS UNITED	2-3	Keen, MaCabe	9161	1	3	2		4	5			6	11				8	7		10	9			
36	10	Stockport County	1-2	Galley	8171	1	3	2		4	5	8		6	11					7		10	9			
37	17	HALIFAX TOWN	3-0	Smith 2, Havenhand	7283	1	3	2		4	5			6	11		8			7		10	9			
38	24	Wrexham	0-3		5193	1	3	2		4	5			6	11				8	7		10	9			
39	30	York City	1-3	Sowden	13476	1	3	2		4	5			6	11		8			7		10	9			
40	31	MANSFIELD TOWN	2-1	Blakey, Sowden	15138	1	3	2		4	5			6	11		8			7		10	9			
41	Apr 2	YORK CITY	3-1	Smith 2, Sowden	9486	1	3	2		4	5			6	11		8			7		10	9			
42	7	Bradford City	5-3	Smith 2, Keating, Sowden 2	7297	1	3	2		8	5		4	6	7			11				10	9			
43	14	SCUNTHORPE UNITED	2-0	Sowden, Havenhand	5592	1	3	2			5			4	6		8	11		7		10	9			
44	18	Rochdale	5-1	Smith 3, Keating, Sowden	2518	1	3	2			5			4	6			11	7		8	10	9			
45	21	Crewe Alexandra	3-0	Sowden 2, Smith	3808	1	3	2			5			4	6		8	11	7			10	9			
46	28	Barrow	1-3	Blakey	6038	1	3	2			5			4	6	8		11		7		10	9			

Scorers in game 30: Capel 2 (2p), Havenhand 2, Sowden 3, McKnight

		Pow	Cap	Cla	Flo	Ban	Bla	Gal	Hut	Sma	Boy	Dod	Hav	Kea	Keen	Mac	McK	Smi	Sow	Whe	Wil	Woo
Apps		46	46	37	9	21	46	20	9	45	29	4	19	19	15	22	5	38	45	3	13	15
Goals			3			1	2	1			6		6	5	5	2	1	18	32		4	6

Two own goals

F.A. Cup

	Date	Opponent	Score	Scorers	Att	Pow	Cap	Cla	Flo	Ban	Bla	Gal	Hut	Sma	Boy	Dod	Hav	Kea	Keen	Mac	McK	Smi	Sow	Whe	Wil	Woo
R1	Nov 19	CHESTER	1-0	Sowden	9801	1	3	2			5			4	6		8	11				10	9			
R2	Dec 10	HARTLEPOOLS UTD.	1-2	Smith	10280	1	3	2			5			4	6		8	11				10	9			11

		P	W	D	L	F	A	W	D	L	F	A	Pts
1	Grimsby Town	46	20	1	2	54	10	11	5	7	22	19	68
2	Derby County	46	18	4	1	67	23	10	3	10	43	32	63
3	Accrington Stanley	46	17	4	2	61	19	8	5	10	31	38	59
4	Hartlepools United	46	18	2	3	47	15	8	3	12	34	45	57
5	Southport	46	12	9	2	39	18	11	2	10	27	35	57
6	CHESTERFIELD	46	18	1	4	61	21	7	3	13	33	45	54
7	Stockport County	46	16	4	3	65	22	5	5	13	25	39	51
8	Bradford City	46	16	5	2	57	25	2	8	13	21	39	49
9	Scunthorpe United	46	12	4	7	40	26	8	4	11	35	37	48
10	Workington	46	13	4	6	47	20	6	5	12	28	43	47
11	York City	46	12	4	7	44	24	7	5	11	41	48	47
12	Rochdale	46	13	5	5	46	39	4	8	11	20	45	47
13	Gateshead	46	15	4	4	56	32	2	7	14	21	52	45
14	Wrexham	46	11	5	7	37	28	5	5	13	29	45	42
15	Darlington	46	11	6	6	41	28	5	3	15	19	45	41
16	Tranmere Rovers	46	11	4	8	33	25	5	5	13	26	59	41
17	Chester	46	10	8	5	35	33	3	6	14	17	49	40
18	Mansfield Town	46	13	6	4	59	21	1	5	17	25	60	39
19	Halifax Town	46	10	6	7	40	27	4	5	14	26	49	39
20	Oldham Athletic	46	7	12	4	48	36	3	6	14	28	50	38
21	Carlisle United	46	11	3	9	45	36	4	5	14	26	59	38
22	Barrow	46	11	6	6	44	25	1	3	19	17	58	33
23	Bradford Park Ave.	46	13	4	6	47	38	0	3	20	14	84	33
24	Crewe Alexandra	46	9	4	10	32	35	0	6	17	18	70	28

		Date	Opponent	Score	Scorers	Att	Powell RWH	Capel FJ	Clarke G	Moore E	Flockett TW	Sears G	Blakey D	Galley M	Hutchinson JB	Smallwood JW	Whitehurst W	Burrell GM	Cunliffe RA	Frear B	Havenhand K	Keating PJ	Lewis G	Moore R	Slater R	Smith FA	Smith GB	Sowden W	Walker TJ	Whittle E
1	Aug	18	Hartlepools United	1-5	Cunliffe	5444	1	3	2				5		6	4		7	11							8	10	9		
2		22	CREWE ALEXANDRA	2-0	Slater, G Smith	9202	1	3	2				5		6	4		7	11						9	8	10			
3		25	BRADFORD CITY	1-1	Cunliffe	7859	1	3	2				5		6	4		7	11						9	8	10			
4		29	Crewe Alexandra	4-0	F Smith, Sowden 2, Cunliffe	3999	1	3			2		5		6	4		7	11							8	10	9		
5	Sep	1	Stockport County	1-2	Sowden	12044	1	3			2		5		6	4		7	11							8	10	9		
6		5	CHESTER	3-0	G Smith, Sowden, Capel (p)	7901	1	3			2		5		6	4		7				11				8	10	9		
7		8	CARLISLE UNITED	2-2	Sowden 2	8890	1	3	8		2		5		6	4		7	11							10		9		
8		12	Chester	4-3	Burrell, Cunliffe 2, Sowden	5404	1	3	4		2		5		6	8		7	11								10	9		
9		15	Accrington Stanley	1-1	Hunter (og)	8977	1	3			2		5	4	6	8		7	11								10	9		
10		18	Oldham Athletic	3-3	G Smith 2, Sowden	10059	1	3	6		2		5	4		8		7	11								10	9		
11		22	TRANMERE ROVERS	3-1	Sowden, Smallwood, G Smith	8538	1	3			2		5	4	6	8		7	11								10	9		
12		29	York City	2-1	Havenhand 2	8820	1	3			2		5	4	6	9		7	11		8						10			
13	Oct	6	SCUNTHORPE UNITED	1-0	G Smith	9017	1	3			2		5		6	4		7	11		8						10	9		
14		13	Rochdale	0-1		9011	1	3	4		2		5		6	8		7	11								10	9		
15		20	GATESHEAD	6-0	*see below	7800	1	3			2		5		6	4		7	11		8						10	9		
16		27	Workington	1-2	Havenhand	7503	1	3			2		5		6	4		7	11		8						10	9		
17	Nov	3	HULL CITY	3-1	G Smith 2, Cunliffe	10610	1	3			2		5		6	4		7	11								10	9		8
18		10	Barrow	1-2	G Smith	5652	1	3			2		5		6	4		7	11					8			10	9		
19		24	Bradford Park Avenue	0-2		6895	1	3			2		5		6	4		7	11								10	9		8
20	Dec	1	HALIFAX TOWN	2-1	Whittle, Smallwood	8261	1	3			2		5		6	9	4	7	11								10			8
21		15	HARTLEPOOLS UNITED	5-1	Smallwood,G Smith 2,Cunliffe,Capel (p)	9257	1	3			2		5		6	9	4		11								10	7		8
22		22	Bradford City	2-3	Smallwood, Cunliffe	8871	1	3			2		5		6	9	4		11		8						10	7		
23		25	MANSFIELD TOWN	1-0	G Smith	11107	1	3			2		5		6	9	4		11								10	7		8
24		29	STOCKPORT COUNTY	1-0	Hutchinson	11543	1	3			2		5		6	9	4		11								10	7		8
25	Jan	1	OLDHAM ATHLETIC	1-0	Cunliffe	7668	1	3			2		5		6	9	4		11								10	7		8
26		12	Carlisle United	2-4	Smallwood, Cunliffe	8611	1	3			2		5		6	9	4		11								10	7		8
27		19	ACCRINGTON STANLEY	1-0	Burrell	11288	1	3		2			5		6	9	4	7	11								10			
28		26	SOUTHPORT	6-0	Capel(p),Sowden 2,Cunliffe 2,Hutchinson	10900	1	3		2			5		6		4	7	11					8			10	9		
29	Feb	2	Tranmere Rovers	2-2	Cunliffe, Hutchinson	5964	1	3		2			5		6		4	7	11					8			10	9		
30		9	YORK CITY	3-4	G Smith, Lewis, Hutchinson	16160	1	3		2			5		6		4		11	8			9				10		7	
31		16	Scunthorpe United	1-5	Lewis	6854	1	3		2			5		6		4		11	8			9				10		7	
32		23	ROCHDALE	2-2	Lewis, Capel (p)	4200	1	3		2			5		6		4		11	8			9				10		7	
33	Mar	2	Gateshead	3-1	Frear, Lewis 2	3245	1	3			2		5		6	4			11	8			9				10		7	
34		9	WORKINGTON	2-2	Blakey, Frear	12305	1	3			2		5		6	4			11	8			9				10		7	
35		16	Hull City	2-3	Frear, Whittle	11660	1	3			2		5		6	4			11	8			9				10		7	10
36		23	BARROW	3-2	Whittle, Lewis, Frear	9769	1	3			2		5		6	4			11	8			9				10		7	10
37		26	Southport	0-0		2144	1	3			2		5		6	4			11				9	7			10			8
38		30	Darlington	1-4	Cunliffe	5257	1	3			2		5		6	4			11				9				10	7		8
39	Apr	6	BRADFORD PARK AVE.	4-1	Havenhand 2, Whittle, Sowden	7641	1	3			2		5		6		4			8							10	11	7	9
40		8	Mansfield Town	0-3		8746	1	3			2		5		6		4			8							10	11	7	9
41		13	Halifax Town	1-2	Lorenson (og)	4752	1	3			2		5		6		4		11	8							10	9	7	
42		19	DERBY COUNTY	2-2	Cunliffe, Lewis	26512	1	3			2		5		6		4		11	8			9				10		7	
43		20	WREXHAM	2-1	G Smith, Lewis	8114	1	3			2		5		6		4		11	8			9				10		7	
44		22	Derby County	1-7	Hutchinson (p)	29886	1				2	3	5		6		4		11	8			9				10		7	
45		27	Wrexham	3-1	Lewis, G Smith, Walker	5670	1				2	3	5		6		4		11	8			9				10		7	
46	May	1	DARLINGTON	4-1	Frear, Whitehurst (p), Lewis, G Smith	5201	1		2			3	5	4			6	7	11	8			9				10			

Scorers in game 15: Hutchinson, Smallwood, Capel (p), Sowden, Havenhand, Burrell.

	Apps	46	43	8	6	36	3	46	5	44	33	21	24	43	9	11	1	14	4	2	7	43	28	14	15
	Goals		5			1		8	6	1	3	15	5	6		10			1	1	16	13	1	4	

Two own goals

F.A. Cup

	Date	Opponent	Score	Scorers	Att	Powell RWH	Capel FJ	Flockett TW	Blakey D	Hutchinson JB	Smallwood JW	Whitehurst W	Burrell GM	Cunliffe RA	Havenhand K	Smith GB	Sowden W	Whittle E
R1	Nov 17	South Shields	2-2	Burrell, G Smith	15500	1	3	2	5	6	4		7	11		10	9	8
rep	21	SOUTH SHIELDS	4-0	Cunliffe, Smallwood, Capel(p), Sowden	7759	1	3	2	5	6	4		7	11		10	9	8
R2	Dec 8	BARROW	4-1	Capel (p), Smallwood, Sowden, Blakey	13019	1	3	2	5	6	9	4		11	8	10	7	
R3	Jan 5	Burnley	0-7		27398	1	3	2	5	6	9	4		11		10	7	8

		P	W	D	L	F	A	W	D	L	F	A	Pts
1	Derby County	46	18	3	2	69	18	8	8	7	42	35	63
2	Hartlepools United	46	18	4	1	56	21	7	5	11	34	42	59
3	Accrington Stanley	46	15	4	4	54	22	10	4	9	41	42	58
4	Workington	46	16	4	3	60	25	8	6	9	33	38	58
5	Stockport County	46	16	3	4	51	26	7	5	11	40	49	54
6	CHESTERFIELD	46	17	5	1	60	22	5	4	14	36	57	53
7	York City	46	14	4	5	43	21	7	6	10	32	40	52
8	Hull City	46	14	6	3	45	24	7	4	12	39	45	52
9	Bradford City	46	14	3	6	47	31	8	5	10	31	37	52
10	Barrow	46	16	2	5	51	22	5	7	11	25	40	51
11	Halifax Town	46	16	2	5	40	24	5	5	13	25	46	49
12	Wrexham	46	12	7	4	63	33	7	3	13	34	41	48
13	Rochdale	46	14	6	3	38	19	4	6	13	27	46	48
14	Scunthorpe United	46	9	5	9	44	36	6	10	7	27	33	45
15	Carlisle United	46	9	9	5	44	36	7	4	12	32	49	45
16	Mansfield Town	46	13	3	7	58	38	4	7	12	33	52	44
17	Gateshead	46	9	6	8	42	40	8	4	11	30	50	44
18	Darlington	46	11	5	7	47	36	6	3	14	35	59	42
19	Oldham Athletic	46	9	7	7	35	31	3	8	12	31	43	39
20	Bradford Park Ave.	46	11	2	10	41	40	5	1	17	25	53	35
21	Chester	46	8	7	8	40	35	2	6	15	15	49	33
22	Southport	46	7	8	8	31	34	3	4	16	21	60	32
23	Tranmere Rovers	46	5	9	9	33	38	2	4	17	18	53	27
24	Crewe Alexandra	46	5	7	11	31	46	1	2	20	12	64	21

No	Date	Opponent	Res	Scorers	Att	Powell RWH	Sears G	Seemley LJ	Sutherland JF	Warner DPA	Allison JA	Blakey D	Galley M	Hutchinson JB	Smallwood JW	Whitehurst W	Burrell GM	Cunliffe RA	Frear B	Havenhand K	Kelly DC	Lewis G	Lumley R	MacCabe AB	Moore R	Slater JB	Smith GB	Tomlinson J
1	Aug 24	SCUNTHORPE UNITED	1-1	Cunliffe	10768	1		3	2			5		6		4	7	11	8			9					10	
2	28	Wrexham	2-2	Cunliffe, Smith	13912	1		3	2			5		6		4		11	8			9					10	7
3	31	Tranmere Rovers	2-1	Frear 2 (1p)	10142	1		3	2			5		6		4		11	8			9				10		7
4	Sep 4	WREXHAM	3-2	Lewis 2, Frear	9257	1		3	2			5		6		4		11	8			9				10		7
5	7	HARTLEPOOLS UNITED	2-1	Lewis, Tomlinson	11511	1		3	2			5		6		4		11	8			9					10	7
6	11	ACCRINGTON STANLEY	1-0	Lewis	10091	1		3	2			5		6		4		11	8			9					10	7
7	14	Bradford Park Avenue	0-2		11158	1		3	2			5	6			4		11	8			9					10	7
8	16	Accrington Stanley	4-0	Lewis 2, Cunliffe, Frear	4441	1		3	2			5	6			4		11	8			9			10			7
9	21	CARLISLE UNITED	1-3	Frear	9697	1		3	2			5	6			4		11	8			9			10			7
10	23	Bury	0-1		13341	1		3	2			5	6		8	4		11				9			10			7
11	28	Southport	2-5	Kelly, Moore	3103	1		3	2			5	6			4	11		8		9				10			7
12	Oct 5	YORK CITY	2-0	Lewis, Smith	8831	1		3	2			5	6			4	11		8			9					10	7
13	12	GATESHEAD	5-3	Lewis 2, Galley, Frear 2	9196	1		3	2			5	6			4	11		8			9					10	7
14	19	Rochdale	4-3	Frear 2, Blakey, Tomlinson	6441	1		3	2			5	4	6			11		8			9					10	7
15	26	HALIFAX TOWN	1-1	Galley	9375	1		3	2			5	4	6			11		8			9					10	7
16	Nov 2	Stockport County	1-4	Lewis	9760	1		3	2			5	4	6			11		8	10		9						7
17	9	HULL CITY	0-0		7922	1		3	2			5	4	6			11		8			9				10		7
18	23	WORKINGTON	3-0	Lewis 2, Burrell	7642	1	3		2			5		6		4	7	11	8			9				10		
19	30	Mansfield Town	1-1	Freer	12575	1	3		2			5		6		4	7	11	8			9				10		
20	Dec 7	CREWE ALEXANDRA	1-1	Cunliffe	5837	1	3		2		5			6		4	7	11	8			9				10		
21	14	Darlington	0-2		3951	1	3		2		5		10	6		4	11		8			9						7
22	21	Scunthorpe United	1-1	Hutchinson	7741	1		3	2			5	9	6		4	11		8				10					7
23	25	Oldham Athletic	1-2	Lumley	7247	1		3	2			5	9	6		4			8			11	10					7
24	26	OLDHAM ATHLETIC	2-1	Hutchinson, Tomlinson	9639	1		3	2			5	9	6		4			8			11				10		7
25	28	TRANMERE ROVERS	2-1	Hutchinson, Smith	8839	1		3	2			5	9	6		4			8							11	10	7
26	Jan 1	Barrow	1-4	Lewis	6592	1		3	2			5		6		4			8			9				11	10	7
27	4	BARROW	4-3	Lewis 2, Frear, Slater	6233	1		3	2			5		6		4	7		8			9	10			11		
28	11	Hartlepools United	2-0	Lumley, Lewis	8129	1		3	2			5		6		4	7					9	8			11	10	
29	18	BRADFORD PARK AVE.	1-1	Frear	7295	1		3	2			5		6		4	7		8			9	10			11		
30	Feb 1	Carlisle United	2-2	Frear 2	6763	1			2	3		5		6	8	4			7			9	10			11		
31	15	York City	3-3	Lewis, Slater, Cairney (og)	4813	1			2	3		5		6	8	4			7			9	10			11		
32	22	Workington	2-0	Lewis, frear	6325	1			2	3		5		6	8	4			7			9	10			11		
33	Mar 1	ROCHDALE	2-2	Lewis, Hutchinson	8533	1			2	3		5		6	8	4			7			9	10			11		
34	8	Halifax Town	2-3	Slater, Blakey	5586	1			2	3		5		6	8	4			7			9	10			11		
35	15	STOCKPORT COUNTY	2-1	Blakey, Lewis	8206	1			2	3		5		6	8	4			7			9	10			11		
36	22	Gateshead	0-3		4033	1			2	3		5		6	8	4			7			9	10			11		
37	29	BRADFORD CITY	0-1		6535	1			2	3		5		6	8	4			7			9	10			11		
38	Apr 4	CHESTER	2-1	Frear, Lewis	9156	1		3	2			5		6		4	11	10	8			9		7				
39	5	Crewe Alexandra	2-1	MacCabe, Lewis	3119	1		3	2			5		6		4	11	10	8			9		7				
40	7	Chester	0-0		6360	1		3	2			5		6		4	11	10	8			9		7				
41	12	MANSFIELD TOWN	1-4	Lewis	12279	1		3	2			5		6		4	11	10	8			9		7				
42	16	SOUTHPORT	0-0		4493	1		3	2			5		6		4	11		8			9	10	7				
43	19	Hull City	0-1		9625	1		3	2			5		6		4	11		8			9	10	7				
44	23	BURY	1-1	Lewis	6536	1		3	2			5		6		4	11		8			9	10					7
45	26	DARLINGTON	2-0	Frear, Blakey	4985	1		3	2			5		6		4	11		8			9	10					7
46	29	Bradford City	0-0		7402	1		3	2			5		6		4	11		8					10	7	9		
Apps						46	4	34	46	8	2	44	11	35	28	24	27	19	44	5	1	42	18	7	6	15	16	24
Goals												4	2	4			1	4	17		1	24	2	1	1	3	3	3

One own goal

F.A. Cup

Rd	Date	Opponent	Res		Att	Powell RWH	Sears G	Seemley LJ	Sutherland JF	Warner DPA	Allison JA	Blakey D	Galley M	Hutchinson JB	Smallwood JW	Whitehurst W	Burrell GM	Cunliffe RA	Frear B	Havenhand K	Kelly DC	Lewis G	Lumley R	MacCabe AB	Moore R	Slater JB	Smith GB	Tomlinson J
R1	Nov 16	York City	0-1		8615	1		3	2			5		6		4	11		8			9				10		7

		P	W	D	L	F	A	W	D	L	F	A	Pts
1	Scunthorpe United	46	16	5	2	46	19	13	3	7	42	31	66
2	Accrington Stanley	46	16	4	3	53	28	9	5	9	30	33	59
3	Bradford City	46	13	7	3	42	19	8	8	7	31	30	57
4	Bury	46	17	4	2	61	18	6	6	11	33	44	56
5	Hull City	46	15	6	2	49	20	4	9	10	29	47	53
6	Mansfield Town	46	16	3	4	68	42	6	5	12	32	50	52
7	Halifax Town	46	15	5	3	52	20	5	6	12	31	49	51
8	CHESTERFIELD	46	12	8	3	39	28	6	7	10	32	41	51
9	Stockport County	46	15	4	4	54	28	3	7	13	20	39	47
10	Rochdale	46	14	4	5	50	25	5	4	14	29	42	46
11	Tranmere Rovers	46	12	6	5	51	32	6	4	13	31	44	46
12	Wrexham	46	13	8	2	39	18	4	4	15	22	45	46
13	York City	46	11	8	4	40	26	6	4	13	28	50	46
14	Gateshead	46	12	5	6	41	27	3	10	10	27	49	45
15	Oldham Athletic	46	11	7	5	44	32	3	10	10	28	52	45
16	Carlisle United	46	13	3	7	56	35	6	3	14	24	43	44
17	Hartlepools United	46	11	6	6	45	26	5	6	12	28	50	44
18	Barrow	46	9	7	7	36	32	4	8	11	30	42	41
19	Workington	46	11	6	6	46	33	3	7	13	26	48	41
20	Darlington	46	15	3	5	53	25	2	4	17	25	64	41
21	Chester	46	7	10	6	38	26	6	3	14	35	55	39
22	Bradford Park Ave.	46	8	6	9	41	41	5	5	13	27	54	37
23	Southport	46	8	3	12	29	40	3	3	17	23	48	28
24	Crewe Alexandra	46	6	5	12	29	41	2	2	19	18	52	23

#	Date		Opponent	Score	Scorers	Att	Banks G	Powell RWH	DeGrunchy RP	Sears G	Seemley IJ	Sutherland JF	Allison JA	Blakey D	Clarke G	Galley M	Hutchinson JB	Smallwood JW	Whitehurst W	Bottom AE	Frear B	Havenhand K	Lewis G	Lumley R	MacCabe AB	Maddison JP	Martin G	Moore R	Rackstraw C	Steele BJS	Tomlinson J
1	Aug	23	HALIFAX TOWN	2-3	Tomlinson, Havenhand	10685	1	3				2		5			6	4			10	8	9							11	7
2		25	SOUTHAMPTON	3-3	Moore, Frear 2	10387	1			3	2			5			6		4		10	8						9		11	7
3		30	Newport County	1-0	Hutchinson (p)	10968	1			3	2			5			6		4		10	8						9		11	7
4	Sep	1	Southampton	0-0		14903	1			3	2			5			6		4		10	8						9		11	7
5		6	SOUTHEND UNITED	4-0	Frear 3, Moore	11148	1			3	2			5			6		4		10	8						9		11	7
6		10	Bradford City	0-1		10111	1			3	2			5			6		4		10	8						9		11	7
7		13	NOTTS COUNTY	1-0	Tomlinson	12774	1			3	2			5				6	4		10	8						9		11	7
8		15	BRADFORD CITY	2-0	Steele, Havenhand	9844	1			3	2			5				6	4		10	8						9		11	7
9		20	Mansfield Town	1-2	Havenhand	15952	1			3	2			5				6	4		10	8						9		11	7
10		22	ACCRINGTON STANLEY	0-1		8979	1			3	2			5		6			4		10	8	9							11	7
11		27	SWINDON TOWN	1-3	Blakey	10535	1			3	2			5			6		4		10	8	9							11	7
12		29	Accrington Stanley	1-3	Frear	5381	1			3	2		5	9			6		4		8			10	7					11	
13	Oct	4	Brentford	1-1	Frear	12473	1			3	2			5			6		4		10	8		9	7					11	
14		6	Hull City	1-3	Frear	12305	1			3	2			5			6		4		10	8		9	7					11	
15		11	Queen's Park Rangers	2-2	Havenhand 2	9452	1			3	2			5			6		4		10	8		9	11						7
16		18	ROCHDALE	0-0		8253	1			3	2			5			6		4		10	8		9	11						7
17		25	DUNCASTER ROVERS	2-0	Frear, Blakey	7760	1			3	2			5			6		4		10	8		9						11	7
18	Nov	1	PLYMOUTH ARGYLE	1-2	Havenhand	10966	1			3	2			5			6		4		10	8		9						11	7
19		8	Tranmere Rovers	0-2		10379	1			3	2			5			6		4		10	8			9					11	7
20		22	Bournemouth	1-2	Bottom	9079	1			3	2			5			6		4	9	10	8			11		7				
21		29	COLCHESTER UNITED	2-2	Galley, Frear	7140	1			3	2			5		9	10	6	4	8	11				7						
22	Dec	13	NORWICH CITY	1-1	Lewis	7815	1			3	2	5	10				6	4	8	11		9								7
23		20	Halifax Town	2-3	Bottom, Blakey	5085	1			3	2	5	10				6	4		8	7		9			11					
24		26	WREXHAM	1-1	Frear	9157	1			3	2	5	10				6	4		9	8		7			11					
25		27	Wrexham	4-3	Havenhand, Hitchinson, Lewis 2	11198	1			3	2	5			4		6			9	10	8	11		7						
26	Jan	1	HULL CITY	2-1	Lewis, Havenhand	10374	1			3	2			5	4		6			9	10	8	11								7
27		3	NEWPORT COUNTY	3-1	Lewis 2, Frear	9225	1			3	2			5	4		6			9	10	8	11								7
28		17	Southend United	5-2	Frear 3, Hutchinson 2	9895	1			3	2			5	4		6			9	10	8	11		7						
29		24	Reading	2-1	Havenhand, Bottom	10329	1			3	2			5	4		6			9	10	8	11		7						
30		31	Notts County	1-3	MacCabe	14871	1			3	2			5	4		6			9	10	8	11		7						
31	Feb	7	MANSFIELD TOWN	3-1	Frear, MacCabe, Lewis	10120	1			3	2			5	4		6			9	10	8	11		7						
32		14	Swindon Town	2-1	Frear, Bottom	8449	1			3	2			5	4		6			9	10	8	11		7						
33		21	BRENTFORD	1-2	Frear	9649	1			3	2			5	4		6			9	10	8	11		7						
34		28	QUEEN'S PARK RANGERS	2-3	Clarke, Bottom	8711	1			3	2			5	4			6		9	10	8			7					11	
35	Mar	7	Rochdale	0-0		3340	1			3	2			5	4		6			9	10	8	11		7						
36		14	Doncaster Rovers	1-2	Havenhand	4651	1			3	2			5	4		6			9	10	8	11		7						
37		21	Plymouth Argyle	0-2		17135	1			3	2			5	4			6			10	8	9		7	11					
38		27	BURY	3-0	MacCabe 2, Maddison	9858	1			3	2			5			6	4	9		10	8			7	11					
39		28	TRANMERE ROVERS	3-2	Havenhand 2, Maddison	7803	1		1	3	2			5			6	4	9		10	8			7	11					
40		30	Bury	0-1		6923	1		1	3	2			5			6	4	9		10	8			7	11					
41	Apr	4	Stockport County	1-1	Frear	7331	1		1	3	2			5			6	4	9		10				7	11			8		
42		11	BOURNEMOUTH	1-0	Maddison	7400	1			3	2			5			6	4	9		10				7	11			8		
43		13	STOCKPORT COUNTY	1-0	Lewis	5645	1			3			5	2			6	4			10	8	9			11					7
44		18	Colchester United	0-1		5433	1			3	2			5			6	4			10	8	9			11					7
45		25	READING	1-0	Havenhand	3419	1			3	2			5			6	4			10	8	9			11					7
46		29	Norwich City	1-2	Lewis	20505	1			3	2			5	4			6			8		9			11				10	7
			Apps				23	23	1	45	44	1	6	45	14	2	30	17	31	22	46	38	22	7	24	10	2	9	3	18	23
			Goals									3	1	1	4				5	19	13	9		4	3		2		1	2

F.A. Cup

	Date		Opponent	Score	Scorers	Att	Banks G	Powell RWH	DeGrunchy RP	Sears G	Seemley IJ	Sutherland JF	Allison JA	Blakey D	Clarke G	Galley M	Hutchinson JB	Smallwood JW	Whitehurst W	Bottom AE	Frear B	Havenhand K	Lewis G	Lumley R	MacCabe AB	Maddison JP	Martin G	Moore R	Rackstraw C	Steele BJS	Tomlinson J
R1	Nov	15	RHYL	3-0	Hutchinson, Frear, Steele	10634		1		3	2			5			6		4		10	8			7			9		11	
R2	Dec	6	Carlisle United	0-0		13031	1			3	2	5				9	10	6	4	8	11										7
rep		10	CARLISLE UNITED	1-0	Frear	7214	1			3	2	5	10				6	4	8	11		9									7
R3	Jan	10	Colchester United	0-2		9723	1			3	2			5	4		6			9	10	8	11		7						

	P	W	D	L	F	A	W	D	L	F	A	Pts
1 Plymouth Argyle	46	14	7	2	55	27	9	9	5	34	32	62
2 Hull City	46	19	3	1	65	21	7	6	10	25	34	61
3 Brentford	46	15	5	3	49	22	6	10	7	27	27	57
4 Norwich City	46	13	6	4	51	29	9	7	7	38	33	57
5 Colchester United	46	15	2	6	46	31	6	8	9	25	36	52
6 Reading	46	16	4	3	51	21	5	4	14	27	42	50
7 Tranmere Rovers	46	15	3	5	53	22	6	5	12	29	45	50
8 Southend United	46	14	6	3	52	26	7	2	14	33	54	50
9 Halifax Town	46	14	5	4	48	25	7	3	13	32	52	50
10 Bury	46	12	9	2	51	24	5	5	13	18	34	48
11 Bradford City	46	13	4	6	47	25	5	7	11	37	51	47
12 Bournemouth	46	12	9	2	40	18	5	3	15	29	51	46
13 Queen's Park Rgs.	46	14	6	3	49	28	5	2	16	25	49	46
14 Southampton	46	12	7	4	57	33	5	4	14	31	47	45
15 Swindon Town	46	13	4	6	39	25	3	9	11	20	32	45
16 CHESTERFIELD	46	12	5	6	40	26	5	5	13	27	38	44
17 Newport County	46	15	2	6	43	24	2	7	14	26	44	43
18 Wrexham	46	12	6	5	40	30	2	8	13	23	47	42
19 Accrington Stanley	46	10	8	5	42	31	5	4	14	29	56	42
20 Mansfield Town	46	11	5	7	38	42	3	8	12	35	56	41
21 Stockport County	46	9	7	7	33	23	4	3	16	32	55	36
22 Doncaster Rovers	46	13	2	8	40	32	1	3	19	10	58	33
23 Notts County	46	5	9	9	33	39	3	4	16	22	57	29
24 Rochdale	46	8	7	8	21	26	0	5	18	16	53	28

#	Date	Opponent	Score	Scorers	Att	Powell RWH	Smethurst E	Campbell, John	Clarke G	Sears G	Thomas JC	Wilson JC	Allison JA	Blakey D	Brent P	Hutchinson JB	Kerfoot E	Smallwood JW	Whitehurst W	Anderson R	Bain AE	Bottom AE	Frear B	Frost BP	Glossop T	Havenhand K	Lewis G	Maddison JP	McLaren JD	Rackstraw C	Stewart G
1	Aug 22	Grimsby Town	1-5	Frear	12134	1		2	3					5		6			4	7			10					11			9
2	24	SOUTHAMPTON	3-2	Frear 2, Havenhand	8730		1		3	2				5		6			4	7			10			8		11			9
3	29	QUEEN'S PARK RANGERS	0-4		8890		1		3	2				5		6	4						10		7	8		11			9
4	Sep 2	Southampton	3-4	Stewart 2, Havenhand	15266		1		3	2			5			6			4		9		10			8	7				11
5	5	Bradford City	0-1		11891		1		3	2			5			6			4	7			10			8	9				11
6	7	WREXHAM	5-1	Lewis 3, Maddison, Frear	6506		1		3	2			5		4	6				7			10			8	9	11			
7	12	COVENTRY CITY	0-3		8505		1		3	2			5		4	6							10		7	8	9	11			
8	19	York City	0-1		9673		1		2			3	5			6	4				9		10		7	8		11			
9	21	TRANMERE ROVERS	2-0	Glossop, Lewis	4683		1		2			3	5			6			4			10			7	8	9	11			
10	26	SWINDON TOWN	1-3	Lewis	7376		1		2			3	5			6			4			10			7	8	9	11			
11	28	Tranmere Rovers	0-3		10064		1		2			3	5			6			4			10			7	8	9	11			
12	Oct 3	BARNSLEY	4-1	Havenhand 2, Lewis 2	7976		1		2	3			5			6			4				10		7	8	9	11			
13	10	Reading	3-6	Maddison 2, Lewis	9374		1		3			2	5			6			4				7	10		8	9	11			
14	12	Newport County	1-3	McLaren	7217		1		3			2	5			6			4				10			8	9	11	7		
15	17	SHREWSBURY TOWN	2-2	Frost, Havenhand	5994		1		3			2	5			6			4				10	9		8		11	7		
16	24	Port Vale	1-3	McLaren	7946		1		3			2	5			6	4				9						11		7	10	
17	28	Wrexham	3-2	Bottom, Rackstraw, Lewis	6694		1		3			2	5				4					8	6				9	11	7	10	
18	31	BURY	0-2		8204		1		4	3		2	5									8	6				9	11	7	10	
19	Nov 21	Southend United	2-1	Rackstraw 2	10115	1						3	5				4					11	6			8	9		7	10	
20	28	MANSFIELD TOWN	0-1		9451	1						3	5				4					11	6			8	9		7	10	
21	Dec 5	Accrington Stanley	3-1	Havenhand 2, Frear	2418	1						3	5				4					10	6			8	9	11	7		
22	12	NORWICH CITY	2-1	Maddison, Blakey	5370		1					3	5				4					10	6			8	9	11	7		
23	19	GRIMSBY TOWN	2-2	Maddison (p), Havenhand	3683	1						3	5			6						10	4			8	9	11	7		
24	26	ACCRINGTON STANLEY	0-3		5961	1						3	5			6						10	4			8	9	11	7		
25	Jan 1	NEWPORT COUNTY	2-0	Maddison, Lewis	5904	1			2	3			5			6	4				8					10	7	9	11		
26	9	COLCHESTER UNITED	1-1	Whitehurst	5193	1			2	3			5			6	4				8					10	7	9	11		
27	16	BRADFORD CITY	1-2	Lewis	5059	1			2	3			5				6	4			8					10	7	9	11		
28	23	Coventry City	0-1		9234	1			2	3			5			6	4				8			9			7		11		10
29	Feb 6	YORK CITY	2-0	Havenhand, Frear	6652	1			2	3			5			6	4				9		8			7		11			10
30	13	Swindon Town	1-1	Hutchinson	6245	1			2	3			5			6	4				9		8			7		11			10
31	20	Barnsley	1-3	Maddison	5200	1			2	3			5			6	4				9		8			7		11			10
32	27	READING	2-1	Maddison, Frear	6180	1			2	3			5			6	4				9		8			7		11			10
33	Mar 5	Shrewsbury Town	4-2	Frear 2, Bain, Havenhand	7191	1			2	3			5			6	4				9		8			7		11			10
34	8	Brentford	0-3		6328		1		2	3			5			6	4				9		8			7		11			10
35	12	PORT VALE	4-1	Frear 2, Bain, Ford (og)	6152	1			2	3			5			6	4				9		8			7		11			10
36	19	Mansfield Town	1-4	Bain	11122	1			2	3			5			6	4				9		8			7		11			10
37	26	BRENTFORD	1-0	Bain	4353	1			2	3			5			6	4				10		8			7	9	11			
38	28	Queen's Park Rangers	3-3	Frear, Lewis, Hutchinson	4346	1			2	3			5			6	4				10		8			7	9	11			
39	Apr 2	Colchester United	0-1		6079	1			2	3			5			6	4				10		8			7	9	11			
40	9	SOUTHEND UNITED	1-0	Bain	5476	1			2	3			5			6					10		8	4		7	9	11			
41	15	BOURNEMOUTH	4-0	Frear 2, Lewis, Bain	8231	1			2	3			5			6	4				10		7			8	9	11			
42	16	Bury	1-1	Bain	7366	1			2	3			5			6	4				10		7			8	9	11			
43	18	Bournemouth	1-1	Bain	9098	1			2	3			5			6	4				10		7			8	9	11			
44	23	HALIFAX TOWN	2-1	Frear, Maddison	6775	1			2	3			5				4	6			10		7			8	9	11			
45	28	Halifax Town	1-0	Bain	5393	1			2	3			5			6	4				10		7			8	9	11			
46	30	Norwich City	0-3		27238	1			2	3			5			6	4				10		7			8	9	11			
Apps						27	19	1	33	37	6	16	8	38	2	34	9	22	15	4	18	11	35	17	7	44	31	42	11	14	5
Goals														1		2			1		9	1	15	1	1	10	13	9	2	3	2

One own goal

F.A. Cup

Round	Date	Opponent	Score	Scorers	Att	Powell RWH	Smethurst E	Campbell, John	Clarke G	Sears G	Thomas JC	Wilson JC	Allison JA	Blakey D	Brent P	Hutchinson JB	Kerfoot E	Smallwood JW	Whitehurst W	Anderson R	Bain AE	Bottom AE	Frear B	Frost BP	Glossop T	Havenhand K	Lewis G	Maddison JP	McLaren JD	Rackstraw C	Stewart G
R1	Nov 14	South Shields	1-2	Lewis	7000	1			4	3		2	5									8	11	6			9			7	10

		P	W	D	L	F	A	W	D	L	F	A	Pts
1	Southampton	46	19	3	1	68	30	7	6	10	38	45	61
2	Norwich City	46	16	4	3	53	24	8	7	8	29	30	59
3	Shrewsbury Town	46	12	7	4	58	34	6	9	8	39	41	52
4	Grimsby Town	46	12	7	4	48	27	6	9	8	39	43	52
5	Coventry City	46	14	6	3	44	22	7	4	12	34	41	52
6	Brentford	46	13	6	4	46	24	8	3	12	32	37	51
7	Bury	46	13	4	6	36	23	8	5	10	28	28	51
8	Queen's Park Rgs.	46	14	7	2	45	16	4	6	13	28	38	49
9	Colchester United	46	15	6	2	51	22	3	5	15	32	52	47
10	Bournemouth	46	12	8	3	47	27	5	5	13	25	45	47
11	Reading	46	13	3	7	49	34	5	7	11	35	43	46
12	Southend United	46	15	3	5	49	28	4	5	14	27	46	46
13	Newport County	46	15	2	6	59	36	5	4	14	21	43	46
14	Port Vale	46	16	4	3	51	19	3	4	16	29	60	46
15	Halifax Town	46	13	3	7	42	27	5	7	11	28	45	46
16	Swindon Town	46	12	6	5	39	30	7	2	14	30	48	46
17	Barnsley	46	13	6	4	45	25	2	8	13	20	41	44
18	CHESTERFIELD	46	13	3	7	41	31	5	4	14	30	53	43
19	Bradford City	46	10	7	6	39	28	5	5	13	27	46	42
20	Tranmere Rovers	46	11	8	4	50	29	3	5	15	22	46	41
21	York City	46	11	5	7	38	26	2	7	14	19	47	38
22	Mansfield Town	46	11	4	8	55	48	4	2	17	26	64	36
23	Wrexham	46	12	5	6	39	30	2	3	18	29	71	36
24	Accrington Stanley	46	4	5	14	31	53	7	0	16	26	70	27

1960/61   24th in DIvision 3: Relegated

#	Date		Opponent	Score	Scorers	Att	Osborne J	Powell RWH	Clarke G	Sears G	Allison JA	Blakey D	Frear B	Mays AE	Smallwood JW	Bowering M	Foley T	Frost BP	Gilbert DG	Havenhand K	Lewis G	Maddison JP	Rackstraw C
1	Aug	20	Grimsby Town	0-0		11282		1	2	3		5	10	4	6				7	8	9	11	
2		22	BURY	2-2	Lewis, Blakey	8733		1	2	3		5	10	4	6				7	8	9	11	
3		27	SOUTHEND UNITED	0-3		4383		1	2	3		5	10	4	6				7	8	9	11	
4		30	Bury	3-3	Gilbert 2, Havenhand	9086		1	2	3	4	5			6				7	8	9	11	10
5	Sep	3	Port Vale	1-7	Rackstraw	10104		1	2	3	4	5		6					7	8	9	11	10
6		5	HALIFAX TOWN	3-0	Havenhand, Foley 2	5355		1	2	3	4	5	6				9		7	8		11	10
7		10	TORQUAY UNITED	2-0	Rackstraw, Foley	5753		1	2	3	4	5	6				9		7	8		11	10
8		12	Halifax Town	1-2	Foley	6478		1	2	3	4	5	6				9		7	8		11	10
9		17	Swindon Town	0-2		12239		1	2	3		5	6	4			9		7	8		11	10
10		20	Walsall	1-2	Maddison	11043		1	2	3		5	6	4			10		7	8	9	11	
11		24	BRENTFORD	1-1	Lewis	5617		1	2	3	5		6	4			10		7	8	9	11	
12		26	WALSALL	1-2	Foley	4029		1	2	3		5	6	4		7	9			8		11	10
13	Oct	1	Watford	1-3	Foley	15085		1	2	3		5	6	4		7	9			8		11	10
14		8	Reading	0-2		4986		1	2	3		5	6	4		7	9			8		11	10
15		15	COVENTRY CITY	4-1	Havenhand, Frear, Rackstraw, Kearns(og)	4295		1	2	3		5	6	4		7	9			8		11	10
16		22	Bristol City	0-3		7796		1	2	3		5	6	4		7	9			8		11	10
17		29	QUEEN'S PARK RANGERS	0-1		4474		1	2	3		5	6	4		7	9			8		11	10
18	Nov	12	BOURNEMOUTH	0-1		4390		1	2	3		5	6	4			9	10		8	7	11	
19		19	Bradford City	2-3	Mays, Havenhand	5321		1	2	3		5	6	10	4				9	7		11	8
20	Dec	5	Newport County	1-5	Havenhand	6713		1	2	3	5		6	10	4		9			7		11	8
21		10	COLCHESTER UNITED	2-3	Havenhand, Frear	3341		1	2	3	4	5	6	10					7	8	9	11	
22		17	GRIMSBY TOWN	2-3	Havenhand, Mays	4151		1	2	3	4	5	6	10					7	8	9	11	
23		26	SHREWSBURY TOWN	2-3	Foley 2	5781		1	2	3	4	5	6	10			9		7	8		11	
24		27	Shrewsbury Town	2-4	Frost, Maddison	12223	1		2	3	4	5	6					10	7	8	9	11	
25		31	Southend United	1-1	Rackstraw	6980	1		2	3		5	6	4				10	7	9		11	8
26	Jan	2	TRANMERE ROVERS	1-1	Maddison	3816	1		2	3		5	6	4				10	7	9		11	8
27		14	PORT VALE	0-0		5816		1	2	3		5	6	4					9	7	8	11	10
28		21	Torquay United	0-3		5466		1	2	3		5	6	10	4		9			8	7	11	
29		28	Notts County	0-1		7555		1	2	3		5	6	4		7	9			8		11	10
30	Feb	4	SWINDON TOWN	1-1	Havenhand	3099		1	2	3		5	6	4		7	9			8		11	10
31		11	Brentford	2-2	Rackstraw, Havenhand	6284		1	2	3		5	6	4		7	9			8		11	10
32		18	WATFORD	2-0	Bowering, Havenhand	4433		1	2	3		5	6	4		7	9			8		11	10
33		25	NEWPORT COUNTY	1-0	Havenhand	3586		1	2	3		5	6	4		7	9			8		11	10
34	Mar	3	Coventry City	1-3	Foley	16724		1	2	3		5	6	4		7	9			8		11	10
35		11	BRISTOL CITY	3-0	Havenhand 2, Mays	4451		1	2	3		5	6	4		7			9	8		11	10
36		18	Queen's Park Rangers	2-1	Mays, Havenhand	8858		1	2	3		5	6	4			7		9	8		11	10
37		25	NOTTS COUNTY	3-1	Rackstraw 2, Maddison	6154		1	2	3		5	6	4		7	9			8		11	10
38		27	BARNSLEY	5-1	Frost 2, Havenhand 2, Frear	6200		1	2	3		5	6	4			9	7		8	10	11	
39		31	HULL CITY	1-2	Frear	12079		1	2	3		5	6	4			9	7		8		11	10
40	Apr	1	Bournemouth	0-1		7760		1	2	3		5	6	4			9			8	7	11	10
41		3	Hull City	2-2	Frost, Havenhand	7162		1	2	3	5		6	4			9	7		8		11	10
42		8	BRADFORD CITY	4-1	Frost 2, Havenhand, Foley	5388		1	2	3	5		6	4			9	7		8		11	10
43		15	Barnsley	1-3	Foley	6493		1	2	3	5		6	4			9	7		8		11	10
44		22	READING	2-2	Havenhand 2	3817		1	2	3	5		6	4			9	7		8		11	10
45		24	Tranmere Rovers	1-1	Havenhand	12082		1	2	3	5		6	4			9	7		8		11	10
46		29	Colchester United	3-4	Rackstraw, Mays, Frost	3141		1	2	3	5		6	4			9	7		8		11	10
			Apps				3	43	46	46	16	39	44	37	12	16	28	16	22	46	14	46	32
			Goals									1	4	5		1	11	7	2	21	2	4	8

One own goal

F.A. Cup

	Date		Opponent	Score	Scorers	Att	Osborne J	Powell RWH	Clarke G	Sears G	Allison JA	Blakey D	Frear B	Mays AE	Smallwood JW	Bowering M	Foley T	Frost BP	Gilbert DG	Havenhand K	Lewis G	Maddison JP	Rackstraw C
R1	Nov	5	DONCASTER ROVERS	3-3	Foley, Smallwood 2	6341		1	2	3		5	6		4	7	8				9	11	10
rep		9	Doncaster Rovers	1-0	Foley	8972		1	2	3		5	6		4		9			8	7	11	10
R2	Dec	26	OLDHAM ATHLETIC	4-4	Havenhand 2, Maddison, Foley	9025		1	2	3		5	6	10	4		9			7	8	11	
rep		29	Oldham Athletic	3-0	Rackstraw 2, Gilbert	13071		1	2	3	4	5	6	10			9		7			11	8
R3	Jan	7	BLACKBURN ROVERS	0-0		14225	1		2	3		5	6	4				8	7	9		11	10
rep		11	Blackburn Rovers	0-3		18300	1		2	3		5	6	4				8	7	9		11	10

F.L. Cup

	Date		Opponent	Score	Scorers	Att	Osborne J	Powell RWH	Clarke G	Sears G	Allison JA	Blakey D	Frear B	Mays AE	Smallwood JW	Bowering M	Foley T	Frost BP	Gilbert DG	Havenhand K	Lewis G	Maddison JP	Rackstraw C
R2	Nov	14	Leyton Orient	1-0	Frear	5243		1	2	3		5	6	10	4		9			7	8	11	
R3		23	LEEDS UNITED	0-4		2021		1	2	3		5	6	10	4		9			7	8	11	

Drawn at home in R2 but surrendered ground advantage.

		P	W	D	L	F	A	W	D	L	F	A	Pts
1	Bury	46	18	3	2	62	17	12	5	6	46	28	68
2	Walsall	46	19	4	0	62	20	9	2	12	36	40	62
3	Queen's Park Rgs.	46	18	4	1	58	23	7	6	10	35	37	60
4	Watford	46	12	7	4	52	27	8	5	10	33	45	52
5	Notts County	46	16	3	4	52	24	5	6	12	30	53	51
6	Grimsby Town	46	14	4	5	48	32	6	6	11	29	37	50
7	Port Vale	46	15	3	5	63	30	2	12	9	33	49	49
8	Barnsley	46	15	5	3	56	30	6	2	15	27	50	49
9	Halifax Town	46	14	7	2	42	22	2	10	11	29	56	49
10	Shrewsbury Town	46	13	7	3	54	26	2	9	12	29	49	46
11	Hull City	46	13	6	4	51	28	4	6	13	22	45	46
12	Torquay United	46	8	12	3	37	26	6	5	12	38	57	45
13	Newport County	46	12	7	4	51	30	5	4	14	30	60	45
14	Bristol City	46	15	4	4	50	19	2	6	15	20	49	44
15	Coventry City	46	14	6	3	54	25	2	6	15	26	58	44
16	Swindon Town	46	13	6	4	41	16	1	9	13	21	39	43
17	Brentford	46	10	9	4	41	28	3	8	12	15	42	43
18	Reading	46	13	5	5	48	29	1	7	15	24	54	40
19	Bournemouth	46	8	7	8	34	39	7	3	13	24	37	40
20	Southend United	46	10	8	5	38	26	4	3	16	22	50	39
21	Tranmere Rovers	46	11	5	7	53	50	4	3	16	26	65	38
22	Bradford City	46	8	8	7	37	36	3	6	14	28	51	36
23	Colchester United	46	8	5	10	40	44	3	6	14	28	57	33
24	CHESTERFIELD	46	9	6	8	42	29	1	6	16	25	58	32

No	Date	Opponent	Result	Scorers	Att	Osborne J	Powell RWH	Clarke G	Holmes AV	Poole R	Sears G	Blakey D	Frear B	Holmes T	Ord K	Whitham T	Broadhurst B	Duncan G	Frost BP	Gissing JW	Havenhand K	Kerry DT	Lovie JTH	Lunn J	Rackstraw C	Wilton GE
1	Aug 19	WORKINGTON	0-1		6404	1		2			3	5	6	4					9		8			11	10	7
2	23	Exeter City	1-4	Lunn	5945	1		2			3	5	6		4	10					8	9	7	11		
3	26	York City	0-4		6621	1		2			3	5	10	4		9	7				8		6	11		
4	28	EXETER CITY	2-0	Whitham, Lunn	4370	1		2			3	5	6	4		9					8		7	11	10	
5	Sep 2	Aldershot	1-1	Lunn	5370	1		2			3	5	6	4		9					8		7	11	10	
6	6	Crewe Alexandra	1-2	Lunn	7016	1		2			3	5	6	4		9					8		7	11	10	
7	9	GILLINGHAM	3-2	Havenhand 2, Lunn	3993	1		2			3	5	6	4				7	9		8			11	10	
8	16	Millwall	1-2	Brady (og)	11691	1		2			3	5	6	4				7	9		8			11	10	
9	18	BRADFORD CITY	2-1	Holmes, Kerry	4351	1		2			3	5	6	4			8	7	9			10		11		
10	23	MANSFIELD TOWN	0-4		10939	1		2			3	5	6	4				7	9		8	10		11		
11	30	Barrow	0-1		4017	1		2			3	5	6	4				7			8	9		11	10	
12	Oct 7	CARLISLE UNITED	1-3	Rackstraw	4239	1		2	3			5	6	4							8	9	7	11	10	
13	11	Rochdale	1-1	Kerry	4827	1		2	3			5	6	4							8	9	7	11	10	
14	14	Colchester United	3-3	Holmes (p), Kerry, Frost	6045	1		2	3			5	6	4				7	8			9	11		10	
15	18	Bradford City	2-0	Kerry, Lunn	3031	1		2	3			5		4			6	7	8			9		11	10	
16	21	CHESTER	4-1	Lovie 2, Rackstraw, Lunn	4436	1		2	3			5		4			6		8			9	7	11	10	
17	28	Tranmere Rovers	0-1		8276	1		2	3			5		4					8			9	7	11	10	
18	Nov 11	Hartlepools United	2-1	Lovie 2	4116	1		2	3			5	6	4					8			9	7	11	10	
19	18	DARLINGTON	1-1	Lovie	4613	1		2	3			5	6	4			8					9	7	11	10	
20	Dec 2	OLDHAM ATHLETIC	2-3	Rackstraw, Kerry	4167	1		4	2	3		5	6	8				7				9	11		10	
21	16	Workington	0-2		3230	1		4		2	3	5	6				8					9	7	11	10	
22	23	YORK CITY	1-1	Bingley (og)	3207	1		4		2	3	5	6				8					9	7	11	10	
23	26	WREXHAM	1-5	Lunn	3706	1		2			3	5	6	4			8					9	7	11	10	
24	Jan 13	ALDERSHOT	2-3	Lovie, Blakey	2509	1		2		4	3	5	10				6		9	7			8	11		
25	20	Gillingham	1-5	Lunn	5289	1		2		4	3	5	10				6		9	7			8	11		
26	Feb 3	MILLWALL	2-3	Kerry, Frear	2943	1		2			3	5	6				4		8			9	7	11	10	
27	10	Mansfield Town	2-2	Kerry, Rackstraw	8373	1		2			3	5	6				4		8			9	7	11	10	
28	17	BARROW	2-2	Kerry, Frost	2690		1	2			3	5	6				4		8			9	7	11	10	
29	24	Carlisle United	1-3	Frear	3866		1	2		3		5	6				4	8	9				7	11	10	
30	Mar 3	COLCHESTER UNITED	4-1	Poole 4	2906		1	2		9	3	5	6				4		8				7	11	10	
31	10	Chester	1-4	Rackstraw	4176		1	2		9	3	5	6				4		8				7	11	10	
32	12	Stockport County	1-2	Rackstraw	4323		1	2		9	3	5	6				4	8	7					11	10	
33	17	TRANMERE ROVERS	1-2	Rackstraw	3500		1	2		9	3	5	6				4		7	8				11	10	
34	24	Southport	2-0	Frost, Rackstraw	3799		1	2		9	3	5	6						7	8			4	11	10	
35	28	Wrexham	2-4	Clarke (p), Lunn	6167		1	2			3	5	6						7	8			4	11	10	
36	31	HARTLEPOOLS UNITED	2-0	Frost, Rackstraw	2701	1		2			3	5	6						7	8		9	4	11	10	
37	Apr 7	Darlington	4-4	Kerry 2, Rackstraw, Greener (og)	4258	1			3	2		5	6						7	8		9	4	11	10	
38	9	SOUTHPORT	3-2	Kerry 2, Frear	3377	1			3	2		5	6						7	8		9	4	11	10	
39	16	ROCHDALE	1-0	Clarke (p)	2932	1		2				5	6					3	7	8		9	4	11	10	
40	20	DONCASTER ROVERS	3-0	Kerry, Duncan, Lunn	7236	1		2				5	6					3	7	8		9	4	11	10	
41	21	Oldham Athletic	1-3	Frost	4641	1		2				5	6	4				3	7	8		9		11	10	
42	23	Doncaster Rovers	0-0		4502	1			2			5	6					3	7	8		9	4	11	10	
43	28	STOCKPORT COUNTY	3-2	Kerry, T Holmes, Lunn	3709	1			2			5	6	10				3	7	8		9	4	11		
44	30	CREWE ALEXANDRA	3-1	Kerry 2, Lunn	4278	1		2				5	6	10				3	7	8		9	4	11		
		Apps				7	37	42	5	19	26	44	41	20	3	24	7	23	30	2	12	29	36	40	36	1
		Goals						2		4		1	3	3		1		1	5		2	16	6	13	10	

Three own goals

F.A. Cup

Rd	Date	Opponent	Result	Scorers	Att	Osborne J	Powell RWH	Clarke G	Holmes AV	Poole R	Sears G	Blakey D	Frear B	Holmes T	Ord K	Whitham T	Broadhurst B	Duncan G	Frost BP	Gissing JW	Havenhand K	Kerry DT	Lovie JTH	Lunn J	Rackstraw C	Wilton GE
R1	Nov 4	Doncaster Rovers	4-0	Kerry, Lovie, Rackstraw, Lunn	6984	1		2			3	5	6	4							8	9	7	11	10	
R2	25	OLDHAM ATHLETIC	2-2	Broadhurst, Rackstraw	11855	1		2			3	5	6	4			8	7				9		11	10	
rep	29	Oldham Athletic	2-4	Lovie, Lunn	20830	1			2	3		5	6	4			8					9	7	11	10	

Replay a.e.t.

F.L. Cup

Rd	Date	Opponent	Result	Scorers	Att	Osborne J	Powell RWH	Clarke G	Holmes AV	Poole R	Sears G	Blakey D	Frear B	Holmes T	Ord K	Whitham T	Broadhurst B	Duncan G	Frost BP	Gissing JW	Havenhand K	Kerry DT	Lovie JTH	Lunn J	Rackstraw C	Wilton GE
R1	Sep 13	NORWICH CITY	2-3	Lunn, Havenhand	4822	1		2			3	5	6	4				7	9		8			11	10	

	Team	P	W	D	L	F	A	W	D	L	F	A	Pts
1	Millwall	44	16	3	3	47	18	7	7	8	40	44	56
2	Colchester United	44	17	4	1	78	24	6	5	11	26	47	55
3	Wrexham	44	12	6	4	56	23	10	3	9	40	33	53
4	Carlisle United	44	15	3	4	35	22	7	5	10	29	41	52
5	Bradford City	44	14	5	3	58	32	7	4	11	36	54	51
6	York City	44	17	2	3	62	19	3	8	11	22	34	50
7	Aldershot	44	16	4	2	56	20	6	1	15	25	40	49
8	Workington	44	12	6	4	40	23	7	5	10	29	47	49
9	Barrow	44	12	7	3	49	20	5	7	10	25	38	48
10	Crewe Alexandra	44	16	3	3	53	24	4	3	15	26	46	46
11	Oldham Athletic	44	12	7	3	47	26	5	5	12	30	44	46
12	Rochdale	44	14	3	5	47	28	5	4	13	24	43	45
13	Darlington	44	13	5	4	37	24	5	4	13	24	49	45
14	Mansfield Town	44	14	3	5	51	19	5	3	14	26	47	44
15	Tranmere Rovers	44	15	2	5	53	37	5	2	15	17	44	44
16	Stockport County	44	13	3	6	42	27	4	6	12	28	42	43
17	Southport	44	13	5	4	36	25	4	4	14	25	46	43
18	Exeter City	44	11	5	6	43	32	2	6	14	19	45	37
19	CHESTERFIELD	44	11	5	6	43	38	3	4	15	27	49	37
20	Gillingham	44	10	6	6	48	30	3	5	14	25	64	37
21	Doncaster Rovers	44	8	5	9	34	29	3	2	17	26	56	29
22	Hartlepools United	44	6	5	11	27	35	2	6	14	25	66	27
23	Chester	44	5	9	8	36	37	2	3	17	18	59	26

1962/63 15th in Division 4

Results

No	Date	Opponent	Score	Scorers	Att
1	Aug 18	Workington	0-0		3795
2	20	DONCASTER ROVERS	3-1	Rackstraw, Poole, White (og)	7494
3	25	EXETER CITY	1-1	Meredith	7023
4	28	Doncaster Rovers	0-0		7725
5	Sep 1	LINCOLN CITY	2-2	Frear (p), Kerry	6514
6	3	STOCKPORT COUNTY	1-2	Rackstraw	7078
7	8	Rochdale	2-3	Duncan, Rackstraw	3649
8	10	Stockport County	1-0	Frear	6600
9	15	BRENTFORD	1-1	Blakey	6114
10	17	MANSFIELD TOWN	4-4	Frear 3 (1p), Humble (og)	12993
11	22	York City	4-3	Frear 2, Duncan 2	2986
12	29	CHESTER	1-1	Rackstraw	7652
13	Oct 1	Newport County	3-2	Duncan, Kerry, Poole	6029
14	6	Barrow	0-2		3911
15	13	HARTLEPOOLS UNITED	2-2	Frear, Poole	6540
16	20	Darlington	1-2	Blakey	4334
17	22	Mansfield Town	0-3		16679
18	27	SOUTHPORT	6-0	Frear, Rackstraw 4, Rutherford (og)	4750
19	Nov 10	NEWPORT COUNTY	1-2	Blakey	6425
20	17	Oxford United	0-0		5488
21	Dec 1	Tranmere Rovers	1-4	Poole	6498
22	8	TORQUAY UNITED	2-0	Poole, Rackstraw	3014
23	15	WORKINGTON	1-1	Duncan	4191
24	22	Exeter City	2-2	Kerry, Duncan	3511
25	26	Gillingham	1-2	McQuarrie	7911
26	Mar 6	Aldershot	0-1		4978
27	9	DARLINGTON	6-1	*see below	4257
28	16	Southport	2-0	Meredith, McQuarrie	2596
29	23	ALDERSHOT	3-1	Poole 2, Clarke (p)	7198
30	30	Bradford City	1-1	Mollatt (og)	1973
31	Apr 1	YORK CITY	1-1	Poole	8354
32	6	OXFORD UNITED	1-0	Meredith	7065
33	8	Hartlepools United	1-1	McQuarrie	2565
34	12	CREWE ALEXANDRA	1-2	Clarke (p)	10621
35	13	Oldham Athletic	1-2	McQuarrie	9438
36	17	Crewe Alexandra	0-2		5372
37	20	TRANMERE ROVERS	4-0	Kerry 2, Frear, Rackstraw	4705
38	22	OLDHAM ATHLETIC	0-0		9517
39	27	Torquay United	1-2	Kerry	3877
40	29	GILLINGHAM	0-2		6722
41	May 4	Brentford	1-2	Kerry	13903
42	6	BRADFORD CITY	0-1		5204
43	11	Lincoln City	3-1	McQuarrie 2, Meredith	2383
44	17	ROCHDALE	1-3	Clarke (p)	4412
45	20	BARROW	1-1	McQuarrie	3326
46	22	Chester	2-0	Frear, Rackstraw	3920

Scorers in game 27: Lovie, Poole, Duncan, Meredith, Rackstraw, Clarke.

Appearances (shirt numbers)

No	Ashmore AM	Osborne J	Powell RWH	Clarke G	Holmes AV	Sears G	Beresford JW	Blakey D	Lovie JTH	Whitham T	Duncan G	Frear B	Frost BP	Green BG	Kerry DT	McQuarrie A	Meredith JF	Poole R	Rackstraw C
1			1	2		3		5			4	7	6		8		11	9	10
2			1	2		3		5			4	7	6		8		11	9	10
3			1	2		3		5			4	7	6		8		11	9	10
4			1		2	3		5	6		4	7			8		11	9	10
5			1		2	3		5	6		4	7			8		11	9	10
6			1		2	3		5	6		4	7			10		11	9	8
7		1		2		3		5	6		4	7			10		11	9	8
8		1		2		3		5	6		4	7			10		11	9	8
9		1		4	2	3		5	6			7			10		11	9	8
10		1		2		3		5	6		4	7			10		11	9	8
11		1		2		3		5	6		4	7			10		11	9	8
12		1		2		3		5	6		4	7			10		11	9	8
13		1		2		3		5	6		4	7			8		11	9	10
14		1		2		3		5	6		4	7			8		11	9	10
15		1		2		3		5	6	10	4	7					11	9	8
16	1				2	3	6	5		10		7			8		11	9	4
17	1				2	3	6	5		10	4	7			9		11		8
18			1		2	3	6	5		10	4	7					11	9	8
19			1	4	2	3		5	6	10						8	11	9	7
20			1	4	2	3		5	6	10						8	11	9	7
21			1	4	2	3		5	6			7				10	11	9	8
22			1	4	2	3		5	6			7				10	11	9	8
23			1		2	3		5	6		4	7				10	11	9	8
24			1	6	2	3		5			4	7			9	10	11		8
25			1	6	2	3		5			4	7			9	10	11		8
26			1	6	2	3		5			4	7				10	11	9	8
27			1	6	2	3		5			4	7				10	11	9	8
28			1	6	2	3		5			4	7				10	11	9	8
29			1	6	2	3		5			4	7				10	11	9	8
30			1	6	2	3		5			4	7				10	11	9	8
31			1	6	2	3		5			4	7				10	11	9	8
32			1	6	2	3		5			4	7				10	11	9	8
33			1	6	2	3		5		10	4	7				9	11		8
34			1	6	2	3		5		10	4	7				9	11		8
35			1	6	2	3		5		8	4	7			9	10	11		
36			1	6	2	3		5		8	4	7			9	10	11		
37			1		2	3		5	6	9	4	7			10		11		8
38			1		2	3		5	6	9	4	7			10		11		8
39			1		2	3		5	6	9	4	7			10		11		8
40			1		2	3	6	5		7	4				10	9	11		8
41			1	6	2	3		5		10	4	7		9	8		11		
42			1	6	2	3		5		10	4	7		9	8		11		
43			1	6	2	3		5		10	4	7				9	11		8
44			1	6	2	3		5		10	4	7				9	11		8
45		1			2	3		5	6	9	4	7				10	11		8
46		1			2	3		5	6	9	4	7				10	11		8
Apps	2	11	33	36	30	46	3	46	39	23	44	31	3	2	26	21	46	23	41
Goals				4				3	1		7	11			7	7	5	9	12

Four own goals

F.A. Cup

Rnd	Date	Opponent	Score	Scorers	Att	Pow	Hol	Sea	Ber	Bla	Lov	Dun	Fre	Whi	Mer	Poo	Rac
R1	Nov 3	STOCKPORT COUNTY	4-1	Frear, Poole 2, Meredith	9157	1	2	3	6	5		4	7	10	11	9	8
R2	24	Barnsley	1-2	Poole	17328	1	2	3		5	6	4	7	10	11	9	8

F.L. Cup

Rnd	Date	Opponent	Score	Att	Pow	Cla	Sea	Bla	Lov	Dun	Fre	Gre	Ker	Mer	Rac
R1	Sep 5	Darlington	0-1	6371	1	2	3	5	6	4	7	10	9	11	8

League Table

		P	W	D	L	F	A	W	D	L	F	A	Pts
1	Brentford	46	18	2	3	59	31	9	6	8	39	33	62
2	Oldham Athletic	46	18	4	1	65	23	6	7	10	30	37	59
3	Crewe Alexandra	46	15	4	4	50	21	9	7	7	36	37	59
4	Mansfield Town	46	16	4	3	61	20	8	5	10	47	49	57
5	Gillingham	46	17	3	3	49	23	5	10	8	22	26	57
6	Torquay United	46	14	8	1	45	20	6	8	9	30	36	56
7	Rochdale	46	16	6	1	48	21	4	5	14	19	38	51
8	Tranmere Rovers	46	15	3	5	57	25	5	7	11	24	42	50
9	Barrow	46	14	7	2	52	26	5	5	13	30	54	50
10	Workington	46	13	4	6	42	20	4	9	10	34	48	47
11	Aldershot	46	9	9	5	42	32	6	8	9	31	37	47
12	Darlington	46	13	3	7	44	33	6	3	14	28	54	44
13	Southport	46	11	9	3	47	35	4	5	14	25	71	44
14	York City	46	12	6	5	42	25	4	5	14	25	37	43
15	CHESTERFIELD	46	7	10	6	43	29	6	6	11	27	35	42
16	Doncaster Rovers	46	9	10	4	36	26	5	4	14	28	51	42
17	Exeter City	46	9	8	6	27	32	7	4	12	30	45	42
18	Oxford United	46	10	10	3	44	27	3	5	15	26	44	41
19	Stockport County	46	9	7	7	34	29	6	4	13	22	41	41
20	Newport County	46	11	6	6	44	29	3	5	15	32	61	39
21	Chester	46	11	5	7	31	23	4	4	15	20	43	39
22	Lincoln City	46	11	1	11	48	46	2	8	13	20	43	35
23	Bradford City	46	8	5	10	37	40	3	5	15	27	53	32
24	Hartlepools United	46	5	7	11	33	39	2	4	17	23	65	25

1963/64 16th in Division 4

Player columns (left→right): Osborne J · Powell RWH · Clarke G · Holmes AV · Sears G · Beresford JW · Blakey D · Hinton R · Hughes EM · Lovie JTH · Whitham T · Armstrong J · Beresford P · Duncan G · Frear B · Frost BP · McQuarrie A · Meredith JF · Poole R · Rackstraw C · Scott J

#	Date	Opponent	Res	Scorers	Att	Osb	Pow	Cla	Hol	Sea	BeJW	Bla	Hin	Hug	Lov	Whi	Arm	BeP	Dun	Fre	Fro	McQ	Mer	Poo	Rac	Sco
1	Aug 24	STOCKPORT COUNTY	1-1	Frear	7599	1			2	3			5	6	4				7	10	9		11		8	
2	27	Workington	2-1	Frear, Duncan	4099	1			2	3		5		6	4				7	10		9	11		8	
3	31	Bradford Park Avenue	1-0	Duncan	5765	1			2	3		5		6	4				7	10		9	11		8	
4	Sep 7	Southport	1-0	Rackstraw	3527	1			2	3		5		6	4				7		9	10	11		8	
5	9	WORKINGTON	2-2	Rackstraw, Frear (p)	7762	1		2		3		5		6					7	4	9	10	11		8	
6	14	DONCASTER ROVERS	3-3	Frear, Rackstraw, Frost	9684	1			2	3		5		6	4				7	10	9		11		8	
7	16	NEWPORT COUNTY	0-1		7474	1			2	3		5		6	4				7	10	9		11		8	
8	21	Brighton & Hove Albion	1-1	McQuarrie	8174	1		2		3		5		6					7	4		9	10	11	8	
9	28	CHESTER	1-0	Frost	6143	1		2		3		5		6					7	4		9	10	11	8	
10	30	Newport County	1-0	Rackstraw	5866	1		2		3	6	5		4					7		8	11		9	10	
11	Oct 5	York City	0-2		4456	1		2		3	6	5		4					7		8	11		9	10	
12	12	LINCOLN CITY	1-3	J Beresford	7540	1		2		3	6	5		4					7		9	8	11		10	
13	16	Rochdale	1-0	Frear	2698	1		2		3	6	5		4			7			9		8	11		10	
14	19	Bradford City	2-4	Rackstraw, McQuarrie	4711	1		2		3	6	5		4			7			8		9	11		10	
15	26	ALDERSHOT	4-0	Rackstraw 3, Frost	5694	1		2		3	6	5		4					7		9		11		10	8
16	Nov 2	Carlisle United	0-1		8223	1		2		3	6	5		4					7		9		11		10	8
17	9	TORQUAY UNITED	1-1	Rackstraw	6612	1		2		3	6	5		4					7		9		11		10	8
18	23	TRANMERE ROVERS	1-1	Duncan	5384	1		2		3	6	5		4					7	10		9	11		8	
19	30	Darlington	2-3	Clarke (p), Peverell (og)	2374	1		2		3	6			4	5				7		9		11		8	
20	Dec 14	Stockport County	1-2	Duncan	2922		1	2		3		9		6	4	5			7			8	11		10	
21	21	BRADFORD PARK AVE.	1-2	Thomas (og)	3724		1	2		3				6	4	5			7			9	10		8	
22	26	GILLINGHAM	0-3		6590		1	2		3	6	5			4		9		7	10			11		8	
23	28	Gillingham	0-1		10792		1	2	9		6	5		4	3	7	10						11		8	
24	Jan 1	Barrow	2-5	Holmes, P Beresford	4047		1	2	9		6	5		4	3	7	10						11		8	
25	11	SOUTHPORT	1-0	McQuarrie	3667		1	2		3		5		6	4		9		7			8	11		10	
26	18	Doncaster Rovers	1-1	Clarke	6000		1	7	2	3		5		4	6				10				11	9	8	
27	25	HARTLEPOOLS UNITED	0-2		3689		1	7	2	3		5		10	4				6				11	9	8	
28	Feb 1	BRIGHTON & HOVE ALB	1-0	McQuarie	3385		1	2		3		5		6	4			9	7			10	11		8	
29	8	Chester	2-4	P Beresford 2	6272		1	2		3		5		6	4			9	7			10	11		8	
30	15	YORK CITY	1-0	Rackstraw (p)	3527		1	2		3		5		6		7		9				4	10	11	8	
31	22	Lincoln City	2-5	Heward (og), McQuarrie	5926		1	2		3		5		6		7		9				4	10	11	8	
32	29	BRADFORD CITY	3-2	Frear, Frost, Witham	3942		1	4		3		5				7	6			9	8		11		10	
33	Mar 4	Halifax Town	2-3	Frost, Rackstraw	2807		1	4		3		5				7	6			9	8		11		10	
34	7	Aldershot	2-0	Meredith, Frear	3275	1		4		3		5					6		7	9	8		11		10	
35	14	CARLISLE UNITED	2-0	Frear, Clarke	3435	1		4		3		5					6		7	9	8		11		10	
36	20	Torquay United	1-1	Rackstraw (p)	4780	1		4		3		5			11		6		7	9	8				10	
37	27	OXFORD UNITED	0-0		7716	1		4		3		5			11		6		7	9	8				10	
38	28	BARROW	1-1	Witham	4040		1	4		3		5				11	6		7	9	8				10	
39	30	Oxford United	2-1	Frear, Frost	6350		1	4		3		5	11				6		7	9	8				10	
40	Apr 3	Tranmere Rovers	1-2	Frear	5810		1	4		3		5	11				6		7	9	8				10	
41	6	ROCHDALE	1-1	Rackstraw	4277		1	4				5	11				6		7	9	8			3	10	
42	11	DARLINGTON	2-1	Sears, Rackstraw	4048		1	4	2	3		5	11				6		7	9	8				10	
43	13	EXETER CITY	0-1		4442		1	4	2	3		5	11				6		7	9	8				10	
44	17	Hartlepools United	0-1		4401		1	4	2			5	11				6		7		8			3	10	9
45	21	Exeter City	1-6	Rackstraw	9553		1	4	2			5		9	11		6		7		8			3	10	
46	25	HALIFAX TOWN	2-2	Blakey, Poole	3045		1	4	2	3		5		6					7		8			9	10	
		Apps				23	23	35	30	41	13	43	1	37	20	19	7	7	36	31	29	17	35	8	46	5
		Goals						3	1	1	1	1						2	3	4	10	6	5	1	15	

Three own goals

F.A. Cup

Rd	Date	Opponent	Res	Scorers	Att	Osb	Pow	Cla	Hol	Sea	BeJW	Bla	Hin	Hug	Lov	Whi	Arm	BeP	Dun	Fre	Fro	McQ	Mer	Poo	Rac	Sco
R1	Nov 16	Crook Town	2-1	McQuarrie, J Beresford	3234	1		2		3	6	5		4					7		8	9	11		10	
R2	Dec 7	Netherfield	1-1	Scott	3900		1	2		3	6			4	5				7			9	11		10	8
rep	10	NETHERFIELD	4-1	Clarke (p), Holt (og), McQuarrie, Rackstraw	4239		1	2		3	6			4	5				7		8	9	11		10	
R3	Jan 4	Oxford United	0-1		9379		1	2		3		5		6	4			9	7			10	11		8	

F.L. Cup

Rd	Date	Opponent	Res	Att	Osb	Pow	Cla	Hol	Sea	BeJW	Bla	Hin	Hug	Lov	Whi	Arm	BeP	Dun	Fre	Fro	McQ	Mer	Poo	Rac	Sco
R1	Sep 4	HALIFAX TOWN	0-1	5622	1		2				5		6	4				7	10	9		11	3	8	

		P	W	D	L	F	A	W	D	L	F	A	Pts
1	Gillingham	46	16	7	0	37	10	7	7	9	22	20	60
2	Carlisle United	46	17	3	3	70	20	8	7	8	43	38	60
3	Workington	46	15	6	2	46	19	9	5	9	30	33	59
4	Exeter City	46	12	9	2	39	14	8	9	6	23	23	58
5	Bradford City	46	15	3	5	45	24	10	3	10	31	38	56
6	Torquay United	46	16	6	1	60	20	4	5	14	20	34	51
7	Tranmere Rovers	46	12	4	7	46	30	8	7	8	39	43	51
8	Brighton & Hove A.	46	13	3	7	45	22	6	9	8	26	30	50
9	Aldershot	46	15	3	5	58	28	4	7	12	25	50	48
10	Halifax Town	46	14	4	5	47	28	3	10	10	30	49	48
11	Lincoln City	46	15	2	6	49	31	4	7	12	18	44	47
12	Chester	46	17	3	3	47	18	2	5	16	18	42	46
13	Bradford Park Ave.	46	13	5	5	50	34	5	4	14	25	47	45
14	Doncaster Rovers	46	11	8	4	46	23	4	4	15	24	52	42
15	Newport County	46	12	3	8	35	24	5	5	13	29	49	42
16	CHESTERFIELD	46	8	9	6	29	27	7	3	13	28	44	42
17	Stockport County	46	12	7	4	32	19	3	5	15	18	49	42
18	Oxford United	46	10	7	6	37	27	4	6	13	22	36	41
19	Darlington	46	8	9	6	40	37	6	3	14	26	56	40
20	Rochdale	46	9	8	6	36	24	3	7	13	20	35	39
21	Southport	46	12	5	5	42	29	3	3	17	21	59	39
22	York City	46	9	3	11	29	26	5	4	14	23	40	35
23	Hartlepools United	46	8	7	8	30	36	4	2	17	24	57	33
24	Barrow	46	4	10	9	30	36	2	8	13	21	57	30

No	Date	Opponent	Score	Scorers	Att	Arblaster BM	Osborne J	Powell RWH	Holmes AV	Sears G	Taylor GB	Beresford JW	Blakey D	Brumfield P	Clarke G	Hughes EM	Mason CE	Phelan A	Commons M	Duncan G	Frost BP	Hollett IR	Hunt RAR	McCann J	Moore AP	Stringfellow P	Watkin G	Wragg D
1	Aug 22	Southport	0-1		3331	1			2	3			5		4	6						7	10			8	9	11
2	24	WREXHAM	0-0		6921	1			2	3			5		4	6						7	10			8	9	11
3	29	BRADFORD PARK AVE.	2-4	Hunt, Watkin	7450	1			2	3			5		4	6						7	10			8	9	11
4	Sep 5	Aldershot	0-2		4718	1			2	3			5		4	10	6					7				8	9	11
5	7	TRANMERE ROVERS	1-0	Wragg	6357	1			2	3			5		4	6				9		7	10			8		11
6	12	DONCASTER ROVERS	1-0	Stringfellow	9427	1			2	3			5		4	6				9		7	10			8		11
7	14	Tranmere Rovers	0-4		9802	1			2	3			5		4	6						7				8	10	11
8	19	STOCKPORT COUNTY	2-0	Wragg 2	6171	1			3	2			5		4	6				9		7				8	10	11
9	26	Notts County	1-5	Beresford	7482	1			2	3		6	5		4	10						7				8		11
10	28	CREWE ALEXANDRA	2-1	Leigh (og), Beresford	4356		1	2	11	3		6			4	10		5		7				9		8		
11	Oct 3	HALIFAX TOWN	3-0	Hunt, Stringfellow 2	6506		1		2	3		6			4	10		5				7	9	11		8		
12	7	Crewe Alexandra	2-0	Stringfellow, Hunt	2853		1		2	3		6			4	10		5				7	9	11		8		
13	10	Lincoln City	2-0	Beresford, Hunt	5469		1		2	3		6			4	10		5				7	9	11		8		
14	17	BRIGHTON & HOVE ALB	1-1	Clarke	9926		1		2	3		6			4	10		5				7	9	11		8		
15	19	Darlington	2-2	McGann, Stringfellow	4194		1		2	3		6			4	10		5				7	9	11		8		
16	24	Oxford United	0-1		8235		1		2	3		6			4	10		5				7	9	11		8		
17	31	BARROW	2-0	Hughes, Hunt	6414		1		2	3		6			4	10		5				7	9	11		8		
18	Nov 7	Hartlepools United	1-1	Commons	4433		1		2	3		6			4	10		5	9			7		11		8		
19	21	Millwall	2-4	McCann, Hughes	8385		1		2	3		6	5		4	10			9			7		11		8		
20	28	BRADFORD CITY	3-1	McCann, Sears, Duncan	5302		1		2	3		6			4			5	9	10		7		11		8		
21	Dec 12	Southport	1-2	Frost	4709	1			2	3		6			4	10		5		9	8	7						11
22	22	Bradford Park Avenue	0-1		6726	1			2	3		6			4	10		5			9	7			11	8		
23	26	York City	1-7	Hollett	6216	1			2	3		6			4	10		5	11			7		9				
24	28	YORK CITY	1-1	Stringfellow	6029	1			2	3		6	5		4							7	10	9		8		
25	Jan 2	ALDERSHOT	0-1		6071	1			2	3			5		4	6						7	10	9		8		
26	16	Doncaster Rovers	0-2		6434	1			2			3	6		4	10		5				7		11		8	9	
27	23	Stockport County	1-0	McCann	5305	1			2	3		6			4	10		5		9		7		11		8		
28	30	ROCHDALE	1-1	Hollett	5091	1			2	3		6			4	8		5		9		7		11	10			
29	Feb 6	NOTTS COUNTY	0-0		7014	1			2	3		6		4	8			5		10		7		9				
30	13	Halifax Town	1-2	Hollett	1738	1			2	3		6			4			5		10		7		9		11	8	
31	20	LINCOLN CITY	1-0	Stringfellow (p)	4405	1			2	3					4	6		5		9		7		11	10	8		
32	24	Chester	0-4		7401	1			2	3		6			4	8		5		9		7		11	10			
33	27	Brighton & Hove Albion	0-5		20949	1			2	3		6			4	8	5	11	7	9					10			
34	Mar 6	OXFORD UNITED	2-1	Holmes, Wragg	4575	1			8	3	2	10	5		4	6				9								7
35	13	Barrow	2-1	Beresford, McCann	2924	1			8	3	2	10	5		4	6				9				11				7
36	17	Wrexham	2-1	Hollett, Clarke	3063	1			2	3		10	5		4	6				9				11		8		7
37	20	HARTLEPOOLS UNITED	3-1	McCann (p), Beresford, Hollett	3806	1			8	3	2	10	5		4	6				9				11				7
38	26	Rochdale	2-1	Holmes 2	6383	1			8	3	2	10	5		4	6				9				11				7
39	29	DARLINGTON	3-0	Preverill (og), another og, Hollett	5744	1			8	3	2	10	5		4	6				9				11				7
40	Apr 3	MILLWALL	2-3	Hollett, Taylor (p)	6093	1			8	3	2	10	5		4	6					7				9			11
41	5	TORQUAY UNITED	2-1	Beresford, Hughes	5385	1			8	3	2	10	5		4	6				9								11
42	10	Bradford City	0-0		3496		1			3	2	10	5		4	6				9	7	8			11			
43	16	NEWPORT COUNTY	2-1	Beresford 2	7290	1				3	2	10	5		4	6				9	7			11	8			
44	17	CHESTER	1-3	Beresford	5971	1			8	3	2	10	5		4	6					7			9				11
45	19	Newport County	1-4	Holmes	2801	1			9	3	2	10	5		4	6					7				11	8		
46	24	Torquay United	2-0	Hollett 2	3325		1			3	2	10	5		4	6				9		7			11	8		
Apps						12	23	11	42	45	15	36	25	1	46	38	5	21	10	37	8	22	17	27	13	28	7	17
Goals									4	1	1	9			2	3			1	1	1	9	5	6		7	1	4

Three own goals

F.A. Cup

Rd	Date	Opponent	Score	Scorers	Att	Arblaster	Osborne	Powell	Holmes	Sears	Taylor	Beresford	Blakey	Brumfield	Clarke	Hughes	Mason	Phelan	Commons	Duncan	Frost	Hollett	Hunt	McCann	Moore	Stringfellow	Watkin	Wragg
R1	Nov 14	SOUTH SHIELDS	2-0	Stringfellow, Commons	7784		1		2	3		6	5		4	10			9			7				11	8	
R2	Dec 5	YORK CITY	2-1	Stringfellow, Moor (og)	7870		1		2	3		6			4		5			7	10			9	11	8	
R3	Jan 9	PETERBOROUGH UTD.	0-3		11772	1			2	3		6	5		4					7			10		11	8	9

F.L. Cup

Rd	Date	Opponent	Score	Scorers	Att	Arblaster	Osborne	Powell	Holmes	Sears	Taylor	Beresford	Blakey	Brumfield	Clarke	Hughes	Mason	Phelan	Commons	Duncan	Frost	Hollett	Hunt	McCann	Moore	Stringfellow	Watkin	Wragg
R1	Sep 2	HARTLEPOOL UNITED	3-0	Hunt 2, Wragg	4513	1			2	3			5		4	10	6					7	9			8		11
R2	22	Bristol Rovers	2-0	Stringfellow, Hunt	7815	1			2	3		6	5		4	10						7	9			8		11
R3	Oct 14	CARLISLE UNITED	3-1	Hunt 2, Stringfellow	5625		1		2	3		6			4	10	5	11				7	9			8		
R4	Nov 4	Northamptomn Town	1-4	Clarke (p)	6695		1		2	3		6			4	10		5	9			7		11		8		

	P	W	D	L	F	A	W	D	L	F	A	Pts
1 Brighton & Hove A.	46	18	5	0	68	20	8	6	9	34	37	63
2 Millwall	46	13	10	0	45	15	10	6	7	33	30	62
3 York City	46	20	1	2	63	21	8	5	10	28	35	62
4 Oxford United	46	18	4	1	54	13	5	11	7	33	31	61
5 Tranmere Rovers	46	20	2	1	72	20	7	4	12	27	36	60
6 Rochdale	46	15	4	4	46	22	7	10	6	28	31	58
7 Bradford Park Ave.	46	14	8	1	52	22	6	9	8	34	40	57
8 Chester	46	19	1	3	75	26	6	5	12	44	55	56
9 Doncaster Rovers	46	13	6	4	46	25	7	5	11	38	47	51
10 Crewe Alexandra	46	11	8	4	55	34	7	5	11	35	47	49
11 Torquay United	46	11	5	7	41	33	10	2	11	29	37	49
12 CHESTERFIELD	46	13	5	5	36	22	7	3	13	22	48	48
13 Notts County	46	12	7	4	43	23	3	7	13	18	50	44
14 Wrexham	46	12	5	6	59	37	5	4	14	25	55	43
15 Hartlepools United	46	11	10	2	44	28	4	3	16	17	57	43
16 Newport County	46	14	5	4	54	26	3	3	17	31	55	42
17 Darlington	46	14	2	7	52	30	4	4	15	32	57	42
18 Aldershot	46	14	3	6	46	25	1	4	18	18	59	37
19 Bradford City	46	9	2	12	37	36	3	6	14	33	52	32
20 Southport	46	5	9	9	35	45	3	7	13	23	44	32
21 Barrow	46	9	4	10	30	38	3	2	18	29	67	30
22 Lincoln City	46	8	4	11	35	33	3	2	18	23	66	28
23 Halifax Town	46	9	4	10	37	37	2	2	19	17	66	28
24 Stockport County	46	8	4	11	30	34	2	3	18	14	53	27

1965/66 20th in Division 4

							Arblaster BM	Osborne J	Hallam AK	Holmes AV	Sears G	Taylor GB	Blakey D	Clarke G	Hughes EM	Phelan A	Adams V	Bishop PJ	Fry KF	Godfrey PR	Henderson J	Hollett IR	McCann J	Moore AP	Morton A	Purcell D	Salisbury G	Whitehead B
1	Aug	21	NEWPORT COUNTY	1-2	Hollett	5858		1		2	3			4	6	5				7	10	9	11				8	
2		23	ALDERSHOT	1-1	Norman (og)	4976		1		2	3			4	6	5				7	10	9	11				8	
3		28	Torquay United	0-2		5509		1		2	3			4	6	5		11		7	10	9					8	12
4	Sep	3	Barnsley	0-0		4894		1			3	2		4	6	5				7	8	9	11					10
5		6	WREXHAM	1-1	Hollett	4495		1			3	2		4	6	5				7	8	9	11					10
6		11	ROCHDALE	4-1	Taylor (p), Hollett 2, Salisbury	4887		1			3	2		4	6	5				7	8	9			10		11	
7		15	Aldershot	3-1	Henderson, Hollett, Salisbury	6587		1			3	2		4	6	5				7	8	9			10		11	
8		18	Luton Town	2-1	Salisbury, Henderson	4905		1			3	2		4	6	5				7	8	9			10		11	
9		25	BARROW	2-2	Salisbury 2 (1p)	7443		1			3	2		4	6	5				7	8	9			10	12	11	
10	Oct	2	Hartlepools United	2-1	Morton, Holmes	5184	1			9	3	2		4		5				7	8		6		10		11	
11		9	CREWE ALEXANDRA	3-1	Clarke, Morton, Stott (og)	8156	1	9		2	3			4	6	5				7	8				10		11	
12		16	Port Vale	1-1	Hughes	7644	1				3	2		4	6	5				7	8				10		11	
13		23	HALIFAX TOWN	3-2	Godfrey, Pickering (og), McCann	8695	1			2		3		4	6	5				7	8		9		10		11	
14		25	Wrexham	1-2	Phelan	2766	1		3	2				4	6	5				7	8		9		10		11	
15		30	Chester	0-3		8863	1		3			2		4	6	5				7	8	9			10		11	
16	Nov	6	NOTTS COUNTY	0-0		8575	1				3	2		4	6	5				7	8	9	11		10			
17		20	DARLINGTON	1-2	Hollett	5090	1			2	3			4	6	5					8	9	10	7			11	
18		26	Stockport County	1-2	Morton	6654	1				3	2		4	6	5				7		9		8	10		11	
19	Dec	11	Colchester United	0-3		3867	1				3	2		4	6	5				7	10	9			8		11	
20		18	PORT VALE	3-1	McCann 2 (1p), Hollett	2903	1				3	2		4	6	5						9	10	7	8		11	
21		27	BRADFORD PARK AVE.	0-3		6460	1				3	2		4	6	5	12					9	10	7	8		11	
22	Jan	1	Crewe Alexandra	0-1		3462	1			9	3	2	5	4	8	6	10						11				7	
23		4	Bradford Park Avenue	1-3	Sears	6280	1			9	3	2	5	4	8	6	10						11	12			7	
24		8	LINCOLN CITY	1-0	Hughes	3174	1			9	3	2	5	4	8	6	10			7							11	
25		31	Newport County	4-3	Phelan, Hollett 2, Salisbury	2866	1			2	3		5	4	8	6			7		10	9					11	
26	Feb	5	TORQUAY UNITED	1-1	Fry	4808	1			2	3		5	4	8	6			7		10	9					11	
27		12	Halifax Town	1-4	Salisbury (p)	1554	1			2	3		5	4	8	6				7	10	9					11	
28		15	Doncaster Rovers	0-1		8349	1			2	3		5		6	4	10			7		9		8			11	
29		19	BARNSLEY	3-1	Morton 2, Hollett	4049	1			2	3		5	4	8	6	7					9		11	10			
30		26	Rochdale	1-1	Hollett	2292	1			2	3		5	4	8	6	7					9		11	10			
31	Mar	9	Lincoln City	2-0	Hollett, Clarke	3371	1			2	3		5	4	8	6	7				11	9			10			
32		12	LUTON TOWN	1-3	Morton	4264	1			2	3		5	4	8	6	7				11	9			10			
33		19	Barrow	2-3	Clarke, Salisbury	4444	1			2	3		5	4		6		11				9		7			8	10
34		21	Southport	0-1		4213		1		2	3		5	4	6	8		11				9		7				10
35		25	HARTLEPOOLS UNITED	1-3	Whitehead (p)	2653		1		2	3		5	4	6	9	8	11						7				10
36		28	CHESTER	2-2	Hollett, Henderson	2844		1			3		5	2	6	4	12			7	10	9			8		11	
37	Apr	2	Notts County	0-2		1927		1		2	3			4	6	5				7	10	9			8		11	
38		8	BRADFORD CITY	1-1	Godfrey	3928		1		2	3			4	6	5				7	10	9			8		11	
39		9	TRANMERE ROVERS	0-0		2776		1		2	3			4	6	5		11		7	10	9			8			
40		11	Bradford City	1-1	Hollett	3480		1		2	3			4	6	5		11		7	10	9			8			
41		16	Darlington	1-4	Hollett	6337		1		2	3			4	6	5		11		7		9			8		10	
42		23	STOCKPORT COUNTY	2-1	Phelan, Salisbury (p)	3635		1		2	3		5	7	6	4		11				9			8		10	
43		25	DONCASTER ROVERS	1-1	Hollett	8541		1	12	2	3		5	8	6	4		11				9			10		7	
44		29	Tranmere Rovers	2-3	Hollett, Phelan	5013		1	3	2			5	9	6	4		11				10		7			8	
45	May	2	SOUTHPORT	3-2	Hollett 2, Bishop	2733		1		2		3	5	9	6	4		11				10		7	12		8	
46		7	COLCHESTER UNITED	2-4	Clarke, Hollett	3945		1		2		3	5	9	6	4		11				10		7	8			
						Apps	24	23	4	32	40	20	20	45	44	46	11	12	2	27	28	37	14	14	29	1	34	6
						Goals				1	1	1		4	2	4		1	1	2	3	20	3		6		9	1

Three own goals

F.A. Cup

							Arblaster BM	Osborne J	Hallam AK	Holmes AV	Sears G	Taylor GB	Blakey D	Clarke G	Hughes EM	Phelan A	Adams V	Bishop PJ	Fry KF	Godfrey PR	Henderson J	Hollett IR	McCann J	Moore AP	Morton A	Purcell D	Salisbury G	Whitehead B
R1	Nov	13	CHESTER	0-2		11690	1			10	3	2		4	6	5				7		9	11				8	

F.L. Cup

							Arblaster BM	Osborne J	Hallam AK	Holmes AV	Sears G	Taylor GB	Blakey D	Clarke G	Hughes EM	Phelan A	Adams V	Bishop PJ	Fry KF	Godfrey PR	Henderson J	Hollett IR	McCann J	Moore AP	Morton A	Purcell D	Salisbury G	Whitehead B
R1	Sep	1	Notts County	0-0		6076		1			3	2		4	6	5				7	8	9	11				10	
rep		8	NOTTS COUNTY	2-1	Henderson 2	2188		1			3	2		4	6	5				7	8	9	11		10			
R2	Sep	22	BRADFORD PARK AVE.	3-0	Godfrey, Salisbury, Hollett	5820		1			3	2		4	6	5				7	8	9			10		11	
R3	Oct	13	STOKE CITY	2-2	Clarke 2	12235	1				3	2		4	6	5				7	8		9		10		11	
rep		20	Stoke City	1-2	Salisbury (p)	12595	1				3	2		4	6	5				7	8		9		10		11	

		P	W	D	L	F	A	W	D	L	F	A	Pts
1	Doncaster Rovers	46	15	6	2	49	21	9	5	9	36	33	59
2	Darlington	46	16	3	4	41	17	9	6	8	31	36	59
3	Torquay United	46	17	2	4	43	20	7	8	8	29	29	58
4	Colchester United	46	13	7	3	45	21	10	3	10	25	26	56
5	Tranmere Rovers	46	15	1	7	56	32	9	7	7	37	34	56
6	Luton Town	46	19	2	2	65	27	5	6	12	25	43	56
7	Chester	46	15	5	3	52	27	5	7	11	27	43	52
8	Notts County	46	9	8	6	32	25	10	4	9	29	28	50
9	Newport County	46	14	6	3	46	24	4	6	13	29	51	48
10	Southport	46	15	6	2	47	20	3	6	14	21	49	48
11	Bradford Park Ave.	46	14	2	7	59	31	7	3	13	43	61	47
12	Barrow	46	12	8	3	48	31	4	7	12	24	45	47
13	Stockport County	46	12	4	7	42	29	6	2	15	29	41	42
14	Crewe Alexandra	46	12	4	7	42	23	4	5	14	19	40	41
15	Halifax Town	46	11	6	6	46	31	4	5	14	21	44	41
16	Barnsley	46	11	6	6	43	24	4	4	15	31	54	40
17	Aldershot	46	12	6	5	47	27	3	4	16	28	57	40
18	Hartlepools United	46	13	4	6	44	22	3	4	16	19	53	40
19	Port Vale	46	12	7	4	38	18	3	2	18	10	41	39
20	CHESTERFIELD	46	8	9	6	37	35	5	4	14	25	43	39
21	Rochdale	46	12	1	10	46	27	4	4	15	25	60	37
22	Lincoln City	46	9	7	7	37	29	4	4	15	20	53	37
23	Bradford City	46	10	5	8	37	34	2	8	13	26	60	37
24	Wrexham	46	10	4	9	43	43	3	5	15	29	61	35

1966/67   15th in Division 4

No	Date	Opponent	Score	Scorers	Att	Arblaster BM	Brunt ME	Osborne J	Anderson JD	Blakey D	Hallam AK	Holmes AV	Phelan A	Neale P	Sears G	Adams V	Clarke G	Hughes EM	Tait RJ	Bartley A	Bishop PJ	Hollett IR	Moore AP	Parsons S	Randall K	Stark WR	Stopford A	Wilson A
1	Aug 20	York City	1-1	Clarke	5957			1				2		5	3		4	6	8	11		10			9			7
2	27	LINCOLN CITY	3-1	Hollett, Bartley 2	5998			1				2		5	3			6	4	11		10			9	8		7
3	Sep 2	Barnsley	3-0	Randall, Stark, Hollett	3560			1				2		5	3			6	4	11		10			9	8		7
4	5	NEWPORT COUNTY	0-1		7017			1				2		5	3			6	4	11		10			9	8		7
5	9	Stockport County	1-3	Stark	10265			1	4			2		5	3			6		11		10			9	8		7
6	17	ROCHDALE	0-0		5003			1	4			2		5	3			6	10	11		9	8					7
7	24	Southport	2-1	Hollett, Randall	5476	1			4			2		5	3			6				10	8		9	11		7
8	26	Newport County	1-4	Randall	5777	1			4			2		5	3			6				10	8		9	11		7
9	Oct 1	NOTTS COUNTY	1-1	Stark	5341			1	4			2		5	3			6				10	8		9	11		7
10	8	BRENTFORD	3-0	Hollett 2, Randall (p)	4968			1				2	4	5	3			6			11	10	7		9	8		
11	15	Halifax Town	0-1		2264			1				2	4	5	3			6			11	10	7		9	8		
12	17	Port Vale	3-2	James (og), Hollett, Moore	5649			1				2	4	5	3			6	10		11	9	7			8		
13	22	HARTLEPOOLS UNITED	1-0	Hollett	5275			1				2	4	5	3			6	10		11	9	7					12
14	29	Exeter City	1-1	Hollett	4102			1				2	4	5	3			6	8			10	7		9			11
15	Nov 5	BARNSLEY	1-0	Stark	5260			1				2	4	5	3			6	10		11	9	7			8		
16	11	Tranmere Rovers	0-1		4902			1				2	4	5	3			6	8			9	7			10		11
17	19	SOUTHEND UNITED	2-1	Randall, Hollett	5007			1			10	2	4	5	3			6			11	9			8			7
18	Dec 3	ALDERSHOT	1-1	Wilson	4907			1			9	2	4	5	3			6			11				8	10		7
19	10	Luton Town	2-3	Stark 2	5096			1	4			2		5	3			6			11	9			8	10		7
20	17	YORK CITY	1-0	Tait	3967			1	4			2		5	3			6	10		11	9				8		7
21	27	BRADFORD PARK AVE.	4-1	Stark, Bishop, Wilson, Randall	6081			1				2		5	3			6	4		11	9			8	10		7
22	31	Lincoln City	1-2	Hollett	4614			1				2		5	3			6	4		11	9			8	10		7
23	Jan 14	STOCKPORT COUNTY	2-1	Randall (p), Stark	8354	1						2		5	3			6	4		11	9			8	10		7
24	21	Rochdale	1-2	Stark	2255	1						2	12	5	3			6	4		11	9			8	10		7
25	28	BRADFORD CITY	0-1		5973	1						2		5	3			6	8		11	9			7	10		4
26	Feb 4	SOUTHPORT	2-1	Adams, Hollett	5623	1						2	4	5	3	9		6			11	10			8			7
27	8	Bradford Park Avenue	0-2		3940	1						2	4	5	3	9		6			11	10			8			7
28	11	Notts County	2-0	Randall 2	5791	1						2	4	5	3	9		6			11	10			8			7
29	18	CREWE ALEXANDRA	0-0		6453	1						2	4	5	3	9		6			11	10			8	12		7
30	25	Brentford	0-1		7013	1						2	4	5	3	9		6				10			8	11		7
31	Mar 4	HALIFAX TOWN	1-1	Stark	5909	1						2	4	5	3			6			11	10			8	9		7
32	11	Crewe Alexandra	1-2	Stark	4559	1						2		5	3		4	6			11	10	8			9		7
33	18	Hartlepools United	2-3	Neale, Bishop	5604	1						2		5	3		6	4		9	11	10	8				7	
34	24	Barrow	1-2	Wilson	7905	1						2		5	3		4	6			11	10	8				7	9
35	25	WREXHAM	4-0	Hollett 3 (1p), Wilson	4409	1						2		5	3		4	6	7		11	10				9		8
36	27	BARROW	1-2	Neale	6252	1						2		5	3		4	6	7		11	10				9		8
37	Apr 1	Bradford City	1-3	Tait	4197	1						2	6	5	3		4		9			10	11		8			7
38	8	TRANMERE ROVERS	3-1	Stark 3	3978		1					2		5	3			6			11	9			8	10		7
39	12	Chester	1-2	Wilson	2559		1					2		5	3			6	12		11	9			8	10		7
40	15	Southend United	1-4	Stark	6895		1					2		5	3			6	4		11	9			8	10		7
41	22	EXETER CITY	1-0	Randall	3665		1					2	12	5	3		4	6			11	9			8	10		7
42	24	CHESTER	0-2		2547		1					2		5	3		4	6			11	9			8	10		7
43	29	Aldershot	0-4		3569		1					2	4	5	3			6	10		11			8	9			7
44	May 6	LUTON TOWN	0-0		3055		1					2	12	5	3		4	6			11	9	7			10		8
45	8	PORT VALE	2-1	Hollett, Hughes	2605	1				5		8	6	2	3		4	9			11	10						7
46	13	Wrexham	2-3	Wilson 2	4455	1				6		2		5	3		4	9			11	10				8		7
		Apps				19	7	20	7	3	2	46	35	33	46	6	12	41	28	12	27	43	17	1	33	31	2	41
		Goals												2		1	1	1	2	2	2	15	1		10	15		7

One own goal

F.A. Cup

	Date	Opponent	Score	Scorers	Att	Arblaster BM	Brunt ME	Osborne J	Anderson JD	Blakey D	Hallam AK	Holmes AV	Phelan A	Neale P	Sears G	Adams V	Clarke G	Hughes EM	Tait RJ	Bartley A	Bishop PJ	Hollett IR	Moore AP	Parsons S	Randall K	Stark WR	Stopford A	Wilson A
R1	Nov 26	Wrexham	2-3	Randall, Stark	10466			1			9	2	4	5	3			6			11				8	10		7

F.L. Cup

	Date	Opponent	Score	Scorers	Att	Arblaster BM	Brunt ME	Osborne J	Anderson JD	Blakey D	Hallam AK	Holmes AV	Phelan A	Neale P	Sears G	Adams V	Clarke G	Hughes EM	Tait RJ	Bartley A	Bishop PJ	Hollett IR	Moore AP	Parsons S	Randall K	Stark WR	Stopford A	Wilson A
R1	Aug 24	SCUNTHORPE UNITED	2-1	Hollett 2	5418			1				2		5	3		4	6	8	11		10	12		9			7
R2	Sep 13	York City	2-3	Anderson, Hollett	4743			1	4			2		5	3			6		11		10			9	8		7

	P	W	D	L	F	A	W	D	L	F	A	Pts
1 Stockport County	46	16	5	2	41	18	10	7	6	28	24	64
2 Southport	46	19	2	2	47	15	4	11	8	22	27	59
3 Barrow	46	12	8	3	35	18	12	3	8	41	36	59
4 Tranmere Rovers	46	14	6	3	42	20	8	8	7	24	23	58
5 Crewe Alexandra	46	14	5	4	42	26	7	7	9	28	29	54
6 Southend United	46	15	5	3	44	12	7	4	12	26	37	53
7 Wrexham	46	11	12	0	46	20	5	8	10	30	42	52
8 Hartlepools United	46	15	3	5	44	29	7	4	12	22	35	51
9 Brentford	46	13	7	3	36	19	5	6	12	22	37	49
10 Aldershot	46	14	4	5	48	19	4	8	11	24	38	48
11 Bradford City	46	13	4	6	48	31	6	6	11	26	31	48
12 Halifax Town	46	10	11	2	37	27	5	3	15	22	41	44
13 Port Vale	46	9	7	7	33	27	5	8	10	22	31	43
14 Exeter City	46	11	6	6	30	24	3	9	11	20	36	43
15 CHESTERFIELD	46	13	6	4	33	16	4	2	17	27	47	42
16 Barnsley	46	8	7	8	30	28	5	8	10	30	36	41
17 Luton Town	46	15	5	3	47	23	1	4	18	12	50	41
18 Newport County	46	9	9	5	35	23	7	7	13	21	40	40
19 Chester	46	8	5	10	24	32	7	5	11	30	46	40
20 Notts County	46	10	7	6	31	25	3	4	16	22	47	37
21 Rochdale	46	10	4	9	30	27	3	7	13	23	48	37
22 York City	46	11	5	7	45	31	1	6	16	20	48	35
23 Bradford Park Ave.	46	7	6	10	30	34	4	7	12	22	45	35
24 Lincoln City	46	7	8	8	39	39	2	5	16	19	43	31

1967/68   7th in Division 4

#	Date	Opponent	Score	Scorers	Att	Roberts JT	Anderson JD	Holmes AV	Hughes EM	Neale P	Phelan A	Sears G	Lumsden JI	Clarke G	Kettleborough KF	Pugh D	Wilson A	Bishop PJ	Curry WM	Hollett IR	Lord F	Moore AP	Randall K	Reid RE	Warnock N
1	Aug 19	Crewe Alexandra	1-1	Randall	4799	1		2		5	6	3		4			7			10	8	11	9		
2	26	NOTTS COUNTY	4-0	Hollett, Hughes, Lord 2	5932	1		2	11	5	6	3		4						10	8	7	9		
3	Sep 2	Port Vale	1-0	Wilson (og)	6214	1		2	11	5	6	3		4						10	8	7	9		
4	4	BRADFORD CITY	2-1	Hollett, Moore	7704	1		2	11	5	6	3		4						10	8	7	9		
5	9	CHESTER	3-1	Randall 2, Lord	8618	1		2	11	5	6	3		4						10	8	7	9		
6	15	Barnsley	0-0		9094	1		2	11	5	6	3		4						10	8	7	9		
7	23	Exeter City	1-1	Neale	3845	1		2	11	5	6	3		4			12			10	8	7	9		
8	27	Bradford City	1-3	Lord	5165	1		2		5	6	3		4			7				8	11	9	10	
9	30	DARLINGTON	3-1	Hollett 2, Lord	7752	1		2		5	6	3		4			11			10	8		9	7	
10	Oct 4	Lincoln City	2-2	Randall (p), Lord	7207	1		2		5	6	3		4			11			10	8		9	7	
11	7	SOUTHEND UNITED	3-1	Randall 2 (2p), Wilson	10674	1		2	12	5	6	3		4			11			10	8		9	7	
12	14	Luton Town	0-1		10441	1		2	4	5	6	3					11			10	8	12	9	7	
13	21	DONCASTER ROVERS	2-0	Randall, Hollett	11097	1		2	4	5	6	3	10				11			8		7	9		
14	23	LINCOLN CITY	2-0	Wilson, Clarke	11807	1		2	4	5	6	3	10				11			8		7	9		
15	28	Bradford Park Avenue	1-2	Wilson	4369	1		2	4	5	6	3	10				11			8		7	9		
16	Nov 4	BRENTFORD	2-1	Wilson 2	9644	1		2	4	5	6	3	10				11			8		7	9		
17	11	Rochdale	4-1	Hollett, Randall 2 (2p), Moore	2391	1		2	4	5	6	3	10				11			8		7	9		
18	13	PORT VALE	3-0	Hughes 2, Reid	13183	1		2	4	5	6	3	10				11			9		7		8	
19	18	YORK CITY	3-1	Clarke 2, Wilson	10994	1		2			6		10	4			11			9		7	8	12	
20	25	Newport County	3-0	Randall, Hollett, Clarke	2341	1		2		5	6	3	10	4			11			9		7	8		
21	Dec 2	HARTLEPOOLS UNITED	3-1	Randall 2, Hollett	10800	1		2		5	6	3	10	4			11			9		7	8		
22	16	CREWE ALEXANDRA	4-1	Randall 3, Hollett	12345	1		2		5	6	3	10	4			11			9		7	8		
23	23	Notts County	0-1		9990	1		2		5	6	3	10	4			11			9		7	8		
24	26	WORKINGTON	0-0		16663	1		2		5	6	3	10	4			11			9		7	8		
25	30	Workington	1-3	Moore	2300	1		2		5	6	3	10	4		9	11					7	8		
26	Jan 20	BARNSLEY	2-3	Hollett, Curry	16091	1		2		5	6	3	10	4			11		9	8		7			
27	Feb 3	EXETER CITY	1-1	Hollett	11638	1		2		5	6	3	10			4	11		9	8		7			
28	10	Darlington	1-1	Moore	3617	1		2	3	5					6	4	11		9	10		7	8		
29	17	ALDERSHOT	1-2	Walker (og)	10724	1		2	3	5					6	4	11		9	8		7	10		
30	24	York City	2-0	Randall 2	5210	1		2	3	5			10		6	4	11			9		7	8		
31	Mar 2	LUTON TOWN	0-0		14075	1		2		5	6	3	10			4	11			9		7	8		
32	9	WREXHAM	3-1	Hollett, Randall, Moore	10497	1		2		5	6	3	10			4	11			9		7	8		
33	13	Aldershot	0-3		6366	1		2		5	6	3	10				11			9		7	8		
34	15	Doncaster Rovers	0-1		14047	1		2		5	6	3	10			4	11			9		7	8		
35	18	Wrexham	0-3		3405	1		2		5	6	3	10			4	11			9		7	8		
36	23	BRADFORD PARK AVE.	2-0	Hollett, Randall (p)	7337	1		2		5	6	3		4	10			11		9		7	8		
37	30	Brentford	1-1	Hollett	3844	1		2	12	5	6	3		4	10			11		9		7	8		
38	Apr 3	Chester	0-3		3103	1		2		5	6	3		4	10			11		9		7	8		
39	6	ROCHDALE	0-2		7159	1		2	4	5					6		11			9		10	8		7
40	13	Southend United	1-1	Pugh	11594	1		2	4	5					6	10	11					8	9		7
41	15	Halifax Town	2-0	Warnock, Bishop	4749	1		2	4	5					6	10		11				8	9		7
42	16	HALIFAX TOWN	0-0		7746	1		2	4	5					6	10		11				8	9		7
43	20	NEWPORT COUNTY	1-2	Pugh	7127	1		2	4	5					6	10		11				8	9		7
44	23	Swansea Town	1-0	Randall	4167	1		2	4	5	6					10	11			8			9		7
45	26	Hartlepools United	1-2	Warnock	11399	1		2	4	5	6					10	11			8			9		7
46	May 4	SWANSEA TOWN	3-1	Hollett 2, Neale	5322	1	4	2	6	5		3					10	11		8			9		7
		Apps				46	1	46	36	36	41	27	16	23	28	16	31	7	8	40	12	38	44	7	8
		Goals							3	2				4		2	6	1	1	16	6	5	20	1	2

Two own goals

F.A. Cup

R	Date	Opponent	Score	Scorers	Att	Roberts JT	Anderson JD	Holmes AV	Hughes EM	Neale P	Phelan A	Sears G	Lumsden JI	Clarke G	Kettleborough KF	Pugh D	Wilson A	Bishop PJ	Curry WM	Hollett IR	Lord F	Moore AP	Randall K	Reid RE	Warnock N
R1	Dec 9	BARNSLEY	2-0	Hollett, Wilson	17161	1		2		5	6	3	10	4			11			9		7	8		
R2	Jan 6	Chester	1-0	Wilson	11320	1		2		5	6	3	10	4			11			9		7	8		
R3	27	Blackpool	1-2	Hollett	21457	1		2		5	6	3	12		10	8	11			9		7			

F.L. Cup

R	Date	Opponent	Score	Score	Att	Roberts JT	Anderson JD	Holmes AV	Hughes EM	Neale P	Phelan A	Sears G	Lumsden JI	Clarke G	Kettleborough KF	Pugh D	Wilson A	Bishop PJ	Curry WM	Hollett IR	Lord F	Moore AP	Randall K	Reid RE	Warnock N
R1	Aug 23	Grimsby Town	0-1		5354			2	11	5	6	3		4			7			10	8	12	9		

Played at no. 1: ME Brunt

		P	W	D	L	F	A	W	D	L	F	A	Pts
1	Luton Town	46	19	3	1	55	16	8	9	6	32	28	66
2	Barnsley	46	17	6	0	43	14	7	7	9	25	32	61
3	Hartlepools United	46	15	7	1	34	12	10	3	10	26	34	60
4	Crewe Alexandra	46	13	10	0	44	18	7	8	8	30	31	58
5	Bradford City	46	14	5	4	41	22	9	6	8	31	29	57
6	Southend United	46	12	8	3	45	21	8	6	9	32	37	54
7	CHESTERFIELD	46	15	4	4	47	20	6	7	10	24	30	53
8	Wrexham	46	17	3	3	47	12	3	10	10	25	41	53
9	Aldershot	46	10	11	2	36	19	8	6	9	34	36	53
10	Doncaster Rovers	46	12	8	3	36	16	6	7	10	30	40	51
11	Halifax Town	46	10	6	7	34	24	5	10	8	18	25	46
12	Newport County	46	11	7	5	32	22	5	6	12	26	41	45
13	Lincoln City	46	11	3	9	41	31	6	6	11	30	37	43
14	Brentford	46	13	4	6	41	24	5	3	15	20	40	43
15	Swansea Town	46	11	8	4	38	25	5	2	16	25	52	42
16	Darlington	46	6	11	6	31	27	6	6	11	16	26	41
17	Notts County	46	10	7	6	27	27	5	4	14	26	52	41
18	Port Vale	46	10	5	8	41	31	2	10	11	20	41	39
19	Rochdale	46	9	8	6	35	32	3	6	14	16	40	38
20	Exeter City	46	9	7	7	30	30	2	9	12	15	35	38
21	York City	46	6	8	4	44	30	2	8	13	21	38	36
22	Chester	46	6	6	11	35	38	3	8	12	22	40	32
23	Workington	46	8	8	7	35	29	2	3	18	19	58	31
24	Bradford Park Ave.	46	3	7	13	18	35	1	8	14	12	47	23

#		Date	Opponent	Score	Scorers	Att	Humphreys A	McNulty WG	Finnigan DV	Hickton R	Holmes AV	Hughes EM	Lumsden JI	Moyes JK	Phelan A	Bell CT	Kettleborough KF	Moore AP	Pugh D	Bishop PJ	Curry WM	Hollett IR	Martin G	Moss E	Randall K	Warnock N	Wright MH
1	Aug	10	PORT VALE	3-1	Randall, Pugh, Hollett	7158	1			2	6	3			5			4	10		9	11			8	7	
2		17	Exeter City	0-3		7241	1			2	6	3			5			4	10	9	7	11			8		
3		24	YORK CITY	1-1	Randall	7036	1			2	6	3			5			4	10	9	7	11			8		
4		28	PETERBOROUGH UTD.	2-0	Curry, Randall (p)	6493	1			2	6	3			5			4	10	9	7	11			8		
5		31	Bradford City	1-2	Pugh	7007	1			2	6	3			5			4	10	9	7	11			8	12	
6	Sep	7	Brentford	0-1		9703	1			2	6	3			5			4	10	9	7	11			8		
7		14	ROCHDALE	1-1	Hollett	5903	1			2	6	3			5			4	10	9	7	11			8	12	
8		16	COLCHESTER UNITED	0-2		4692	1			2	6	3			5	4		10			9	11			8	7	
9		21	Chester	0-2		6785	1		12	2		3			5	6	4	10			9	11			8	7	
10		28	DONCASTER ROVERS	0-1		9756	1			2	4	3			5	6	12	10	11		9				8	7	
11	Oct	5	NOTTS COUNTY	0-2		5611	1		5	2		3			6		4	7	10			9	11		8		
12		7	Peterborough United	0-3		6103	1		5	2		3			6		4	7	10			9	11		8		
13		12	Grimsby Town	2-1	Phelan, Kettleborough	3177	1		5	2		3			6		4		10			9	11		8	7	
14		16	Lincoln City	2-2	Kettleborough, Randall	7635	1		5	2		3			6		4		10			9	11		8	7	
15		19	WORKINGTON	0-1		5814	1		5	2		3			6		4		10			9	11		8	7	
16		26	Bradford Park Avenue	1-0	Randall	3088	1			2		3			6	10	4	7				11			9	8	
17	Nov	2	DARLINGTON	2-2	Randall 2	3943	1			2	3				6	10	4	7				11			9	8	
18		4	HALIFAX TOWN	2-0	Randall, Bishop	4673	1		5	3	2				6	10		7	4	11					9	8	
19		9	Swansea Town	0-0		6440	1		5	3	2				6	10		7	4	11					9	8	
20		23	Newport County	2-1	Randall 2	1851	1		5		2			3	6		10	7	4	11					9	8	
21		30	ALDERSHOT	1-2	Moore	6641	1		5	2		3			6	12	10	7	4	11					9	8	
22	Dec	14	GRIMSBY TOWN	0-0		4674	1		5		2			3	6		10		4	7			11		9	8	
23		21	Workington	1-1	Pugh	2146	1		5		2			3	6		10		4	7			11		9	8	
24		26	Notts County	1-2	Bell	9801	1		5		2			3	6	12	10		4				11		9	8	7
25		28	BRADFORD PARK AVE.	1-1	Gibson (og)	5036	1		5		2			3	6		10		4				11		9	8	7
26	Jan	11	Darlington	3-1	Pugh, Randall, Kettleborough	5438	1		5		2			3	6	10	7		4				11		9	8	
27		18	SWANSEA TOWN	2-0	Bell 2	4995	1		5	2		3			6	10	7		4				11		9	8	
28	Feb	1	Wrexham	1-1	Randall	4464	1			2		3		5	6	10	7	11	4						9	8	
29		15	Aldershot	0-2		5194	1			2		3			6	5	7	10	4				11		9	8	
30	Mar	1	Port Vale	1-0	Randall	3610	1			2		3		5	6	10	7	12	4				11		9	8	
31		3	Southend United	2-2	Randall, Martin	10414		1		2		3		5	6	10	7	9	4				11			8	
32		8	EXETER CITY	2-0	Randall 2	5124		1		2		3		5	6	10	7	9	4				11			8	
33		10	WREXHAM	0-1		5264		1		2		3		5	6	10	7	9	4				11			8	
34		15	York City	1-3	Bishop	3686		1		2		3		5	6	10	7	9	4	11						8	
35		17	LINCOLN CITY	1-1	Bishop	3164		1		2		3		5	6	10	7	9	4	11					8	12	
36		22	BRADFORD CITY	0-1		4690		1	3	2	6	4		5			7	9	10	11					8		
37		25	Halifax Town	0-0		4377	1			2		3		5	6		7	4	11						9	8	10
38		29	BRENTFORD	1-2	Moss	3261	1			2		3		5	6		7	4	11					9	8		10
39	Apr	4	Colchester United	0-1		7186	1				2	3			6	5	10	7	4	11					8		9
40		5	Doncaster Rovers	0-0		12162	1				2	4	3		6	5		7	10	11					8	9	
41		8	SCUNTHORPE UNITED	1-2	Phelan	3793	1				2	4	3		6	5		7	10	11					8	9	
42		12	CHESTER	2-0	Holmes, Randall	2554	1			2	8		3		6	5	7	10	4	11					9		
43		15	Scunthorpe United	1-0	Holmes	2398	1			2	8		3		6	5	7	10	4	11					9		
44		19	Rochdale	0-0		7600	1			2	8		3		6	5	7	10	4	11					9		
45		21	NEWPORT COUNTY	2-1	Wright, Randall	2404	1			2	8		3		6	5			4	11					9	7	10
46		25	SOUTHEND UNITED	0-0		3764	1			2	8	11	3		6	5	7		4						9	12	10
			Apps				40	6	17	21	34	14	43	10	45	24	38	29	43	21	6	15	25	17	46	16	5
			Goals								2				2	3	3	1	4	3	1	2	1	1	18		1

One own goal

F.A. Cup

Rd	Date	Opponent	Score	Scorers	Att	Humphreys A	McNulty WG	Finnigan DV	Hickton R	Holmes AV	Hughes EM	Lumsden JI	Moyes JK	Phelan A	Bell CT	Kettleborough KF	Moore AP	Pugh D	Bishop PJ	Curry WM	Hollett IR	Martin G	Moss E	Randall K	Warnock N	Wright MH
R1	Nov 16	SKELMERSDALE UTD.	2-0	Moss, Randall	8153	1		5		2			3	6		10	7	4	11					9	8	
R2	Dec 7	WREXHAM	2-1	Moss 2	7108	1		5		2			3	6	12	10		4	7			11		9	8	
R3	Jan 4	Portsmouth	0-3		22504	1		5		2			3	6	10	7		4				11		9	8	

F.L. Cup

Rd	Date	Opponent	Score	Att	Humphreys A	McNulty WG	Finnigan DV	Hickton R	Holmes AV	Hughes EM	Lumsden JI	Moyes JK	Phelan A	Bell CT	Kettleborough KF	Moore AP	Pugh D	Bishop PJ	Curry WM	Hollett IR	Martin G	Moss E	Randall K	Warnock N	Wright MH
R1	Aug 14	Derby County	0-3	21487	1			2	6	3			5			4	10		9	11			8	7	

		P	W	D	L	F	A	W	D	L	F	A	Pts
1	Doncaster Rovers	46	13	8	2	42	16	8	9	6	23	22	59
2	Halifax Town	46	15	5	3	36	18	5	12	6	17	19	57
3	Rochdale	46	14	7	2	47	11	4	13	6	21	24	56
4	Bradford City	46	11	10	2	36	18	7	10	6	29	28	56
5	Darlington	46	11	6	6	40	26	6	12	5	22	19	52
6	Colchester United	46	12	8	3	31	17	8	4	11	26	36	52
7	Southend United	46	15	3	5	51	21	4	10	9	27	40	51
8	Lincoln City	46	13	6	4	38	19	4	11	8	16	33	51
9	Wrexham	46	13	7	3	41	22	5	7	11	20	30	50
10	Swansea Town	46	11	8	4	35	20	8	3	12	23	34	49
11	Brentford	46	12	7	4	40	24	6	5	12	24	41	48
12	Workington	46	8	11	4	24	17	7	6	10	16	26	47
13	Port Vale	46	12	8	3	33	15	4	6	13	13	31	46
14	Chester	46	12	4	7	43	24	4	9	10	33	42	45
15	Aldershot	46	13	3	7	42	23	6	4	13	24	43	45
16	Scunthorpe United	46	10	5	8	28	22	8	3	12	33	38	44
17	Exeter City	46	11	8	4	45	24	5	3	15	21	41	43
18	Peterborough Utd.	46	8	9	6	32	23	5	7	11	28	34	42
19	Notts County	46	10	8	5	33	22	2	10	11	15	35	42
20	CHESTERFIELD	46	7	7	9	24	22	6	8	9	19	28	41
21	York City	46	12	8	3	36	25	2	3	18	17	50	39
22	Newport County	46	9	9	5	31	26	2	5	16	18	48	36
23	Grimsby Town	46	5	7	11	25	31	4	8	11	22	38	33
24	Bradford Park Ave.	46	5	8	10	19	34	0	2	21	13	72	20

1969/70 Champions of Division 4

#	Date		Opponent	Score	Scorers	Att	Humphreys A	Stevenson A	Bell CT	Finnigan DV	Hickton R	Holmes AV	Lumsden JI	Moyes JK	Phelan A	Archer J	Fenoughty T	Moore AP	Pugh D	Bishop PJ	Foley P	Martin G	Moss E	Randall K	Wright MH
1	Aug	9	Swansea Town	0-0		7939	1		5			2	3		6	10	9		4		7	11		8	
2		16	PORT VALE	0-1		5062	1		5			2	3		6	10	9		4		7	11		8	
3		23	Darlington	1-0	Fenoughty	4604	1		5			2	3		6	10	9	7	4			11	8		
4		27	Aldershot	0-1		5770	1		5			2	3		6	10	9	7	4			11	8		
5		30	HARTLEPOOL	3-0	Martin, Bell, Moss	3997	1		5			2	3		6	10	4		7			11	8	9	
6	Sep	6	Bradford Park Avenue	1-1	Fenoughty	2867	1		5			2	3		6	10	4		7			11	8	9	
7		13	NEWPORT COUNTY	4-0	Moss 4	4738	1		5			2	3		6	10	4		7			11	8	9	
8		15	YORK CITY	3-1	Moss, Bell, Sibbald (og)	7190	1		5			2	3		6	10	4		7			11	8	9	
9		20	Wrexham	1-2	Randall	9251	1		5			2	3		6	10	4		7			11	8	9	
10		27	WORKINGTON	4-0	Archer, Randall 2, Moss	6134	1		5			2	3		6	10	4	7				11	8	9	
11		29	CREWE ALEXANDRA	1-0	Martin	8802	1		5			2	3		6	10	4		7			11	8	9	
12	Oct	4	Scunthorpe United	2-1	Martin, Randall	4030		1	5			2	3		6	10	4		7			11	8	9	
13		6	Port Vale	1-1	Fenoughty	9506		1	5			2	3		6		4	7	10			11	8	9	
14		11	NOTTS COUNTY	5-0	Fenoughty, Oakes (og), Randall 2, Moss	10170		1	5			2	3		6		4	7	10			11	8	9	12
15		18	Chester	2-1	Moss 2	4436		1	5		4	2	3		6				10			11	8	9	7
16		25	BRENTFORD	1-0	Bell	11212		1	5			2	3		6		4	7	10			11	8	9	
17	Nov	1	Southend United	0-0		6691		1	5			2	3		6	10	4		7			11	8	9	
18		8	GRIMSBY TOWN	1-2	Randall	9214		1	5			2	3		6	10	4		7	12		11	8	9	
19		22	Peterborough United	2-1	Archer, Randall (p)	8111		1	5			2	3		6	10	4		7	11			8	9	
20		24	EXETER CITY	2-1	Randall, Archer	7977		1	5			2	3		6	10	4		7	11			8	9	
21		29	OLDHAM ATHLETIC	3-1	Fenoughty, Pugh, Randall	7375		1	5			2	3		6	10	4		7	11			8	9	
22	Dec	13	Newport County	2-0	Pugh 2	2884		1	5			2	3		6	10	4	7		11			8	9	
23		26	DARLINGTON	2-0	Archer, Randall (p)	11493		1	5			2	3		6	10	4		7	11			8	9	12
24		27	Hartlepool	0-0		3248		1	5	6	3	2				10	4		7	11			8	9	
25	Jan	17	Workington	1-1	Phelan	1861		1	5		3	2			6	10	4	11	7				8	9	
26		24	LINCOLN CITY	4-0	Randall 2, Archer, Moore	10426		1	5		3	2			6	10	4	11	7				8	9	
27		31	SCUNTHORPE UNITED	2-1	Phelan, Archer	11931		1	5		3	2			6	10	4	11	7				8	9	
28	Feb	7	Notts County	1-1	Moss	15346		1		5	3	2			6	10	4	11	7				8	9	
29		21	Brentford	1-0	Moss	10540		1		5	3	2			6	10	4	11	7				8	9	
30		25	WREXHAM	2-0	Fenoughty, Moss	16379		1		5	3	2			6	10	4	11	7				8	9	
31		28	CHESTER	0-1		13154		1		5	3	2			6	10	4	11	7				8	9	
32	Mar	2	Colchester United	1-4	Pugh	5665		1		5	3	2			6	10	4	11	7				8	9	
33		9	NORTHAMPTON T	2-1	Archer, Fenoughty	9624		1		5	3	2			6	10	4	11	7				8	9	
34		14	Oldham Athletic	0-1		6083		1		5	3	2			6	10	4	11	7				8	9	
35		18	Lincoln City	2-0	Fenoughty, Moore	7519		1		5	3	2			6	10	4	7		11			8	9	
36		21	COLCHESTER UNITED	2-0	Randall, Moss	9257		1		5	3	2			6	10	4	7		11			8	9	
37		27	Grimsby Town	0-1		7801		1	5		3	2			6	10	4	7		11			8	9	
38		28	Northampton Town	1-0	Randall	5740		1	5		3	2			6	10		7		4		11	8	9	
39		31	SOUTHEND UNITED	3-0	Archer, Randall, Moss	11074		1	5		3	2			6	10	4	11	7				8	9	
40	Apr	4	ALDERSHOT	4-2	Moss, Moore, Randall, Archer	10343		1	5		3	2			6	10	4	11	7				8	9	
41		7	Exeter City	1-1	Fenoughty	5443		1	5		3	2			6	10	4	11	7				8	9	
42		13	York City	1-1	Archer	5647		1	5		3	2			6	10	4	11	7	12			8	9	
43		17	BRADFORD PARK AVE.	4-0	Moss 2, Moore, Randall	11178		1	5		3	2			6	10	4	11	7	12			8	9	
44		21	SWANSEA TOWN	0-0		16395		1	5		3	2			6	10	4	11	7				8	9	
45		24	Crewe Alexandra	1-2	Moss	3678		1	5		3	2			6	10	4	11	7				8	9	
46		27	PETERBOROUGH UTD.	3-1	Moss, Bell, Moore	14250		1	5		3	2			6	10	4	11	7				8	9	
			Apps				11	35	37	10	23	46	23	1	45	42	43	29	42	13	2	18	44	44	3
			Goals						4							2	10	9	5			3	20	18	

Two own goals

F.A. Cup

| R1 | Nov | 15 | Tranmere Rovers | 0-3 | | 4733 | | 1 | 5 | | | 2 | 3 | | 6 | 10 | 4 | | 7 | | | 11 | 8 | 9 | |

F.L. Cup

| R1 | Aug | 13 | Bradford City | 1-1 | Archer | 6449 | 1 | | | | | 2 | 3 | 5 | 6 | 10 | 9 | | 4 | | 7 | 11 | | 8 | |
| rep | | 20 | BRADFORD CITY | 0-1 | | 5609 | 1 | | 5 | | | 2 | 3 | | 6 | 10 | 9 | | 4 | | 7 | 11 | 12 | 8 | |

		P	W	D	L	F	A	W	D	L	F	A	Pts
1	CHESTERFIELD	46	19	1	3	55	12	8	9	6	22	20	64
2	Wrexham	46	17	6	0	56	16	9	3	11	28	33	61
3	Swansea Town	46	14	8	1	43	14	7	10	6	23	31	60
4	Port Vale	46	13	9	1	39	10	7	10	6	22	23	59
5	Brentford	46	14	8	1	36	11	6	8	9	22	28	56
6	Aldershot	46	16	5	2	52	22	4	8	11	26	43	53
7	Notts County	46	14	4	5	44	21	8	4	11	29	41	52
8	Lincoln City	46	11	8	4	38	20	6	8	9	28	32	50
9	Peterborough Utd.	46	13	8	2	51	21	4	6	13	26	48	48
10	Colchester United	46	14	5	4	38	22	3	9	11	26	41	48
11	Chester	46	14	3	6	39	23	7	3	13	19	43	48
12	Scunthorpe United	46	11	6	6	34	23	7	4	12	33	42	46
13	York City	46	14	7	2	38	16	2	7	14	17	46	46
14	Northampton Town	46	11	7	5	41	19	5	5	13	23	36	44
15	Crewe Alexandra	46	12	6	5	37	18	4	6	13	14	33	44
16	Grimsby Town	46	9	9	5	33	24	5	6	12	21	34	43
17	Southend United	46	12	8	3	40	28	3	2	18	19	57	40
18	Exeter City	46	13	5	5	48	20	1	6	16	9	39	39
19	Oldham Athletic	46	11	4	8	45	28	2	9	12	15	37	39
20	Workington	46	9	9	5	31	21	3	5	15	15	43	38
21	Newport County	46	12	3	8	39	24	1	8	14	14	50	37
22	Darlington	46	8	7	8	31	27	5	3	15	22	46	36
23	Hartlepool	46	7	7	9	31	30	3	3	17	11	52	30
24	Bradford Park Ave.	46	6	5	12	23	32	0	6	17	18	64	23

1970/71 5th in Division 3

No	Date	Opponent	Score	Scorers	Att	Stevenson A	Bell CT	Carline P	Hickton R	Holmes AV	Lumsden JI	Phelan A	Stott K	Tiler KD	Archer J	Fenoughty T	Pugh D	Bishop PJ	Cliff PR	Moore AP	Moss E	Randall K	Walker MJ	Wright MH
1	Aug 15	ASTON VILLA	2-3	Pugh, Randall	16689	1	5		3	2		6			10	4	7			11	8	9		
2	21	Tranmere Rovers	0-0		5239	1	5			2	3	6			10	4	7			11	8	9		
3	29	READING	4-0	Moss 3, Randall	8002	1	5			2	3	6			10	4	7			11	8	9		
4	Sep 2	GILLINGHAM	2-0	Randall, Phelan	8442	1	5			2	3	6			10	4	7			11	8	9		
5	5	Fulham	0-2		13175	1	5		12	2	3	6			10	4	7			11	8	9		
6	12	BURY	0-0		8893	1	5			2	3	6			10	4	7			11	8	9		12
7	18	Torquay United	1-1	Hickton (p)	6080	1	5		2		3	6			10	4	7			11	8	9		
8	21	Port Vale	2-0	Moore, Randall	5930	1	5	6	2		3				10	4	7			11	8	9		
9	26	BRADFORD CITY	0-1		10115	1	5	6	2		3				10	4	7			11	8	9		
10	29	Walsall	1-2	Moss	5454	1	5		2		3	6	4		10		7			11	8	9		
11	Oct 3	Bristol Rovers	2-3	Randall, Wright	10669	1	5				3	4	6	2	10		11			12	8	7		9
12	10	HALIFAX TOWN	5-0	Bell, Phelan, Wright 2, Randall	8251	1	5				3	4	6	2	10		11				8	7		9
13	17	Aston Villa	0-0		27042	1	5				3	4	6	2	10	12	11				8	7		9
14	21	BARNSLEY	4-2	Randall, Moss 2, Phelan	11893	1	5					3	6	2	10	4	11			12	8	7		9
15	24	Shrewsbury Town	1-1	Bell	4273	1	5					3	6	2	10	4	11				8	7		9
16	31	SWANSEA CITY	0-0		9807	1	5			2		3	6		10	4	11					7	8	9
17	Nov 7	Brighton & Hove Albion	2-1	Stott, Fenoughty	8023	1	5			2		3	6		10	4	11				8	7		9
18	10	Doncaster Rovers	1-2	Moss	6393	1	5			2		3	6		10	4	11				8	7		9
19	14	PLYMOUTH ARGYLE	2-0	Moss, Archer	8644	1	5			2		3	6		10	4	11				8	7		9
20	28	PRESTON NORTH END	0-0		10405	1	5					3	6	2	10	4	11				8	7		9
21	Dec 5	Wrexham	3-0	Wright, Moss 2	8665	1	5					3	6	2	10	4	11				8	7		9
22	19	TRANMERE ROVERS	2-0	Wright 2	7317	1	5			2		4	6	3	10		11				8	7		9
23	26	Rotherham United	2-1	Randall, Moss	14666	1	5			2		3	6		10	4	11			7	8	9		
24	Jan 2	MANSFIELD TOWN	2-2	Archer (p), Wright	16474	1	5			2		3	6		10	4	11				8	7		9
25	9	WALSALL	1-1	Randall	10256	1	5			2		3	6		10	4	11				8	7		9
26	16	Barnsley	0-1		8291	1	5			2		3	6		10	4	11				8	7		9
27	30	Preston North End	0-1		14020	1	5			2		3	6		10	4	11			12	8	7		9
28	Feb 6	WREXHAM	1-0	Archer (p)	8238	1	5			2		4	6	3	10		11				8	7		9
29	10	ROCHDALE	1-1	Cliff	10466	1	5			2		4	6	3	10			9	11		8	7		
30	13	Rochdale	0-2		3750	1	5			2		3	6		10	4	11			7	8	9		
31	20	DONCASTER ROVERS	4-0	Bird (og), Phelan, Randall 2	8042	1	5			2		3	6		10	4	11			7	8	9		
32	27	Swansea City	0-1		7169	1	5			2		3	6		10	4	11			7	8	9		
33	Mar 6	SHREWSBURY TOWN	2-0	Randall, Moss	6885	1	5			2		3	6		10	4	11			7	8	9		
34	10	PORT VALE	3-0	Randall, Fenoughty, Moss	7592	1	5			2		3	6		10	4	11			7	8	9		
35	13	Plymouth Argyle	1-1	Randall	7450	1				2		6	5	3	10	4	11				8	9		7
36	15	Mansfield Town	2-2	Randall 2	13181	1				2		6	5	3	10	4	11				8	9		7
37	20	BRIGHTON & HOVE ALB	2-1	Wright, Archer	8101	1	5			2		3	6		10	4	11				8	9		7
38	26	FULHAM	0-0		13370	1	5			2		3	6		10	4	11				8	9		7
39	Apr 3	Reading	1-1	Pugh	3834	1	5			2		3	6		10	4	11			12	8	9		7
40	6	Bury	1-1	Moss	3638	1	5			2		3	6		10	4	11			7	8	9		
41	10	ROTHERHAM UNITED	1-1	Stott	10220	1	5			2		3	6		10	4	11			7	8	9		
42	12	BRISTOL ROVERS	2-0	Archer (p), Randall	8235	1				2		6	5	3	10	4	11			7	8	9		
43	17	Halifax Town	0-1		6609	1				2		6	5	3	10	4	11			7	8	9		
44	24	TORQUAY UNITED	5-0	Randall 2, Moss 2, Wright	5282	1				2		6	5	3	10	4	11				8	9		7
45	28	Gillingham	1-1	Archer	1887	1				2		6	5	3	10	4	11				8	9		7
46	May 1	Bradford City	0-1		5304	1				2		6	5	3	10	4	11				8	9		7
Apps						46	39	2	6	35	12	44	37	17	45	41	45	1	11	15	44	46	1	26
Goals							2		1			4	2		6	2	2		1	1	16	19		9

F.A. Cup

Rd	Date	Opponent	Score	Scorers	Att	Stevenson A	Bell CT	Carline P	Hickton R	Holmes AV	Lumsden JI	Phelan A	Stott K	Tiler KD	Archer J	Fenoughty T	Pugh D	Bishop PJ	Cliff PR	Moore AP	Moss E	Randall K	Walker MJ	Wright MH
R1	Nov 21	HALIFAX TOWN	2-0	Moss 2	11596	1	5			2		3	6		10	4	11				8	7		9
R2	Dec 12	WORKINGTON	0-0		10980	1	5					3	6	2	10	4	11				8	7		9
rep	16	Workington	2-3	Fenoughty, Moss	4250	1	5					3	6	2	10	4	11				8	7		9

F.L. Cup

Rd	Date	Opponent	Score	Scorers	Att	Stevenson A	Bell CT	Carline P	Hickton R	Holmes AV	Lumsden JI	Phelan A	Stott K	Tiler KD	Archer J	Fenoughty T	Pugh D	Bishop PJ	Cliff PR	Moore AP	Moss E	Randall K	Walker MJ	Wright MH
R1	Aug 19	Mansfield Town	2-6	Quigley (og), Moss	11090	1	5		3	2		6			10	4	7			11	8	9		

		P	W	D	L	F	A	W	D	L	F	A	Pts
1	Preston North End	46	15	8	0	42	16	7	9	7	21	23	61
2	Fulham	46	15	6	2	39	12	9	6	8	29	29	60
3	Halifax Town	46	16	2	5	46	22	6	10	7	28	33	56
4	Aston Villa	46	13	7	3	27	13	6	8	9	27	33	53
5	CHESTERFIELD	46	13	8	2	45	12	4	9	10	21	26	51
6	Bristol Rovers	46	11	5	7	38	24	8	8	7	31	26	51
7	Mansfield Town	46	13	7	3	44	28	5	8	10	20	34	51
8	Rotherham United	46	12	10	1	38	19	5	6	12	26	41	50
9	Wrexham	46	12	8	3	43	25	6	5	12	29	40	49
10	Torquay United	46	12	6	5	37	26	7	5	11	17	31	49
11	Swansea City	46	11	5	7	41	25	4	11	8	18	31	46
12	Barnsley	46	12	6	5	30	19	5	5	13	19	33	45
13	Shrewsbury Town	46	11	6	6	37	28	5	7	11	21	34	45
14	Brighton & Hove A.	46	8	10	5	28	20	6	6	11	22	27	44
15	Plymouth Argyle	46	6	12	5	39	33	6	7	10	24	30	43
16	Rochdale	46	8	8	7	29	26	6	7	10	32	42	43
17	Port Vale	46	11	6	6	29	18	4	6	13	23	41	42
18	Tranmere Rovers	46	8	11	4	27	18	2	11	10	18	37	42
19	Bradford City	46	7	6	10	23	25	6	8	9	26	37	40
20	Walsall	46	10	1	12	30	27	4	10	9	21	30	39
21	Reading	46	10	7	6	32	33	4	4	15	16	52	39
22	Bury	46	7	9	7	30	23	5	4	14	22	37	37
23	Doncaster Rovers	46	8	5	10	28	27	5	4	14	17	39	35
24	Gillingham	46	6	9	8	22	29	4	4	15	20	38	33

1971/72 13th in Division 3

#	Date	Opponent	Score	Scorers	Att	Mellor PJ	Stevenson A	Tilsed RW	Tingay P	Bell CT	Holmes AV	Mihaly RR	Moyes JK	Phelan A	Stott K	Tiler KD	Archer J	Fenoughty T	McHale R	Pugh D	Cliff PR	Ferris S	Moss E	Randall K	Wilson DEJ	Wright MH
1	Aug 14	Torquay United	2-3	Stott, Randall	7008	1				5	2			3	6		10	4		11			8	9	7	
2	21	NOTTS COUNTY	1-2	Wilson	12276	1					2			6	5	3	10	4		11	8			9	7	12
3	28	Port Vale	2-0	Wilson, Randall	4416	1					2			6	5	3	10	4		11				9	7	8
4	Sep 4	BLACKBURN ROVERS	2-0	Wright, Fenoughty	9041	1					2			6	5	3	10	4		11				9	7	8
5	11	Bradford City	2-2	Cooper (og), Randall	5335		1			5	2			7	6	3	10	4		11				9		8
6	18	MANSFIELD TOWN	2-0	Fenoughty 2	9960		1				2			6	5	3	10	4		11			8	9	7	
7	25	Bournemouth	0-1		10681		1				2			6	5	3	10	4		11			8	9	7	
8	28	Walsall	1-1	McHale	3664		1				2			6	5	3	10	4	11				8	9	7	
9	Oct 2	OLDHAM ATHLETIC	0-1		9867		1				2			6	5	3	10	4	11				8	9	7	
10	6	WREXHAM	1-0	Archer (p)	7254		1				2			6	5	3	10	4	11				8	9	7	
11	9	Barnsley	4-1	Randall, Archer (p), Fenoughty, Phelan	6603		1				2			6	5	3	10	4	11				8	9	7	
12	16	TORQUAY UNITED	2-0	Wright, McHale	7725		1				2			6	5	3	10	4	11				8	9		7
13	20	SHREWSBURY TOWN	0-0		8203		1				2			6	5	3	10	4	11				8	9		7
14	23	Halifax Town	0-2		4667		1						2	6	5	3	10		11	4			8	9		7
15	30	PLYMOUTH ARGYLE	2-1	Moss 2	7475		1						2	6	5	3	10		11	4			8	9	7	
16	Nov 6	Rochdale	2-0	Wilson 2	4818		1		12		2			6	5	3	10		11	4			8	9	7	
17	13	BOLTON WANDERERS	2-1	Wilson, Bell	9423		1			4	2			6	5	3	10	12	11	7			8		9	
18	27	Brighton & Hove Albion	1-2	Archer (p)	10179		1			4	2			6	5	3	10		11				8	9	7	
19	Dec 4	SWANSEA CITY	1-2	Wilson	8018		1			4	2			6	5	3	10		11				8	9	7	
20	18	Blackburn Rovers	0-1		5643		1			4	2			6	5	3	10			7	11		8	9		
21	27	YORK CITY	2-1	Randall, Archer (p)	9467		1				2			6	5	3	10		11	4			8	9	7	
22	Jan 1	Mansfield Town	1-2	Roberts (og)	8331		1				2			6	5	3	10		11	4			8	9	7	
23	8	PORT VALE	2-1	Bell, Wilson	6532		1			5	2			10	6	3			11	4				9	7	8
24	22	WALSALL	1-1	McHale	7743	1				5	2			10	6	3			11	4			8	9	7	
25	28	Shrewsbury Town	4-3	Randall 2, Moss, Wilson	4198	1				5	2			10	6	3			11	4			8	9	7	
26	Feb 12	HALIFAX TOWN	2-1	McHale, Moss	6477	1				5	2			10	6	3			11	4			8	9	7	
27	19	Plymouth Argyle	0-1		10208	1				5	2			10	6	3		12	11	4			8	9	7	
28	26	ROCHDALE	2-0	Randall, Wilson	6599			1		5				2	6	3	10		11	4			8	9	7	
29	Mar 4	Bolton Wanderers	0-1		5897			1		5				2	6	3			11	4			8	9	7	
30	11	BARNSLEY	0-0		6543			1		5				2	6	3			11	4			8	9	7	
31	15	TRANMERE ROVERS	2-2	Bell, Wilson	5393			1		5				2	6	3			11	4			8	9	7	
32	18	Notts County	4-1	Randall, Moss 2, McHale	14701			1				5		2	6	3			11	4			8	9	7	
33	20	Wrexham	0-2		3846			1				5		2	6	3			11	4			8	9	7	
34	25	BRADFORD CITY	0-1		6159			1			2			6	5	3	10		11				8	9	7	
35	31	Oldham Athletic	1-1	Moss	8019			1			2			6	5	3				4	11	7	8	9	10	
36	Apr 1	York City	1-4	McHale	4594			1			2	5			6	3		7	11				8	9	10	
37	5	BOURNEMOUTH	0-0		8546			1			2			6	5	3				4	11	7	8	9	10	
38	8	Rotherham United	1-0	Ferris	6286			1			2			6	5	3				4	11	7	8	9	10	
39	12	ROTHERHAM UNITED	0-1		7140			1			2			6	5	3		7		4	11		8	9	10	
40	15	BRIGHTON & HOVE ALB	0-1		6918			1		5	2				6	3		7		4	11			9	10	8
41	19	ASTON VILLA	0-4		12510			1		5	2				6	3	10	4		7	11		8	9		
42	22	Swansea City	3-1	Randall, Archer (p), Wilson	2887			1		5	2				6	3	10	4		7			8	9	11	
43	29	BRISTOL ROVERS	1-3	Randall	4542			1		5	2				6	3	10	4		7			8	9	11	
44	May 2	Bristol Rovers	1-3	Archer	8006				1	5	2			4	6	3	10			7			8	9	11	
45	5	Aston Villa	0-1		45714				1	5	2			4	6	3	10			7			8	9	11	
46	15	Tranmere Rovers	2-1	Moss 2	3268				1	5	2			4	6	3	10			7			8	9	11	
			Apps			4	23	16	3	23	40	4	2	44	46	45	29	17	35	34	9	3	40	45	40	9
			Goals							3				1	1		6	4	6			1	9	11	11	2

F.A. Cup

#	Date	Opponent	Score	Scorers	Att	Mellor PJ	Stevenson A	Tilsed RW	Tingay P	Bell CT	Holmes AV	Mihaly RR	Moyes JK	Phelan A	Stott K	Tiler KD	Archer J	Fenoughty T	McHale R	Pugh D	Cliff PR	Ferris S	Moss E	Randall K	Wilson DEJ	Wright MH
R1	Nov 20	OLDHAM ATHLETIC	3-0	Randall 2, Moss	10057		1			4	2			6	5	3	10		11				8	9	7	
R2	Dec 11	Barnsley	0-0		11547		1			4	2			6	5	3	10		11	7			8	9		
rep	15	BARNSLEY	1-0	Moss	13954		1			4	2			6	5	3	10		11	7			8	9		
R3	Jan 15	Stoke City	1-2	Randall	26559		1			5	2			10	6	3			11	4			8	9	7	

F.L. Cup

#	Date	Opponent	Score	Scorers	Att	Mellor PJ	Stevenson A	Tilsed RW	Tingay P	Bell CT	Holmes AV	Mihaly RR	Moyes JK	Phelan A	Stott K	Tiler KD	Archer J	Fenoughty T	McHale R	Pugh D	Cliff PR	Ferris S	Moss E	Randall K	Wilson DEJ	Wright MH
R1	Aug 18	MANSFIELD TOWN	0-0		12276	1				5	2			3	6	12	10	4		11			8	9	7	
rep	23	Mansfield Town	5-0	Wright 3, Randall 2	9291	1					2			6	5	3	10	4		11				9	7	8
R2	Sep 8	ASTON VILLA	2-3	Archer (p), Randall	13572	1				5	2			7	6	3	10	4		11				9		8

		P	W	D	L	F	A	W	D	L	F	A	Pts
1	Aston Villa	46	20	1	2	45	10	12	5	6	40	22	70
2	Brighton & Hove A.	46	15	5	3	39	18	12	6	5	43	29	65
3	Bournemouth	46	16	6	1	43	13	7	10	6	30	24	62
4	Notts County	46	16	3	4	42	19	9	9	5	32	25	62
5	Rotherham United	46	12	8	3	46	25	8	7	8	23	27	55
6	Bristol Rovers	46	17	2	4	54	26	4	10	9	21	30	54
7	Bolton Wanderers	46	11	8	4	25	13	6	8	9	26	28	50
8	Plymouth Argyle	46	13	6	4	43	26	7	4	12	31	38	50
9	Walsall	46	12	8	3	38	16	3	10	10	24	41	48
10	Blackburn Rovers	46	14	4	5	39	22	5	5	13	15	35	47
11	Oldham Athletic	46	11	4	8	37	35	6	7	10	22	28	45
12	Shrewsbury Town	46	13	5	5	50	29	4	5	14	23	36	44
13	CHESTERFIELD	46	10	5	8	25	23	8	3	12	32	34	44
14	Swansea City	46	10	6	7	27	21	7	4	12	19	38	44
15	Port Vale	46	10	10	3	27	21	3	5	15	16	38	41
16	Wrexham	46	10	5	8	33	26	6	3	14	26	37	40
17	Halifax Town	46	11	6	6	31	22	2	6	15	17	39	38
18	Rochdale	46	11	7	5	35	26	1	6	16	22	57	37
19	York City	46	8	8	7	32	22	4	4	15	25	44	36
20	Tranmere Rovers	46	9	7	7	34	30	1	9	13	16	41	36
21	Mansfield Town	46	5	12	6	19	26	3	8	12	22	37	36
22	Barnsley	46	6	10	7	23	30	3	8	12	9	34	36
23	Torquay United	46	8	6	9	31	31	2	6	15	10	38	32
24	Bradford City	46	6	8	9	27	32	5	2	16	18	45	32

League — Division 3

#	Date		Opponent	Score	Scorers	Att.
1	Aug	12	OLDHAM ATHLETIC	4-1	McHale, Moss 2, Downes	6968
2		19	Bournemouth	2-2	Bellamy, Downes	12803
3		26	PLYMOUTH ARGYLE	2-2	Downes, Bellamy	7971
4		29	Bristol Rovers	2-2	Barlow, Stott	9451
5	Sep	2	Halifax Town	1-0	Wilson	3784
6		9	PORT VALE	1-2	Wilson	7854
7		16	Wrexham	0-1		5748
8		20	BRENTFORD	3-0	Moss, McHale, Downes	6507
9		23	BLACKBURN ROVERS	3-1	McHale (p), Moss, Wilson	7731
10		27	Bolton Wanderers	0-1		6817
11		29	Tranmere Rovers	0-1		3906
12	Oct	7	ROTHERHAM UNITED	3-2	Moss 2, Ferris	7632
13		14	York City	0-2		3976
14		18	CHARLTON ATHLETIC	1-0	Moss	6186
15		21	WATFORD	0-0		6823
16		24	Swansea City	1-2	Bellamy	2630
17		27	Shrewsbury Town	0-2		2694
18	Nov	4	BOLTON WANDERERS	0-1		6576
19		11	Brentford	1-3	Barlow	8078
20		25	Rochdale	2-1	Large, one og	1982
21	Dec	2	WALSALL	3-0	Downes, Large, McHale (p)	5485
22		16	Notts County	0-2		6891
23		23	GRIMSBY TOWN	2-1	Cliff, Large	5003
24		30	BOURNEMOUTH	1-1	Bellamy	7411
25	Jan	13	SWANSEA CITY	1-0	Large	4956
26		27	Port Vale	1-2	McHale	3806
27	Feb	3	Charlton Athletic	2-2	McHale 2	4864
28		7	HALIFAX TOWN	2-0	McHale, Bellamy	4978
29		10	WREXHAM	1-2	Downes	4883
30		20	Plymouth Argyle	2-2	Large, Ferris	12582
31		24	NOTTS COUNTY	0-2		8755
32	Mar	3	Rotherham United	0-1		4312
33		7	SOUTHEND UNITED	2-4	Bellamy, Wilson	3508
34		10	YORK CITY	0-0		3942
35		14	Blackburn Rovers	1-0	Sinclair (p)	12344
36		17	Watford	0-0		5788
37		20	Scunthorpe United	1-0	McHale	2144
38		24	SHREWSBURY TOWN	2-0	Wilson, Large	3740
39		27	Oldham Athletic	0-3		8251
40		31	ROCHDALE	2-1	Sinclair, Large	3576
41	Apr	7	Walsall	2-3	Large, McHale (p)	3529
42		14	SCUNTHORPE UNITED	2-1	Large, Wilson	3678
43		20	Grimsby Town	1-2	Sinclair	10543
44		21	Southend United	1-5	Downes	7375
45		24	TRANMERE ROVERS	2-0	Downes, Wilson	3634
46		28	BRISTOL ROVERS	0-1		3849

A game at Blackburn on Dec. 26th was ordered to be replayed on Mar. 14th.

Appearances / shirt numbers

#	Brown JG	Hardy EM	Tingay P	Bell CT	Holmes AV	Phelan A	Pugh D	Stott K	Tiler KD	Barlow FC	Bellamy A	Kowalski AM	McHale R	Cliff PR	Downes SF	Ferris S	Kabia JP	Large F	Moss E	Sinclair JEW	Wilson DEJ
1			1	5	2	3		6		4	10		7		9				8		11
2			1	5	2	3		6		4	10		7		9				8		11
3			1	5	2	3		6		4	10		7		9				8		11
4	1				2	3		6	5	4	10		7		9				8		11
5			1	5	2			6	3	4	10		7		9				8		11
6			1		2	3	12	6	5	4	10		7		9				8		11
7			1	5	2	4		6	3		10		7		9				8		11
8			1	5	2	4		6	3		10		7		9				8		11
9			1	5	2	4		6	3		10		7		9	12			8		11
10			1	5	2			6	3	4	10		7		9				8		11
11			1	5	2			6	3	4	10		7		9	12			8		11
12			1	5	2	4		6	3		10		7			9			8		11
13			1	5	2	3		6		4	10		7			9			8		11
14			1	5	2	3		6		4	10		7			9			8		11
15			1	5	2	3		6		4	10		7			9			8		11
16			1	5	2	3		6		4	10	12	7			9			8		11
17	1			5		3		6	2	4	10			7	9		8				11
18	1			5	2	4		6	3		10			7	9		8				11
19	1			5		3		6	2	4	10			7	9		8				11
20			1	5	2	3		6		4	10		7		9			8			11
21	1			5		3		6	2	4	10		7		9			8			11
22			1	5		3		6	2	4	10				9	7		8			11
23	1			5	2			6	3		10	4		7	9			8			11
24	1			5	2			6	3	4	10		11	7	9			8			
25	1			5	2			6	3		10	4		7	9			8			11
26	1			5	2			6	3	4	10		11	7	9			8			
27	1				2	6	5		3	4	10		11	7	9			8			
28	1				2	6	5		3	4	10		11	7	9			8			
29	1				2	6	5		3	4	10		11	7	9			8			
30	1				2	6	5		3	4	10		11	7		9		8			
31	1				2	6	5		3	4	10		11	7		9		8			
32	1				2	4	6	5	3		10			7	9	11		8			
33	1				2	4	6	5	3		10	12		7		9		8			11
34	1			5	2	3	11	6		4	10					9		8		7	12
35	1			5	2	3	11	6		4	10					9				7	8
36	1				2	3	5	6		4	10		11			9	12			7	8
37	1					3	5	6		4	10	2	11			9				7	8
38	1					3	5	6		4	10	2	11			9				7	8
39	1			5		3	6			4	10	2	11			9				7	8
40	1					3	5	6		4	10	2	11			9				7	8
41	1					3	5	6		4	10	2	11			9		12		7	8
42	1				2		5	6	3	4	10		11			9	12			7	8
43	1				2		5	6	3	4	10		11			9		12		7	8
44	1				2	3	5	6		4	10		11		8		9			7	
45			1	5	2			6	3	4	10		11		8				9	7	
46			1	5	2			6	3	4	10		11		8				9	7	
Apps	21	6	19	29	32	34	33	29	31	40	45	10	36	11	29	20	3	23	16	10	39
Goals								1		2	6		10	1	8	2		9	7	3	7

One own goal

F.A. Cup

	Date		Opponent	Score	Scorers	Att.	Brown	Bell	Phelan	Stott	Barlow	Bellamy	McHale	Downes	Ferris	Wilson
R1	Nov	18	RHYL	4-2	Ferris, McHale (p), Downes, Bell	5942	1	5	3	6	2	4 10	7	9	8	11
R2	Dec	9	Grimsby Town	2-2	Downes, Ferris	10653	1	5	3	6	2	4 10	7	9	8	11
rep		13	GRIMSBY TOWN	0-1		9658	(Tingay) 1	5	3	6	2	4 10	7	9	8	11

F.L. Cup

	Date		Opponent	Score	Scorers	Att.
R1	Aug	15	Scunthorpe United	0-0		5619
rep		23	SCUNTHORPE UTD.	5-0	Downes, Moss 2, McHale (p), Wilson	8288
R2	Sep	6	Portsmouth	1-0	Moss	6972
R3	Oct	3	Millwall	0-2	7740

Final table — Division 3

		P	W	D	L	F	A	W	D	L	F	A	Pts
1	Bolton Wanderers	46	18	4	1	44	9	7	7	9	29	30	61
2	Notts County	46	17	4	2	40	12	6	7	10	27	35	57
3	Blackburn Rovers	46	12	8	3	34	16	8	7	8	23	31	55
4	Oldham Athletic	46	12	7	4	40	18	7	9	7	32	36	54
5	Bristol Rovers	46	17	4	2	55	20	3	9	11	22	36	53
6	Port Vale	46	15	6	2	41	21	6	5	12	15	48	53
7	Bournemouth	46	14	6	3	44	16	3	10	10	22	28	50
8	Plymouth Argyle	46	14	3	6	43	26	6	7	10	31	40	50
9	Grimsby Town	46	16	2	5	45	18	4	6	13	22	43	48
10	Tranmere Rovers	46	12	8	3	38	17	3	8	12	18	35	46
11	Charlton Athletic	46	12	7	4	46	24	5	4	14	23	43	45
12	Wrexham	46	11	9	3	39	23	3	8	12	16	31	45
13	Rochdale	46	8	8	7	22	26	4	9	8	26	28	45
14	Southend United	46	13	6	4	40	14	4	4	15	21	40	44
15	Shrewsbury Town	46	10	10	3	31	21	5	4	14	15	33	44
16	CHESTERFIELD	46	13	4	6	37	22	4	4	15	20	39	43
17	Walsall	46	14	3	6	37	26	4	4	15	19	40	43
18	York City	46	8	10	5	24	14	5	5	13	18	32	41
19	Watford	46	11	8	4	32	23	1	9	13	11	25	41
20	Halifax Town	46	9	8	6	29	23	4	7	12	14	30	41
21	Rotherham United	46	12	4	7	34	27	5	3	15	17	38	41
22	Brentford	46	12	5	6	33	18	3	2	18	16	33	37
23	Swansea City	46	11	5	7	37	29	3	4	16	14	44	37
24	Scunthorpe United	46	8	7	8	18	25	2	3	18	15	47	30

1973/74 5th in Division 3

#	Date	Opponent	Res	Scorers	Att	Brown JG	Tingay P	Burton KO	Holmes AV	Phelan A	Stott K	Tiler KD	Winstanley E	Barlow FC	Bellamy A	Kowalski AM	McHale R	Downes SF	Ferris S	Kabia JP	Large F	Moss E	Thompson DS	Wilson DEJ
1	Aug 25	Plymouth Argyle	1-1	Large	8772	1		3		12	6	2	5		10		11	4			9	8		7
2	Sep 1	GRIMSBY TOWN	1-0	Moss	4977	1		3		7	6	2	5		10			4			9	8		11
3	8	Bournemouth	1-0	Large	8670	1		3			6	2	5	4	10			7			9	8		11
4	11	Huddersfield Town	0-1		6164	1		3			6	2	5	4	10			7		12	9	8		11
5	15	BLACKBURN ROVERS	3-0	Burton, Moss 2	5618	1		3			6	2	5	4	10		12	7		11	9	8		
6	19	YORK CITY	0-2		5759	1		3			6	2	5	4	10		11	7			9	8		
7	22	Charlton Athletic	3-3	Moss 2, Downes	5166	1		3			6	2	5	4	10		11	7	9			8		
8	29	Port Vale	2-1	Burton, Downes	4754		1	3			6	2	5	4	10			7	9	12		8		11
9	Oct 1	York City	0-0		5649		1	3			6	2	5	4	10			7	9	11		8		
10	6	Halifax Town	0-2		2728		1	3			6	2	5	4	10			7	9	11		8		
11	13	WATFORD	3-1	McHale, Moss 2	4912		1	3			6	2	5	4	10		7		9			8		11
12	20	Oldham Athletic	0-0		6913		1	3	10		6	2	5	4			7		9			8		11
13	24	HUDDERSFIELD T	0-2		6589		1	3			6	2	5	4	10		7		9			8		11
14	27	SOUTHPORT	4-2	Bellamy, McHale (p), Moss, Downes	4656		1	3			6	2	5	4	10		7	11	9	12		8		
15	Nov 3	Bristol Rovers	0-1		10198		1	3			6	2	5	4	10		7	11		12	9	8		
16	10	TRANMERE ROVERS	1-0	Moss	4469	1		3			6	2	5	4	10		11				9	8		7
17	14	SOUTHEND UNITED	0-0		4171	1		3			6	2	5	4	10		11				9	8		7
18	17	Brighton & Hove Albion	0-0		14186	1		3			6	2	5	4	10	12	11				9	8		7
19	Dec 1	Shrewsbury Town	1-0	Large	1397	1		3		4	6	2	5		10		7				9	8		11
20	8	HEREFORD UNITED	1-1	Phelan	4323	1		3		4	6	2	5		10		7				9	8		11
21	22	Port Vale	1-0	Moss	2916	1		3		4	5	2	6	7	10						9	8		11
22	26	ROCHDALE	1-0	McHale	5775	1		3		5		2	6		10		4				9	8	7	11
23	29	BOURNEMOUTH	2-1	Bellamy, McHale	6996	1		3		5		2	6		10	12	4				9	8	7	11
24	Jan 1	Grimsby Town	1-1	Large	9485	1		3	12	5		2	6		10		4				9	8	7	11
25	5	ALDERSHOT	0-0		5305	1		3		5		2	6		10	12	4				9	8	7	11
26	12	Blackburn Rovers	1-2	Moss	6996	1		3		5		2	6		10	9	4					8	7	11
27	19	PLYMOUTH ARGYLE	1-0	Moss	5145	1		3		5		2	6		10	9	4					8	7	11
28	Feb 2	Cambridge United	2-1	Moss, Thompson	4223	1		3		6		2	5		10	9	4					8	7	11
29	9	CHARLTON ATHLETIC	3-1	Large, Wilson, McHale (p)	6033	1		3		6		2	5		10		4				9	8	7	11
30	16	Watford	1-2	Winstanley	7683	1		3		6		2	5		10	9	4					8	7	11
31	23	HALIFAX TOWN	1-1	McHale	6238	1		3		6		2	5		10	9	4					8	7	11
32	Mar 2	Rochdale	2-1	Bellamy, Wilson	1546		1	3	2	6		12	5		10	9	4					8	7	11
33	4	Wrexham	1-2	Moss	3534		1	3	2	7			5	6	10	9	4					8		11
34	9	Southport	1-1	Moss	1738	1		3	2	7			5	6	10	9	4					8		11
35	13	CAMBRIDGE UNITED	3-0	Moss, Holmes, McHale (p)	3287		1	3	12	7		2	5	6	10	9	4					8		11
36	16	OLDHAM ATHLETIC	1-0	Kowalski	10749		1	3	2	7			5	6	10	9	4					8		11
37	23	Tranmere Rovers	2-1	McHale, Large	2752		1		2	7			5	6	10	3	4				9	8		11
38	27	Aldershot	2-2	Moss, Kowalski	4728		1	3	2	7			5	6	10	9	4					8		11
39	30	BRISTOL ROVERS	0-0		11559		1	3	2	7			5	6	10	9	4					8		11
40	Apr 3	WREXHAM	2-2	Bellamy, Barlow	6069		1	3	2	7			5	6	10	9	4					8		11
41	5	Southend United	3-1	Winstanley, Thompson, Bellamy	6427		1	3	2	7			5	6	10	9	4					8	11	
42	13	BRIGHTON & HOVE ALB	1-0	Kowalski	6971		1	3	2	7			5	6	10	9	4					8	11	
43	15	Walsall	0-2		3775		1	3	2	7			5	6	10		4			9		8	11	
44	17	WALSALL	1-0	Thompson	4883		1	3	2	7			5	6	10		4			9		8	11	
45	20	Hereford United	1-2	Kabia	7109		1	3	2	7			5	6	10		4			9		8	11	
46	27	SHREWSBURY TOWN	0-2		3637		1	3	2	7			5	6	10		4			9		8	11	
		Apps				26	20	45	19	31	25	28	40	38	41	21	44	12	8	8	23	43	14	32
		Goals						2	1	1			2	1	5	3	8	3		1	6	17	3	2

F.A. Cup

#	Date	Opponent	Res	Scorers	Att	Brown JG	Tingay P	Burton KO	Holmes AV	Phelan A	Stott K	Tiler KD	Winstanley E	Barlow FC	Bellamy A	Kowalski AM	McHale R	Downes SF	Ferris S	Kabia JP	Large F	Moss E	Thompson DS	Wilson DEJ
R1	Nov 24	BARNSLEY	0-0		5505	1		3			6	2	5	4	10		11				9	8		7
rep	28	Barnsley	1-2	Large	3451	1		3			6	2	5	4	10	12	11				9	8		7

F.L. Cup

#	Date	Opponent	Res	Scorers	Att	Brown JG	Tingay P	Burton KO	Holmes AV	Phelan A	Stott K	Tiler KD	Winstanley E	Barlow FC	Bellamy A	Kowalski AM	McHale R	Downes SF	Ferris S	Kabia JP	Large F	Moss E	Thompson DS	Wilson DEJ
R1	Aug 29	MANSFIELD TOWN	1-1	Moss	6421	1		3		7	6	2	5		10		11	4			9	8		
rep	Sep 3	Mansfield Town	1-0	Moss	5711	1		3			6	2	5	4	10		7				9	8		11
R2	Oct 10	SWINDON TOWN	1-0	McHale	4639	1		3			6	2	5	4	10		7		9	11		8		
R3	30	Southampton	0-3		13663	1		3			6	2	5	4	10		7	11		12	9	8		

		P	W	D	L	F	A	W	D	L	F	A	Pts
1	Oldham Athletic	46	13	6	4	50	23	12	6	5	33	24	62
2	Bristol Rovers	46	15	6	2	37	15	7	11	5	28	18	61
3	York City	46	13	8	2	37	15	8	11	4	30	23	61
4	Wrexham	46	15	6	2	44	15	7	6	10	19	28	56
5	CHESTERFIELD	46	14	6	3	31	16	7	8	8	24	26	56
6	Grimsby Town	46	14	6	3	48	21	4	9	10	19	29	51
7	Watford	46	12	6	5	34	21	7	6	10	30	35	50
8	Aldershot	46	13	6	4	47	22	6	5	12	18	30	49
9	Halifax Town	46	9	11	3	23	15	5	10	8	25	36	49
10	Huddersfield Town	46	14	5	4	37	16	3	8	12	19	39	47
11	Bournemouth	46	11	5	7	25	23	5	10	8	29	35	47
12	Southend United	46	10	7	6	40	30	6	7	10	22	32	46
13	Blackburn Rovers	46	13	4	6	38	21	5	6	12	24	43	46
14	Charlton Athletic	46	13	5	5	43	29	6	3	14	23	44	46
15	Walsall	46	11	7	5	37	19	5	6	12	20	29	45
16	Tranmere Rovers	46	10	8	5	31	15	5	7	11	19	29	45
17	Plymouth Argyle	46	13	6	4	37	17	4	4	15	22	37	44
18	Hereford United	46	10	5	8	31	25	4	10	9	22	32	43
19	Brighton & Hove A.	46	10	3	10	31	31	6	8	9	21	27	43
20	Port Vale	46	12	6	5	37	23	2	8	13	15	35	42
21	Cambridge United	46	11	7	5	36	27	2	2	19	12	54	35
22	Shrewsbury Town	46	7	7	9	24	24	3	4	16	17	38	31
23	Southport	46	4	14	5	19	20	2	2	19	16	62	28
24	Rochdale	46	1	12	10	24	38	1	5	17	14	56	21

#		Date	Opponent	Score	Scorers	Att.	Hardwick S	Tingay P	Barlow FC	Burton KO	Holmes AV	O'Neill JJ	Stott K	Tiler KO	Winstanley E	Bellamy A	Bentley DA	McEwan WJM	McHale R	Phelan A	Roberts P	Wilson DEJ	Darling M	Kowalski AM	Moss E	Phillips RD	Shanahan TC	Welch R
1	Aug	17	Southend United	1-2	Winstanley	6390		1		3		12		6	2	5		10	4		11	7			9	8		
2		24	WREXHAM	3-1	McHale 2 (1p), Kowalski	4739		1		3	6	11			2	5		10	4				7	8	9			
3		31	Brighton & Hove Albion	1-2	Moss	11518		1		3	6	11			2	5		10	4				7	8	9			
4	Sep	7	COLCHESTER UNITED	1-1	Moss	3474		1	6	3		11			2	5		10	4				7	8	9			
5		14	Huddersfield Town	0-2		5962		1	6	3		11			2	5		10	4				7	8	9			
6		17	Halifax Town	3-1	Moss 2, Kowalski	1895		1	6	3					2	5		10	4	11			7	8	9			
7		21	GRIMSBY TOWN	2-0	Kowalski, McHale (p)	4634		1	6	3					2	5		10	4	11			7	8	9			
8		25	TRANMERE ROVERS	1-0	Winstanley	4276		1	6	3					2	5		10	4	11			7	8	9			
9		28	Hereford United	0-5		5961		1	6	3					2	5		10	4	11			7	8	9			
10	Oct	2	SWINDON TOWN	0-2		3576		1	6	3	12				2	5		4					10	7	9	8	11	
11		5	Crystal Palace	4-1	Moss 2, Darling, Kowalski	19906		1	6	3	4				2	5		10				11	7	8	9			
12		12	BLACKBURN ROVERS	1-2	Tiler (p)	6547	1		6	3	4	12			2	5		10				11	7	8	9			
13		16	BOURNEMOUTH	0-0		3257		1	6	3	4				2	5		10				11	7	8	9			
14		19	Charlton Athletic	2-3	Moss 2	6257		1	6	3	4				2	5						11	7	12	8		9	
15		26	WATFORD	4-4	Shanahan, Moss 2, Darling	3933		1	6	3					2	5		10				11	7		8		9	
16	Nov	2	WALSALL	2-2	Moss, Kowalski	4142		1		3					2	5		10				11	7	6	8		9	
17		5	Swindon Town	0-1		8472		1		3					2	5		10				11	7	6	8		9	
18		9	Port Vale	2-3	Moss 2	3941		1	6	3					2	5		4				12	7	11	8		9	
19		16	PETERBOROUGH UTD.	2-0	Shanahan, Moss	5504		1	6	3				2		5		4				11	7	10	8		9	
20		30	PLYMOUTH ARGYLE	1-2	Shanahan (p)	4633		1	6	3				2		5		4				11	7	10	8		9	
21	Dec	7	Aldershot	0-1		3278		1	6	3				2		5	7	4						10	8		9	11
22		21	Gillingham	0-4		5425		1	6	3				2		5		4					7	10	8		9	11
23		26	HUDDERSFIELD T	3-0	Moss, Shanahan (p), Wilson	4593		1	6	3				2		5		4				11	7	10	8		9	
24		28	Preston North End	1-2	Darling	9258		1	6	3				2		5		4				11	7	10	8		9	
25	Jan	11	ALDERSHOT	0-2		3623		1	6	3				2		5	10	4				11	7		9	8		
26		18	Plymouth Argyle	0-3		13005		1	6	3	2	4				5	10						7		9	8	11	
27	Feb	1	PORT VALE	1-0	Moss	4348		1	6	3	2	4				5	10						7		9	8	11	
28		4	Bury	1-1	Holmes	4734		1	6	3	2	4				5	10						7		9	8	11	
29		8	Walsall	2-2	Moss, Robinson (og)	10248		1	6		2	3				5	10	4					7		9	8	11	
30		15	BURY	2-0	Moss, Winstanley	4093		1	6		2	3				5	10	4					7		9	8	11	
31		19	HALIFAX TOWN	1-1	Kowalski	4323		1	6	3	2	4				5	10					11	7		9	8	12	
32		22	Peterborough United	2-0	Darling, Shanahan	8599		1	6	3	2	4	12			5	10						7		9	8	11	
33		25	Bournemouth	0-0		4116		1	4		3	6				5		2					7		9	8	11	
34	Mar	1	BRIGHTON & HOVE ALB	2-4	Shanahan (p), Kowalski	4622		1	4		3	6				5	10	2				12	7		9	8	11	
35		7	Tranmere Rovers	2-1	Darling, O'Neill	2933		1	6	3				2		5	10	4					7		9	8	11	
36		15	HEREFORD UNITED	4-1	Moss, Darling, Shanahan 2 (2p)	3826		1	6	3				2		5	10	4					7		9	8	11	12
37		19	SOUTHEND UNITED	1-1	Darling	3861		1	6	3				2		5	10	4					7		9	8	11	
38		22	Colchester United	2-1	Shanahan, Moss	4152		1	6	3				2		5	10	4					7		9	8	11	
39		28	Grimsby Town	0-2		8880		1	6	3				2		5	10	4					7		9	8	11	12
40		29	GILLINGHAM	2-1	Shanahan (p), Bellamy	4166		1	6		2	3				5	10	12					7		9	8	11	4
41		31	PRESTON NORTH END	0-0		8692		1	6		2	3				5	10	4					7		9	8	11	
42	Apr	5	Watford	2-2	McEwan, Darling	4339		1	6		2	3				5	10	4					7		9	8	11	12
43		12	CRYSTAL PALACE	2-1	Kowalski, Shanahan (p)	6018	1		6		2	3				5	10	4					7		9	8	11	
44		19	Blackburn Rovers	0-2		14780	1		6		2	3				5	10	4					7		9	8	11	
45		21	Wrexham	0-0		2463	1		6		2	3				5	10	4					7		9	8	11	
46		26	CHARLTON ATHLETIC	2-0	Shanahan 2 (1p)	5255	1		6		2	3				5	10	4					7		9	8	11	

	Hardwick S	Tingay P	Barlow FC	Burton KO	Holmes AV	O'Neill JJ	Stott K	Tiler KO	Winstanley E	Bellamy A	Bentley DA	McEwan WJM	McHale R	Phelan A	Roberts P	Wilson DEJ	Darling M	Kowalski AM	Moss E	Phillips RD	Shanahan TC	Welch R
Apps	5	41	41	35	21	38	4	18	46	40	2	22	9	4	1	17	44	45	46	5	29	6
Goals					1	1		1	3	1		1	3			1	8	8	20		13	

One own goal

F.A. Cup

R	Date	Opponent	Score	Scorers	Att.	Hardwick S	Tingay P	Barlow FC	Burton KO	Holmes AV	O'Neill JJ	Stott K	Tiler KO	Winstanley E	Bellamy A	Bentley DA	McEwan WJM	McHale R	Phelan A	Roberts P	Wilson DEJ	Darling M	Kowalski AM	Moss E	Phillips RD	Shanahan TC	Welch R
R1	Nov 23	BOSTON UNITED	3-1	Shanahan, Moss 2	6319		1	6	3				2		5						11	7	10	8		9	
R2	Dec 14	DONCASTER ROVERS	1-0	Moss	5267		1	6	3				2		5	7	4					12	10	8		9	11
R3	Jan 4	Sunderland	0-2		34268		1	6	3				2		5	12	4				11		10	8		9	7

Played in R1: L Hunter (at 4), BR Beresford (at 12).

F.L. Cup

R	Date	Opponent	Score	Scorers	Att.	Hardwick S	Tingay P	Barlow FC	Burton KO	Holmes AV	O'Neill JJ	Stott K	Tiler KO	Winstanley E	Bellamy A	Bentley DA	McEwan WJM	McHale R	Phelan A	Roberts P	Wilson DEJ	Darling M	Kowalski AM	Moss E	Phillips RD	Shanahan TC	Welch R
R1	Aug 21	GRIMSBY TOWN	3-0	Winstanley, Kowlaski 2	4159		1		3	6	11			2	5		10					7		9	8		
R2	Sep 10	Sheffield United	1-3	Darling	16727		1	6	3		11			2	5		10					7		9	8		

Played in R1: JP Kabia (at 12)

	P	W	D	L	F	A	W	D	L	F	A	Pts
1 Blackburn Rovers	46	15	7	1	40	16	7	9	7	28	29	60
2 Plymouth Argyle	46	16	5	2	38	19	8	6	9	41	39	59
3 Charlton Athletic	46	15	5	3	51	29	7	6	10	25	32	55
4 Swindon Town	46	18	3	2	43	17	3	8	12	21	41	53
5 Crystal Palace	46	14	8	1	48	22	4	7	12	18	35	51
6 Port Vale	46	15	6	2	37	19	3	9	11	24	35	51
7 Peterborough Utd.	46	10	9	4	24	17	9	3	11	23	36	50
8 Walsall	46	15	5	3	46	13	3	8	12	21	39	49
9 Preston North End	46	16	5	2	42	19	3	6	14	21	37	49
10 Gillingham	46	14	6	3	43	23	3	8	12	22	37	48
11 Colchester United	46	13	7	3	45	22	4	6	13	25	41	47
12 Hereford United	46	14	6	3	42	21	2	8	13	22	45	46
13 Wrexham	46	10	8	5	41	23	5	7	11	24	32	45
14 Bury	46	13	6	4	38	17	3	6	14	15	33	44
15 CHESTERFIELD	46	11	7	5	37	25	5	5	13	25	41	44
16 Grimsby Town	46	12	8	3	35	19	3	5	15	20	45	43
17 Halifax Town	46	11	10	2	33	20	2	7	14	16	45	43
18 Southend United	46	11	9	3	32	17	2	7	14	14	34	42
19 Brighton & Hove A.	46	14	7	2	38	21	2	3	18	18	43	42
20 Aldershot	46	13	5	5	40	21	1	6	16	13	42	38
21 Bournemouth	46	9	6	8	27	25	4	6	13	17	33	38
22 Tranmere Rovers	46	14	2	5	36	16	2	5	16	16	36	37
23 Watford	46	9	7	7	30	31	1	10	12	22	44	37
24 Huddersfield Town	46	9	6	8	32	29	2	4	17	15	47	32

Player columns (shirt numbers), in order: Hardwick S · Tingay P · Badger L · Barlow FC · Burton KO · Cross GF · Holmes AV · Hunter L · O'Neill JJ · Winstanley E · Bellamy A · Bentley DA · Charlton H · Kowalski AM · McElvaney DA · McEwan WJM · Welch R · Bailey D · Cammack SR · Darling M · Fern RA · McIntosh JW · Moss E · Roberts P · Seddon IW · Shanahan TC · Wann JD

#	Date	Opponent	Score	Scorers	Att	Hwk	Tng	Bdg	Brl	Brt	Crs	Hol	Hun	ONe	Win	Bel	Ben	Cha	Kow	McE(l)	McE(w)	Wel	Bai	Cam	Dar	Fer	McI	Mos	Rob	Sed	Sha	Wan
1	Aug 16	Swindon Town	1-0	Burrows (og)	7866	1		6	3			2	5			7	10				4				9	11		8				
2	23	CRYSTAL PALACE	1-2	Darling	5386	1		6	3			2	5			7	10				4				9	11		8				
3	30	Wrexham	0-1		3519	1		6	3			2	5				10	7			4				9	11		8				
4	Sep 6	PETERBOROUGH UTD.	1-1	Moss	4047	1		6	3			2	5				10	7			4				9	11		8			12	
5	13	Bury	1-3	Fern	4368	1		6	3			2	5			7					4				9	11		8			10	
6	20	HEREFORD UNITED	2-3	Darling (p), Burton	3477	1		6	3			2	5			11	7		8		4				9	10					12	
7	24	SHEFFIELD WEDNESDAY	1-0	Darling	12899	1		6	3			4	2	5			7		10		8				9						11	
8	27	Brighton & Hove Albion	0-3		8860	1		6	3			4	2	5			7		10		8				9						11	
9	Oct 4	PRESTON NORTH END	3-0	Darling, Kowalski, Moss	4384	1		6	3			4	2	5			7		10						9			8			11	
10	11	SHREWSBURY TOWN	2-1	Moss, Shanahan	4050	1		6	3			4	2	5					10		12				9	7		8			11	
11	18	Port Vale	1-1	Winstanley	3892	1		6	3			4	2	5				7	10						9			8			11	
12	21	Gillingham	2-2	Hunter, Winstanley	5573	1		6	3			4	2	5				7	10						9			8			11	
13	25	MILLWALL	2-2	McEwan, Shanahan	4571	1		6	3			4	2	5			10	7	12						9			8			11	
14	31	Cardiff City	3-4	O'Neill, McElvaney, Shanahan	7456	1		6	3			4	2	5			10	7							9			8			11	
15	Nov 5	COLCHESTER UNITED	6-1	Darling 2, Shanaham 3 (1p), Moss	3906	1		6				2	4	3	5				10			7			9			8			11	
16	8	ALDERSHOT	5-2	Hunter, Shanahan 2, Moss, McEwan	4374	1		6				2	4	3	5				10			7						8			9	11
17	15	Walsall	0-1		4175	1		6				2	4	3	5				10			7						8			9	11
18	29	CHESTER	1-1	Shanahan (p)	4338	1		6		3				3	5				10		4	2				7		8			9	11
19	Dec 6	Rotherham United	0-2		6474	1		6	12				5	3					10		4	2			9	7		8				11
20	20	HALIFAX TOWN	1-2	Shanahan (p)	3703	1		6	3				5	3					10		7	4						8	11		9	
21	26	Mansfield Town	1-0	Shanahan (p)	8607	1		6					5	3					10		4	2			9	7		8				11
22	27	SOUTHEND UNITED	1-2	Fern	4670	1		6					5	3					10		4	2			9	7		8				11
23	Jan 3	Grimsby Town	0-3		4231	1			3			12	5	6					10		4	2			9	7		8				11
24	10	WREXHAM	1-1	Shanahan	3732	1	2		3				5	6					10		4				7	11		8			10	9
25	17	Hereford United	2-4	Bailey, Shanahan	5999	1			3			2	5	6					10		4	12	8			11			7		9	
26	24	PORT VALE	0-1		4058	1			3			2	5	6					10		4			8		11			7		9	
27	31	GILLINGHAM	0-1		2948	1			3				5	6					10		4			8	12	11		7			9	
28	Feb 7	Colchester United	3-2	Cammack, Fern, Darling	2245	1	2		3				5	6					10		4			8	12	11		7			9	
29	11	BURY	3-2	Darling 2, Cammack	3024	1							5	3					10		4			6	2			8	11		7	
30	14	Aldershot	1-3	Shanahan (p)	3362	1							5	3					10		4			6	2			8	11		7	
31	21	WALSALL	2-1	Darling, Shanahan	4595	1	2		3				5	6					10		4				8	11			7		9	
32	28	Millwall	0-2		6476	1	2		3				5	6					10		4	7			8	11					9	
33	Mar 6	CARDIFF CITY	1-1	Fern	4112	1	2		3				5	6					10		4	12		8		11			7		9	
34	9	Preston North End	1-3	Cammack	4621	1	2						5	3					10	12	6	4		8		11			7		9	
35	13	Shrewsbury Town	2-0	Fern, Bentley	4967	1	2						5	3			10		4		7			8	12	11			9			
36	20	Chester	1-2	Darling (p)	4219	1			3	6			5	2			10	12	4		7			8		11			9			
37	24	Sheffield Wednesday	3-1	Darling 2 (1p), Fern	10456	1			3	6			5	2			10	4			7			8		11			9			
38	27	ROTHERHAM UNITED	1-0	Cammack	5997	1			3	6			5	2			10	4			7			8		11			9			
39	30	Halifax Town	0-1		1975	1			3	6			5	2			10	4			7			8		11			9			
40	Apr 3	SWINDON TOWN	4-0	O'Neill, Fern 2, Darling	3646	1	2			6			5	3			10	4	12		7			8		11			9			
41	7	BRIGHTON & HOVE ALB	2-1	Darling 2 (2p)	5156	1	2			6			5	3				10			7	4		8		11			9			
42	10	Peterborough United	1-0	Cammack	5830	1	2			6			5	3				10			7	4		8		11			9			
43	16	GRIMSBY TOWN	4-3	Fern 2, Darling (p), Welch	5442	1	2			6			5	3				10			7	4		8		11			9			
44	17	MANSFIELD TOWN	1-2	Darling (p)	10614	1	2			6			5	3				10			7	4		8		11			9			
45	19	Southend United	1-1	Fern	4171	1	2			6			5	3			10	4			7			8		11			9			
46	28	Crystal Palace	0-0		27892	1	2			6			5	3			10	4	8		7					11			9			

	Hwk	Tng	Bdg	Brl	Brt	Crs	Hol	Hun	ONe	Win	Bel	Ben	Cha	Kow	McE(l)	McE(w)	Wel	Bai	Cam	Dar	Fer	McI	Mos	Rob	Sed	Sha	Wan
Apps	12	34	15	22	29	12	12	45	41	12	7	29	7	31	4	36	15	1	20	38	36	3	21	1	2	31	3
Goals					1			2	2	2		1		1	1	2	1	1	5	18	11		5			15	

One own goal

F.A. Cup

	Date	Opponent	Score		Att	Hwk	Bdg	Hol	Hun	ONe	Kow	McE(w)	Wel	Bai	Mos	Sha
R1	Nov 22	Bradford City	0-1		4352	1	6	4	3	5	10	9	12 7	2	8	11

F.L. Cup

	Date	Opponent	Score	Scorers	Att	Hwk	Bdg	Brl	Hol	Hun	Bel	Ben	McE(w)	Dar	Fer	Mos
R1/1	Aug 20	Lincoln City	2-4	Cooper (og), Darling	4168	1	6	3	2	5	7	10	4	9	11	8
R1/2	25	LINCOLN CITY	3-2	Kowalski, Fern, Hunter	4288	1	6	3	2	5		10	4	9	11	8

		P	W	D	L	F	A	W	D	L	F	A	Pts
1	Hereford United	46	14	6	3	45	24	12	5	6	41	31	63
2	Cardiff City	46	14	7	2	38	13	8	6	9	31	35	57
3	Millwall	46	16	6	1	35	14	4	10	9	19	29	56
4	Brighton & Hove A.	46	18	3	2	58	15	4	6	13	20	38	53
5	Crystal Palace	46	7	12	4	30	20	11	5	7	31	26	53
6	Wrexham	46	13	6	4	38	21	7	6	10	28	34	52
7	Walsall	46	11	8	4	43	22	7	6	10	31	39	50
8	Preston North End	46	15	4	4	45	23	4	6	13	17	34	48
9	Shrewsbury Town	46	14	2	7	36	25	5	8	10	25	34	48
10	Peterborough Utd.	46	12	7	4	37	23	3	11	9	26	40	48
11	Mansfield Town	46	8	11	4	31	22	8	4	11	27	30	47
12	Port Vale	46	10	10	3	33	21	5	6	12	22	33	46
13	Bury	46	11	7	5	33	16	3	9	11	18	30	44
14	CHESTERFIELD	46	11	5	7	45	30	6	4	13	24	39	43
15	Gillingham	46	10	8	5	38	27	2	11	10	20	41	43
16	Rotherham United	46	11	6	6	35	22	4	6	13	19	43	42
17	Chester	46	13	7	3	34	19	2	5	16	9	43	42
18	Grimsby Town	46	13	7	3	39	21	2	3	18	23	53	40
19	Swindon Town	46	11	4	8	42	31	5	4	14	20	44	40
20	Sheffield Wed.	46	12	6	5	34	25	0	10	13	14	34	40
21	Aldershot	46	10	8	5	34	26	3	5	15	25	49	39
22	Colchester United	46	9	6	8	25	27	3	8	12	16	38	38
23	Southend United	46	9	7	7	40	31	3	6	14	25	44	37
24	Halifax Town	46	6	5	12	22	32	5	8	10	19	29	35

#	Date	Opponent	Score	Scorers	Att	Hardwick S	Tingay P	Badger L	Burton KO	Chamberlain G	Cottam JE	Hunter L	O'Neill JJ	Smith WS	Tartt C	Winstanley E	Bentley DA	Charlton H	Heppolette RAW	Kowalski AM	McEwan WJM	Welch R	Cammack SR	Darling M	Fern RA	Green R	Jones A	Parker SJ	Simpson G
1	Aug 21	NORTHAMPTON T	0-0		4052	1		2			6	5	3				11	10		7	4		12	8	9				
2	23	Port Vale	1-1	Darling	4056	1		2			6	5	3				11	10		7	4			8	9				
3	28	Portsmouth	1-0	Fern	8700	1		2			6	5	3				11	10		7	4			8	9				
4	Sep 4	SWINDON TOWN	0-1		4143	1		2			6	5	3				11	10		7	4			8	9				
5	11	WREXHAM	0-6		3325	1		2			6	5	3				11	10		7	4		12	8	9				
6	18	Sheffield Wednesday	1-4	Jones	13634	1		2			6	5	3				11			8	4		10		9		7		
7	25	LINCOLN CITY	1-4	Jones	4426	1		2	3			5	6				11			8	4		10	12	9		7		
8	Oct 2	Gillingham	1-2	Cammack	5907	1		2	3		5		6				11			10	4		8		9		7		
9	6	Peterborough United	3-0	Fern 2, Jones	5305	1		2	3		5	12	6				11			10	4		8		9		7		
10	9	READING	4-0	McEwan 2, Darling, Fern	4010	1		2	3		5		6				11			10	4			8	9		7		
11	16	Shrewsbury Town	0-3		4737	1		2	3		5		6				11			10	4			8	9		7		
12	23	WALSALL	1-0	Fern	4516	1		2	3		5		6				11			10	4	12		8	9		7		
13	30	YORK CITY	2-0	Fern, Darling (p)	4105	1		2	3		5		6				11			10	4			8	9		7		
14	Nov 3	TRANMERE ROVERS	0-0		4042	1		2	3		5		6				11			10	4			8	9		7		
15	6	Grimsby Town	2-1	Fern, Darling	3335	1		2	3		5		6				11			10	4			8	9		7		
16	10	CHESTER	1-0	Darling	4145	1		2	3		5		6				11			10	4			8	9		7		
17	27	Crystal Palace	0-0		13738	1		2	3		5		6				11			10	4			8	9		7		
18	Dec 4	BURY	7-0	Darling 2, Fern 4, McEwan	4545	1		2	3		5		6				11			10	4			8	9		7		
19	18	Brighton & Hove Albion	1-2	Fern	14043	1		2	3			5	6				11			10	4			8	9		7		
20	27	MANSFIELD TOWN	0-1		11826	1		2	3			5	6	12			11			10	4			9	8		7		
21	28	Rotherham United	0-1		9880	1		2	3			5	6	10			11				4		9				7		8
22	Jan 8	Oxford United	2-3	McEwan, Kowalski	4489		1	2	3			5	6	10					12	11	4			8	9		7		
23	22	Northampton Town	1-2	Burton	3911		1	2	3		5		6	4			11			10			8		9		7		
24	25	York City	1-2	Simpson	2805		1	2	3		5		6	4			11			10			8	12	9				7
25	29	PRESTON NORTH END	1-1	Burton	4992		1	2	3		5		6	4			11	12		10			9	8			7		
26	Feb 5	PORTSMOUTH	1-2	Fern	3959		1	3	2		5		6	4			11	12		10			7	8	9				
27	12	Swindon Town	0-3		8108		1	3	2		5	12	6	4			11			10			7		9			8	
28	16	GRIMSBY TOWN	0-1		3420		1	3			5		6	2			11	4		10			7					9	8
29	19	Wrexham	1-3	Kowalski (p)	5871		1	3			5	12	6	2			11			10	4					9		8	7
30	26	SHEFFIELD WEDNESDAY	2-0	Green 2	15113		1	3			5		6	2					11	4						8	9	7	10
31	Mar 5	Lincoln City	2-3	Tartt, Fern	7193		1	3			5		6	2	7				11	4				8	9				10
32	12	GILLINGHAM	1-0	Tartt	4400		1	3			5		6	2	7				11	4			12			8	9		10
33	19	Reading	0-2		4995		1	3			5		6	2	7		11			4			12			8	9		10
34	26	SHREWSBURY TOWN	1-1	Fern	3876		1	3			5		6	2	4				11				12		9	8		7	10
35	30	PORT VALE	4-0	Green, Fern, Parker, Smith	3426		1	3			5		6	2	4				11				12		9	8		7	10
36	Apr 2	Walsall	2-2	Parker, Fern	4482		1	3			5		6	2	4				11				12		9	8		7	10
37	9	ROTHERHAM UNITED	1-0	Jones	9008		1	3			5		6	2	4				11	10					9	8		7	
38	11	Mansfield Town	1-2	Green	11905		1	3			5		6	2	4				11	10			12		9	8		7	
39	12	Tranmere Rovers	1-2	Cottam	2489		1	3			5		6	2	4				11	10			12		9	8		7	
40	16	PETERBOROUGH UTD.	0-0		4321		1	3					6	2	4	5			11	10		12	7		9				8
41	19	Preston North End	2-2	Cammack, Heppolette	5295		1	3				6		2	4	5			11	10			8				9	7	
42	23	Chester	2-1	Kowalski 2	2804		1	3				6		2	4	5			11	10			8				9	7	
43	30	CRYSTAL PALACE	0-2		5122		1	3			5		6	2	4				11	10			8			7	9		
44	May 4	OXFORD UNITED	2-0	Smith, Fern	3341		1	3			5		6	2	4				11	10			7		9	8		12	
45	7	Bury	1-3	Cottam	3482		1	3			5		6	2	4				11	10			7		9	8		12	
46	14	BRIGHTON & HOVE ALB	1-1	Cammack	8282		1	3			5		6	2					11	4			7		9	8			10
		Apps				21	25	25	40	2	38	16	44	27	15	3	24	14	15	43	22	3	27	22	38	18	28	13	5
		Goals							2		2			2	2				1	4	4		3	7	18	4	4	2	1

F.A. Cup

Rd	Date	Opponent	Score	Scorers	Att	Hardwick S	Tingay P	Badger L	Burton KO	Chamberlain G	Cottam JE	Hunter L	O'Neill JJ	Smith WS	Tartt C	Winstanley E	Bentley DA	Charlton H	Heppolette RAW	Kowalski AM	McEwan WJM	Welch R	Cammack SR	Darling M	Fern RA	Green R	Jones A	Parker SJ	Simpson G
R1	Nov 20	Scunthorpe United	2-1	McEwan, Jones	5404	1		2	3		5		6				11			10	4			8	9		7		
R2	Dec 11	WALSALL	1-1	Darling	8239	1		2	3			5	6				11			10	4			8	9		7		
rep	14	Walsall	0-0		6323	1		2	3			5	6				11			10	4			8	9		7		
rep2	21	Walsall	0-1		5990	1		2	3			5	6	12			11			10	4			8	9		7		

Replay a.e.t. Replay 2 at the Baseball Ground, Derby

F.L. Cup

Rd	Date	Opponent	Score	Scorers	Att	Hardwick S	Tingay P	Badger L	Burton KO	Chamberlain G	Cottam JE	Hunter L	O'Neill JJ	Smith WS	Tartt C	Winstanley E	Bentley DA	Charlton H	Heppolette RAW	Kowalski AM	McEwan WJM	Welch R	Cammack SR	Darling M	Fern RA	Green R	Jones A	Parker SJ	Simpson G
R1/1	Aug 14	ROTHERHAM UNITED	3-1	Kowalski, Hunter, Cammack	4127	1		2			6	5	3				11	10		8	4		7		9				
R1/2	17	Rotherham United	0-3		3735	1		2			6	5	3				11	10		8	4		7		9				

		P	W	D	L	F	A	W	D	L	F	A	Pts
1	Mansfield Town	46	17	6	0	52	13	11	2	10	26	29	64
2	Brighton & Hove A.	46	19	3	1	63	14	6	8	9	20	26	61
3	Crystal Palace	46	17	5	1	46	15	6	8	9	22	25	59
4	Rotherham United	46	11	9	3	30	15	11	6	6	39	29	59
5	Wrexham	46	15	6	2	47	22	9	4	10	33	32	58
6	Preston North End	46	15	4	4	48	21	6	8	9	16	22	54
7	Bury	46	15	2	6	41	21	8	6	9	23	38	54
8	Sheffield Wed.	46	15	4	4	39	18	7	5	11	26	37	53
9	Lincoln City	46	12	9	2	50	30	7	5	11	27	40	52
10	Shrewsbury Town	46	13	7	3	40	21	5	4	14	25	38	47
11	Swindon Town	46	12	6	5	48	33	3	9	11	20	42	45
12	Gillingham	46	11	8	4	31	21	5	4	14	24	43	44
13	Chester	46	14	3	6	28	20	4	5	14	20	38	44
14	Tranmere Rovers	46	10	7	6	31	23	3	10	10	20	30	43
15	Walsall	46	8	7	8	39	32	5	8	10	18	33	41
16	Peterborough Utd.	46	11	4	8	33	28	2	11	10	22	37	41
17	Oxford United	46	9	8	6	34	29	3	7	13	21	36	39
18	CHESTERFIELD	46	10	6	7	30	20	4	4	15	26	44	38
19	Port Vale	46	9	7	7	29	28	2	9	12	18	43	38
20	Portsmouth	46	8	9	6	28	26	3	5	15	25	44	36
21	Reading	46	10	5	8	29	24	3	4	16	20	49	35
22	Northampton Town	46	9	4	10	33	29	4	4	15	27	46	34
23	Grimsby Town	46	10	6	7	29	22	2	3	18	16	47	33
24	York City	46	7	8	8	25	34	3	4	16	25	55	32

1977/78   9th in Division 3

#	Date		Opponent	Score	Scorers	Att	Letheran G	Ogrizovic S	Tingay P	Badger L	Burton KO	Cottam JE	Hunter L	O'Neill JJ	Pollard G	Tartt C	Chamberlain G	Dearden W	Heppolette RAW	Kowalski AM	Cammack SR	Fern RA	Green R	Jones A	Parker SJ	Simpson G	Walker PA
1	Aug	20	Port Vale	3-1	Green 2, Jones	4091	1				3	5		6	12	2		8		4	11		9	7	10		
2		27	PETERBOROUGH UTD.	2-0	Cammack 2	4690	1				3	5		6	12	2		8		4	11		9	7	10		
3	Sep	3	Portsmouth	0-3		11125	1				3	5	12	6		2		8		4	11		9	7	10		
4		7	SHREWSBURY TOWN	3-1	Heppolette, Cammack, Tartt	4314	1				3	5		6		2			8	4	11		9	7	10		
5		10	Swindon Town	1-2	Parker	7042	1				3	5	12	6		2			8	4	11		9	7	10		
6		14	HEREFORD UNITED	2-1	Cammack, Parker	4854	1				3	5		6		2			8	4	11		9	7	10		
7		17	WREXHAM	1-0	Parker (p)	5055	1				3	5	12	6		2			8	4	11		9	7	10		
8		23	Lincoln City	0-1		6290	1				3	5	12	6		2			8	4	11		9	7	10		
9		27	Gillingham	0-3		5580	1				3	5		6	12	2	7		8	4	11		9		10		
10	Oct	1	EXETER CITY	0-0		4271	1				3	5		6		2	7		8	4	11	12	9		10		
11		5	COLCHESTER UNITED	0-0		4575	1				3	5		6		2	7	12	8	4	11		9		10		
12		8	Sheffield Wednesday	0-1		13093	1				3	5		6		2	7	12	8	4	11		9		10		
13		15	WALSALL	0-1		4856	1				3	5	12	6		2	10		8	4	11		9	7			
14		22	Bury	0-0		5074	1				3	5		6		2	10		11	4	8		9	7			
15		29	Carlisle United	1-2	Fern	4088	1		2		3	5		6		4	10		11		8	9		7			
16	Nov	5	BRADFORD CITY	2-0	Fern, Cammack	4848	1		2		3	5		6		4	10	12	11		8	9		7			
17		12	Plymouth Argyle	0-2		5572	1		2		3	5		6		4	10		11		8	12		7		9	
18		19	CAMBRIDGE UNITED	2-1	Simpson, Kowalski	3740	1		2		3	5		6		4	10		11	12	8			7		9	
19	Dec	3	Chester	1-2	Heppolette	3003	1		2		3	5		6		4	10		11		8			7		9	
20		10	TRANMERE ROVERS	1-1	Parker	3923	1		2		3	5		6		4	10		11		8			7	12	9	
21		26	Rotherham United	2-1	Parker, Cammack	6599	1				3	5		4	6	2		11	10	7	8	9					
22		27	PRESTON NORTH END	0-1		6484	1				3	5		4	6	2	12	11	10	7	8	9					
23		31	Bradford City	3-1	Dearden, Fern, Parker	4543	1				3	5		4	6	2		11	10	7	8	9			12		
24	Jan	2	OXFORD UNITED	3-0	Fern, Burton, Cottam	4759	1				3	5		4	6	2		11	10	7	8	9					
25		14	Port Vale	2-0	Hunter, Fern	4619	1				3	5	8	4	6	2		11	10	7		9					
26		28	PORTSMOUTH	3-0	Fern 2, Hand (og)	4733	1				3	5		4	6	2		11	10	7	8	9					
27		31	Shrewsbury Town	1-1	Green	2018	1				3	5		4	6	2		11	10	7	8		9				
28	Feb	11	Wrexham	1-1	Green	11313	1				3	5		4	6	2			10	7	11	8	9				
29	Mar	1	LINCOLN CITY	0-0		4556	1				3	5		4	6	2		12	10	7	11	8	9				
30		4	SHEFFIELD WEDNESDAY	2-2	Hunter, Green	12495	1				3	5	7	4	6	2			10		11	8	9				
31		8	Hereford United	1-2	Fern	4602	1				3	5		4	6	2			10	7	11	8	9				
32		11	Walsall	2-2	Cammack, Green	7426	1				3	5		4	6	2			10	7	11	8	9				
33		18	BURY	2-2	Green, Fern	3913	1				3	5		6		2		4	10	7	11	8	9				
34		25	Preston North End	0-0		10922	1				3	5		6		2		4	10	7		8	9			12	11
35		27	ROTHERHAM UNITED	0-0		6960	1				3	5		6		2		4	10	7		8	9				11
36		28	CARLISLE UNITED	2-1	Fern (p), Simpson	4248	1				3	5		6		2		4	11	7		8				9	10
37	Apr	1	Oxford United	1-1	Walker	3539	1				3	5		6		2		4	11	7		8				9	10
38		4	Colchester United	0-2		3303	1				3	5		6		2		4	11	7		8				9	10
39		8	PLYMOUTH ARGYLE	4-1	Fern 2, Cammack, Simpson	4096	1				3	5		6	4	2			11	7	8	9				12	10
40		11	Peterborough United	0-2		7309	1				3	5		6	4	2			11	7	8			12		9	10
41		15	Cambridge United	0-2		5774	1				3	5		6	4	2			11	7	8			12		9	10
42		18	Exeter City	0-0		3700		1			3	5		6	4	2			11	7	8					9	10
43		22	CHESTER	1-2	Walker	3753		1			3	5		6	4	2			11	7	8			12		9	10
44		26	GILLINGHAM	5-2	Cottam, Cammack, Dearden, Green, Fern (p)	2748		1			3	5		6	4	2		11	10		7	8	9				
45		28	Tranmere Rovers	1-1	Cammack	2035		1			3	5		6	4	2		11	10	7	8		9			12	
46	May	3	SWINDON TOWN	3-1	Cottam, Fern, Green	3428		1			3	5		6	4	2		11	10	7		8	9				

		Letheran G	Ogrizovic S	Tingay P	Badger L	Burton KO	Cottam JE	Hunter L	O'Neill JJ	Pollard G	Tartt C	Chamberlain G	Dearden W	Heppolette RAW	Kowalski AM	Cammack SR	Fern RA	Green R	Jones A	Parker SJ	Simpson G	Walker PA
Apps		23	16	7	6	46	46	17	40	19	46	15	22	18	39	44	38	30	11	21	13	10
Goals						1	3	2		1			2	2	1	10	14	9	1	6	3	2

One own goal

F.A. Cup

	Date		Opponent	Score	Scorers	Att	Letheran G	Ogrizovic S	Tingay P	Badger L	Burton KO	Cottam JE	Hunter L	O'Neill JJ	Pollard G	Tartt C	Chamberlain G	Dearden W	Heppolette RAW	Kowalski AM	Cammack SR	Fern RA	Green R	Jones A	Parker SJ	Simpson G	Walker PA
R1	Nov	26	HALIFAX TOWN	1-0	Fern	4948	1		2		3	5		6		4	10		11		8	9		7			
R2	Dec	17	Blyth Spartans	0-1		3700	1				3	5	12	6		2	10		11	4	8	9		7			

F.L. Cup

	Date		Opponent	Score	Scorers	Att	Letheran G	Ogrizovic S	Tingay P	Badger L	Burton KO	Cottam JE	Hunter L	O'Neill JJ	Pollard G	Tartt C	Chamberlain G	Dearden W	Heppolette RAW	Kowalski AM	Cammack SR	Fern RA	Green R	Jones A	Parker SJ	Simpson G	Walker PA
R1/1	Aug	13	BARNSLEY	4-1	Kowalski, Dearden (p), Heppolette, Parker	4030	1				3	5		6		2		8	11	4		12	9	7	10		
R1/2		16	Barnsley	0-3		3677	1				3	5		6		2		8	11	4	12		9	7	10		
rep		23	Barnsley	2-0	Green, Cammack	8230	1				3	5	12	6		2		8		4	11		9	7	10		
R2		31	MANCHESTER CITY	0-1		14286	1				3	5		6	12	2		8		4	11		9	7	10		

		P	W	D	L	F	A	W	D	L	F	A	Pts
1	Wrexham	46	14	8	1	48	19	9	7	7	30	26	61
2	Cambridge United	46	19	3	1	49	11	4	9	10	23	40	58
3	Preston North End	46	16	5	2	48	19	4	11	8	15	19	56
4	Peterborough Utd.	46	15	7	1	32	11	5	9	9	15	22	56
5	Chester	46	14	8	1	41	24	2	14	7	18	32	54
6	Walsall	46	12	8	3	35	17	6	9	8	26	33	53
7	Gillingham	46	11	10	2	36	21	4	10	9	31	39	50
8	Colchester United	46	10	11	2	36	16	5	7	11	19	28	48
9	CHESTERFIELD	46	14	6	3	40	18	3	8	12	18	33	48
10	Swindon Town	46	12	7	4	40	22	4	9	10	27	38	48
11	Shrewsbury Town	46	11	7	5	42	23	5	8	10	21	34	47
12	Tranmere Rovers	46	13	7	3	39	19	3	8	12	18	33	47
13	Carlisle United	46	10	9	4	32	26	4	10	9	27	33	47
14	Sheffield Wed.	46	13	7	3	28	14	2	9	12	22	38	46
15	Bury	46	7	13	3	34	22	6	6	11	28	34	45
16	Lincoln City	46	10	8	5	35	26	5	7	11	18	35	45
17	Exeter City	46	11	8	4	30	18	4	6	13	19	41	44
18	Oxford United	46	11	10	2	38	21	2	4	17	26	46	40
19	Plymouth Argyle	46	7	8	8	33	28	4	9	10	28	40	39
20	Rotherham United	46	11	5	7	26	19	2	8	13	25	49	39
21	Port Vale	46	7	11	5	28	23	1	9	13	18	44	36
22	Bradford City	46	11	6	6	40	29	1	4	18	16	57	34
23	Hereford United	46	9	9	5	28	22	0	5	18	6	38	32
24	Portsmouth	46	4	11	8	31	38	3	6	14	10	37	31

1978/79 20th in Division 3

#	Date	Opponent	Res	Scorers	Att	Letheran G	Tingay P	Burton KO	Cottam JE	Flavell RW	Hunter L	O'Neill JJ	Pollard G	Prophett CG	Chamberlain G	Dearden W	Heppolette RAW	Kowalski AM	Salmons G	Tartt C	Cammack SR	Fern RA	Higgins AM	Moss E	Simpson G	Walker PA
1	Aug 19	PLYMOUTH ARGYLE	1-3	Cottam	4099	1			5	4	6	3				12		11	10	2	7	8			9	
2	22	Carlisle United	1-1	Fern	5232	1		3	5		4	6						8	10	2	7	9				11
3	26	Brentford	3-0	Walker, Fern, Cammack	6162	1		3	5		4	6						8	10	2	7	9				11
4	Sep 2	OXFORD UNITED	1-1	Kowalski	4163	1		3	5	12	4	6						8	10	2	7	9				11
5	9	EXETER CITY	0-1		3938	1		3	5		4	6				12		8	10	2	7				9	11
6	12	Blackpool	0-0		6244	1		3	5	2	4	6						11	8	10	7				12	9
7	16	Hull City	1-1	Tartt	7705		1	3	5	2	4			6				8	10		7	9				11
8	23	PETERBOROUGH UTD.	3-1	Kowalski 2, Salmons	4589	1		3	5	2	4			6				8	10		7	9				11
9	27	SOUTHEND UNITED	3-2	Salmons, Fern, Cammack	4315	1		3	5	2	4			6				8	10		7	9				11
10	30	Gillingham	1-2	Fern (p)	4596	1		3	5	2	4			6				8	10		7	9				11
11	Oct 7	SWANSEA CITY	2-1	Fern, Cammack	6960	1		3	5	2	4			6				8	10		7	9				11
12	14	Bury	1-3	Flavell	4306		1	3	5	2	4			6				8	10		7	9				11
13	18	COLCHESTER UNITED	2-1	Burton, Walker	4384	1		3	5	2	4			6				8	10		7	9				11
14	21	WATFORD	0-2		8490	1		3	5	2	4			6				8	10		7	9				11
15	27	Tranmere Rovers	1-1	Flood (og)	2573	1		3		2	4	5		6				8	10		7	9				11
16	Nov 4	CHESTER	3-1	Simpson, Salmons, Cottam	5061	1		3	5	2	4			6				8	10		7	9			11	
17	11	Oxford United	1-1	Fern	3677	1		3	5	2	4			6				8	10		7	9			11	12
18	18	BRENTFORD	0-0		4584	1			5	2	4	3		6				8	10		7	9			11	12
19	Dec 9	Rotherham United	0-1		4956	1		3	5	2	4			6		12		8	10		7	9			11	
20	16	Plymouth Argyle	1-1	Kowalski	6740	1		3	5	2	4			6				8	10		7	9			11	12
21	23	Lincoln City	1-0	Fern	2991	1		3	5	2	4			6				8	10		7	9				11
22	26	SHEFFIELD WEDNESDAY	3-3	Walker, Fern, Prophett	13332	1		3	5		4			6				8	10	2	11	9				7
23	Jan 13	Exeter City	1-3	Walker	3671	1		3	5		4			6				8	10	2	11	9		12		7
24	Feb 2	Southend United	0-2		4327	1		3	5		4			6				7	10		2	9		8		11
25	24	BURY	2-1	Walker 2	5749	1		3	5	2	4			6				7	10			9		8	12	11
26	28	SWINDON TOWN	1-1	Fern	3904	1		3	5	2	4			6					10		7	9		8		11
27	Mar 3	Watford	0-2		12352	1		3	5		4	12		6	7				10		2	9		8		11
28	7	SHREWSBURY TOWN	2-1	Moss, Fern (p)	4288	1		3	5		4			6			7	12	10		2	9		8		11
29	10	TRANMERE ROVERS	5-2	Salmons 2, Moss, Walker, Fern (p)	4090	1		3	5		4			6			7	12	10		2	9		8		11
30	14	BLACKPOOL	1-3	Moss	4656	1		3	5		4			6			12	7	10		2	9		8		11
31	24	CARLISLE UNITED	2-3	McDonald (og), Simpson	4152	1		3	5		4			6				7	10	11	2	9		8	12	
32	28	Chester	0-3		1956	1		3			4	6	5					7	10		2	9		8	12	11
33	31	WALSALL	0-0		3322	1			5		2			3			4	7	10			9		8		11
34	Apr 4	HULL CITY	1-2	Flavell	3003	1			5	2				3			4	7	10			9		8		11
35	7	Swindon Town	0-1		6394	1		12	5	2		3					4	7	10		6	9		8		11
36	16	Sheffield Wednesday	0-4		13134	1		12	5	2		3					4	7	10		6	9		8		11
37	16	MANSFIELD TOWN	1-0	Walker	4931		1	3	5	2				6			11		7		4	9				10
38	17	LINCOLN CITY	1-3	Moss	3364		1	3	5	2				6			11		7		4	9	12			10
39	21	Shrewsbury Town	1-1	Simpson (p)	6360		1	3		2	4			6			11		7					8	9	10
40	24	Colchester United	0-0		2673		1	3			4			5			11		7		2			8	9	10
41	28	ROTHERHAM UNITED	1-0	Cammack	4162		1	3			4			5			11		7		2	9	12	8		10
42	May 5	Walsall	1-0	Moss	2625		1	3			4			5					7		2	9	10	8		11
43	8	Peterborough United	0-0		2351		1	3			4			5			11		7		2	9		8		10
44	11	Swansea City	1-2	Walker	22838		1	3			4			5			11		7		2	9		8		10
45	19	GILLINGHAM	0-2		2802		1	3		4	10	5		6		12			7		2	9		8		11
46	21	Mansfield Town	1-2	Kowalski	4159		1	3		12	4	5		6				8	7	10	2				9	11
Apps						34	12	42	36	29	40	24	1	35	1	5	14	44	37	42	22	40	1	23	15	40
Goals								1	2	2				1				5	5	1	4	11		5	3	9

Two own goals

F.A. Cup

	Date	Opponent	Res	Scorers	Att	Letheran G	Tingay P	Burton KO	Cottam JE	Flavell RW	Hunter L	O'Neill JJ	Pollard G	Prophett CG	Chamberlain G	Dearden W	Heppolette RAW	Kowalski AM	Salmons G	Tartt C	Cammack SR	Fern RA	Higgins AM	Moss E	Simpson G	Walker PA
R1	Nov 25	Darlington	1-1	Flavell	2862	1			5	2	4	3		6				8			10	7	9			11
rep	Dec 6	DARLINGTON	0-1		4270	1		3	5	2	4			6					10	8	7	9				11

F.L. Cup

	Date	Opponent	Res	Scorers	Att	Letheran G	Tingay P	Burton KO	Cottam JE	Flavell RW	Hunter L	O'Neill JJ	Pollard G	Prophett CG	Chamberlain G	Dearden W	Heppolette RAW	Kowalski AM	Salmons G	Tartt C	Cammack SR	Fern RA	Higgins AM	Moss E	Simpson G	Walker PA
R1/1	Aug 12	Barnsley	2-1	Cottam, Fern	8606	1		3	5	10	4	6						11		2	7	8			9	
R1/2	16	BARNSLEY	0-0		6278	1		3	5	10	4	6						11	12	2	7	8			9	
R2	29	Orient	2-1	Fern, Cammack	4667	1		3	5		4	6						8	10	2	7	9				11
R3	Oct 4	CHARLTON ATHLETIC	4-5	Tartt 2, Flavell, Walker	6459	1		3		2	4	5		6				8	10	7	12	9				11

Final League Table — Division 3 1978/79

		P	W	D	L	F	A	W	D	L	F	A	Pts
1	Shrewsbury Town	46	14	9	0	36	11	7	10	6	25	30	61
2	Watford	46	15	5	3	47	22	9	7	7	36	30	60
3	Swansea City	46	16	6	1	57	32	8	6	9	26	29	60
4	Gillingham	46	15	7	1	39	15	6	10	7	26	27	59
5	Swindon Town	46	17	2	4	44	14	8	5	10	30	38	57
6	Carlisle United	46	11	10	2	31	13	4	12	7	22	29	52
7	Colchester United	46	13	9	1	35	19	4	8	11	25	36	51
8	Hull City	46	12	9	2	36	14	7	2	14	30	47	49
9	Exeter City	46	14	6	3	38	18	3	9	11	23	38	49
10	Brentford	46	14	4	5	35	19	5	5	13	18	30	47
11	Oxford United	46	10	8	5	27	20	4	10	9	17	30	46
12	Blackpool	46	12	5	6	38	19	6	4	13	23	40	45
13	Southend United	46	11	6	6	30	17	4	9	10	21	32	45
14	Sheffield Wed.	46	9	8	6	30	22	4	11	8	23	31	45
15	Plymouth Argyle	46	11	9	3	40	27	4	5	14	27	41	44
16	Chester	46	11	9	3	42	21	3	7	13	15	40	44
17	Rotherham United	46	13	3	7	30	23	4	7	12	19	32	44
18	Mansfield Town	46	7	11	5	30	24	5	8	10	21	28	43
19	Bury	46	6	11	6	35	32	5	9	9	24	33	42
20	CHESTERFIELD	46	10	5	8	35	34	3	9	11	16	31	40
21	Peterborough Utd.	46	8	7	8	26	24	3	7	13	18	39	36
22	Walsall	46	7	6	10	34	32	3	6	14	22	39	32
23	Tranmere Rovers	46	4	12	7	26	31	2	4	17	19	47	28
24	Lincoln City	46	5	7	11	26	38	2	4	17	15	50	25

1979/80   4th in Division 3

#	Mth	Date	Opponent	Res	Scorers	Att	Kendall M	Letheran G	Tingay P	Turner JGA	Burton KO	Green W	Hunter L	McMahon JJ	O'Neill JJ	Pollard G	Prophett CG	Ridley J	Stirk J	Tartt C	Birch Alan	Bonnyman P	Kowalski AM	Salmons G	Crawford AP	Moss E	Simpson G	Walker PA
1	Aug	18	Mansfield Town	2-3	Walker 2	5622		1				5			3		12	6		2	7		4	10	11	8		9
2		21	BARNSLEY	2-0	Moss, Walker	7706		1				5	6		3			11		2	7		4	10		8		9
3		25	PLYMOUTH ARGYLE	3-1	Birch 2, Moss	4126		1				5	6		3			11		2	7		4	10		8		9
4	Sep	1	Brentford	1-3	Salmons	5762		1				5	6		3		12	11		2	7		4			8		9
5		8	COLCHESTER UNITED	3-0	Hunter, Birch, Moss	4206		1				5	6		3			4		2	7			10	11	8		9
6		15	Swindon Town	1-2	Walker	6391		1				5	6		3			4		2	7			10	11	8		9
7		18	HULL CITY	1-1	Crawford	5034			1			5	6		3			4		2	7			10	11	8		9
8		22	Rotherham United	0-2		6138			1			5	6	2	3			11			7		4	10		8		9
9		29	SHEFFIELD WEDNESDAY	2-1	Walker, Crawford	14950			1			5	6		3			4		2	7			10	11	8		9
10	Oct	2	Hull City	1-2	Birch (p)	5971			1			5	6		3			4		2	7			10	11	8		9
11		6	OXFORD UNITED	2-2	Ridley, Moss	4914			1			5	6		3			4		2	7			10	11	8		9
12		9	Barnsley	1-0	Crawford	12366			1			5	6		3			4		2	7			10	11	8		9
13		13	Grimsby Town	1-1	Moss	6812			1			5	6		3			4		2	7			10	11	8		9
14		20	WIMBLEDON	0-0		5122			1			5	6		3			4		2	7			10	11	8		9
15		23	BLACKPOOL	0-0		4967			1			5			3			4		2	7		6	10	11	8		9
16		26	Southend United	0-0		3814			1			5			3			4		2	7		6	10	11	8		9
17	Nov	3	MANSFIELD TOWN	2-0	Salmons, Crawford	7801			1			5			3			4		2	7		6	10	11	8		9
18		7	Blackpool	2-2	Birch, Crawford	3484			1			5			3			4		2	7		6	10	11	8		9
19		14	Blackburn Rovers	0-1		5955			1			5			3			4		2	7		6	10	11	8		9
20		17	READING	7-1	*See below	4427			1			5			3			4		2	7		6	10	11	8		9
21	Dec	1	Bury	0-2		3369			1			5			3			4		2	7		6	10	11	8		9
22		8	MILLWALL	3-2	Birch (p), Kowalski, Moss	4812	1					5			3			4		2	7		6	10	11	8		9
23		26	CARLISLE UNITED	3-2	Walker, Birch, Crawford	5155	1					5			3			4		2	7		6	10	11	8		9
24		29	Plymouth Argyle	0-1		6425	1					5			3			4		2	7		6	10	11	8		9
25	Jan	5	SHEFFIELD UNITED	2-1	Moss, Walker	13987	1					5			3			4		2	7		6	10	11	8		9
26		12	BRENTFORD	1-0	Walker	5529	1					5			3			4		2	7		6	10	11	8		9
27		18	Colchester United	1-0	Birch (p)	3763	1					5			3			4		2	7		6	10	11	8		9
28		26	Exeter City	2-1	Moss, Crawford	4345	1					5			3			4		2	7		6	10	11	8		9
29	Feb	9	ROTHERHAM UNITED	3-0	Walker, Moss, Salmons	9073	1					5			3	7		4		2			6	10	11	8		9
30		16	Sheffield Wednesday	3-3	Moss, Crawford, Salmons	23637	1					5			3			4		2	7		6	10	11	8		9
31		23	GRIMSBY TOWN	2-3	Crawford, Birch (p)	13727			1			5			3			4		2	7		6	10	11	8		9
32		26	Gillingham	1-0	Moss	4726			1			5			3			4		2	7		6	10	11	8		9
33	Mar	1	Wimbledon	1-1	Crawford	3609				1		5			3			4		2	7		6	10	11		8	9
34		8	SOUTHEND UNITED	1-0	Kowalski	7682				1		5			3			4		2	7		6	10	11	8		9
35		14	Oxford United	2-1	Green, Walker	4185				1		5			3			4		2	7		6	10	11	8		9
36		22	BLACKBURN ROVERS	0-1		14480				1					3			4	5	2	7	6		10	11	8		9
37		25	SWINDON TOWN	2-1	Birch, Bonnyman	8490				1					3			4	5	2	7	6		10	11	8		9
38		29	Reading	2-2	Ridley, Bonnyman	6806				1			5		3			4	2	9	7	6		10	11	8		12
39	Apr	1	GILLINGHAM	0-0		8952				1			5		3			4	2	9	7	6		10	11	8		12
40		5	Carlisle United	2-0	Bonnyman, Walker	5164				1			5		3			4	2	9	7	6		10		8		11
41		7	CHESTER	2-0	Tartt, Birch	9098				1			5		3			4	2	9	7	6		10		8		11
42		19	BURY	2-0	Walker, Whitehead (og)	8695				1			5		3			4	2	9	7	6		10		8		11
43		23	Chester	0-1		3943				1			5		3			4	2	9	7	6	12	10		8		11
44		26	Millwall	0-2		4090				1			5		3			4	2	9	7	6		10		8		11
45		29	Sheffield United	2-0	Moss, Salmons	13896			1				5		3			4	2	9	7	6		10		8		11
46	May	3	EXETER CITY	3-0	Ridley, Tartt, Birch	5770			1				5		3			4	2	9	7	6		10		8		11

Scorers in game 20: Walker, Sanchez (og), Moss 2, Birch, Salmons 2

	Kendall M	Letheran G	Tingay P	Turner JGA	Burton KO	Green W	Hunter L	McMahon JJ	O'Neill JJ	Pollard G	Prophett CG	Ridley J	Stirk J	Tartt C	Birch Alan	Bonnyman P	Kowalski AM	Salmons G	Crawford AP	Moss E	Simpson G	Walker PA
Apps	9	6	19	12	0	35	22	1	46	1	2	46	11	45	45	11	28	46	35	45	1	45
Goals						1	1					3		2	13	3	2	7	10	14		13

Two own goals

F.A. Cup

Rd	Date	Opponent	Res	Scorers	Att	Tingay P	Turner JGA	Green W	Hunter L	O'Neill JJ	Ridley J	Tartt C	Birch Alan	Kowalski AM	Salmons G	Crawford AP	Moss E	Walker PA
R1	Nov 24	Grimsby Town	1-1	Walker	8406	1		5		3	4	2	7	6	10	11	8	9
rep	27	GRIMSBY TOWN	2-3	Green, Salmons	7820	1		5		3	4	2	7	6	10	11	8	9

F.L. Cup

Rd	Date	Opponent	Res	Scorers	Att	Kendall M	Tingay P	Turner JGA	Green W	Hunter L	O'Neill JJ	Ridley J	Tartt C	Birch Alan	Kowalski AM	Salmons G	Crawford AP	Moss E	Walker PA
R1/1	Aug 11	HARTLEPOOL UTD.	5-1	Birch 2(1p), Moss 2, Walker	3493	1			5	6	3		2	7	4	10	11	8	9
R1/2	14	Hartlepool United	1-2	Norton (og)	1763	1			5	6	3		2	7	4	10	11	8	9
R2/1	28	SHREWSBURY TOWN	3-0	Birch (p), Moss 2	5119	1			5	6	3	11	2	7	4	10		8	9
R2/2	Sep 4	Shrewsbury Town	0-0		4270	1			5	6	3	4	2	7		10	11	8	9
R3	25	Liverpool	1-3	Birch	20960		1	12	5	6	3	4	2	7	11	10		8	9

		P	W	D	L	F	A	W	D	L	F	A	Pts
1	Grimsby Town	46	18	2	3	46	16	8	8	7	27	26	62
2	Blackburn Rovers	46	13	5	5	34	17	12	4	7	24	19	59
3	Sheffield Wed.	46	12	6	5	44	20	9	10	4	37	27	58
4	CHESTERFIELD	46	16	5	2	46	16	7	6	10	25	30	57
5	Colchester United	46	10	10	3	39	20	10	2	11	25	36	52
6	Carlisle United	46	13	6	4	45	26	5	6	12	21	30	48
7	Reading	46	14	6	3	43	19	2	10	11	23	46	48
8	Exeter City	46	14	5	4	38	22	5	5	13	22	46	48
9	Chester	46	14	6	3	29	18	3	7	13	20	39	47
10	Swindon Town	46	15	4	4	50	20	4	4	15	21	43	46
11	Barnsley	46	10	7	6	29	20	6	7	10	24	36	46
12	Sheffield United	46	13	5	5	35	21	5	5	13	25	45	46
13	Rotherham United	46	13	4	6	38	24	5	6	12	20	42	46
14	Millwall	46	14	6	3	49	23	2	7	14	16	36	45
15	Plymouth Argyle	46	13	7	3	39	17	3	5	15	20	38	44
16	Gillingham	46	8	9	6	26	18	6	5	12	23	33	42
17	Oxford United	46	10	4	9	34	24	4	9	10	23	38	41
18	Blackpool	46	10	7	6	39	34	5	4	14	23	40	41
19	Brentford	46	10	6	7	33	26	5	5	13	26	47	41
20	Hull City	46	11	7	5	29	21	1	9	13	22	48	40
21	Bury	46	10	4	9	30	23	6	3	14	15	36	39
22	Southend United	46	11	6	6	33	23	3	4	16	14	35	38
23	Mansfield Town	46	9	9	5	31	24	1	4	18	15	34	36
24	Wimbledon	46	6	8	9	34	38	4	6	13	18	43	34

1980/81   5th in Division 3

#	Date	Opponent	Score	Scorers	Att	Gregory PG	Tingay P	Turner JGA	Bellamy G	Green W	Hunter L	O'Neill JJ	Pollard G	Ridley J	Stirk J	Tartt C	Bonnyman P	Kowalski AM	Salmons G	Wilson DJ	Birch Alan	Crawford AP	Moss E	Simpson G	Walker PA	Walwyn KI	Windridge DH
1	Aug 16	HUDDERSFIELD T	2-1	Birch (p), Bonnyman	7943			1		5		3		6			9	2	10	4	7		8		11		
2	19	Sheffield United	0-2		18390			1		5		3		6			9	2	10	4	7		8		11		
3	23	Burnley	0-1		5880			1		5		3		6			9	2	10	4	7				11		
4	30	GILLINGHAM	2-0	Crawford, Bonnyman	5535			1		5	6	3		2			9		10	4	7	11	8				
5	Sep 6	Oxford United	3-0	Walwyn 2, Wilson	3489			1		5	6	3		10	2		8			4	7				11	9	
6	13	PLYMOUTH ARGYLE	2-2	Hunter, Walker	5563			1		5	6	3		10	2		8			4	7	12			11	9	
7	16	Colchester United	1-1	Green	2171			1		5	6	3					8			4	7		8		11		
8	20	NEWPORT COUNTY	3-2	Birch 2 (1p), Ridley	5127			1		5	6	3	12	4			9	2	10		7		8		11		
9	27	Carlisle United	6-2	Birch 3, Moss 2, Walker	4256			1		5	12	3		6			9	2	10	4	7		8		11		
10	30	COLCHESTER UNITED	3-0	Moss, Walker, Birch	6673			1		5		3		6			9	2	10	4	7		8		11		
11	Oct 4	Portsmouth	0-1		14953			1		5		3		6			9	2	10	4	7		8		11		
12	7	ROTHERHAM UNITED	2-0	Birch 2 (1p)	10624			1		5		3		6		2	9		10	4	7		8		11		
13	11	HULL CITY	1-0	Walker	7546			1		5		3		6		2	9		10	4	7		8		11		
14	18	Reading	3-2	Birch, Moss, Salmons	6151			1		5		3		6		2	9		10	4	7		8		11		
15	22	Blackpool	3-0	Wilson, Moss, Salmons	8072			1		5		3		6		2	9		10	4	7		8		11		
16	25	WALSALL	1-2	Birch	7964		1			5		3		6		2	9		10	4	7	12	8		11		
17	Nov 1	Fulham	1-1	Birch	4706			1		5		3		6		2	9		10	4	7		8		11		
18	4	Rotherham United	0-0		11093			1		5		3		6		2	9		10	4	7		8		11		
19	8	BRENTFORD	2-1	Bonnyman 2	7127			1		5		3		6		2	9			4	7	11			10		
20	11	SHEFFIELD UNITED	1-0	Bonnyman	15887			1		5		3		6		2	9			4	7	11			10		
21	15	Huddersfield Town	0-2		12828			1		5		3		6		2	9			4	7	11			10		
22	29	Charlton Athletic	0-1		8120			1		5		3		6		2	9	12	10	4	7		8		11		
23	Dec 6	MILLWALL	3-0	Bonnyman, Birch 2	6364			1		5		6			3	2	9		10	4	7	11	8				
24	20	Exeter City	2-2	Birch, Crawford	4078			1		5	6	3				2	9	4	10		7	11	8	12			
25	26	BARNSLEY	0-0		17169			1		5	6	3				2	9	4	10		7	11		8			
26	27	Chester	1-2	Birch (p)	4424			1		5	6	3				2	9	4	10		7	11				8	
27	Jan 10	Swindon Town	1-0	Moss	6962			1		5		3		6		2	9		10		7		8	11			
28	17	CHARLTON ATHLETIC	0-1		9675			1		5		3		6		2	9	4	10		7	12	8	11			
29	24	Gillingham	0-1		5022			1		5	6	3				2		9		4	7		8		11		
30	31	BURNLEY	3-0	Hunter, Kowalski, Birch	7637			1		5	6	3				2		9		4	7		8		11		
31	Feb 7	Plymouth Argyle	0-1		6305			1		5	6	3		12		2		9		4	7		8		11		
32	14	OXFORD UNITED	2-1	Birch, Wilson	6391			1		5	6	3				2	12	9	10	4	7		8		11		
33	21	CARLISLE UNITED	1-0	Birch	6103			1		5		3		6		2	10	9		4	7		8		11		
34	28	Newport County	1-5	Birch	5406			1		5		3		6		2	10	9			7		8		11		
35	Mar 7	PORTSMOUTH	3-0	Salmons, Simpson, Birch	6985			1		5		3		6	2		9		10	4	7		8		11		
36	14	Hull City	0-0		5488			1		5		3		6	2		9			4	7		8		11		
37	21	BLACKPOOL	3-2	Entwhistle(og), Bonnyman, Walker	5959			1		5		3		6	2		9	12	10	4	7		8		11		
38	28	Walsall	3-4	Moss 3	4044			1		5		3		6	2	4	9		10		7	12	8		11		
39	Apr 4	FULHAM	0-0		6765	1				5		3		6	2		9	4	10		7	12	8		11		
40	7	SWINDON TOWN	2-2	Crawford, Birch	5222	1				5		3		6	2		9	4	10		7	12	8		11		
41	11	Brentford	2-3	Moss, Kowalski	4883			1		5		3		6	2		9	12	10	4	7		8	11			
42	18	CHESTER	2-0	Moss, Crawford	3850			1		5		3		6	2		9	10		4	7		8	11			
43	20	Barnsley	1-1	Crawford	17019			1		5		3		6	2		9	10		4	7		8	11			
44	May 2	Millwall	2-0	Kowalski, Moss	3520			1	12	5		3		6		2	9	10		4		11	8	7			
45	5	Reading	3-2	Moss 2, Bonnyman	3059			1	2	5		3		6			9	10		4		11	8				12
46	8	EXETER CITY	1-0	Tartt	3448			1	2	5		3		6		10	9			4	7		8				11
		Apps				2	1	43	3	46	13	29	17	40	12	34	42	25	33	33	45	18	39	9	33	3	2
		Goals								1	2			1		1	8	3	3	3	22	5	14	1	5	2	

One own goal

F.A. Cup

Rd	Date	Opponent	Score	Scorers	Att	Gregory PG	Tingay P	Turner JGA	Bellamy G	Green W	Hunter L	O'Neill JJ	Pollard G	Ridley J	Stirk J	Tartt C	Bonnyman P	Kowalski AM	Salmons G	Wilson DJ	Birch Alan	Crawford AP	Moss E	Simpson G	Walker PA	Walwyn KI	Windridge DH
R1	Nov 22	Wigan Athletic	2-2	Wilson, Green	8896			1		5		3		6		2	9		10	4	7		8		11		
rep	25	WIGAN ATHLETIC	2-0	Salmons, Tartt	8372			1		5		3		6		2	9		10	4	7				11	8	
R2	Dec 13	Sheffield United	1-1	Birch (p)	18141			1		5		3		6		2	9		10	4	7	11	8	12			
rep	16	SHEFFIELD UNITED	1-0	Simpson	14706			1		5		3		6		2	9		10	4	7	11	8	12			
R3	Jan 3	Peterborough Utd.	1-1	Crawford	8631			1		5	6	3				2	9		10	4	7	11		8			
rep	6	PETERBOROUGH UTD.	1-2	Hunter	8216			1		5	6	3				2	9	4	10		7	11		8			12

F.L. Cup

Rd	Date	Opponent	Score	Scorers	Att	Gregory PG	Tingay P	Turner JGA	Bellamy G	Green W	Hunter L	O'Neill JJ	Pollard G	Ridley J	Stirk J	Tartt C	Bonnyman P	Kowalski AM	Salmons G	Wilson DJ	Birch Alan	Crawford AP	Moss E	Simpson G	Walker PA	Walwyn KI	Windridge DH
R1/1	Aug 9	DARLINGTON	1-0	Walker	4489			1				3	5	6		2	9	12	10	4	7		8		11		
R1/2	12	Darlington	2-1	Wilson, Moss	2716			1		5		3		6			9	2	10	4	7		8		11		
R2/1	26	OXFORD UNITED	3-1	Crawford, Bonnyman(p), Moss	4856			1		5		3		6			9	2	10	4		7	8		11	12	
R2/2	Sep 3	Oxford United	0-3		3085			1		5	6	3		2			9		10	4	7	11	8				

Anglo-Scottish Cup

Rd	Date	Opponent	Score	Scorers	Att	Gregory PG	Tingay P	Turner JGA	Bellamy G	Green W	Hunter L	O'Neill JJ	Pollard G	Ridley J	Stirk J	Tartt C	Bonnyman P	Kowalski AM	Salmons G	Wilson DJ	Birch Alan	Crawford AP	Moss E	Simpson G	Walker PA	Walwyn KI	Windridge DH
PR	Jul 31	SHEFFIELD UNITED	1-0	Bonnyman	7693			1		5		3		6		2	9		10	4	7		8		11		
PR	Aug 2	Grimsby Town	3-3	Salmons 2, Moss	3148			1		5		3		6		2	9		10	4	7		8		11		
PR	5	HULL CITY	1-1	Birch (p)	4945			1				3	5	6		2	9		10	4	7		8		11		
QF1	Oct 14	Glasgow Rangers	1-1	Walker	14000			1		5		3		6		2	9		10	4	7		8		11		
QF2	28	GLASGOW RANGERS	3-0	Bonnyman 2, Moss	13914			1		5		3		6		2	9		10	4	7		8		11		
SF1	Dec 2	Bury	2-1	Wilson, Crawford	3720			1		5				6		2	9	3	10	4	7	11	8				12
SF2	9	BURY	1-1	Stirk	6440			1		5				6	3	2	9		10	4	7	11	8			12	
F1	Mar 24	NOTTS COUNTY	1-0	Moss	10190			1		5		3		6	2	12	9		10	4	7		8		11		
F2	31	Notts County	1-1	Crawford	12951	1				5		3		6	2	12	9		10	4		7	14	8	11		

Second leg of final a.e.t.

75

1981/82   11th in Division 3

#		Date	Opponent	Score	Scorers	Att.	Gregory PG	Turner JGA	Bellamy G	Green W	Hunter L	O'Neill JJ	Partridge JT	Pollard G	Ridley J	Stirk J	Tartt C	Bonnyman P	Kowalski AM	Robinson SM	Salmons G	Wilson DJ	Athersych R	Carroll M	Crawford AP	Henderson WMM	Henson AH	Walker PA	Windridge DH
1	Aug	29	Newport County	0-1		5079		1	2	5		3			6		7	9	10			4			8				
2	Sep	5	BRISTOL ROVERS	2-0	Kowalski, Bonnyman	3501		1	2	5		3			6		7	9	10			4			8				12
3		12	Walsall	1-1	Green	3280		1	2	5		3			6			9	10			4			8	11			7
4		19	FULHAM	3-0	Bonnyman, Windridge 2	4062		1	2	5		3			6			9	10			4			8	11		7	12
5		22	CARLISLE UNITED	1-0	Henderson	4780		1	2	5		3			6			9	10			4	12		8	11			7
6		26	Plymouth Argyle	2-0	Nisbet (og), Henderson	3451		1	2	5		3			6	4		9	10						8	11			7
7		29	Swindon Town	2-1	Ridley, Crawford	5652		1	2	5		3			6	4		9	10						8	11		12	7
8	Oct	3	PORTSMOUTH	2-2	Windridge, Ridley	6069		1	2	5		3			6			9	10			4			8	11		12	7
9		10	Reading	2-0	Crawford, Windridge	4936		1	2		5	3			6			9	10			4			8	11			7
10		17	SOUTHEND UNITED	1-2	Bonnyman (p)	6116		1	2		5	3			6			9	10			4			8	11		12	7
11		21	Chester	2-0	Bonnyman, Henderson	2577		1	2	5		3			6			9	10			4			8	11			7
12		24	BRENTFORD	0-2		5525		1	2	5		3			6			9	10			4		12	8	11			7
13		31	Bristol City	0-0		8110		1		5		3			6	2		9	10			4			8	11		12	7
14	Nov	3	HUDDERSFIELD T	1-0	Bonnyman (p)	6857		1		5		3			6	2		9	10			4			8	11		12	7
15		7	OXFORD UNITED	2-2	Henderson, Windridge	5117		1			5	3			6	2		9	10			4			8	11		12	7
16		14	Lincoln City	1-2	Ridley	5928		1		5		3			6	2		9	10			4			8	11			7
17		28	WIMBLEDON	2-0	Henderson, Walker	4604		1		5		3			6	2		9	10			4			8			11	7
18	Dec	5	Exeter City	3-0	Bonnyman, Green, Walker	3967		1		5		3			6	2		9	10			4			8			11	7
19	Jan	5	PRESTON NORTH END	0-0		3969		1		5		3			6	2		9	10		12	4			8			11	7
20		19	Bristol Rovers	0-1		4853		1		5		3			6	4	2	9	10						8	11		7	12
21		23	NEWPORT COUNTY	1-0	Walker	4234		1		5		3			6	2		9	10			4			8	11		7	12
22		30	Fulham	0-1		9213		1		5		3		2	6			9	10			4			8	12		11	7
23	Feb	2	DONCASTER ROVERS	3-1	Bonnyman, Henderson, Parkinson (og)	6157		1		5		3		2	6			9	10			4			8	11			7
24		6	WALSALL	1-0	Bonnyman	5989		1		5		3		2	6			9	10			4			8	11		12	7
25		9	Carlisle United	0-3		5604		1		5		3		2	6			9	10			4			8	11		12	7
26		13	Portsmouth	1-5	Bonnyman	8046		1		5		3			6	2		9	10			4			8	11	12		7
27		20	PLYMOUTH ARGYLE	2-2	Ridley, Crawford	4381		1		5		3			6	2		9	10			4	7		8	11			12
28		27	READING	2-1	Henderson, Crawford	4462		1		5		3			6	2		9	10	7		4			8	11			12
29	Mar	5	Southend United	2-0	Henderson 2	6170		1		5		3			6	2		9	10	7		4			8	11			12
30		9	CHESTER	3-5	Henderson, Wilson, Bonnyman (p)	4291		1		5		3			6	2		9	10	7		4			8	11			12
31		13	Brentford	0-2		5374		1		5		3		6	10	2		9				4			8	11	7	12	
32		20	BRISTOL CITY	1-0	Wilson	4240		1		5		3		6	10	2		9				4	12		8	11			7
33		23	Huddersfield Town	1-1	Windridge	6721		1			5	3		6	10	2		9				4	12		8	11			7
34		27	Oxford United	1-1	Bonnyman (p)	6424	1			5			12	3	6	2		9				4	10		8	11			7
35	Apr	3	LINCOLN CITY	0-2		7443		1	12			3		5	6	2		9		7		4	10		8	11			
36		6	Gillingham	2-3	Henderson 2	5111		1	12			3		5	6	2		9		7		4	10		8	11			
37		10	Doncaster Rovers	0-0		5221		1	2	5	6	3			12			9				4	10		8	11	7		
38		12	BURNLEY	1-2	Bonnyman (p)	7732		1	2	5	6	3			12			9		7		4	10		8	11			
39		17	EXETER CITY	2-1	Crawford, Henderson	2867		1	2	5	6	3						9	10			4	12		8	11	7		
40		24	Wimbledon	1-3	Walker	2138		1	2	5	6	3						9	10			4			8	11	7	12	
41		27	MILLWALL	0-1		2284		1	2	5	6	3						9	10			4			8	11		7	
42	May	1	SWINDON TOWN	2-1	Walker, Bonnyman	2028		1	2		5	3			6			9	10			4			8	11		7	
43		4	Millwall	2-3	Hunter, Kowalski	2665		1	2		5	3			6			9	10			4			8	11		7	
44		8	Preston North End	0-2		5454		1	2		5	3			6			9	10			4			8	11		7	12
45		15	GILLINGHAM	1-3	Bonnyman	2235		1	6			3	5	2				9	10			4			8		12	7	11
46		18	Burnley	1-1	Carroll	18771		1	2	5		3			6			9				4	10	11	8				7

	Gregory PG	Turner JGA	Bellamy G	Green W	Hunter L	O'Neill JJ	Partridge JT	Pollard G	Ridley J	Stirk J	Tartt C	Bonnyman P	Kowalski AM	Robinson SM	Salmons G	Wilson DJ	Athersych R	Carroll M	Crawford AP	Henderson WMM	Henson AH	Walker PA	Windridge DH
Apps	1	45	25	35	12	42	4	17	38	20	4	46	37	3	4	43	10	3	41	44	6	25	34
Goals			2	1					4			14	2			3		1	5	13		4	6

Two own goals

F.A. Cup

	Date	Opponent	Score	Scorers	Att.	Turner	Green	O'Neill	Ridley	Stirk	Bonnyman	Kowalski	Salmons	Wilson	Crawford	Henderson	Walker	Windridge
R1	Nov 21	PRESTON NORTH END	4-1	Bonnyman 2, Henderson, Walker	5435	1	5	3	6	2	9	10		4	8	11	7	
R2	Dec 12	HUDDERSFIELD T	0-1		8609	1	5	3	6	2	9	10	12	4	8	11	7	

F.L. Cup

	Date	Opponent	Score	Scorers	Att.	Turner	Bellamy	Green	O'Neill	Ridley	Stirk	Bonnyman	Kowalski	Wilson	Crawford	Henderson	Walker	Windridge
R1/1	Sep 1	Doncaster Rovers	0-0		3801	1	2	5	3	6		7 9	10	4	8	11		
R1/2	Sep 15	DONCASTER ROVERS	1-1	Green	4962	1	2	5	3	6		9	10	4	8	11	7	12

R1/2 a.e.t.

F.L. Group Cup

	Date	Opponent	Score	Scorers	Att.	Turner	Green	O'Neill	Ridley	Stirk	Bonnyman	Salmons	Wilson	Athersych	Crawford	Henderson	Walker	Windridge
PR	Aug 15	Grimsby Town	0-1		1772	1	5	3	6	2	9	10	4		8	11		
PR		18	Doncaster Rovers	0-2		3572	1	5	3	6	2	9	10	4		8	11		12
PR		21	SHEFFIELD UNITED	1-1	Bonnyman	4923	1	5	3	6	2	9		4	12	8	11		10

Played in all three games at no. 7: A Birch

76

#		Date	Opponent	Score	Scorers	Att	Gregory PG	Turner JGA	Bellamy G	Green W	O'Neill JJ	Partridge JT	Pollard G	Stirk J	Henson AH	Higginbottom AJ	Ivey PHW	Kendal SJ	Kowalski AM	Ross C	Thrower NJ	Wilson DJ	Athersych R	Carroll M	Dawson R	Gooding MC	Henderson WM	Kinsey S	Owen G	Plummer CA	Robinson SM	Walker PA	Windridge DH
1	Aug	28	ORIENT	1-2	Wilson	2587		1	2	5		3			6							4	11	9			8					10	7
2	Sep	4	Newport County	0-1		3464		1	2	5		3			6				10			4		9			8				7		11
3		6	Southend United	0-2		3086		1	2	5	12	3			6				10			4		9			8				7		11
4		11	BRISTOL ROVERS	0-0		1995		1	2	5	12	3			6				10			4		9			8				11		7
5		18	Reading	0-0		2162		1	2	5		3	6		9				10			4	11				8				7		12
6		25	WIGAN ATHLETIC	2-0	Windridge, Kowalski	2825		1	2	5		3	6		9				10			4			12		8				7		11
7		28	OXFORD UNITED	1-2	Pollard	2618		1	2	5	3		6		9				10			4			12		8				7		11
8	Oct	2	Exeter City	3-2	Walker 2, Henderson	2389		1	2	5		3			6	9			10			4			12		8				7		11
9		9	Brentford	2-4	Wilson 2 (1p)	5706		1	2	5		3		7	6				10			4			12		8				9		11
10		16	BRADFORD CITY	3-0	Walker, Windridge 2	3850		1	2	5	3			7	6				10			4					8				9		11
11		19	Walsall	1-0	Windridge	2462		1	2	5	3			7	6				10			4					8				9		11
12		23	PLYMOUTH ARGYLE	1-2	Walker	3149		1	2	5	3			7	6				10			4			12		8				9		11
13		30	Doncaster Rovers	0-0		4065		1	2	5	3			7	6				10			4	12				8				9		11
14	Nov	2	GILLINGHAM	1-2	Windridge	2322		1	2	5			3	7	6				10			4	12				8	9					11
15		6	LINCOLN CITY	1-3	Walker	4265		1	2	5	3			7	6				10			4			12			8			9		11
16		13	Preston North End	1-1	Wilson	3574		1	2	5	3			7	6				10			4						8			9		11
17	Dec	4	BOURNEMOUTH	0-0		2226	1			5	3			2	7	6			10			4					9	8			12		11
18		7	Cardiff City	1-1	Henderson	3813	1		2	5				3	6				10			4					8			7	9	11
19		18	PORTSMOUTH	0-1		2440	1			5		3	2	12	6				10			4					8			7	9	11
20		27	Huddersfield Town	1-3	Henderson	11603	1		2	5		3	6				11		10			4				8	9			7		
21		28	SHEFFIELD UNITED	3-1	Henderson 2, Wilson	11458	1		2	5		3	6				11		10			4				8	9			7		12
22	Jan	1	Millwall	1-1	Henderson	3215	1		2	5		3	6				11		10			4					9			7		8
23		3	WREXHAM	5-1	Henderson 2, Wilson 2, Windridge	2805	1		2	5		3	6				11		10			4					9			7		8
24		15	Orient	0-2		2642	1		2	5		3	6					12	11	10		4					9			7		8
25		22	READING	0-0		2703	1		2	5		3	6					12	11	10						4	9			7		8
26		29	Bristol Rovers	0-3		6071	1		2	5		3	6						11	10						4	9			7		8
27	Feb	1	NEWPORT COUNTY	3-1	Windridge, Plummer(p), Henderson	1645	1		2	5		3	6					12	11	10						4	9			7		8
28		5	Wigan Athletic	2-2	Henderson, Methven (og)	3009	1		2	5		3	6		4				11	10							9			7		8
29		15	Gillingham	1-3	Plummer	2187	1		2	5		3	6		4			12		10			11				9			7		8
30		19	BRENTFORD	2-1	Plummer 2 (2p)	2291	1		2	5		3	6		4			12		10			11				9			7		8
31		26	Bradford City	0-1		4033		1	2	5	6	3			4			12		10							9			7		8
32	Mar	1	WALSALL	0-0		2216		1	2	5	6	3							11	10	4						9			7		8
33		5	Plymouth Argyle	0-2		4465		1	5			6	3			2			11	10	4			12			9			7		8
34		12	DONCASTER ROVERS	3-3	Green, Plummer 2 (1p)	2875		1	2	5	3	12	6						4	10				8			9			7		11
35		15	SOUTHEND UNITED	0-2		1970		1	2	5	10	3	6	12					4		10			8	11		9			7		
36		19	Lincoln City	0-2		4454		1	2	5	3		6						4		10			8			9			7		11
37		26	PRESTON NORTH END	1-1	Windridge	2332		1		5	2	3	6						4		10						9		8	7		11
38	Apr	2	Sheffield United	1-3	Owen	12441		1		5	2	3	6						4		10						9		8	7		11
39		4	HUDDERSFIELD T	0-1		6729		1	5		2	3	6						4		10						9		8	7		11
40		9	Bournemouth	1-2	Plummer	5227		1	6	5		12	3					2	4	10					9				8	7		11
41		16	EXETER CITY	1-3	Owen	1788		1	6	5			3					2	4	10			12		9				8	7		11
42		23	Portsmouth	0-4		13003		1	6	5		12	3					2	4						9	10			8	7		11
43		30	CARDIFF CITY	0-1		2797		1	6	5		8	3					2	4				12		9	10				7		11
44	May	2	Wrexham	0-0		2047		1	6	5		8	3		12			2	4				10		9					7		11
45		7	Oxford United	0-1		3528		1	6	5		8	3		12			2	4				10		9	11				7		
46		14	MILLWALL	0-1		4314		1	6	5		8	3	2	10				4						9	11				7		

Played in game 46: PJ Brown (12)

Apps	14	32	42	44	20	34	32	13	22	3	6	22	42	6	4	24	10	3	12	12	40	3	6	28	6	13	42
Goals				1			1						1			7					10		2	7		5	8

F.A. Cup

	Date	Opponent	Score	Scorers	Att	Gregory	Turner	Bellamy	Green	O'Neill	Partridge	Pollard	Stirk	Henson	Kowalski	Wilson	Athersych	Carroll	Dawson	Henderson	Plummer	Walker	Windridge
R1	Nov 20	PETERBOROUGH UTD.	2-2	Walker 2	2965		1	6	5	3				2	10		4	8	11	12			9	7
rep	24	Peterborough United	1-2	Walker	3185	1			5	3		2	7	6	10		4		11		8		9	12

F.L. Cup (Milk Cup)

	Date	Opponent	Score	Scorers	Att	Turner	Bellamy	Green	O'Neill	Partridge	Pollard	Henson	Kowalski	Wilson	Athersych	Carroll	Dawson	Henderson	Robinson	Windridge
R1/1	Aug 31	HARTLEPOOL UTD.	2-1	Dawson, Windridge	1690	1	2	5	12	3		6	10	4	11	9		8		7
R1/2	Sep 15	Hartlepool United	0-2		1122	1	2	5		3	6	9	10	4	11	12		8	7	

R1/2 a.e.t.

Football League Trophy

	Date	Opponent	Score	Scorers	Att	Turner	Bellamy	Green	O'Neill	Partridge	Henson	Kowalski	Wilson	Athersych	Carroll	Henderson	Robinson	Walker	Windridge
PR	Aug 14	CHESTER	1-1	Henson	1149	1	2	5	3		6	8	4	9	11	10			7
PR	17	SHREWSBURY TOWN	1-0	Walker	1177	1	2	5		3	6	10	4	11		8	7	9	12
PR	21	Tranmere Rovers	1-1	Wilson (p)	949	1	2	5	14	3	6	10	4	7		8	12	9	11

1983/84   13th in Division 4

#	Date		Opponent	Score	Scorers	Att	Brown JG	Gregory PG	Baines SJ	Bellamy G	Boxall AR	Brown NR	Grant D	Hornsby BG	Higginbottom M	Hunter L	O'Neill JJ	Stimpson BG	Hoskin MA	Kendall SJ	King JD	Klug BP	Scrimgeour B	Waddington SF	Bell DM	Birch Alan	Brown PJ	Clayton J(2)	Henderson WM	Newton R	Spooner SA	Walker GG	White EW
1	Aug	27	SWINDON TOWN	1-0	Birch	4161	1		5	6							3					4	2	11	9	7				10	8		
2	Sep	3	Crewe Alexandra	1-2	Klug	2298	1		5	6							3			11		4	2		10	7		12	9		8		
3		7	Hartlepool United	2-2	Kendall 2	1661	1		5	6							3			11		4	2		10	7	9				8		12
4		10	YORK CITY	2-1	Clayton 2	4041	1		5	6							3			11		4	2		10	7	9				8		
5		17	Reading	1-1	Spooner	3658	1		5	6							3			11		4	2		10	7	9				8		
6		24	COLCHESTER UNITED	1-1	Birch	4106	1		5	6							3			2		4		11	10	7	9				8		
7		27	HEREFORD UNITED	0-0		4040	1		5	6			3							2		12	4	11	10	7	9				8		
8	Oct	1	Northampton Town	1-1	Birch	2733	1		5	6			3							2		11	4		10	7			9		8		
9		8	STOCKPORT COUNTY	2-0	J Brown, Spooner	3846	1		5	6			3							2		11	4	12	10	7	9				8		
10		15	Rochdale	4-2	Bellamy. Newton 2, Spooner	1781	1		5	6			3							2		11	4	12		7				10	8	9	
11		18	DONCASTER ROVERS	0-0		6488	1		5	6			3							2		11	4			7				10	8	9	
12		22	Blackpool	0-1		4206	1		5	6			3							2		11	4	12		7				10	8	9	
13		29	DARLINGTON	1-1	Bell	3872	1		5	6			3							2	11	4	8		10	7		12				9	
14	Nov	2	Torquay United	1-1	Bell (p)	1452	1		11	6	5						3			2		4			7	10		12			8	9	
15		5	CHESTER CITY	1-1	Bell	3513	1		11	6	5						3			2		4			10	7		12			8	9	
16		12	Peterborough United	0-2		3807	1		11	6	5						3			2		4		12	10	7					8	9	
17		26	Bristol City	0-2		5835	1		11	6							3	5		2		12	4			7		10			8	9	
18	Dec	3	TRANMERE ROVERS	3-3	Kendall, Birch (p), Clayton	2796	1		11	6					3			5		2			4			7		10			8	9	
19		17	WREXHAM	1-1	Clayton	2616	1		11	6						3		5		2			4			7		10			8	9	
20		26	Mansfield Town	1-0	Kendall	6734	1		5	6							3			4			2		11	7		10			8	9	
21		27	BURY	1-5	Newton	4196	1		5	6							3			4			2	8	12	7			11	10	9		
22		31	Aldershot	1-2	Kendall	1899	1			6	5						3			2		4		11	12	7				10	8	9	
23	Jan	2	HALIFAX TOWN	0-0		2298	1		5	6							2	3		4			11			7					9	8	10
24		7	CREWE ALEXANDRA	1-3	Kendall	2470	1		5							6	2	3		4		12	8	11		7		10			9		
25		14	Swindon Town	2-1	Newton, Kendall	4131		1	5							6	2	3		4		12	8	11		7		10			9		
26		21	READING	2-1	Newton 2	3010		1	5							6	2	3		4		12	8	11		7		10			9		
27		31	York City	0-1		4782		1	5						12	6	2	3					4	8	11	7		10			9		
28	Feb	4	NORTHAMPTON T	2-1	Scrimgeour, Clayton	3250		1	5							6	2	3					4	8	11	7		10			9		
29		11	Colchester United	0-2		2358		1	5							6	2	3		4		12	8	11		7		10			9		
30		18	Darlington	1-2	Waddington	1358		1	5							6	2	3		4		10	8	11		7		12			9		
31		25	BLACKPOOL	1-1	Birch (p)	3281	1		5	11						6	2	3		4		10				7	9					8		
32	Mar	3	Doncaster Rovers	1-2	Birch (p)	4162	1		5		12	3			10	6	2			4				11		7	9					8		
33		7	Chester City	2-0	Scrimgeour 2	1468	1		5	11						6	2	3		4		10	8			7					9		
34		10	PETERBOROUGH UTD.	1-0	Hunter	2853	1		5	11						6	2	3		4		10	8			7					9		
35		16	Stockport County	0-2		2010	1		5	11						6	2	3		4		10	8			7	12				9		
36		18	TORQUAY UNITED	3-2	Newton 2 (1p), P Brown	3142	1		5	11					10	6	2	3		4		12	8			7					9		
37		24	ROCHDALE	3-0	Newton 2 (1p), P Brown	2955	1		5	11						6	2	3		4		10	8			7					9		
38		31	Hereford United	1-3	Newton	2307	1		5	2					11	6		3		4		10	8			7				12	9		
39	Apr	7	HARTLEPOOL UNITED	4-1	Baines, Hunter, Klug, Newton	2263	1		5	2						6	11	3		4		10	8			7				12	9		
40		14	Tranmere Rovers	3-0	Baines, Kendall, Newton	1927	1		5	2						6	11	3		4		10				7				8	9		
41		21	MANSFIELD TOWN	0-0		4364	1		5	2						6	11	3		4		10	8			7				12		9	
42		23	Bury	0-2		1616	1		5	2						6	11	3		4		10	8			7				12		9	
43		28	BRISTOL CITY	1-1	Kendall	2975	1		5	2		3				6	11			4		10	8			7					9		
44	May	4	Halifax Town	1-2	O'Neill	1001	1		5	2		3				6	11			4		10	8			7					9		
45		7	ALDERSHOT	3-1	P Brown 2, Newton	1991	1		5	2		6					11	3		4		10				7				8	9		
46		12	Wrexham	2-4	P Brown, O'Neill	1039	1		5	2		6					11	3	12	4		10				7				8	9		
			Apps				40	6	45	38	5	5	7	1	5	21	34	27	1	43	1	34	41	18	17	32	16	33	3	33	20	6	1
			Goals				1		2	1						2	2			9			3	1	3	5	6	5		14	3		

F.A. Cup

	Date		Opponent	Score	Scorers	Att	Brown JG	Gregory PG	Baines SJ	Bellamy G	Boxall AR	Brown NR	Grant D	Hornsby BG	Higginbottom M	Hunter L	O'Neill JJ	Stimpson BG	Hoskin MA	Kendall SJ	King JD	Klug BP	Scrimgeour B	Waddington SF	Bell DM	Birch Alan	Brown PJ	Clayton J(2)	Henderson WM	Newton R	Spooner SA	Walker GG	White EW
R1	Nov	19	Chester City	2-1	Newton 2	1774	1		11	6							3			2		5	4			12	7		10			9	8	
R2	Dec	10	BURNLEY	2-2	Birch (p), Newton	5788	1		11	6		3		12				5		2			4			7		10				9	8	
rep		19	Burnley	2-3	Bellamy, Birch (p)	8286	1		11	6							3	5		2			4			7		10				9	8	

F.L. Cup (Milk Cup)

	Date		Opponent	Score	Scorers	Att	Brown JG	Gregory PG	Baines SJ	Bellamy G	Boxall AR	Brown NR	Grant D	Hornsby BG	Higginbottom M	Hunter L	O'Neill JJ	Stimpson BG	Hoskin MA	Kendall SJ	King JD	Klug BP	Scrimgeour B	Waddington SF	Bell DM	Birch Alan	Brown PJ	Clayton J(2)	Henderson WM	Newton R	Spooner SA	Walker GG	White EW
R1/1	Aug	30	Middlesbrough	1-0	Baines	7126	1		5	6							3			12		4	2	11	10	7	9				8		
R1/2	Sep	13	MIDDLESBROUGH	0-1		5949	1		5	6							3			11		4	2		10	7	9				8		
R2/1	Oct	4	EVERTON	0-1		10713	1		5	6							3			2		11	4		9	7		12	10		8		
R2/2		26	Everton	2-2	Birch (p), Scrimgeour	8067	1		5	6							3			2	12		4	11	10	7	9				8		

R1/2 a.e.t.

Associate Members Cup

	Date		Opponent	Score	Scorers	Att	Brown JG	Gregory PG	Baines SJ	Bellamy G	Boxall AR	Brown NR	Grant D	Hornsby BG	Higginbottom M	Hunter L	O'Neill JJ	Stimpson BG	Hoskin MA	Kendall SJ	King JD	Klug BP	Scrimgeour B	Waddington SF	Bell DM	Birch Alan	Brown PJ	Clayton J(2)	Henderson WM	Newton R	Spooner SA	Walker GG	White EW
R1	Feb	21	Scunthorpe United	1-2	Birch (p)	2507	1		5	11						6	2	3		4		10	8	14		7					9	12	

1984/85 Champions of Division 4

#	Date	Opponent	Res	Scorers	Att	Brown JG	Marples C	Baines SJ	Bellamy G	Hoskin MA	Hunter L	O'Neill JJ	Pollard BE	Scrimgeour B	Yates S	Ferguson JB	Henderson MR	Kendal SJ	Matthews JM	Seasman J	Spooner SA	Brown PJ	Moss E	Newton R	Walker PA
1	Aug 25	ALDERSHOT	2-1	Brown, Newton	2800	1		5	2		6	3		10					11	4	12	7	8	9	
2	Sep 1	Northampton Town	3-1	Kendall, Newton, Brown	2554	1		5	2		6	3						10	11	4		7	8	9	
3	8	SOUTHEND UNITED	2-1	Matthews, Newton (p)	2692	1		5	2		6	3						10	11	4		7	8	9	
4	15	Scunthorpe United	4-2	Bellamy 2, Brown, Hunter	2853	1		5	2		6	3						10	11	4		7	8	9	
5	19	Hartlepool United	0-1		1686	1		5	2		6	3	12					10	11	4		7	8	9	
6	22	BLACKPOOL	2-1	Brown, Moss	3947	1		5	2		6	3						10	11	4		7	8	9	
7	29	Bury	0-0		4079		1	5	2		6	3		8				10	11	4		7		9	
8	Oct 2	HEREFORD UNITED	3-1	O'Neill, Kendall, Moss	5167		1	5	2		6	3						10	11	4		7	8	9	
9	6	DARLINGTON	0-0		4181		1	5	2		6	3						10	11	4		7	8	9	
10	13	Halifax Town	3-1	Moss 2, Newton	1592		1	5	2		6	3						10	11	4		7	8	9	
11	20	EXETER CITY	5-1	Brown, Kendall, Moss, Spooner, Hunt	3457		1	5	2		6	3		12				10	11	4		7	8	9	
12	22	Port Vale	0-0		4986		1	5	2		6	3		8				10	11	4		7		9	
13	27	Chester City	1-1	Kendal	2168		1	5	2		6	3		12				10	11	4		7	8	9	
14	Nov 3	COLCHESTER UNITED	1-1	Moss	3854		1	5	2		6	3						10	11	4		7	8	9	
15	10	TRANMERE ROVERS	4-2	Newton, Moss 2, Brown	3854		1	5	2		6	3		12				10	11	4		7	8	9	
16	24	Torquay United	1-0	Brown (p)	1359		1	5	2		6	3		4				10	11			7	8	9	
17	Dec 1	STOCKPORT COUNTY	3-0	Baines, Newton, Moss	3943		1	5	2		6	3						10	11	4		7	8	9	
18	15	Crewe Alexandra	1-1	Walker	2236	1		5	2		6			3				10	11	4	8	7		9	12
19	21	Rochdale	1-3	Moss	1177	1		5	2		6			3				10	11	4	7		8	9	12
20	26	MANSFIELD TOWN	0-0		6960		1	5	2		6	3						10	11	4		7	8	9	
21	29	PETERBOROUGH UTD.	2-0	Moss, Baines	4045		1	5	2		6	3						10	11	4	12	7	8	9	
22	Jan 1	Swindon Town	0-4		3778		1	5	2	3	6							10	11	4	12	7	8	9	
23	5	Aldershot	1-1	Spooner	2133		1	5			6			3		2	4	10	11			7	8	9	12
24	12	NORTHAMPTON T	2-1	Brown 2 (2p)	3759		1	5			6			3		2	4	10	11			7	8	9	
25	26	SCUNTHORPE UNITED	1-0	Walker	3698		1	5			6			3		2	4	10	11		12	7	8		9
26	Feb 2	BURY	0-1		5416		1	5			6			3		2	4	10	11		12	7	8	9	
27	12	HARTLEPOOL UNITED	0-0		2617		1	5			6			3		2	4	10	11		12	7	8	9	
28	22	Colchester United	1-3	Newton	2303		1	5			6			3		2	4	10	11		12	7	8	9	
29	Mar 2	CHESTER CITY	3-1	Newton 2, Spooner	3002		1	5			6	3				2	7	10	11		7		8	9	
30	5	PORT VALE	0-0		3480		1	5			6	3				2	4	10	11		7		8	9	12
31	9	Exeter City	1-0	Baines	2401		1	5			6	3				2	4	10	11		7		8	9	
32	16	HALIFAX TOWN	3-0	Spooner, Moss, Newton	2870		1	5			6	3				2	4	10	11		7		8	9	12
33	20	Hereford United	1-0	Spooner	4482		1	5			6	3				2	4	10	11		7		8	9	
34	23	Darlington	3-1	Newton 2, Kendall	5054		1	5			6	3				2	4	10	11		7		8	9	
35	30	WREXHAM	2-1	Comstive (og), Newton (p)	3918		1	5			6	3				2	4	10	11		7		8	9	
36	Apr 2	Blackpool	0-1		7144		1	5			6	3			2		4	10	11		7	12	8	9	
37	6	Mansfield Town	0-0		6030		1	5			6	3				2	4	10	11		7		8	9	
38	9	SWINDON TOWN	1-0	Walker	4420		1	5			6	3				2	4	10	11		7		8	9	12
39	13	Tranmere Rovers	1-0	Walker	1770		1	5			6	3				2	4	10	11		7		8	9	
40	16	Wrexham	0-2		1304		1	5			6	3				2	4	10	11		7	12	8	9	
41	20	TORQUAY UNITED	1-0	Hall (og)	4094		1	5			6	3				2	4	10	11		7		8	9	
42	23	Southend United	1-0	Newton	1645		1	5			6	3				2	4	10	11		7		8	9	
43	27	Stockport County	1-0	Hunter	2887		1	5			6	3				2	4		11		7	10	8	9	
44	May 4	CREWE ALEXANDRA	3-1	Spooner, Newton, Seasman	4706		1	5			6	3				2	10	11		4	7		8	9	
45	6	Peterborough United	0-0		3754		1	5			6	3				2	10	11	4		7		8	9	12
46	11	ROCHDALE	0-0		7006		1	5			6	3				2	10	11	4		7		8	9	12
		Apps				8	38	46	22	1	46	41	1	15	1	31	18	45	38	10	41	29	33	45	18
		Goals						3	2		3	1						5		1	1	6	9	12	15	4

Two own goals

F.A. Cup

#	Date	Opponent	Res	Scorers	Att	Brown JG	Marples C	Baines SJ	Bellamy G	Hoskin MA	Hunter L	O'Neill JJ	Pollard BE	Scrimgeour B	Yates S	Ferguson JB	Henderson MR	Kendal SJ	Matthews JM	Seasman J	Spooner SA	Brown PJ	Moss E	Newton R	Walker PA
R1	Nov 17	Whitby Town	3-1	Kendall, Brown, Newton	3500		1	5	2		6	3		4				10	11			7	8	9	
R2	Dec 8	Walsall	0-1		5519		1	5	2		6	3						10	11	4	12	7		9	8

F.L. Cup (Milk Cup)

#	Date	Opponent	Res	Scorers	Att	Brown JG	Marples C	Baines SJ	Bellamy G	Hoskin MA	Hunter L	O'Neill JJ	Pollard BE	Scrimgeour B	Yates S	Ferguson JB	Henderson MR	Kendal SJ	Matthews JM	Seasman J	Spooner SA	Brown PJ	Moss E	Newton R	Walker PA
R1/1	Aug 28	Halifax Town	1-1	Newton	1174	1		5	2		6	3		10					11	4	12	7	8	9	
R1/2	Sep 4	HALIFAX TOWN	1-2	Newton	2976	1		5	2		6	3		12					11	4	10	7	8	9	

A.M. Cup (Freight Rover Trophy)

#	Date	Opponent	Res	Scorers	Att	Brown JG	Marples C	Baines SJ	Bellamy G	Hoskin MA	Hunter L	O'Neill JJ	Pollard BE	Scrimgeour B	Yates S	Ferguson JB	Henderson MR	Kendal SJ	Matthews JM	Seasman J	Spooner SA	Brown PJ	Moss E	Newton R	Walker PA
R1/1	Jan 22	Rotherham United	1-1	Spooner	2027		1	5				3		2		10	6		12	4	11	7	8		9
R1/2	Feb 5	ROTHERHAM UNITED	1-0	Matthews	2809		1	5				3		6		2		10	4		11	7		9	8
R2	Mar 12	York City	0-1		3891		1	5		12		3		6		2			11	4	10	7		9	

Played in R2: A Taylor (at 8), P Taylor (at 14).

79

1985/86 17th in Division 3

#		Date	Opponent	Score	Scorers	Att	Brown JG	Marples C	Baines SJ	Bellamy G	Hewitt JR	Hunter L	O'Neill JJ	Perry D	Scrimgeour B	Batty PW	Bloomer R	Henderson MR	Kendall SJ	Reid AJ	Williamson CH	Armstrong GJ	Brown PJ	Caldwell DW	Moss E	Spooner SA	Walker PA
1	Aug	17	BURY	4-3	P Brown, Spooner, Hunter, one og	3835	1		5			6	3		2	4		10	11				9		8	7	
2		24	Cardiff City	2-0	P Brown, Moss	3386	1		5			6	3		2	4		10	11				9		8	7	
3		27	ROTHERHAM UNITED	2-0	P Brown, Moss	5434	1		5			6	3		2	4		10	11				9		8	7	
4		31	Walsall	0-3		4528	1		5			6	3		2	4		10	11				9		8	7	12
5	Sep	7	BOURNEMOUTH	0-1		3207		1	5			6	3		2	4		10	11				9	12	8	7	
6		14	Gillingham	1-1	Caldwell	3201		1	5			6	3		2	4					11	10	7	8			9
7		17	DARLINGTON	1-0	Moss	3161		1	5			6	3		2	4		10			11	12	9	7	8		
8		21	Derby County	0-0		13259		1	5			6	3		2	4		10	11				7				9
9		28	WIGAN ATHLETIC	1-1	Scrimgeour	3516		1	5			6	3		2	4		10	11	12			9	7	8		
10	Oct	2	Reading	2-4	Moss, Williamson	6669		1	5			6	3		2	4		10	11	7	12		9		8		
11		5	Bristol City	0-0		6416		1	5			6	3		2	4		10		7	11				8		9
12		12	YORK CITY	1-0	Moss	3733		1	5			6	3		2	4		10			11				8	7	9
13		19	Notts County	1-2	Moss	5776		1	5			6	3		2	4		10			11			12	8	7	9
14		22	BLACKPOOL	1-2	Moss	3720		1	5			6	3		2	4		10			12		11	9	8	7	
15		26	DONCASTER ROVERS	0-0		3746		1	5			6	3		2			10		4	7			8		11	9
16	Nov	2	Plymouth Argyle	0-0		7522		1	5	12		6	3		2			10		4	7				8	11	9
17		5	Swansea City	1-1	Walker	3424		1	5			6	3		2			10		7	4	11			8		9
18		9	NEWPORT COUNTY	3-1	Scrimgeour (p), Walker, Hunter	2420		1	5			6	3		2	12		10		4	7	11			8		9
19		23	Brentford	0-1		3502		1	5			6	3		2	4		10				11	12	8			9
20	Dec	14	Bolton Wanderers	1-2	Walker	3621		1	5				3	6	2	4		10				12	7	8		11	9
21		20	CARDIFF CITY	3-4	Henderson, Spooner, Hunter	1773		1	5			6	3	12	2	4		10					7	8		11	9
22		26	LINCOLN CITY	2-2	Hunter, Scrimgeour (p)	2631		1	5			6	3		2	4		10		9			7		8	11	
23		28	Rotherham United	2-1	Henderson, Spooner	4816		1	5			6	3		2	4		10		9			7		8	11	
24	Jan	1	Wolverhampton Wan.	0-1		3229		1	5			6	3		2	4		10		9	12		7			11	8
25		18	Bury	1-1	Scrimgeour	2614		1	5			6	3		2			10		4	11		7		8		9
26		25	GILLINGHAM	1-1	Walker	2521		1	5			6	3		2			10		4		11	7		8		9
27		31	Bournemouth	2-3	Baines, Scrimgeour (p)	2347		1	5			6	3		2		9			4		11	7	10	8	12	
28	Feb	4	Blackpool	1-0	Baines	2988		1	5			6	3		2		9	10		4	11				8	7	
29		8	NOTTS COUNTY	2-2	Scrimgeour (p), Moss	3623		1	5			6	3		2	4		10		12	11		7		8	9	
30		22	DERBY COUNTY	1-0	Baines	9394		1	5		2	6	3			4		10		9	11		7		8		
31	Mar	1	Wigan Athletic	0-2		3209		1	5		2		3		6	4		10		12	9		7		8	11	
32		4	READING	3-4	Moss 2, Henderson	2428		1	5		2	6	3		11	4		10			9		7	12	8		
33		8	BRISTOL CITY	0-0		2547		1	5		2	6	3		11			10			9		7	12	8	4	
34		15	York City	0-2		3580		1	5		2	6	3		11			10		4			7	9	8		
35		18	PLYMOUTH ARGYLE	1-2	Henderson	1828		1	5	6	2		3		9	11		10		4			7		8		12
36		21	Doncaster Rovers	0-2		1989		1	5	4	2		3		6			10		12		7			8	11	9
37		25	WALSALL	1-0	Caldwell, Spooner	2177	1		5	6	2		3		9			10		4	12	7			8	11	
38		29	WOLVERHAMPTON W.	3-0	Reid, Henderson, Moss	2588	1			5	2				6			10		4	3	9	7		8	11	
39		31	Lincoln City	1-2	Caldwell	2461	1			5	2				6			10		4	3	9	7		8	11	
40	Apr	5	SWANSEA CITY	4-1	Scrimgeour (p), Moss 2, Spooner	2148	1			5	2				6			10		4	3	9	7		8	11	
41		12	Newport County	3-3	Scrimgeour, Reid, one og	1940	1			5	2		3		6	10				4		9	7			11	8
42		15	BRISTOL ROVERS	2-0	Reid, Walker	1911	1			5	2		3		6			10		4			7		8	11	9
43		19	BRENTFORD	1-3	Armstrong	2344	1			5	2		3		6	12		10		4		7			9	8	11
44		22	Darlington	1-2	Bellamy	2597	1	12	5	2			3		6	9		10			3		7		8	11	
45		26	Bristol Rovers	1-1	Scrimgeour (p)	3576	1		5		2		3		6	9		10		4	2		7		8	11	
46	May	3	BOLTON WANDERERS	3-0	Baines, Moss, Reid	3183	1		5		2		3		6			10		4	3		7		8	11	

	Brown JG	Marples C	Baines SJ	Bellamy G	Hewitt JR	Hunter L	O'Neill JJ	Perry D	Scrimgeour B	Batty PW	Bloomer R	Henderson MR	Kendall SJ	Reid AJ	Williamson CH	Armstrong GJ	Brown PJ	Caldwell DW	Moss E	Spooner SA	Walker PA
Apps	14	32	38	12	17	32	43	2	45	26	6	43	9	28	27	12	31	22	39	32	20
Goals			3	1		4			9			5		4	1	1	3	3	14	5	5

Two own goals

F.A. Cup

		Date	Opponent	Score	Scorers	Att	Brown JG	Marples C	Baines SJ	Bellamy G	Hewitt JR	Hunter L	O'Neill JJ	Perry D	Scrimgeour B	Batty PW	Bloomer R	Henderson MR	Kendall SJ	Reid AJ	Williamson CH	Armstrong GJ	Brown PJ	Caldwell DW	Moss E	Spooner SA	Walker PA
R1	Nov	16	Tranmere Rovers	2-2	Batty, Henderson	2252		1	5			6	3		2	4		10			9	11	7			8	
rep		18	TRANMERE ROVERS	0-1		2950		1	5			6	3		2	4		10			11		7		8	12	9

F.L. Cup (Milk Cup)

		Date	Opponent	Score	Scorers	Att	Brown JG	Marples C	Baines SJ	Bellamy G	Hewitt JR	Hunter L	O'Neill JJ	Perry D	Scrimgeour B	Batty PW	Bloomer R	Henderson MR	Kendall SJ	Reid AJ	Williamson CH	Armstrong GJ	Brown PJ	Caldwell DW	Moss E	Spooner SA	Walker PA
R1/1	Aug	21	Bradford City	2-2	Moss, P Brown (p)	2980	1		5			6	3		2	4		10	11				9		8	7	
R1/2	Sep	3	BRADFORD CITY	3-4	Moss 2, Henderson	4326	1		5			6	3		2	4		10	11				9	12	8	7	

A.M. Cup (Freight Rover Trophy)

		Date	Opponent	Score	Scorers	Att	Brown JG	Marples C	Baines SJ	Bellamy G	Hewitt JR	Hunter L	O'Neill JJ	Perry D	Scrimgeour B	Batty PW	Bloomer R	Henderson MR	Kendall SJ	Reid AJ	Williamson CH	Armstrong GJ	Brown PJ	Caldwell DW	Moss E	Spooner SA	Walker PA
PR	Jan	14	Darlington	0-2		1057		1	5				3	12	2	4	14	10		11	6		7		8		9
PR		21	BURNLEY	1-2	P Brown	1053		1	5		2		6	11				10		4	3		7	8			

Played in second game: A Taylor (at 9), J MacDonald (at 12), D Wood (at 14).

#	Date	Opponent	Res	Scorers	Att	Brown JG	Marples C	Baines SJ	Bellamy G	Coombes LE	Hewitt JR	Perry D	Rogers LJ	Williamson CH	Wood D	Bloomer R	Coyle A	Henderson MR	Kendal SJ	Kowalski AM	Lowey JA	Reid AJ	Scrimgeour B	Airey C	Bernadeau O	Brown PJ	Caldwell DW	Greaves PG	Moss E	Taylor A	Walker DW
1	Aug 23	Blackpool	0-0		4032	1			4		2		12	3			11	10	7			6	5						9	8	
2	30	WALSALL	3-2	Moss 2, Dolan (og)	2603	1			4		2		12	3			11	10	7			6	5						9	8	
3	Sep 7	Mansfield Town	1-1	Scrimgeour	4797	1			4		2			3			11	10	7	12		6	5						9	8	
4	13	BRISTOL CITY	0-3		2605	1			4		2			3			11	10	7	12		6	5							8	9
5	16	ROTHERHAM UNITED	2-1	Scrimgeour, Williamson (p)	2850	1			4		2			3				10	7	6			5		11					8	9
6	20	Middlesbrough	0-2		7633	1			4		2			3			12	10	7			6	5		11					8	9
7	27	NOTTS COUNTY	1-2	Coyle	3249	1			4		2			3			12	10				6	5	7	11		9			8	
8	30	Bolton Wanderers	2-1	Moss, Caldwell	3931	1			4	12	2			3				10			5	6		7	11		9			8	
9	Oct 4	Bristol Rovers	2-3	Scrimgeour, Moss	2768		1		4	12	2			3				10			5	6	9	7	11					8	
10	11	PORT VALE	2-4	P Brown, Caldwell	2755	1			4		2			3				10				6	5	7	11	12	9			8	
11	18	Swindon Town	1-2	Moss	5787		1	5	3		2		4				7	10				6					11		9	8	
12	21	WIGAN ATHLETIC	4-3	Cribley (og), Reid 2, Bloomer	1804		1	5	2					3			7	10		4		6			12	11	9			8	
13	25	NEWPORT COUNTY	3-2	Reid, Baines, Caldwell	1895		1	5	4					3			7	10				6	2		12	11	9			8	
14	Nov 1	Gillingham	0-3		4373		1	5	4					3			7	12	10			6	2			11	9			8	
15	4	FULHAM	3-1	Moss 2, Caldwell	2249	1			4		2			3			7	10				6	5				9		11	8	
16	8	York City	1-1	Bellamy (p)	3225	1			4		2			3			7	10				6	5				9		11	8	12
17	22	Bournemouth	0-2		4312	1			4		2			3			7	10			5	6	12				9		11	8	
18	29	BURY	1-1	Caldwell	2363	1			4					3			7	10				6					9		11	8	
19	Dec 13	CARLISLE UNITED	3-2	Moss, Caldwell, Scrimgeour	1973	1			4		2			3		12	7	10				6	5				9		8		11
20	19	Chester City	1-1	Caldwell	1718	1			4		2			3	6	12	7	10					5				9		8		11
21	26	DONCASTER ROVERS	4-1	Bellamy (p), Caldwell 2, Airey	3741	1			4		2			3			7	10				6	5	8			9				11
22	27	Darlington	1-1	Hewitt	2040	1			4		2			3		12	7	10				6	5	8			9				11
23	Jan 1	Brentford	2-2	Airey, Walker	3622	1			4		2			3	5		7					6		8			9				11
24	3	BOURNEMOUTH	1-1	Henderson	3029	1			4		2			3	5	12	7	10				6	9	8							11
25	25	MANSFIELD TOWN	0-1		4080	1			4		2			3	5		9	7	10			6		8							11
26	31	Bristol City	0-1		6426		1		4		2			3			5	7	10			6		8	12		9		11		
27	Feb 7	Rotherham United	1-0	Caldwell	3562		1		4		2	12			5		7	10		3		6		8			9				11
28	14	MIDDLESBROUGH	2-1	Airey (p), Caldwell	4085		1				2			3	4	5	7	10		12		6		8			9				11
29	17	BLACKPOOL	1-1	Walker	2468		1				2			3	4	5	7	10		12		6		8			9				11
30	21	Notts County	1-2	Bloomer	5020		1				2			3	4	5	7	10		12		6		8			9				11
31	28	BOLTON WANDERERS	0-0		3202	1			4		2			3	12	5	7	10				6				8		9			11
32	Mar 3	GILLINGHAM	1-0	Airey	2026	1			4		2			3	12	9	5	7	10			6		8							11
33	8	Newport County	0-1		1587	1			4		2			3		5	7	10		12		6		8			9				11
34	14	SWINDON TOWN	1-3	Henderson	2767	1			4		2			3		5	7	10		12		6		8			9				11
35	17	Wigan Athletic	1-1	Walker	2553	1			4		2			3		5	7	10		12		6		8			9				11
36	21	Port Vale	2-2	Caldwell 2	2903	1			4		2			3	11		10	7		5		6		8	12		9				
37	28	BRISTOL ROVERS	1-1	Kowalski	2157	1			4		2			3	12	11	5	7		10		6		8			9				
38	Apr 4	YORK CITY	1-0	Caldwell	2120	1			4		2			3	5	11	7	10				6		8			9				
39	11	Fulham	1-3	Bloomer	4533	1			4		2			3	5	12	11	7		10		6		8			9				
40	14	Walsall	1-2	Forbes (og)	4391	1			4		2			3	5	12	11	7		10		6		8			9				
41	18	BRENTFORD	1-2	Hewitt	2116	1			4		2			3	5	8	11	7		10		6		12						9	
42	20	Doncaster Rovers	1-1	Wood	1545	1			4		2			3	5	8	11	7		10		6		9							
43	25	CHESTER CITY	0-1		1667	1			4		2	12		3	5	11	7	10				6		8			9				
44	May 2	Bury	1-1	Henderson	1715	1			4		2			3	5	11	7	10				6		8			9				
45	4	DARLINGTON	1-0	Coyle	1435	1			4		2			3	5	11	7	10				6		8			9				
46	9	Carlisle United	0-3		1439	1			4		2	8		3	5	11	7	10				6			12		9				
		Apps				32	14	4	42	3	42	3	36	28	10	31	38	45	6	28	2	30	20	26	9	10	36	5	19	3	19
		Goals					1	2	2				1	1	3	2	3			1		3	4	4			1		3	8		3

Two own goals

F.A. Cup

Rd	Date	Opponent	Res	Att	Brown JG	Bellamy G	Hewitt JR	Williamson CH	Coyle A	Henderson MR	Reid AJ	Scrimgeour B	Bernadeau O	Moss E	Walker DW
R1	Nov 15	Walsall	0-2	5417	1	4	2	3	7	12 / 10	6	5	11	8	9

F.L. Cup (Littlewoods Challenge Cup)

Rd	Date	Opponent	Res	Scorers	Att	Brown JG	Baines SJ	Bellamy G	Hewitt JR	Williamson CH	Coyle A	Henderson MR	Kendal SJ	Kowalski AM	Reid AJ	Scrimgeour B	Bernadeau O	Brown PJ	Caldwell DW	Moss E	Taylor A	Walker DW
R1/1	Aug 26	WREXHAM	0-2		1603	1	5		2		4	14	11	10 / 7	6	3				8	12	9
R1/2	Sep 2	Wrexham	2-2	Scrimgeour (p), P Brown	2031	1		4	2	3		10	7		6	5	12	11	9			8

A.M. Cup (Freight Rover Trophy)

Rd	Date	Opponent	Res	Scorers	Att	Brown JG	Bellamy G	Coombes LE	Williamson CH	Wood D	Coyle A	Henderson MR	Lowey JA	Reid AJ	Scrimgeour B	Airey C	Caldwell DW	Moss E	Taylor A	Walker DW
PR	Dec 2	MIDDLESBROUGH	2-1	Pallister (og), Bellamy (p)	1764	1	4		3	2	7	10	6	12	5		9	11	8	14
PR	9	Doncaster Rovers	0-0		1006	1	4	10	3		7		5	6	2		9	11	8	12
R1	Jan 27	Rochdale	0-3		890	1	4		3	5	7	10		6		8 / 14	9			11

1987/88   18th in Division 3

No	Date	Opponent	Res	Scorers	Att	Brown JG	Muggleton CD	Benjamin TL	Bradshaw DS	Hunter L	Perry D	Rogers LJ	Travis DA	Hewitt JR	Wood D	Arnott KW	Bloomer R	Coyle A	Henderson MR	McGeeney P	Reid AJ	Thompson ND	Alleyne RA	Caldwell DW	Curran E	Eley K	Grayson SD	Morris AD	Phillips SE	Taylor A	Walker DW	Waller DH
1	Aug 15	Preston North End	1-0	Taylor	6613	1		5	6					2			3	7	4	8						10				11		9
2	22	BRIGHTON & HOVE ALB	0-0		2286	1		5	4			2					11	6	3	8						7				10		9
3	29	Mansfield Town	1-0	Henderson	5233	1		5	4			2	6				11		3	8				10		7				12		9
4	31	BURY	1-0	Waller	2411	1		5	4		12	2	6				11		3	8				10		7				14		9
5	Sep 5	Gillingham	0-10		4100	1		5	4			2	6	12			11		3	8						7				10		9
6	12	PORT VALE	1-3	Waller	2406		1	5	4		12	2		6	7		11	10	3	8										14		9
7	15	Brentford	0-2		3183		1	5	4			2	14			6	11		3	8						12				10	7	9
8	18	Doncaster Rovers	0-1		1952		1	5	4			2	14			6	11		3	8						7					12	9
9	26	NOTTS COUNTY	2-0	Coyle, Waller	3466		1	5	4			2				6	11	7	3				8	10								9
10	29	Bristol City	1-2	Waller	9080		1	5	4			2				6	11	7	3				8	10								9
11	Oct 3	ROTHERHAM UNITED	3-2	Waller 3	2993		1	5	4			2				6	11	7	3	12			8	10		14						9
12	10	GRIMSBY TOWN	0-3		2072		1	5	4			2			12	6	11	7	3	8				10		14						9
13	17	Northampton Town	0-4		5073		1	5	4			2			10	6	11		7	3	8					14				12		9
14	20	Aldershot	0-2		2054		1	5	4			2	14		10	6	11		7	3	8					12						9
15	24	SOUTHEND UNITED	3-1	Eley, Waller 2 (1p)	1726		1	5	4			2		3		6	12	7					8	10		11						9
16	31	York City	0-1		2316		1	5	4			2		3		6	12	7					8	10		11						9
17	Nov 3	WIGAN ATHLETIC	0-1		1725		1	5	4			2		12	3		6	7					8	10		11						9
18	7	Bristol Rovers	0-2		2633		1	5	4			2		3		6	8	7					10			11						9
19	21	SUNDERLAND	1-1	Hewitt	5700		1					2	5	3	6	10	8	7		4						11						9
20	28	Chester City	1-1	Arnott (p)	1851		1				5	2		3	10	6		7		4						11	8					9
21	Dec 12	BLACKPOOL	1-1	Eley	2279		1			8	3	2		6	5	10		7		4						11	12					9
22	19	Fulham	3-1	Waller 2, Bennett (og)	4007		1			6	3	2		6	5	10		7		4						11	8			14	12	9
23	26	Notts County	0-2		8677	1				6		2	4			3	7	12	5	9						11	8					10
24	28	WALSALL	2-1	Hunter, Waller	3916	1				6	3	2			5	10	12	7		4						11	8					9
25	Jan 1	MANSFIELD TOWN	3-1	Coleman (og), Bloomer, Waller	5070	1				6	3	2			5	10	12	7		4						11	8					9
26	2	Port Vale	1-0	Arnott (p)	3495	1				6	3	2			5	10	11	7		4							8					9
27	16	DONCASTER ROVERS	0-1		2715	1		12		6	3	2	9		5	10		7		4						11		14				9
28	30	Bury	0-2		2071	1		12		8	2	4	14		3	7	10	9		5						6		11				9
29	Feb 6	GILLINGHAM	1-4	Wood	2141	1		5		6		2			12	8	10	3	7	4						11		9				9
30	13	Walsall	0-0		4162	1		5		6		2		12	4	10	3	7								11	8	9				9
31	17	Brighton & Hove Albion	2-2	Coyle, McGeeney	8179	1		5		6		2		12	4	10	3	7		8						11		9				9
32	20	PRESTON NORTH END	0-0		2864	1		5		6		2		12	4	10	3	7		8						11		9				9
33	27	Rotherham United	1-1	Phillips	3440	1		5		6		2			4	10	3	7		8						11		9			12
34	Mar 1	BRISTOL CITY	1-4	Phillips	1657	1		5		6		2			4	10	3	12								11		14	8			9
35	5	NORTHAMPTON T	0-2		2400	1		5		6		2		7	4	10	3	12								11		14	8			9
36	12	Grimsby Town	1-1	Hunter	3464	1		5		6		2		3	4	10		7			7				12	11			8			9
37	19	YORK CITY	2-1	Waller, Alleyne	1966	1		5		6		2		3	4	10		12		7	8				11						9
38	25	Southend United	0-3		3315	1				6		2		3	4		5	12		10	7	8			11						9
39	Apr 2	BRISTOL ROVERS	0-1		2208	1					6	2		3	4		5	12		10	7	8			11	14					9
40	4	Sunderland	2-3	Waller 2	21886	1					6	2		3			5	7	4	10		8			11						9
41	9	ALDERSHOT	1-0	Waller	1900	1					6	2		3			5	7	4	10		8			12	11					9
42	19	BRENTFORD	2-1	Henderson, Hunter	2010	1		10		6		2		3			5	7	4			8			11						9
43	23	Wigan Athletic	2-1	Hewitt, Alleyne	3303	1		10		6		2		3			5	7	4	12		8			11						9
44	30	CHESTER CITY	0-0		2225	1		10		6		2		3	12			7	4	5		8			11						9
45	May 2	Blackpool	0-1		2950	1		10		6		2		3	2			7	4	5		8			11						9
46	7	FULHAM	1-0	Waller	3084	1		10		6				3	2			7	4	5		8			11						9
				Apps		29	17	34	18	25	12	43	11	28	35	19	38	38	19	38	9	4	10	10	1	36	8	10	9	9	4	40
				Goals								3		2	1	1	1	2	2	1			2			2			2	2	1	19

One own goal

F.A. Cup

Rnd	Date	Opponent	Res	Scorers	Att	Brown JG	Benjamin TL	Rogers LJ	Travis DA	Hewitt JR	Wood D	Arnott KW	Bloomer R	Coyle A	McGeeney P	Eley K	Taylor A	Walker DW	Waller DH
R1	Nov 15	Notts County	3-3	Waller, Travis 2	4850	1	5	2	12	3	6		8	7	4	11	10		9
rep	17	NOTTS COUNTY	0-1		4482	1		12	4	7	2	5	3	6	8	11	14	10	9

F.L. Cup (Littlewoods Cup)

Rnd	Date	Opponent	Res	Scorers	Att	Brown JG	Benjamin TL	Bradshaw DS	Rogers LJ	Hewitt JR	Bloomer R	Coyle A	Henderson MR	McGeeney P	Caldwell DW	Eley K	Waller DH
R1/1	Aug 18	PETERBOROUGH U	2-1	Caldwell, Waller (p)	1938	1	5	4	12	2	11	6	3	8	10	7	9
R1/2	26	Peterborough Utd.	0-2		2994	1	5	4	2	12	11	6	3	8	10	7	9

AM Cup (Sherpa Van Trophy)

Rnd	Date	Opponent	Res	Scorers	Att	Brown JG	Hunter L	Perry D	Rogers LJ	Travis DA	Hewitt JR	Wood D	Arnott KW	Bloomer R	Coyle A	Henderson MR	McGeeney P	Eley K	Grayson SD	Walker DW	Waller DH
PR	Nov 24	YORK CITY	2-0	Arnott, Waller	1197	1			2	5	3		10	8	7		4	11			9
PR	Dec 5	Darlington	1-2	Arnott (p)	888	1		3	2		6			5	10	7	4	11	8		9
R1	Jan 19	Halifax Town	1-2	Grayson	1001	1	6	3	2			5	10		7		4	11	8	9	

#	Date	Opponent	Score	Scorers	Att	Astbury MJ	Brown JG	Cherry SR	Leonard MC	Brien AJ	Hewitt JR	Hoole D	Hunter L	Prindiville SA	Rogers LJ	Wood D	Slack TC	Arnott KW	Bloomer R	Dempsey MJ	Gormley EJ	Henderson MR	McGeeney P	Shaw A	Thompson ND	Alleyne RA	Eley K	McDonald GJ	Morris AD	Rolph AJP	Waller DH
1	Aug 27	ALDERSHOT	2-1	Waller, Morris	2327	1					2		6		5			8				4	3		11		7		10		9
2	Sep 3	Bristol City	0-4		7547		1				2		6		5	14		8	12			4	3		11		7		10		9
3	10	WOLVERHAMPTON W.	0-3		4217	1					2		6			12	5	8				4	3		11	14	7		10		9
4	17	Northampton Town	0-3		4520	1					2		6		11	5		8	3			4					7		10		
5	19	Port Vale	0-5		4469	1					2				11	5		8	3			4	6				7		10		
6	24	BLACKPOOL	0-2		2128		1				2			3		5	6	8	11			4					7		10		
7	Oct 1	BURY	1-2	Alleyne	1837		1				2			3		5	6	8	12			4				11	7		10		
8	4	Notts County	0-4		4520	1					2			3		5	6	8	12			4	14			11	7		10		
9	8	Gillingham	1-0	Prindiville	2877	1					2			3		5	6	8	4							11	7		10		9
10	15	PRESTON NORTH END	0-3		2813	1					2			3		5	6	8	4			11					7	12	10		9
11	22	Southend United	1-3	Morris	2662	1					2			3		5	6	8	4							11	7	12	10		9
12	25	BRENTFORD	2-2	Alleyne 2	1876	1					2			3		5	6	8	4							11	7		10		9
13	29	Bolton Wanderers	0-5		4757	1					2			3		5	6	8	4							11	7		10		9
14	Nov 5	BRISTOL ROVERS	0-3		2480	1					2	14		3		5	6	4	10					11		8	7		9		12
15	12	Chester City	1-3	Bloomer	2110	1					2			3		5	6	4	10							8	7	12	9		11
16	26	Reading	0-0		4775	1								3		5	6	2	10	4				12		8	7		9		11
17	Dec 3	MANSFIELD TOWN	1-3	Waller	4236			1						3		5		2		10	12	4				8	7		11		9
18	17	Swansea City	0-2		3656			1		5				3		2	6	8		10	4					12	7		11		9
19	26	HUDDERSFIELD T	1-1	Bloomer	5539			1		5				3		2	6	8		10				4		7	12		11		9
20	31	FULHAM	4-1	Brian, Bloomer 2(1p), McDonald	3086			1		5	2			3	6			10						4		8	7	12	11		9
21	Jan 2	Sheffield United	3-1	Morris 2, Bloomer	15769			1		5	2			3	6			10						4		12	7	8	11		9
22	7	Wigan Athletic	2-0	Wood, Atherton (og)	2249	1				5	2			3	6	8		12	10					4			7		11		9
23	14	BRISTOL CITY	1-0	Bloomer	3488			1		5	2			3	6			8	10					4			7	12	11		9
24	21	Wolverhampton Wan.	0-1		15049			1		5	2			3	6			12	10					4			7	8	11		9
25	28	NORTHAMPTON T	1-1	Waller	3920			1		5	2	14		3	6			12	10					4			7	8	11		9
26	Feb 4	Bury	1-2	Morris	3844			1		5	2	8		3	6			4	10								7	12	11		9
27	11	NOTTS COUNTY	3-0	Mills (og), Waller, Yates (og)	4943			1		5	2			3	6			4	10							8	7		11	12	9
28	18	GILLINGHAM	3-1	Waller, Bloomer (p), Rolph	3432	1				5	2			3	6			4	10							8		12	11	7	9
29	25	Preston North End	0-6		7074	1				5	2	12		3	6			4	10					8				14	11	7	9
30	28	Brentford	0-1		4192	1				5	2	14		3	6			4	10					8			7	11	11	7	9
31	Mar 4	SOUTHEND UNITED	2-1	Waller, Bloomer (p)	3261				1	5				3	6			4	2					8			10	7	11	12	9
32	11	Bristol Rovers	1-2	Shaw	4691				1	5	12			3	6			4	2					8		14	10		11	7	9
33	14	BOLTON WANDERERS	1-1	Waller	2876				1	5	4			3	6				2					8		10	7		11	12	9
34	18	Aldershot	0-2		1886				1	5	2	12		3	6				4					8		10	7		11	14	9
35	21	CARDIFF CITY	4-0	Morris 3, Bloomer (p)	2888				1	5	2	10		3			6		4					8			7		11	12	9
36	25	SHEFFIELD UNITED	2-1	Waller 2	10991				1	5	10	2		3	12		6		4					8			7		11		9
37	27	Huddersfield Town	1-1	Hewitt	5819				1	5	10	2		3		12	6		4					8			7		11		
38	Apr 1	SWANSEA CITY	2-0	Waller, Hough (og)	3349				1	5	10	2		3		11	6	12	4					8		14	7				9
39	4	WIGAN ATHLETIC	1-1	Waller (p)	3179				1	5	10	12		3			6	4	2					8		11	7				9
40	8	Fulham	1-2	Waller	4252				1	5	10	2		3	6			4	11					8			7			12	9
41	15	PORT VALE	1-2	Waller	5953				1	5	10			3	2	12	6	4	11					8			7			14	9
42	22	Blackpool	2-1	Waller 2	3222				1	5	2			3			6	4	10					8			7		11		9
43	29	CHESTER CITY	1-2	Waller	3529				1	5	2			3			6	4	10					8		12	7		11		9
44	May 1	Cardiff City	1-0	Waller	3244				1	5	2			3			6	4	10					8		12	7		11		9
45	6	Mansfield Town	1-3		4779				1	5	2	12		3			6	4	10					14		8	7		11		9
46	13	READING	2-4	Bloomer (p), Morris	3147				1	5				3	2		6	4	10					8			12		11	7	9
		Apps				8	12	10	16	29	40	13	6	43	24	22	21	36	44	3	4	11	11	25	6	30	40	12	42	12	36
		Goals									1	1		1		1			10						1	3		1	9	1	18

Two own goals

F.A. Cup

	Date	Opponent	Score	Scorers	Att	Astbury MJ	Brown JG	Cherry SR	Leonard MC	Brien AJ	Hewitt JR	Hoole D	Hunter L	Prindiville SA	Rogers LJ	Wood D	Slack TC	Arnott KW	Bloomer R	Dempsey MJ	Gormley EJ	Henderson MR	McGeeney P	Shaw A	Thompson ND	Alleyne RA	Eley K	McDonald GJ	Morris AD	Rolph AJP	Waller DH
R1	Nov 19	Bolton Wanderers	0-0		4840		1				2			5	3			6				10	4			12			8	7	9	11
rep	28	BOLTON WANDERERS	2-3	Morris 2	4168		1				12			5	3			6				10	2			4		14	8	7	11	9

F.L. Cup (Littlewoods Cup)

	Date	Opponent	Score	Scorers	Att	Astbury MJ	Brown JG	Cherry SR	Leonard MC	Brien AJ	Hewitt JR	Hoole D	Hunter L	Prindiville SA	Rogers LJ	Wood D	Slack TC	Arnott KW	Bloomer R	Dempsey MJ	Gormley EJ	Henderson MR	McGeeney P	Shaw A	Thompson ND	Alleyne RA	Eley K	McDonald GJ	Morris AD	Rolph AJP	Waller DH
R1/1	Aug 30	Port Vale	2-3	Morris 2	3492	1					2		6		5	14		8	12			4	3		11		7		10		9
R1/2	Sep 6	PORT VALE	1-1	Waller	2709	1					2		6			5		8				4	3		11	12	7		10		9

AM Cup (Sherpa Van Trophy)

	Date	Opponent	Score	Scorers	Att	Astbury MJ	Brown JG	Cherry SR	Leonard MC	Brien AJ	Hewitt JR	Hoole D	Hunter L	Prindiville SA	Rogers LJ	Wood D	Slack TC	Arnott KW	Bloomer R	Dempsey MJ	Gormley EJ	Henderson MR	McGeeney P	Shaw A	Thompson ND	Alleyne RA	Eley K	McDonald GJ	Morris AD	Rolph AJP	Waller DH
PR	Dec 6	Notts County	1-1	Waller	2005			1				12		3	14	6	5		2		10		4	8			7		11		9
PR	10	MANSFIELD TOWN	2-1	Bloomer, Waller	2640			1						3	2	6	5		4	10	8						7		11		9
R1	Jan 17	CAMBRIDGE UNITED	4-2	Morris 2, McDonald, Waller	2726			1		5	2	12		3	6			4	10								7	8	11		9
R2	Feb 21	BRENTFORD	0-1		4207	1				5	2	14		3	6			4	10					8				12	11	7	9

Played in R1: S Gibson (14)

#	Date	Opponent	Score	Scorers	Att	Leonard MC	Brien AJ	Francis LC	Gunn BC	Hart N	Hoole D	Rogers LJ	Ryan JB	Slack TC	Arnott KW	Bloomer R	Chiedozie JO	Dyche SM	Hewitt JR	Shaw A	Thompson ND	Eley K	Hoyle CR	Morris AD	Plummer CA	Rolph AJP	Waller DH	Williams SB
1	Aug 19	COLCHESTER UNITED	1-1	Thompson	3000	1	5		2		12		3	6	4				8		10			11	7		9	
2	26	Carlisle United	3-4	Gunn (p), Waller, Morris	3059	1	5		2				3	6	4				8		10			11	7		9	
3	Sep 2	BURNLEY	0-1		4061	1	5		2	6			3		4	12			8		10			11	7		9	
4	9	Cambridge United	1-0	Leadbitter (og)	2125	1	5		2	6			3		4	12			8		10			11	7		9	
5	16	ALDERSHOT	2-0	Hewitt, Hart	2822	1	5		2	6			3		4	12			8		10	11			7		9	
6	23	Maidstone United	1-0	Pearce (og)	2142	1	5		2	6			3		4	11			8		12	10			7		9	
7	27	Hereford United	2-3	Waller 2	2620	1	5		2	6			3		4	11			8		10				7	12	9	
8	30	ROCHDALE	2-1	Waller, Gunn (p)	3047	1	5		2	6			3		4	11			8	14	10			12	7		9	
9	Oct 7	LINCOLN CITY	0-0		4723	1	5		2	6			3			4			8	12	10			11	7		9	
10	14	Exeter City	1-2	Waller	3773	1	5		2	6			3		10	4			8					11	7		9	12
11	17	HALIFAX TOWN	4-3	Arnott, Gunn (p), Waller 2	2998	1	5		2	6			3		10	4			8					11		7	9	
12	21	Gillingham	0-3		2791	1			2	6			5	3	10	4			8	12				11		7	9	14
13	28	SOUTHEND UNITED	1-1	Waller	3096	1			2				5	3	10	12			8	4				11	6	7	9	
14	Nov 1	Scarborough	3-2	Arnott, Gunn (p), Plummer	2341	1			2				5	3	10	7			8	4				11	6		9	
15	4	Grimsby Town	1-0	Arnott	4513	1	8		2				5	3	10		7		4					11	6		9	
16	11	STOCKPORT COUNTY	1-1	Brien	4585	1	8		2				5	3	10		7		4					11	6		9	12
17	25	HARTLEPOOL UNITED	3-1	Morris, Gunn (p), Williams	3488	1	8		2				5	3			7		4					11	6		9	10
18	Dec 2	Wrexham	2-0	Shaw, Gunn	1670	1	8		2				5				7		3	4	12			11	6	14	9	10
19	16	YORK CITY	0-0		3383	1	8		2				5	7					3	4		12		11	6	14	9	10
20	26	Peterborough United	1-1	Hewitt	5422	1	8		2				5	7					3	4		10		11	6	12	9	
21	30	Scunthorpe United	1-0	Plummer	5006	1	8		2				5	7					3	4		10		11	6		9	
22	Jan 1	DONCASTER ROVERS	0-1		5620	1	8		2				5	7					3	4		10		11	6	12	9	
23	13	CARLISLE UNITED	3-0	Plummer 2, Waller	4801	1	5		6	3		2	10						8	4				11	7		9	
24	20	Colchester United	0-1		3016	1	5		6	3		2	10						8	4				11	7		9	
25	Feb 3	MAIDSTONE UNITED	3-1	Gunn (p), Brien 2	4068	1	5		6	3		2	10			12		14	8	4				11	7		9	
26	10	Aldershot	0-0		1992	1	5		6	3		2	10			12		4		14			9	11	7			
27	17	WREXHAM	3-0	Plummer 2, Dyche	3799	1	5		6	3		2	10					4	8				9	11	7			
28	24	Hartlepool United	1-3	Waller	2907	1	5		6	3			10				2	4	8				11	12	7		9	
29	Mar 3	TORQUAY UNITED	5-1	Waller 2, Hewitt, Plummer, Ryan	3602	1	5		6	3			10				2	4	8					11	7		9	
30	6	Rochdale	0-1		2810	1	5		6	3			10				2	4	8					11	7		9	
31	10	HEREFORD UNITED	2-1	Hewitt, Waller	4021	1	5		6	3		2	10					4	8					11	7		9	
32	13	Torquay United	0-1		1808	1	5		6	3		2	10				12	4	8					11	7		9	
33	17	Lincoln City	1-1	Plummer	5251	1	5		6	3		2	10					4	8	12				11	7		9	
34	20	EXETER CITY	2-1	Waller, Bloomer	5319	1	5		6	3		2			10			4	8	12				11	7		9	
35	24	Halifax Town	1-1	Waller	2363	1	5		6	3		2			10			4	8					11	7		9	
36	31	GILLINGHAM	2-0	Morris, Dyche	4282	1	5		6			2	3		10			4	8					11	7		9	
37	Apr 3	Burnley	0-0		3959	1	5		6			2	3		10			4	8					11	7		9	12
38	7	Southend United	2-0	Morris, Shaw	3035	1	5		6			2	3		10			4	8	12				11	7		9	
39	10	SCARBOROUGH	2-2	Waller, Ryan	4916	1	5		6			2	3					4	8	10				11	7		9	
40	14	Doncaster Rovers	0-1		3737	1	5		6			2	3				12	4	8	10				11	7		9	
41	16	PETERBOROUGH UTD.	1-1	Hart	2696	1	5		6	3		2	10					4	8					11	7		9	
42	21	York City	0-4		2427	1	5		6	3		2	10				14	4	8					11	7		9	12
43	25	CAMBRIDGE UNITED	1-1	Hewitt	3870	1	5		6	3		2	10					4	8					11	7		9	12
44	28	Stockport County	1-3	Hewitt	5203	1	5		6	3		2	10					4	8					11	7		9	12
45	May 1	SCUNTHORPE UNITED	1-1	Gunn (p)	3469	1	5	2	6				14	3				10	4	8				11	7	12		9
46	5	GRIMSBY TOWN	2-0	Ryan 2	7501	1	5	2	6				10	3					4	8				11	7		9	12
Apps						46	43	2	46	27	1	32	43	2	16	22	7	22	42	24	10	5	3	43	44	9	43	11
Goals							3		8	2			4		3	1		2	6	2	1			4	8		16	1

One own goal

Third Division Play Offs

	Date	Opponent	Score	Scorers	Att	Leonard MC	Brien AJ	Francis LC	Gunn BC	Hart N	Hoole D	Rogers LJ	Ryan JB	Slack TC	Arnott KW	Bloomer R	Chiedozie JO	Dyche SM	Hewitt JR	Shaw A	Thompson ND	Eley K	Hoyle CR	Morris AD	Plummer CA	Rolph AJP	Waller DH	Williams SB
SF1	May 13	STOCKPORT COUNTY	4-0	Plummer 3, Ryan	8277	1	5		6	3		2	10				9		4	8				11	7			
SF2	16	Stockport County	2-0	Plummer, Chiedozie	7339	1	5		6	3		2	10				9		4	8				11	7		12	
F	26	Cambridge United	0-1		26404	1	5		6	3		2	10				9		4	8				11	7		12	

Final at Wembley Stadium

F.A. Cup

	Date	Opponent	Score	Scorers	Att	Leonard MC	Brien AJ	Francis LC	Gunn BC	Hart N	Hoole D	Rogers LJ	Ryan JB	Slack TC	Arnott KW	Bloomer R	Chiedozie JO	Dyche SM	Hewitt JR	Shaw A	Thompson ND	Eley K	Hoyle CR	Morris AD	Plummer CA	Rolph AJP	Waller DH	Williams SB
R1	Nov 18	Shrewsbury Town	3-2	Waller, Gunn (p), Plummer	3842	1	8		2				5	3			7		4					11	6		9	10
R2	Dec 9	HUDDERSFIELD T	0-2		6687	1	8		2				5					3	4	7				11	6		9	10

F.L. Cup (Littlewoods Cup)

	Date	Opponent	Score	Scorers	Att	Leonard MC	Brien AJ	Francis LC	Gunn BC	Hart N	Hoole D	Rogers LJ	Ryan JB	Slack TC	Arnott KW	Bloomer R	Chiedozie JO	Dyche SM	Hewitt JR	Shaw A	Thompson ND	Eley K	Hoyle CR	Morris AD	Plummer CA	Rolph AJP	Waller DH	Williams SB
R1/1	Aug 22	Birmingham City	1-2	Waller	6772	1	5		2				3	6	4				8		10			11	7		9	
R1/2	29	BIRMINGHAM CITY	1-1	Hewitt	3313	1	5		2				3	6	4				8		10			11	7		9	

AM Cup (Leyland DAF Trophy)

	Date	Opponent	Score	Scorers	Att	Leonard MC	Brien AJ	Francis LC	Gunn BC	Hart N	Hoole D	Rogers LJ	Ryan JB	Slack TC	Arnott KW	Bloomer R	Chiedozie JO	Dyche SM	Hewitt JR	Shaw A	Thompson ND	Eley K	Hoyle CR	Morris AD	Plummer CA	Rolph AJP	Waller DH	Williams SB
PR	Nov 29	Lincoln City	0-3		1178		8		2				5	3			7			12	4			11	6		9	10
PR	Dec 12	HALIFAX TOWN	2-1	Williams, Shaw	1275	1	8		2				5					3	4	7			12	11	6		9	10

Played in first game: M Allison (at 1)

#	Date	Opponent	Score	Scorers	Att	Allison M	Leonard MC	Albiston AR	Brien AJ	Francis LC	Gunn BC	Hart N	Hewitt JR	McGugan PJ	Rogers LJ	Ryan JB	Cooke J	Dyche SM	Godfrey P	Lemon PA	Shaw A	Williams D	Barnes PL	Benjamin C	Caldwell DW	Cordner S	Lancaster D	Morris AD	Plummer CA	Rolph AJP	Turnbull LM	Williams SB
1	Aug 25	HARTLEPOOL UNITED	2-3	Morris, Gunn (p)	3821		1		5	2	6		8		3		10	4			12							11	7	9		
2	Sep 1	Scarborough	0-1		1990		1		5	2	6		8		3	10		4										11	7	9		12
3	8	HEREFORD UNITED	1-0	Brien	3183	1			5	2	6	12	8		3	11	10			4								9	7			
4	15	Torquay United	0-2		2468	1			5		6	3			2	11	10	8		4								9	12	7		
5	19	Lincoln City	1-1	Plummer	2855	1			5	2	6				3	11	10	12		4		8						9	7			
6	22	BLACKPOOL	2-2	Brien, Morris	3549	1			5	2	6				3	9	10	12		4		8						11	7			
7	29	Wrexham	1-1	Morris	2080	1			5	2	6		7		3	9	10	12		4		8						11				
8	Oct 2	YORK CITY	2-2	D Williams, Morris	3572	1			5	2	6		7	14	3	9		8		4		12						11	10			
9	6	NORTHAMPTON T	0-0		3826	1			5	2	6		7		3	9				4					8			11	10			
10	13	Rochdale	0-3		2492	1			5	2	6		7		3	12				4					8			11	14			
11	20	Carlisle United	0-1		3029	1			5	2	6		7		3	9	10	12		4					8							11
12	23	SCUNTHORPE UNITED	1-0	Caldwell	3371	1			5	2	6		7		3	9	10	11		4					8							
13	27	DONCASTER ROVERS	2-1	Caldwell, Francis	4389	1			5	2	6		7	14	3	9	10	11		4					8							12
14	Nov 3	Peterborough United	1-2	Cordner	4225	1			5	2	6		7		3	9		11		4						12						8
15	10	Cardiff City	1-2	Cooke	2019	1			5	2	6		7		3	11		10		4			9		8							
16	25	WALSALL	2-2	Caldwell, Lemon	3687	1			5		6		7		3	11		10		2					8							9
17	Dec 1	GILLINGHAM	1-1	Albiston	3468	1		3	5		6	2	7			11				4					8			12	14			9
18	15	Halifax Town	1-2	Plummer	1415	1		3	5	2	6	12				8		10	7	4								11	9			
19	22	Darlington	0-1		2925		1	3	5	2	6		11			8			7	4							10	9	12			
20	29	STOCKPORT COUNTY	1-1	Brien	4607		1		5	2	6				3	11		10	7	4					8		12	9				
21	Jan 1	Maidstone United	0-1		1795		1		5	2	6		11		3			7	10	4					14		8	9	12			
22	12	SCARBOROUGH	0-1		3217		1		5	2	6		11		3			7	10	4					14			9	12			8
23	19	Hartlepool United	0-2		2134		1		5	2			11	12	3			10	7	4					14			9	6			8
24	26	TORQUAY UNITED	1-1	Benjamin	2921		1		5			2			11	6	7	3	10	4				8				9				
25	Feb 2	LINCOLN CITY	1-1	McGugan	3588		1		5			2		6	11		7	3	10	4				8	12			9				
26	5	Blackpool	0-3		2357		1		5			2		6	11		7	3	12	4				8	10			9				14
27	16	Walsall	0-3		3995		1		5			2		6	11		7	3		4					12	10		9	14	8		
28	23	CARDIFF CITY	0-0		3065		1		5			2		6	11		7			4					9			8	12	10		3
29	Mar 2	Gillingham	1-0	Ryan	3113		1		5			2		6	11		7	3		4					12			8			10	9
30	5	BURNLEY	2-1	Turnbull 2	4022		1		5			2		6	11		7	3		4					9			8			10	12
31	9	HALIFAX TOWN	2-1	Turnbull, Williams	3565		1		5			2		6	11		7	3		4					9			12			10	8
32	12	York City	2-0	Lancaster, Williams	1751		1		5			2		6	11		7	3		4					9		12				10	8
33	16	WREXHAM	2-1	Williams, Gunn	3368		1		5			2		6	11		7	3		4					9						10	8
34	19	ROCHDALE	1-1	Williams	3048		1		5			2		6	11		7	3		4					9						10	8
35	23	Northampton Town	0-2		3379		1		5	12		2		6	11		7	3		4					9			14			10	8
36	30	Burnley	1-0	Lancaster	8373		1			2				6	11		7	3		4					9		7		6		10	8
37	Apr 1	DARLINGTON	2-2	Turnbull 2 (1p)	4602		1		12	2				6	11		5	3		4					9		7				10	8
38	6	Stockport County	1-3	Turnbull	3044		1		5	2		14		6	11		5	3	9	4					12		7				10	8
39	13	MAIDSTONE UNITED	1-2	Lancaster	3040		1		5					6	11			3	14	4					8		9		12		10	7
40	17	Hereford United	3-2	Lemon, Turnbull, Caldwell	1438		1			12	2			6	11		5	3		7					8		9				14	10
41	20	CARLISLE UNITED	4-1	Ryan, Lancaster, Turnbull 2 (2p)	2708		1			12	2			6	11		5	3		7					8		9				14	10
42	23	Aldershot	0-1		2100		1			12	4		2	6	11		5	3		7						9				14	10	8
43	27	Scunthorpe United	0-3		3046		1			2	4			6	11		5	3		7					8			9	12	10		14
44	30	ALDERSHOT	1-0	Dyche	2222		1			2	4			6	11		5	3		7					8			9			10	
45	May 4	Doncaster Rovers	1-0	Plummer	2649		1			2	4			6	11		5	3		7					8			9			10	12
46	11	PETERBOROUGH UTD.	2-2	Plummer, Dyche	8837		1			2		12		6	11		5	3		7					14	8		9	4			10
Apps						16	30	3	43	29	36	19	43	22	34	39	20	28	2	39	1	5	1	11	23	4	12	15	27	15	19	25
Goals								1	3	1	2			1		2	1	2		2		1		1	4	1	4	4	4		9	4

Played in game 14: CM Boyd (at 14).

F.A. Cup

Rd	Date	Opponent	Score	Scorers	Att	Allison M	Leonard MC	Albiston AR	Brien AJ	Francis LC	Gunn BC	Hart N	Hewitt JR	McGugan PJ	Rogers LJ	Ryan JB	Cooke J	Dyche SM	Godfrey P	Lemon PA	Shaw A	Williams D	Barnes PL	Benjamin C	Caldwell DW	Cordner S	Lancaster D	Morris AD	Plummer CA	Rolph AJP	Turnbull LM	Williams SB
R1	Nov 17	SPENNYMOOR UTD.	3-2	Barnes, Potts (og), Caldwell	4142		1		5		6		3		7	11		10	2	4			9		8							12
R2	Dec 11	BOLTON WANDERERS	3-4	Morris, Caldwell, Cooke	4836	1		3	5	2	6		7				10			4					8			11	12			9

F.L. Cup (Rumbelows League Cup)

Rd	Date	Opponent	Score	Scorers	Att	Allison M	Leonard MC	Albiston AR	Brien AJ	Francis LC	Gunn BC	Hart N	Hewitt JR	McGugan PJ	Rogers LJ	Ryan JB	Cooke J	Dyche SM	Godfrey P	Lemon PA	Shaw A	Williams D	Barnes PL	Benjamin C	Caldwell DW	Cordner S	Lancaster D	Morris AD	Plummer CA	Rolph AJP	Turnbull LM	Williams SB
R1/1	Aug 28	HARTLEPOOL UNITED	1-2	Morris	2985		1		5	2	6		8		3			4			10							11	7	9		12
R1/2	Sep 11	Hartlepool United	2-2	Morris 2	2911	1			5		6	3	8		2	11	10	12		4								9	7			

A.M. Cup (Leyland DAF Cup)

Rd	Date	Opponent	Score	Scorers	Att	Allison M	Leonard MC	Albiston AR	Brien AJ	Francis LC	Gunn BC	Hart N	Hewitt JR	McGugan PJ	Rogers LJ	Ryan JB	Cooke J	Dyche SM	Godfrey P	Lemon PA	Shaw A	Williams D	Barnes PL	Benjamin C	Caldwell DW	Cordner S	Lancaster D	Morris AD	Plummer CA	Rolph AJP	Turnbull LM	Williams SB
PR	Nov 6	DONCASTER ROVERS	1-1	Lemon	2757	1			5	2	6	3	7		8		10	11		4					9							
PR	Dec 18	Scunthorpe United	1-3	Lemon	859	1		3	5	2	6	11					8	10	7	4							12		9			

1991/92   13th in Division 4

#		Date	Opponent		Score	Scorers	Att	Goldring M	Leonard MC	Brien AJ	Dyche SM	Francis LC	Gunn BC	Hewitt JR	McGugan PJ	Rogers LJ	Williams SB	Cooke J	Dunn IGW	Hebberd TN	Lemon PA	Turnbull LM	Whitehead SA	Benjamin C	Caldwell DW	Evans GN	Grayson N	Hawke WR	Lancaster D	Morris AD	Norris SM
1	Aug	17	MAIDSTONE UNITED		3-0	Hewitt 2, Williams	3466		1	5	2		7	8	6	4	3							12	10		11			9	
2		31	Mansfield Town		0-2		4740		1	5	2	12	7		6	4	3					8			14	11	10			9	
3	Sep	3	Burnley		0-3		6647		1	5	2		7		6		3	8							11	12	10			9	
4		7	York City		1-0	Lancaster	2382		1	5	2	4	7		6		3	8	11					14		12	10			9	
5		14	SCUNTHORPE UNITED		0-1		3338	1		5	2	4	7		6		3	8	11						14	10	12			9	
6		17	Walsall		0-1		2690		1	5	2	4	7		6		3	8	11						14	10	12			9	
7		21	Lincoln City		2-1	Dyche, Cooke	2896		1	5	2	4	7	11	6		3	8									10	12		9	
8	Oct	5	Gillingham		1-0	Cooke	2829		1	5	2	4		11	6		3	8				7					12	10		9	
9		12	ROTHERHAM UNITED		1-1	Turnbull	6133		1	5	2	4		11	6		3	8				7						10		9	
10		15	Northampton Town		1-1	Cooke	2430		1	5	2	4	6	11			3	8				7					12	10		9	
11		19	Halifax Town		0-2		1506		1	5	2	4	6				3	8				7				14	12	10		9	
12		26	HEREFORD UNITED		2-0	Hewitt, Hawke	2949		1	5	2	4		11	6		3	8				7						10		9	
13	Nov	2	Rochdale		3-3	Turnbull 2 (1p), McGugan	1852		1	5	2	4		11	6		3	8				7						10		9	
14		9	BLACKPOOL		1-1	Francis	4917		1	5	2	4		11	6		3	8		12		7				14		10		9	
15		23	Wrexham		1-0	Turnbull	1636		1	5	2	4		11	6	12	3	8		14	10	7					9				
16		30	Barnet		2-1	Cooke, Lancaster	3725		1	5	2	4		11	6	7	3	8		12							9		10		
17	Dec	21	NORTHAMPTON T		1-2	Williams	3048		1	5	2	4		11	6	7	3	8		12		9			14				10		
18		26	Maidstone United		1-0	Cooke	1325		1	5	2	4		11	6		3	8				7			12		9		10		
19		28	Mansfield Town		1-2	Turnbull (p)	6514		1	5	2	4		11	6		3	8		12		7					9		10		
20	Jan	1	BURNLEY		0-2		7789		1	5	2	4		11	6	12	3	8		14	9	7							10		
21		4	CARLISLE UNITED		0-0		2892		1	5	2	4		11	6	3		8		14	10	7					9		12		
22		18	DONCASTER ROVERS		0-0		3372	1			2	4		11	6	3		8		10	5	7								12	9
23		25	Cardiff City		0-4		5131	1		12	2	4		11	6	3		8		10	5	7				14					9
24	Feb	8	Hereford United		0-1		2268		1	5	2	4		8	6	12				10	3	7							11		9
25		11	BARNET		3-2	Lemon, Norris 2	3076		1	5	2	4		11	6	3				10	7	9									8
26		15	Crewe Alexandra		1-3	Turnbull	3172		1	5	2	4		11	6	3		12		10	7	9									8
27		22	SCARBOROUGH		1-0	Norris	2749		1	5	2	4		11	6	3		7		10		9									8
28		29	Carlisle United		2-1	Dunn, Norris	2038		1	5	2	4		11	6	12	3	7		10		9									8
29	Mar	3	Doncaster Rovers		1-0	McGugan	2385		1	5	2	4		11	6	12	3	7		10		9									8
30		7	CARDIFF CITY		2-2	Norris, Dyche	3803		1	5	2	4		11	6	10	3	12	7			9									8
31		14	ROCHDALE		0-1		3231		1	5	2	4		11	6	14	3	12	7	10		9									8
32		17	Scarborough		2-3	Norris, Turnbull (p)	1302		1	5	2	4		11		6	3	7		10	12	9									8
33		21	Blackpool		1-3	Norris	4447		1	5	2	4		11	6	3					10	7							9		8
34		24	CREWE ALEXANDRA		2-1	Dyche, Lancaster	2589		1	5	2	4		11	6	3					10	7							9		8
35		28	WREXHAM		1-1	McGugan	2961		1	5	2			11	6	3	4	12			10	7							9		8
36		31	Scunthorpe United		0-2		2224		1	5	2	12		11	6	3	4				10	7							9		8
37	Apr	4	York City		1-3	Lancaster	2461		1	5	2	3		11	6		4				10	7	12						9		8
38		7	HALIFAX TOWN		4-0	Lancaster 2, Norris, Morris	1802		1	5	2	4		3	6				11		10	12	7						9	14	8
39		11	Walsall		2-2	Norris, Lemon	2476	1		5	2	4		3					11		10	6	7						9	12	8
40		18	LINCOLN CITY		1-5	Cooke	2748	1		5	2	4		3					11		10	6	12	7					9	14	8
41		25	GILLINGHAM		3-3	Norris, Lancaster, Cooke (p)	2109	1		5	2			11	6		3	7			4	10	14						12	9	8
42	May	2	Rotherham United		1-1	Morris	8913	1		5	2	4		3	6						7	10							11	9	8

| | | | | | | | Apps | 7 | 35 | 41 | 42 | 39 | 9 | 37 | 37 | 18 | 31 | 33 | 13 | 24 | 15 | 27 | 5 | 4 | 9 | 5 | 15 | 7 | 29 | 8 | 21 |
| | | | | | | | Goals | | | 3 | 1 | | | 3 | 3 | | 2 | 7 | 1 | | 2 | 7 | | | | | | | 1 | 7 | 2 | 10 |

F.A. Cup

		Date	Opponent	Score	Scorers	Att	Goldring M	Leonard MC	Brien AJ	Dyche SM	Francis LC	Gunn BC	Hewitt JR	McGugan PJ	Rogers LJ	Williams SB	Cooke J	Dunn IGW	Hebberd TN	Lemon PA	Turnbull LM	Whitehead SA	Benjamin C	Caldwell DW	Evans GN	Grayson N	Hawke WR	Lancaster D	Morris AD	Norris SM
R1	Nov	16	Darlington	1-2	Cooke	3628	1		5	2	4		11	6		3	8		10		7					9				

F.L. Cup (Rumbelows League Cup)

		Date	Opponent	Score	Scorers	Att	Goldring M	Leonard MC	Brien AJ	Dyche SM	Francis LC	Gunn BC	Hewitt JR	McGugan PJ	Rogers LJ	Williams SB	Cooke J	Dunn IGW	Hebberd TN	Lemon PA	Turnbull LM	Whitehead SA	Benjamin C	Caldwell DW	Evans GN	Grayson N	Hawke WR	Lancaster D	Morris AD	Norris SM
R1/1	Aug	21	Stoke City	0-1		7815		1	5	2		7	8	6	4	3	12						10		14	11		9		
R1/2		27	STOKE CITY	1-2	Lancaster	5391		1	5	2		7		6	4	3	8				12				14	10		9	11	

AM Cup (Autoglass Trophy)

		Date	Opponent	Score	Scorers	Att	Goldring M	Leonard MC	Brien AJ	Dyche SM	Francis LC	Gunn BC	Hewitt JR	McGugan PJ	Rogers LJ	Williams SB	Cooke J	Dunn IGW	Hebberd TN	Lemon PA	Turnbull LM	Whitehead SA	Benjamin C	Caldwell DW	Evans GN	Grayson N	Hawke WR	Lancaster D	Morris AD	Norris SM
R1	Jan	14	Bury	1-2	Cooke	1036	1			2	4	12		6	3		8		10	5	7				14	9		11		

1992/93 12th in Division 3

	Date	Opponent	Score	Scorers	Att	Leonard MC	Brien AJ	Carr CP	Cash SP	Dyche SM	McGugan PJ	Rogers LJ	Williams SB	Hebberd TN	Kennedy MF	Lemon PA	Whitehead SA	Lancaster D	Morris AD	Norris SM	Turnbull LM	Fee GP	Marples C	Clarke NJ	Falana W	Smith MC	Davidson JS	Kopel S
1	Aug 15	BARNET	1-2	Huxford (og)	3140	1	5	3	7		6		12	11		2		10	8	9	4							
2	29	BURY	2-1	Lancaster, Norris	2847	1	5	3	7		6		4	11		2		10	9	8								
3	Sep 1	DARLINGTON	2-0	Norris 2	2673	1	5	3	7		6		4	11		2		10	9	8								
4	12	Gillingham	0-0		2976	1	5	3	7		6		4	11	12	2		10	9	8								
5	15	CREWE ALEXANDRA	2-1	Norris, McGugan	5452	1	5	3	7		6	14	4	11	12	2		10	9	8								
6	19	CARLISLE UNITED	1-0	Norris	3362	1	5	3	7		6	12	4	11		2		10	9	8								
7	26	Colchester United	0-3		3436	1	5	3	7			6	4	11	12	2		10	9	8	14							
8	Oct 3	SCUNTHORPE UNITED	1-2	Lancaster	3552	1	5	3	7			6	4	11	12	2		10	9	8								
9	10	Torquay United	2-2	Morris, Turnbull (p)	2354	1	5	3	7		6		4		11	2		10	9	8	12							
10	13	Northampton Town	1-0	Norris	1922	1	5	3	7		6	14	4		11	2		10	12	8	9							
11	17	SHREWSBURY TOWN	2-4	Norris 2	3207	1	5	3	7		6	14	4		11	2		10	12	8	9							
12	24	Scarborough	2-2	McGugan, Turnbull	1798	1	5	3	7		6	4			11	2		9	10	8	12							
13	31	ROCHDALE	2-3	Turnbull, Carr	3094	1	5	3	7	4	6	12			11	2		9		8	10							
14	Nov 3	CARDIFF CITY	2-1	Kennedy, Turnbull	2590	1	5	3	7		6	4			11	2		9	8		10							
15	7	Hereford United	3-1	Turnbull (p), Lemon 2	1872	1	5	3	7		6	4	12		11	2		9	8		10							
16	28	Halifax Town	1-1	Lancaster	1432	1	5	3				6	8	7	11	2		9	12		10	4						
17	Dec 12	York City	0-0		3382	1	5	3	7			14	8		11	2	4	9	12		10	6						
18	19	DONCASTER ROVERS	0-0		3319			3	7			5	8	4	11	2	14	9	12		10	6	1					
19	28	Wrexham	4-5	Williams 2, Hebberd, Lancaster	5339			3	7	14		5	8	4	11	2		9	12		10	6	1					
20	Jan 9	Crewe Alexandra	2-0	Lemon, Carr	2671			3	7	10		5	8	4	11	2		9	12			6	1					
21	16	COLCHESTER UNITED	4-0	Williams 2, Lemon, Lancaster	3016		6	3	7	10		5	8	4	11	2		9			12		1					
22	23	Carlisle United	1-3	Morris	3103		6	3	7	10		5		4	11	2		9	8	12	14		1					
23	26	Bury	0-3		1953		5	3	7	10				4	11	2		12	9	8		6	1					
24	30	NORTHAMPTON T	1-3	Norris	3031		5	3	7	2				4	11			9	12	8	10	6	1					
25	Feb 6	Barnet	1-2	Lancaster	3401		5	3		2		6		4	11	10		9	12	8	14	7	1					
26	16	GILLINGHAM	1-1	Williams	2721		5	3		2		6	12	4		10		9	11	8		7	1					
27	20	Darlington	1-1	Morris	1366		5	3		2		6	12	11				9	7	8	10	4	1					
28	27	TORQUAY UNITED	1-0	Morris	2657		5	3				2	6	11				9	7	8	10		1	4				
29	Mar 2	LINCOLN CITY	2-1	Norris, Morris	2842		5	3				2	6	11			12	9	7	8	10		1	4				
30	6	Scunthorpe United	1-0	Lancaster	2725		5	3				2	6	11	12			9	7	8	10		1	4				
31	9	Walsall	2-3	Lancaster, Turnbull (p)	2884		5	3				2	6	11	12			9	7	8	10		1	4				
32	13	HEREFORD UNITED	1-0	Morris	2834		5	3				2	6	11	12		14	9	7		10		1	4	8			
33	20	Cardiff City	1-2	Lancaster	6756		5	3		14		2	6	11	8	12		9	7		10		1	4				
34	23	HALIFAX TOWN	2-1	Morris, Turnbull	2382		5	3		8		2	6	11				9	7		10		1	4				
35	Apr 3	WALSALL	2-1	Norris, Smith	3243		5	3		6		2	12	11				9	7	8	10		1			4		
36	6	YORK CITY	1-1	Morris	3850		5	3		6		2	12	11				9	7	8	10		1			4		
37	10	Lincoln City	1-1	Rogers	4217		5	3		6		2	12	11				9	7	8	10		1			4		
38	12	WREXHAM	2-3	Brien, Turnbull	5385		5	3		6		2	9	11		12			7	8	10		1		14	4		
39	17	Doncaster Rovers	1-2	Lemon	2341		5	3		6		2				11			7	8	10		1		9	4	12	
40	24	Shrewsbury Town	2-2	Morris 2	3473		5	3		6		2				11		9	7		10		1		8	4		
41	May 1	SCARBOROUGH	0-3		2271		5	3		6		2		14	12	11		4	7	9	10		1		8			
42	8	Rochdale	1-2	Dyche	1544		5	3		6		2		11	4	12		9	7	14	10		1					8
					Apps	17	39	42	23	20	13	35	31	32	27	31	4	40	40	30	33	10	25	7	5	6	1	1
					Goals		1	2		1	2	1	5	1	1	5		9	10	11	8					1		

One own goal

F.A. Cup

	Date	Opponent	Score	Scorers	Att	Leonard MC	Brien AJ	Carr CP	Cash SP	Dyche SM	McGugan PJ	Rogers LJ	Williams SB	Hebberd TN	Kennedy MF	Lemon PA	Whitehead SA	Lancaster D	Morris AD	Norris SM	Turnbull LM	Fee GP	Marples C	Clarke NJ	Falana W	Smith MC	Davidson JS	Kopel S
R1	Nov 14	Macclesfield Town	0-0		3063	1	5	3	7			6	4		11	2		9	8		10							
rep	25	MACCLESFIELD TOWN	2-2	Turnbull, Williams	4143	1	5	3				6	4	7	11	2		9	8		10							

Macclesfield won 3-2 on penalties after extra time

F.L. Cup (Coca Cola Cup)

	Date	Opponent	Score	Scorers	Att	Leonard MC	Brien AJ	Carr CP	Cash SP	Dyche SM	McGugan PJ	Rogers LJ	Williams SB	Hebberd TN	Kennedy MF	Lemon PA	Whitehead SA	Lancaster D	Morris AD	Norris SM	Turnbull LM	Fee GP	Marples C	Clarke NJ	Falana W	Smith MC	Davidson JS	Kopel S
R1/1	Aug 18	YORK CITY	2-0	Morris, Norris	2080	1	5	3	7		6		4	11		2		10	9	8								
R1/2	25	York City	0-0		2336	1	5	3	7		6		4	11		2		10	9	8								
R2/1	Sep 22	Liverpool	4-4	Norris 2, Lancaster 2	12533	1	5	3	7			6	4	11	12	2		10	9	8	14							
R2/2	Oct 6	LIVERPOOL	1-4	Hebberd	10632	1	5	3	7			6	4	11		2		10	9	8	12							

A.M. Cup (Autoglass Trophy)

	Date	Opponent	Score	Scorers	Att	Leonard MC	Brien AJ	Carr CP	Cash SP	Dyche SM	McGugan PJ	Rogers LJ	Williams SB	Hebberd TN	Kennedy MF	Lemon PA	Whitehead SA	Lancaster D	Morris AD	Norris SM	Turnbull LM	Fee GP	Marples C	Clarke NJ	Falana W	Smith MC	Davidson JS	Kopel S
PR	Dec 5	Chester City	1-0	Williams	1276	1	5	3				6	8	7	11	2	4	9	12		10							
PR	8	STOCKPORT COUNTY	0-3		1956	1	5	3	6				8	7	11	2	4	9	12		10							
R2	Jan 12	Hull City	1-0	Hebberd	1833		6	3	7	10		5	8	4	11	2		9	12									
R3	Feb 2	BURNLEY	3-0	Lancaster 3 (1p)	3314		5	3	7	2		6		4	11			9	12	8	10	14						
SFN	23	Stockport County	1-2	Morris	4613		5	3				2	8	11			6	9	7	12	10	4						

Played in R2: M Goldring (1). Played in R3 and Semi-final (north): F Barber (at 1)

1993/94   8th in Division 3

#	Date	Opponent	Score	Scorers	Att	Leonard MC	Marples C	Brien AJ	Carr CP	Carr DJ	Cash SP	Dyche SM	Hewitt JR	Law N	McGugan PJ	Madden LD	Rogers LJ	Curtis T	Dennis JA	Hebberd TN	Moss D	Spooner SA	Trotter M	Turnbull LM	Davies LM	Gregory NR	Jules MA	Knowles C	Lyne NGF	Morris AD	Norris SM	Taylor, Steve
1	Aug 14	Gillingham	2-0	Morris, Jules	3485	1		4	3	5		7					2	6					10				9			11	8	
2	21	HEREFORD UNITED	3-1	Norris 2, Turnbull	2718	1		4	3	5		7			12		2	6		14			10				9			11	8	
3	28	Chester City	1-3	Norris	2283	1		4	3	5		7					2	6			12		10				9	11			8	
4	31	MANSFIELD TOWN	0-2		5712	1		4	3	5			11		12		2	6	14				10				9				8	7
5	Sep 4	DARLINGTON	1-1	Norris	2982	1		4	3	5		7			12		2	6		11			10				9				8	
6	11	Carlisle United	0-3		5335	1		4	3	5		7					2	6	11				10				9				8	
7	18	WALSALL	0-1		2835	1		4	3	5	12	7				6	2			11			10		14		9				8	
8	25	Rochdale	1-5	Norris	2481	1		4	10	5	3	7				6			12	14	2						11		9		8	
9	Oct 2	WYCOMBE WANDERERS	2-3	Morris, Turnbull (p)	2958	1		4	3	5	12	7				6							10				14		9	11	8	
10	9	Preston North End	1-4	Lyne	6540		1		3				14	6	5			7	4	2	10				12		11		9		8	
11	16	TORQUAY UNITED	3-1	Moss, Hewitt, Norris	2383		1						12	2	6	5		7	4	3	10						11			9	8	
12	23	Lincoln City	2-1	Norris 2	3591		1		3	5		7					2	6	4		10	11					12			9	8	
13	30	CREWE ALEXANDRA	2-0	Morris, Norris	3501		1		3	5		7					2	6	4		10	11								9	8	
14	Nov 2	WIGAN ATHLETIC	1-0	Norris	2758		1		3			7	11		5		2	6	4		10									9	8	
15	6	Bury	1-2	Norris	2340		1					7	14		5		2	6	4		10	11					12			9	8	
16	20	SCARBOROUGH	1-0	Trotter	2110		1			5		7					2	6		3	10		11		4					9	8	
17	27	Northampton Town	2-2	Norris, Morris	1866		1			5		7					2	6		3	10		11		4					9	8	
18	Dec 18	GILLINGHAM	3-2	Law, Moss, Morris	2348		1			5		7					2	6		3	10	11			4					9	8	
19	28	Scunthorpe United	2-2	Hewitt, Norris	3266		1			5		7	11				2	6		3	10				4					9	8	
20	Jan 1	SHREWSBURY TOWN	1-2	Morris	3614	13	1							2	5	6		7	12	3	10				4		11			9	8	
21	3	Mansfield Town	2-1	Moss 2	4272	1					11			2	5	6		7	14	3	10				4		12			9	8	
22	15	Torquay United	0-1		3188	1								2	5	6		7	12	3	10				4	14	11			9	8	
23	22	PRESTON NORTH END	1-1	Curtis	3804	1								2	5	6		7		11	10				4		14			9	8	
24	25	DONCASTER ROVERS	1-1	Norris	2606	1								2	5	6		7		11	10				4		14			9	8	
25	29	Crewe Alexandra	1-0	Curtis	3846	1			12					2		6		7	3	5	10				4		11			9		
26	Feb 5	LINCOLN CITY	2-2	Norris (p), Law	3104	1								2		6		7	3	5					4		10			9	8	
27	12	Colchester United	2-0	Morris 2	2783	1								2		6		7	3	12	10				4		11			9		
28	19	CHESTER CITY	1-2	Gregory	2849	1					14			2		6		7	3						4	8	10	11		9	12	
29	Mar 5	CARLISLE UNITED	3-0	Norris 2, Davies	2475	1				5				2		6		4	3	7					8	10	11			9	12	
30	8	Darlington	0-0		2655	1				5				2		6		4	3	7			10		8		11			9	12	
31	12	Walsall	1-0	D Carr	4157	1				5				2		6		4	3	7			12	10	8		11			9		
32	15	Hereford United	3-0	Morris 2, Davies	1713	1				2		5				6		4	3	7	10			12	8		11			9	14	
33	19	ROCHDALE	1-1	Moss	3282	1				2		5				6		4	3	7	10				8		11			9	12	
34	26	Wycombe Wanderers	1-0	Norris (p)	5752	1				4		5				6		3	7		10				8		11			9	12	
35	29	COLCHESTER UNITED	0-0		3089	1				5				2		6		3	7		10				4	12	11	9			8	
36	Apr 2	Doncaster Rovers	0-0		2748	1				5				2		6		4	3	7					8		11			9	12	
37	4	SCUNTHORPE UNITED	1-1	Norris (p)	3629	1			3					6		5		7		2	10				4		11		12	9	8	
38	9	Shrewsbury Town	0-0		4846	1			3	5		11		6		4		7		2	10				8					9	14	
39	16	Wigan Athletic	0-1		1998	1			10	5		11		6		4		3	7						8		12			9	14	
40	23	BURY	1-1	Moss	2906	1				5				6		4		3	7		14	10					11	9	12		8	
41	30	Scarborough	1-1	Norris	2631	1				5				6		4		3			10	7				12	11			9	8	
42	May 7	NORTHAMPTON T	4-0	Hewitt, Davies 2, Curtis	5285	1				5				6		4		3	4		10	7					9		11		12	8

Played in game 19 (at 12): IR Stringfellow.
Played in game 38 (at 12): L Pearson.

			Leonard MC	Marples C	Brien AJ	Carr CP	Carr DJ	Cash SP	Dyche SM	Hewitt JR	Law N	McGugan PJ	Madden LD	Rogers LJ	Curtis T	Dennis JA	Hebberd TN	Moss D	Spooner SA	Trotter M	Turnbull LM	Davies LM	Gregory NR	Jules MA	Knowles C	Lyne NGF	Morris AD	Norris SM	Taylor, Steve
Apps			32	11	9	23	28	6	20	29	31	5	26	32	36	10	18	26	5	15	8	24	3	33	1	6	34	39	1
Goals							1		3	2			3					6		1	2	4	1	1		1	10	20	

F.A. Cup

R	Date	Opponent	Score		Att	Leonard MC	Marples C	Brien AJ	Carr CP	Carr DJ	Cash SP	Dyche SM	Hewitt JR	Law N	McGugan PJ	Madden LD	Rogers LJ	Curtis T	Dennis JA	Hebberd TN	Moss D	Spooner SA	Trotter M	Turnbull LM	Davies LM	Gregory NR	Jules MA	Knowles C	Lyne NGF	Morris AD	Norris SM	Taylor, Steve
R1	Nov 13	ROCHDALE	0-1		3457	1			3	5		7		2	6				11	12	4				10					14	9	8

F.L. Cup (Coca Cola Cup)

R	Date	Opponent	Score	Scorers	Att	Leonard MC	Marples C	Brien AJ	Carr CP	Carr DJ	Cash SP	Dyche SM	Hewitt JR	Law N	McGugan PJ	Madden LD	Rogers LJ	Curtis T	Dennis JA	Hebberd TN	Moss D	Spooner SA	Trotter M	Turnbull LM	Davies LM	Gregory NR	Jules MA	Knowles C	Lyne NGF	Morris AD	Norris SM	Taylor, Steve
R1/1	Aug 17	CARLISLE UNITED	3-1	Turnbull (p), Norris, Morris	2841	1		4	3	5					12		2	7	6	14			10				9			11	8	
R1/2	24	Carlisle United	1-1	Jules	4410	1		4	3	5							7	2	6	11			10				9				8	
R2/1	Sep 22	West Ham United	1-5	Norris	12823	1		4	3	5	10	7				6		11		2					12		9	14			8	
R2/2	Oct 5	WEST HAM UNITED	0-2		4890		1	4	3			7				5		10	6	2							9	11			8	12

Played in R2/2 (at 14): J Bettney.

A.M. Cup (Autoglass Trophy)

R	Date	Opponent	Score	Scorers	Att	Leonard MC	Marples C	Brien AJ	Carr CP	Carr DJ	Cash SP	Dyche SM	Hewitt JR	Law N	McGugan PJ	Madden LD	Rogers LJ	Curtis T	Dennis JA	Hebberd TN	Moss D	Spooner SA	Trotter M	Turnbull LM	Davies LM	Gregory NR	Jules MA	Knowles C	Lyne NGF	Morris AD	Norris SM	Taylor, Steve
PR	Oct 19	Mansfield Town	1-3	Norris	2291	1			10	5		7				6	2	4	3								9			11	8	12
PR	Nov 9	LINCOLN CITY	1-2	Brown (og)	1475	1			14	5	3	7				6	2	4		8	10						9			11		

88

Player columns (left to right): Beasley A · Marples C · Stewart WI · Carr DJ · Dyche SM · Fairclough WR · Hewitt JR · Jules MA · Law N · Madden LD · Perkins CP · Rogers LJ · Cheetham MM · Curtis T · Hill DM · McAuley S · Moss D · Narbett JV · Reddish S · Robinson PJ · Spooner SA · Davies KC · Howard J · Lormor A · Morris AD · Norris SM · Roberts DA

#	Date	Opponent	Res	Scorers	Att	Bea	Mar	Ste	Car	Dyc	Fai	Hew	Jul	Law	Mad	Per	Rog	Che	Cur	Hil	McA	Mos	Nar	Red	Rob	Spo	Dav	How	Lor	Mor	Nor	Rbt
1	Aug 13	SCARBOROUGH	0-1		3099		1		5			4	2	6		12	3	11	7			10					9				8	14
2	20	Rochdale	1-4	Norris	2122		1		5			4	2			6	3	11	7							10	9				8	
3	27	MANSFIELD TOWN	0-1		4210		1		5			4	2	6			3	10	7								9			11	8	
4	30	Wigan Athletic	3-2	Robertson (og), Morris, Moss	1231		1		5				2	11		6	3		7		4	10					9			8		
5	Sep 3	Hartlepool United	2-0	Morris, Moss	2173		1		5				2	11		6	3		7		4	10					9			8		
6	10	WALSALL	0-0		3027		1		5				2	11		6	3		7		4	10					9		14	8		12
7	13	EXETER CITY	2-0	Davies, Norris	2136		1		5				2	6	4		3		7							11	9			8	12	10
8	17	Scarborough	1-0	Curtis	1475		1		5				2	6	4		3		7			10				11	9			8		12
9	24	Bury	1-2	Davies	3031		1		5		12		2	11		6	3		7			10				4	9			8		14
10	Oct 1	TORQUAY UNITED	1-0	Burton (og)	2465		1		5				2	11		6	3		7				12			4	10			9		8
11	8	Colchester United	3-0	Davies, Moss, Morris	3476		1				2			14	6	5	3		7			10	11			4	8			9		12
12	15	DARLINGTON	0-0		2836		1					11	6	2	14		5					10	4				8			9		12
13	22	FULHAM	1-1	Roberts	2860		1		5			11	6	2	14	4	3	10	7			12					8					9
14	29	Barnet	1-4	Hewitt	2130		1		5			11	6	2	12	4	3		7			10					8			9		
15	Nov 5	HEREFORD UNITED	1-0	Norris	2448		1		5			11	6	2		4	3		7											9	8	10
16	19	Gillingham	1-1	Davies	2730		1		5		2	6				4	3		7			10					9			11	8	
17	26	PRESTON NORTH END	1-0	McAuley	3191	1			5		2	7	11		6	4	3				10						8			9		
18	Dec 10	ROCHDALE	2-2	Hewitt 2	2457	1						11	2	14	6	5	4	3				10			7		8	9		12		
19	18	Mansfield Town	2-4	Davies, Robinson	3519	1						11	2	6	5	4	3	8	12			10			7		9					14
20	26	DONCASTER ROVERS	2-0	Robinson 2	4226	1			5			11	2	12	6		3		4			10			7		9		8			
21	27	Northampton Town	3-2	Moss 2, Madden	6329	1			5			11	2	12	6	3			4			10			7		8		9			
22	31	LINCOLN CITY	1-0	Robinson	3325	1						11	5	2	12	6	3		4			10			7		8		9			
23	Jan 8	Fulham	1-1	Moss	3927	1			5			11	2	12	6		3		4			10			7		8		9			
24	14	SCUNTHORPE UNITED	3-1	Lormor, Moss 2	3245	13	1		5			11	2	12	6		3		4			10			7		8		9			
25	24	Hereford United	2-0	Lormor, Davies	1705	1			5			11	2	12	6		3		4				14		7		8		9	10		
26	Feb 4	Preston North End	0-0		8544	1			5			11	2		6		3		4			10			7		8		9	12		
27	11	GILLINGHAM	2-0	Lormor, Law	3070	1			5			11	2		6		3		4			10			7		8		9	12		
28	14	BARNET	2-0	Moss, Davies	2978	1			5			11	2		6		3		4			10			7		8		9	12		
29	18	Scunthorpe United	1-0	Robinson	3566	1			5				2		6	11	3		4			10			7		8		9			
30	25	Torquay United	3-3	Lormor, Davies 2	3236	1			5				2	11	6		3		4			10			7		8	12	9			
31	Mar 4	BURY	0-0		4429	1			5			11	2		6		3		4			10			7		8		9	12		
32	11	Walsall	3-1	Carr, Lormor, Howard	6219	1			5			11	2	7	6		3		4			10					8	12	9			
33	18	WIGAN ATHLETIC	0-0		3808			1	5			11	2	12	6		3		4			10	7				8	14	9			
34	25	HARTLEPOOL UNITED	2-0	Lormor 2 (1p)	4125	1						11			12	6	5	2	3	4			7				8	14	9	10		
35	Apr 1	Exeter City	2-1	Davies, Morris	2144	1						11			2	6	5		3	4			7				8	12	9	10		
36	4	Carlisle United	1-1	Moss	8494	1			5				2	11	6		3		4			12			7		8	14	9	10		
37	8	Lincoln City	1-0	Robinson	5141	1			5				2	6		11	3		4			10			7		8	12	9			
38	15	NORTHAMPTON T	3-0	Morris 2, Robinson	4884	1			5				2	6		11	3		4			12			7		8	14	9	10		
39	17	Doncaster Rovers	3-1	Robinson, Carr, Curtis	4796	1			5				2	6		11	3		4			10			7		8		9	10		
40	29	Darlington	1-0	Lormor	3387	1			5				2	6		11	3		4			12			7		8	14	9	10		
41	May 2	CARLISLE UNITED	1-2	Davies	7283	1			5				2	6		11	3		4			10			7		8	14	9	12		
42	6	COLCHESTER UNITED	2-2	Lormor 2 (1p)	3988	1			5		6	2				11	3		4			12			7		8	14	9	10		

Played in game 31: S Bibbo (at 13).
Played in game 2: DJ Marshall (at 12)

| | | | | | Apps | 21 | 21 | 1 | 35 | 22 | 13 | 38 | 23 | 35 | 10 | 18 | 39 | 5 | 40 | 3 | 1 | 32 | 3 | 3 | 22 | 7 | 41 | 12 | 23 | 26 | 7 | 11 |
| | | | | | Goals | | | | 2 | | | 3 | | 1 | 1 | | | | 2 | | 1 | 10 | | | 8 | | 11 | 1 | 10 | 6 | 3 | 1 |

Two own goals

Third Division Play Offs

#	Date	Opponent	Res	Scorers	Att	Bea	Mar	Ste	Car	Dyc	Fai	Hew	Jul	Law	Mad	Per	Rog	Che	Cur	Hil	McA	Mos	Nar	Red	Rob	Spo	Dav	How	Lor	Mor	Nor	Rbt
SF1	May 14	Mansfield Town	1-1	Robinson	6582	1			5				2		6		11	3	4			10			7		8	12	9			
SF2	18	MANSFIELD TOWN	5-2	Lormor, Howard 2, Law 2 (1p)	8156	1		13	5				2		6		12	3	4						7		8	9	10			
F	27	Bury	2-0	Lormor, Robinson	22815			1	5				2		6		12	3	4						7		14	8	9	10		

Played in SF2 (at 11) and the Final (at 11): D Hazel.

F.A. Cup

#	Date	Opponent	Res	Scorers	Att	Bea	Mar	Ste	Car	Dyc	Fai	Hew	Jul	Law	Mad	Per	Rog	Che	Cur	Hil	McA	Mos	Nar	Red	Rob	Spo	Dav	How	Lor	Mor	Nor	Rbt
R1	Nov 12	SCARBOROUGH	0-0		2902		1		5			11	6	2	14		4	3				7					10	12			9	8
rep	22	Scarborough	0-2		1564		1		5			2	6			11	4	3				7					12	10			14	8

F.L. Cup (Coca Cola Cup)

#	Date	Opponent	Res	Scorers	Att	Bea	Mar	Ste	Car	Dyc	Fai	Hew	Jul	Law	Mad	Per	Rog	Che	Cur	Hil	McA	Mos	Nar	Red	Rob	Spo	Dav	How	Lor	Mor	Nor	Rbt
R1/1	Aug 16	Blackpool	2-1	Perkins, Cheetham	2570		1		5			4	2			6	3	11	7			10					9				8	
R1/2	23	BLACKPOOL	4-2	Norris (p), Davies, Morris, Curtis	2516		1		5			4	2	12			3	6	7							10	9			11	8	
R2/1	Sep 20	WOLVERHAMPTON WAND	1-3	Moss	5895		1		5				2	12	6	4	3		7			10				11	9				14	8
R2/2	27	Wolverhampton Wand.	1-1	Jules	14815	1			5	10			2	11	6		3		7							4				8		9

A.M. Cup (Auto Windscreens Shield)

#	Date	Opponent	Res	Scorers	Att	Bea	Mar	Ste	Car	Dyc	Fai	Hew	Jul	Law	Mad	Per	Rog	Che	Cur	Hil	McA	Mos	Nar	Red	Rob	Spo	Dav	How	Lor	Mor	Nor	Rbt
PR	Oct 18	Rotherham United	1-1	Roberts	1585		1					11	6	2			5	4	3	12	7						10			8	9	14
PR	Nov 8	SCUNTHORPE UNITED	1-1	Davies	1585		1		5			11	6	2	3			4				7	10				12			8	9	
R1	29	Carlisle United	0-1		3531		1		5			2	4	7	11	6			3			10					8			9		

1995/96 7th in Division Two

No	Date	Opponent	Score	Scorers	Att	Beasley A	Mercer W	Carr DJ	Dyche SM	Fairclough WR	Hewitt JR	Jules MA	Law N	Perkins CP	Rogers LJ	Williams MS	Curtis TD	Hazel DL	Holland P	Narbett JV	Robinson PJ	Davies KC	Howard J	Lormor A	Lund GJ	McDougald DEJ	Morris AD	Moss DA	Roberts DA
1	Aug 12	Oxford United	0-1		5563	1			11		12	3	2			5	4			13	7	8	10	9			14		
2	19	CARLISLE UNITED	3-0	Lormor, Robinson, Morris	3634	1			6			2	3			5	4			11	7	8	13	9			10		12
3	26	Swansea City	2-3	Davies 2	3492	1			11			2		6	12	3	5	4		13	7	8	14	9			10		
4	29	YORK CITY	2-1	Morris, Lormor	3419	1			5			2		6	3		4			11	7	8	12	9			10		
5	Sep 2	HULL CITY	0-0		4345	1			5		13	2		6	11	3	4				7	8	12	9			10		14
6	9	Swindon Town	1-1	Davies	9067	1		5	10		13	2		6		3	4	11		14	7	8	12	9					
7	12	Wycombe Wanderers	0-1		3617				10		13	2		6		3	5	4		11	7	8		9			12		
8	16	ROTHERHAM UNITED	3-0	Lormor, Jules, Law (p)	5146		1		11			2	3	6		5	4				7	8		9			10		
9	23	BURNLEY	4-2	Hewitt, Robinson, Lormor, Morris	4933		1		6			2	11			3	5	4			7	8	12	9			10		
10	30	Brentford	2-1	Curtis, Robinson	4734		1		6			2	11		13	3	5	4			7	8	12	9			10		14
11	Oct 7	CREWE ALEXANDRA	1-2	Morris	4981		1		11			2		6		3	5	4			7	8	12	9			10	13	
12	14	Blackpool	0-0		6855		1		3			2		6	11	5	4				7	8	12	9			10		
13	21	SHREWSBURY TOWN	1-0	Law	3920		1		3				6		2	5	4				7	8	11	12			10		9
14	28	Stockport County	1-0	Law (p)	6287		1		3				6		2	5	4	12			7	8	11	9			10		
15	31	Bristol City	1-2	Robinson	4408		1		3			2	6	12		5	4	13		13	7	8	11	14			9		10
16	Nov 4	BRADFORD CITY	2-1	Law 2 (2p)	5490	1			3				6		2	5	4	12			7	8	11	9			10		
17	18	Notts County	1-4	Law (p)	6747	1			3				6		2	5	4				7	8	11	9					10
18	25	BOURNEMOUTH	3-0	Robinson 2, Lormor	4034	1			3				6		2	5	4	11			7	8		9			10		
19	Dec 9	Burnley	2-2	Davies, Lormor	8457	1			3				6		2	5	4	11	10		7	8		9					
20	16	BRENTFORD	2-2	Bates (og), Morris	4016		1		3		13	6			2	5	4	11			7	8		9	12		10		
21	22	Brighton & Hove Albion	2-0	Robinson 2	3629		1		3			3			6	2	5	4	11	10	7	8	13	9	12				
22	26	PETERBOROUGH UTD.	1-1	Williams	6018		1		3	12		3	6		2	5	4	11	13	11	7	8		9					14
23	Jan 13	Carlisle United	1-1	Narbett	5852		1		3				6	2	11	5	4		7	8		12	13	10					9
24	20	OXFORD UNITED	1-0	Lormor	4589		1		3				6		2	5	4	12	7	11		8		9	10				
25	Feb 3	SWANSEA CITY	3-2	Holland, Lormor 2	4050		1		3	12			6		2	5	4		10		7	8	11	9					13
26	17	WYCOMBE WANDERERS	3-1	Williams, Robinson, Lormor	4571		1		13		12	3	6		2	5	4		10		7	8	11	9					
27	24	Rotherham United	1-0	Jules	5712		1		12		10	3	6		2	5	4				7	8	11	9				13	
28	Mar 2	Peterborough United	1-0	Howard	6105		1		3		11		6		2	5	4		13		7	8	10	9			12		
29	5	Wrexham	0-3		2656		1		3	12	11		6		2	5	4		10		7	8	14	9			13		
30	9	BRIGHTON & HOVE ALB	1-0	Williams	6233		1		2				6			5	4		13	11	7		10	9			12		8
31	12	Hull City	0-0		2832		1		2		7		6			5	4		10	11				9			12		8
32	16	Walsall	0-3		4127		1		2				6	7		5	4		10	11				9					8
33	19	WREXHAM	1-1	Lormor	3760		1		6			2	3			5	4		7	10	11			9					8
34	23	BRISTOL ROVERS	2-1	Howard, Lormor	4748		1		2			3	6			5	4	8	10	12	7		11	9					13
35	26	Bristol Rovers	0-1		3505		1		2			3	6			5	4	8	10		7		11	9			12		
36	30	Crewe Alexandra	0-3		4073		1		2		12	3	6			5	4	8	10		7		14		9		11		13
37	Apr 2	BLACKPOOL	1-0	Holland	7002		1		11			2	3	6	12	5	4		10		7				9		8		
38	6	STOCKPORT COUNTY	1-2	McDougald	6090		1		11			2	3	6		5	4		10		7				9		8		
39	9	Shrewsbury Town	0-0		3035	1			11			2	3	6	12	5	4		10		7		13		9		8		
40	13	BRISTOL CITY	1-1	McDougald	4619	1			3			2	11	6		5	4		7		10				9		8		
41	16	WALSALL	1-1	Lormor	4508		1		3			2	11	6		5	4		7		10				9		8		
42	20	Bradford City	1-2	McDougald	6803		1		3			2	11	6		5	4		7			12	13	9			8		
43	23	SWINDON TOWN	1-3	Hewitt	5523		1		11		10		6	2	3	5	4		7					9			8		13
44	27	Bournemouth	0-2		4483		1		11			2	6		3	5	4	12	7	10				9			8		13
45	30	York City	1-0	Lund	2839		1		6		8	3			2	5	4			11	7		10	9					
46	May 4	NOTTS COUNTY	1-0	Law (p)	6708		1		6		12	3	2			5	4	8			7	13	11	9	10				

Played in game 1: LD Madden (at 6, substituted)
Played in game 7: DE Pierce (at 1)

| | | | | | Apps | 11 | 34 | 1 | 41 | 2 | 28 | 32 | 38 | 22 | 21 | 42 | 46 | 21 | 17 | 17 | 39 | 30 | 30 | 41 | 8 | 9 | 16 | 13 | 14 |
| | | | | | Goals | | | | | | 2 | 2 | 7 | | | 3 | 1 | | 2 | 1 | 9 | 4 | 2 | 13 | 1 | 3 | 5 | | |

One own goal

F.A. Cup

Rd	Date	Opponent	Score	Scorers	Att	Beasley A	Mercer W	Carr DJ	Dyche SM	Fairclough WR	Hewitt JR	Jules MA	Law N	Perkins CP	Rogers LJ	Williams MS	Curtis TD	Hazel DL	Holland P	Narbett JV	Robinson PJ	Davies KC	Howard J	Lormor A	Lund GJ	McDougald DEJ	Morris AD	Moss DA	Roberts DA
R1	Nov 11	Scarborough	2-0	Lormor 2	2354		1		3				6		2	5	4	12			7	8	11	9					10
R2	Dec 2	Wrexham	2-3	Davies 2	4943		1		3				6		2	5	4			11	7	8	12	9			10		13

F.L. Cup (Coca Cola Cup)

Rd	Date	Opponent	Score	Scorers	Att	Beasley A	Mercer W	Carr DJ	Dyche SM	Fairclough WR	Hewitt JR	Jules MA	Law N	Perkins CP	Rogers LJ	Williams MS	Curtis TD	Hazel DL	Holland P	Narbett JV	Robinson PJ	Davies KC	Howard J	Lormor A	Lund GJ	McDougald DEJ	Morris AD	Moss DA	Roberts DA
R1/1	Aug 15	BURY	0-1		2821	1			6			2			3	5	4	11		12	7	8	10	9			13		
R1/2	Sep 5	Bury	1-2	Roberts	2585	1		5	11			2		6		3	4				7	8		9			12		10

A.M. Cup (Auto Windscreens Shield)

Rd	Date	Opponent	Score	Scorers	Att	Beasley A	Mercer W	Carr DJ	Dyche SM	Fairclough WR	Hewitt JR	Jules MA	Law N	Perkins CP	Rogers LJ	Williams MS	Curtis TD	Hazel DL	Holland P	Narbett JV	Robinson PJ	Davies KC	Howard J	Lormor A	Lund GJ	McDougald DEJ	Morris AD	Moss DA	Roberts DA
PR	Sep 26	Stockport County	1-1	Lormor	2152		1		6			2	11			3	5	4		13	7	8	12	9			10		14
PR	Oct 17	NOTTS COUNTY	2-1	Robinson, Roberts	2150		1		3					6	12	2	5	4		13	7	8	11				10		9
R2	Nov 28	ROCHDALE	2-1	Roberts, Robinson	2344	1			3					6	2	5	4			12	7	8	11	9			10		13
R3	Jan 9	Blackpool	1-0	Law (p)	2469		1		3				6	2		5	4	11	8	7			9	12	10				13
SFN	30	Carlisle United	0-1		5511		1		13			3	6	2		5	4		10	11	7	8	12	9					14

90

1996/97   10th in Division Two

#	Date	Opponent	Score	Scorers	Att	Mercer W	Rogers LJ	Jules MA	Curtis T	Williams MS	Dyche SM	Beaumont CP	Hewitt JR	Lormor A	Holland P	Howard J	Davies KC	Perkins CP	Gaughan SE	Law N	Morris AD	Lund GJ	Lomas JD	Leaning AJ	Mitchell AB	Morgan PJ	Scott A	Carr DJ	Patterson G	Dunn IGW	Hanson DP	Allison NJ	Ebdon M
1	Aug 17	Blackpool	1-0	Holland	6071	1	2	3	4	5	6	7	8	9	10	11	12																
2	24	BURY	1-2	Law (p)	3763	1		3	4	5	6	7		9	10	13	8		12	2	11												
3	27	WALSALL	1-0	Howard	3561	1		3	4	5	6	7		9	10	11	8			2													
4	31	Gillingham	1-0	Howard	5834	1		3	4	5	6	7		9	10	11	8			2	12												
5	Sep 7	BRENTFORD	0-2		3643	1	3	11	4	5	6	7	2	13	10	8	12				9												
6	10	Rotherham United	1-0	Howard	2940	1	3	11	4	5	6		2	12	10	7	8				9												
7	14	Luton Town	1-0	Curtis (p)	4763	1	3	11	4	5	6		2	12	10		8				9												
8	21	BURNLEY	0-0		5529	1	3	11	4	5	6		2	9		10	8	7	12														
9	28	Bristol Rovers	0-2		5008	1	3	11	4	5	6	12	2	9		10	8	14	7	13													
10	Oct 1	SHREWSBURY TOWN	2-1	Williams, Lormor	3299		3	11	4	5	6	7	2	9		10		8			12			1									
11	5	BRISTOL CITY	1-1	Lormor	4438		3	11	4		6	7	2	9	13	10		12	8	5				1									
12	12	Millwall	1-2	Beaumont	7765		3	5	4		6	7	2	9	10		11	8				12		1									
13	15	Notts County	0-0		4265		3	5	4		6	7	2		8		11	9			10			1									
14	19	CREWE ALEXANDRA	1-0	Scott	4030		3		4	5	6	7	2	12	8		11	9			10			1			13						
15	26	YORK CITY	2-0	Scott 2	4009	1		3	4	5	6	7	2	9		8					10						11						
16	29	Stockport County	0-1		4831	1		3	4	5	6	7	2	13		8			9		10	12					11						
17	Nov 2	Wrexham	2-3	Curtis (p), Lormor	4160	1		3	4	5	6	7	2	13		8	12				10	9					11						
18	9	PRESTON NORTH END	2-1	Lormor (p), Williams	4759	1		3	4	5	6	7	2	9		8	12	13	7	14		10					11						
19	19	Plymouth Argyle	3-0	Lormor, Davies, Holland	4237	1		3	4	5	6		2	9		8	12	7	11	10	13												
20	30	York City	0-0		3328	1		3	4	5	6		2	9		8	12	7	11			10											
21	Dec 3	PETERBOROUGH UTD.	2-1	Holland, Howard	2805	1	12	3	4	5	6		2	9		8	10	7	11		13												
22	14	Wycombe Wanderers	0-1		4610	1	7	3	4	5	6		2	9				12	11	8	10												
23	21	BOURNEMOUTH	1-1	Lormor	4174	1	13	3	4	5	6		2	9		8	10	7	11		12												
24	Jan 11	BRISTOL ROVERS	1-0	Lormor	3305	1		3	4	5	6	11	2	9		8	10	7			12												
25	18	Shrewsbury Town	0-2		2659	1		3	4	5	6	11	2	9		8	10	7	12		13							7					
26	28	Burnley	0-0		7903	1		3	4	5	6		2		8	10	9	11										7					
27	Feb 1	Preston North End	1-0	Morris	8681	1		3	4	5	6	12	2		8	10	9	11			13							7					
28	8	WREXHAM	0-0		6738	1		3	4	5	6	8	2	12		10		11			9							7					
29	18	ROTHERHAM UNITED	1-1	Lormor	5195	1			4			7		9	6	10	8	3			11							5	12				
30	22	PLYMOUTH ARGYLE	1-2	Howard	5833	1			4	5		7		9		10	8	3	11				13					6	12				
31	Mar 1	Peterborough United	1-1	Howard	4458	1		14	4	5		7		2			12	8	3	13		9						6	10	11			
32	4	LUTON TOWN	1-1	Davies	3731	1		3		5		7		2			12	8	4	9								6	10	11			
33	11	Bournemouth	0-3		3368	1		3	4	5			2		10		11	8					14	13					7	9			
34	15	WYCOMBE WANDERERS	4-2	Howard 2, Hewitt, Hanson	4354	1		3	4	5	6		2		10			8			9	11							7				
35	22	Bury	0-1		4162	1		3		5	6	7		2		10	8	14										4	11	12	9		13
36	29	BLACKPOOL	0-0		4974	1		3		5	6	11		2		10	8				9							4		12			7
37	Apr 1	Walsall	1-1	Morris	3784	1		3		5	6	11		2		10	8				9							4					7
38	5	GILLINGHAM	2-2	Morris, Howard	3926	1		3		5	6	11		2	12	10	8		13		9							4					7
39	8	WATFORD	0-0		4258			3	4	5			2	9	6		12	7			10			1						11			8
40	15	Brentford	0-1		5216		3			5		4	14	9							10	13		2				6		11		12	7
41	19	MILLWALL	1-0	Curtis	5935	1	2	3	4	5	6	14		9		13	8	10										6		11		12	7
42	24	Watford	2-0	Davies, Page (og)	6411			3	4	5	6	7		9			8	2						1					11				10
43	26	Crewe Alexandra	2-1	Morris, Ebdon	4858			3	4	5	6	7		9			8	2			9			1					11				10
44	28	STOCKPORT COUNTY	0-1		8690			3	4	5	6	7			13		12	8	2		9			1					11				10
45	30	Bristol City	0-2		16195		12	3	4	5	6	7			13		11	8	2		9			1									10
46	May 3	NOTTS COUNTY	1-0	Williams	5736			3	4	5		12		9		10	13	2			8							6	11				7

Played in game 33: J Bowater (at 12)
Played in game 40: AJ Mason (at 8, substituted)

| | | | | | Apps | 35 | 17 | 42 | 40 | 42 | 37 | 33 | 37 | 35 | 25 | 35 | 34 | 31 | 17 | 7 | 27 | 10 | 2 | 9 | 2 | 2 | 5 | 11 | 9 | 11 | 4 | 2 | 12 |
| | | | | | Goals | | | | 3 | 3 | | 1 | 1 | 8 | 3 | 9 | 3 | | | 1 | 4 | | | | | | 3 | | | | | 1 | 1 |

One own goal

F.A. Cup

#	Date	Opponent	Score	Scorers	Att	Mercer W	Rogers LJ	Jules MA	Curtis T	Williams MS	Dyche SM	Beaumont CP	Hewitt JR	Lormor A	Holland P	Howard J	Davies KC	Perkins CP	Gaughan SE	Law N	Morris AD	Lund GJ	Lomas JD	Leaning AJ	Mitchell AB	Morgan PJ	Scott A	Carr DJ	Patterson G	Dunn IGW	Hanson DP	Allison NJ	Ebdon M
R1	Nov 16	BURY	1-0	Williams	5104	1		3	4	5	6		2	9		8		7	11			12	10										
R2	Dec 7	SCARBOROUGH	2-0	Davies, Lormor	4475	1		3	4	5			2	9		8	10	7	11									6					
R3	Jan 14	BRISTOL CITY	2-0	Howard 2	5183	1		3	4	5	6		2	9		8	10	7				11											
R4	Fe 4	Bolton Wanderers	3-2	Davies 3	10854	1		3	4	5	6	8	2		10	9	11											7					
R5		NOTTM FOREST	1-0	Curtis (p)	8890	1		3	4		6	7	2		10	8	11				9							5					
R6	Mar 9	WREXHAM	1-0	Beaumont	8735	1		3	4	5	6	7	2		8	10	11	12			9								13				
SF	Apr 13	Middlesbrough	3-3	Morris, Dyche (p), Hewitt	49640	1		3	4	5	6	12	2		8	10	7	11			9							13					
rep	22	Middlesbrough	0-3		30339	1		3	4	5	6	13	2		8	10	7	11			9							12					

SF a.e.t., at Old Trafford. SF replay at Hillsborough.

F.L. Cup (Coca Cola Cup)

#	Date	Opponent	Score	Scorers	Att	Mercer W	Rogers LJ	Jules MA	Curtis T	Williams MS	Dyche SM	Beaumont CP	Hewitt JR	Lormor A	Holland P	Howard J	Davies KC	Perkins CP	Gaughan SE	Law N	Morris AD
R1/1	Aug 20	Stockport County	1-2	Lormor (p)	3088	1	2	3	4	5	6	7	8	9	10	11	12	13			
R1/2	Sep 2	STOCKPORT COUNTY	1-2	Gaughan	3334	1		3		5	6	7		9	10	11	8		4	2	12

A.M. Cup (Auto Windscreens Shield)

#	Date	Opponent	Score	Att	Jules MA	Beaumont CP	Hewitt JR	Lormor A	Perkins CP	Gaughan SE	Morris AD	Lomas JD	Leaning AJ	Mitchell AB	Morgan PJ	Carr DJ
R1	Dec 9	PRESTON NORTH END	0-2	1169	3	7	2	9	11	8	10	12	1	6		5

Played at 4: Timons CB (substituted)

1980/81 Division 3

1	Rotherham United	46	17	6	0	43	8	7	7	9	19	24	61
2	Barnsley	46	15	5	3	46	19	6	12	5	26	26	59
3	Charlton Athletic	46	14	6	3	36	17	11	3	9	27	27	59
4	Huddersfield Town	46	14	6	3	40	11	7	8	8	31	29	56
5	CHESTERFIELD	46	17	4	2	42	16	6	6	11	30	32	56
6	Portsmouth	46	14	5	4	35	19	8	4	11	20	28	53
7	Plymouth Argyle	46	14	5	4	35	18	5	9	9	21	26	52
8	Burnley	46	13	5	5	37	21	5	9	9	23	27	50
9	Brentford	46	7	9	7	30	25	7	10	6	22	24	47
10	Reading	46	13	5	5	39	22	5	5	13	23	40	46
11	Exeter City	46	9	9	5	36	30	7	4	12	26	36	45
12	Newport County	46	11	6	6	38	22	4	7	12	26	39	43
13	Fulham	46	8	7	8	28	29	7	6	10	29	35	43
14	Oxford United	46	7	8	8	20	24	6	9	8	19	23	43
15	Gillingham	46	9	8	6	23	19	3	10	10	25	39	42
16	Millwall	46	10	9	4	30	21	4	5	14	13	39	42
17	Swindon Town	46	10	6	7	35	27	3	9	11	16	29	41
18	Chester	46	11	5	7	25	17	4	6	13	13	31	41
19	Carlisle United	46	8	9	6	32	29	6	4	13	24	41	41
20	Walsall	46	8	9	6	43	43	5	6	12	16	31	41
21	Sheffield United	46	12	6	5	38	20	2	6	15	27	43	40
22	Colchester United	46	12	7	4	35	22	2	4	17	10	43	39
23	Blackpool	46	5	9	9	19	28	4	5	14	26	47	32
24	Hull City	46	7	8	8	23	22	1	8	14	17	49	32

1981/82 Division 3

1	Burnley	46	13	7	3	37	20	8	10	5	29	25	80
2	Carlisle United	46	17	4	2	44	21	6	7	10	21	29	80
3	Fulham	46	12	9	2	44	22	9	6	8	33	29	78
4	Lincoln City	46	13	7	3	40	16	8	7	8	26	24	77
5	Oxford United	46	10	8	5	28	18	9	6	8	35	31	71
6	Gillingham	46	14	5	4	44	26	6	6	11	20	30	71
7	Southend United	46	11	7	5	35	23	7	8	8	28	28	69
8	Brentford	46	8	6	9	28	22	11	5	7	28	25	68
9	Millwall	46	12	4	7	36	28	6	9	8	26	34	67
10	Plymouth Argyle	46	12	5	6	37	24	6	6	11	27	32	65
11	CHESTERFIELD	46	12	4	7	33	27	6	6	11	24	31	64
12	Reading	46	11	6	6	43	35	6	5	12	24	40	62
13	Portsmouth	46	11	10	2	33	14	3	9	11	23	37	61
14	Preston North End	46	10	7	6	25	22	6	6	11	25	34	61
15	Bristol Rovers	46	12	4	7	35	28	6	5	12	23	37	61
16	Newport County	46	9	10	4	28	21	5	6	12	26	33	58
17	Huddersfield Town	46	10	5	8	38	25	5	7	11	26	34	57
18	Exeter City	46	14	4	5	46	33	2	5	16	25	51	57
19	Doncaster Rovers	46	9	9	5	31	24	4	8	11	24	44	56
20	Walsall	46	10	7	6	32	23	3	7	13	19	32	53
21	Wimbledon	46	10	6	7	33	27	4	5	14	28	48	53
22	Swindon Town	46	9	5	9	37	36	4	8	11	18	35	52
23	Bristol City	46	7	6	10	24	29	4	7	12	16	36	46
24	Chester	46	2	10	11	16	30	5	1	17	20	48	32

1982/83 Division 3

1	Portsmouth	46	16	4	3	43	19	11	6	6	31	22	91
2	Cardiff City	46	17	5	1	45	14	8	6	9	31	36	86
3	Huddersfield Town	46	15	8	0	56	18	8	5	10	28	31	82
4	Newport County	46	13	7	3	40	20	10	2	11	36	34	78
5	Oxford United	46	12	9	2	41	23	10	3	10	30	30	78
6	Lincoln City	46	17	1	5	55	22	6	6	11	22	29	76
7	Bristol Rovers	46	16	4	3	55	21	6	5	12	29	37	75
8	Plymouth Argyle	46	15	2	6	37	23	4	6	13	24	43	65
9	Brentford	46	14	4	5	50	28	4	6	13	38	49	64
10	Walsall	46	14	5	4	38	19	3	8	12	26	44	64
11	Sheffield United	46	16	3	4	44	20	3	4	16	18	44	64
12	Bradford City	46	11	7	5	41	27	5	6	12	27	42	61
13	Gillingham	46	12	4	7	37	29	4	9	10	21	30	61
14	Bournemouth	46	11	7	5	35	20	5	6	12	24	48	61
15	Southend United	46	10	8	5	41	28	5	6	12	25	37	59
16	Preston North End	46	11	10	2	35	17	4	3	16	25	52	58
17	Millwall	46	12	7	4	41	24	2	6	15	23	53	55
18	Wigan Athletic	46	10	4	9	35	33	5	5	13	25	39	54
19	Exeter City	46	12	4	7	49	43	2	8	13	32	61	54
20	Orient	46	10	6	7	44	38	5	3	15	20	50	54
21	Reading	46	10	8	5	37	28	2	9	12	27	51	53
22	Wrexham	46	11	6	6	40	26	1	9	13	16	50	51
23	Doncaster Rovers	46	6	8	9	38	44	3	3	17	19	53	38
24	CHESTERFIELD	46	6	6	11	28	28	2	7	14	15	40	37

1983/84 Division 4

1	York City	46	18	4	1	58	16	13	4	6	38	23	101
2	Doncaster Rovers	46	15	6	2	46	22	9	7	7	36	32	85
3	Reading	46	17	6	0	51	14	5	10	8	33	42	82
4	Bristol City	46	18	3	2	51	17	6	7	10	19	27	82
5	Aldershot	46	14	6	3	49	29	8	3	12	27	40	75
6	Blackpool	46	15	4	4	47	19	6	5	12	23	33	72
7	Peterborough Utd.	46	15	5	3	52	16	3	9	11	20	32	68
8	Colchester United	46	14	7	2	45	14	3	9	11	24	39	67
9	Torquay United	46	13	7	3	32	18	5	6	12	27	46	67
10	Tranmere Rovers	46	11	5	7	33	26	6	10	7	20	27	66
11	Hereford United	46	11	6	6	31	21	5	9	9	23	32	63
12	Stockport County	46	12	5	6	34	25	5	6	12	26	39	62
13	CHESTERFIELD	46	10	11	2	34	24	5	4	14	25	37	60
14	Darlington	46	13	4	6	31	19	4	4	15	18	31	59
15	Bury	46	9	7	7	34	32	6	7	10	27	32	59
16	Crewe Alexandra	46	10	8	5	35	27	6	3	14	21	40	59
17	Swindon Town	46	11	7	5	34	23	4	6	13	24	33	58
18	Northampton Town	46	10	8	5	32	32	3	6	14	21	46	53
19	Mansfield Town	46	9	7	7	44	27	4	6	13	22	43	52
20	Wrexham	46	7	6	10	34	33	4	9	10	25	41	48
21	Halifax Town	46	11	6	6	36	25	1	6	16	19	64	48
22	Rochdale	46	8	9	6	35	31	3	4	16	17	49	46
23	Hartlepool United	46	7	8	8	31	28	3	2	18	16	57	40
24	Chester City	46	7	5	11	23	35	0	8	15	22	47	34

1984/85 Division 4

1	CHESTERFIELD	46	16	6	1	40	13	10	7	6	24	22	91
2	Blackpool	46	15	7	1	42	15	9	7	7	31	24	86
3	Darlington	46	16	4	3	41	22	8	9	6	25	27	85
4	Bury	46	15	6	2	46	20	9	6	8	30	30	84
5	Hereford United	46	16	2	5	38	21	6	9	8	27	26	77
6	Tranmere Rovers	46	17	1	5	50	21	7	2	14	33	45	75
7	Colchester United	46	13	7	3	49	29	7	7	9	38	36	74
8	Swindon Town	46	16	4	3	42	21	5	5	13	20	37	72
9	Scunthorpe United	46	14	6	3	61	33	5	8	10	22	29	71
10	Crewe Alexandra	46	10	7	6	32	28	8	5	10	33	41	66
11	Peterborough Utd.	46	11	7	5	29	21	5	7	11	25	32	62
12	Port Vale	46	11	8	4	39	24	3	10	10	22	35	60
13	Aldershot	46	11	6	6	33	20	6	2	15	23	43	59
14	Mansfield Town	46	10	8	5	25	15	3	10	10	16	23	57
15	Wrexham	46	10	6	7	39	27	5	3	15	28	43	54
16	Chester City	46	11	3	9	35	30	4	6	13	25	42	54
17	Rochdale	46	8	7	8	33	30	5	7	11	22	39	53
18	Exeter City	46	9	7	7	30	27	4	7	12	27	52	53
19	Hartlepool United	46	10	6	7	34	29	4	4	15	20	38	52
20	Southend United	46	8	8	7	30	34	5	3	15	28	49	50
21	Halifax Town	46	9	3	11	26	32	6	2	15	16	37	50
22	Stockport County	46	11	5	7	40	26	2	3	18	18	53	47
23	Northampton Town	46	10	1	12	32	32	4	4	15	21	42	47
24	Torquay United	46	5	11	7	18	24	4	3	16	20	39	41

1985/86 Division 3

1	Reading	46	16	3	4	39	22	13	4	6	28	29	94
2	Plymouth Argyle	46	17	3	3	56	20	9	6	8	32	33	87
3	Derby County	46	13	7	3	45	20	10	8	5	35	21	84
4	Wigan Athletic	46	17	4	2	54	17	6	10	7	28	31	83
5	Gillingham	46	14	5	4	48	17	8	8	7	33	37	79
6	Walsall	46	15	7	1	59	23	7	2	14	31	41	75
7	York City	46	16	4	3	49	17	4	7	12	28	41	71
8	Notts County	46	12	6	5	42	26	7	8	8	29	34	71
9	Bristol City	46	14	5	4	43	19	4	9	10	26	41	68
10	Brentford	46	8	8	7	29	29	10	4	9	29	32	66
11	Doncaster Rovers	46	7	10	6	20	21	9	6	8	25	31	64
12	Blackpool	46	11	6	6	38	19	6	6	11	28	36	63
13	Darlington	46	10	7	6	39	33	5	6	12	22	45	58
14	Rotherham United	46	13	5	5	44	18	2	7	14	17	41	57
15	Bournemouth	46	9	6	8	41	31	6	3	14	24	41	54
16	Bristol Rovers	46	9	8	6	27	21	5	4	14	24	54	54
17	CHESTERFIELD	46	10	6	7	41	30	3	8	12	20	34	53
18	Bolton Wanderers	46	10	4	9	35	30	5	4	14	19	38	53
19	Newport County	46	7	8	8	35	33	4	10	9	17	32	51
20	Bury	46	11	7	5	46	26	1	6	16	17	41	49
21	Lincoln City	46	7	9	7	33	34	3	7	13	22	43	46
22	Cardiff City	46	7	5	11	22	29	5	4	14	31	54	45
23	Wolverhampton Wan.	46	6	6	11	29	47	5	4	14	28	51	43
24	Swansea City	46	9	6	8	27	27	2	4	17	16	60	43

1986/87 Division 3

1	Bournemouth	46	19	3	1	44	14	10	7	6	32	26	97
2	Middlesbrough	46	16	5	2	38	11	12	5	6	29	19	94
3	Swindon Town	46	14	5	4	37	19	11	7	5	40	28	87
4	Wigan Athletic	46	15	5	3	47	26	10	5	8	36	34	85
5	Gillingham	46	16	5	2	42	14	7	4	12	23	34	78
6	Bristol City	46	14	6	3	42	15	7	8	8	21	21	77
7	Notts County	46	14	6	3	52	24	7	7	9	25	32	76
8	Walsall	46	16	4	3	50	27	6	5	12	30	40	75
9	Blackpool	46	11	7	5	35	20	5	9	9	39	39	64
10	Mansfield Town	46	9	9	5	30	23	6	7	10	22	32	61
11	Brentford	46	9	7	7	39	32	6	8	9	25	34	60
12	Port Vale	46	8	6	9	43	36	7	6	10	33	34	57
13	Doncaster Rovers	46	11	8	4	32	19	3	7	13	24	43	57
14	Rotherham United	46	10	6	7	29	23	5	6	12	19	34	57
15	Chester City	46	7	9	7	32	28	6	8	9	29	31	56
16	Bury	46	9	7	7	30	26	5	6	12	24	34	55
17	CHESTERFIELD	46	11	5	7	36	33	2	10	11	20	36	54
18	Fulham	46	8	8	7	35	41	4	9	10	24	36	53
19	Bristol Rovers	46	7	8	8	26	29	6	4	13	23	46	51
20	York City	46	11	8	4	34	29	1	5	17	21	50	49
21	Bolton Wanderers	46	8	5	10	29	26	2	10	11	17	32	45
22	Carlisle United	46	7	5	11	26	35	3	3	17	13	43	38
23	Darlington	46	6	10	7	25	28	1	6	16	20	49	37
24	Newport County	46	4	9	10	26	34	4	4	15	23	52	37

1987/88 Division 3

1	Sunderland	46	14	7	2	51	22	13	5	5	41	26	93
2	Brighton & Hove A.	46	15	7	1	37	16	8	8	7	32	31	84
3	Walsall	46	15	6	2	39	22	8	7	8	29	28	82
4	Notts County	46	14	4	5	53	24	9	8	6	29	25	81
5	Bristol City	46	14	6	3	51	30	7	6	10	26	32	75
6	Northampton Town	46	12	8	3	36	18	6	11	6	34	33	73
7	Wigan Athletic	46	11	8	4	36	23	9	4	10	34	38	72
8	Bristol Rovers	46	14	5	4	43	19	4	7	12	25	37	66
9	Fulham	46	10	5	8	36	24	9	4	10	33	36	66
10	Blackpool	46	13	4	6	45	27	4	10	9	26	35	65
11	Port Vale	46	12	8	3	36	19	6	3	14	22	37	65
12	Brentford	46	9	8	6	27	23	7	6	10	26	36	62
13	Gillingham	46	8	9	6	45	21	6	8	9	32	40	59
14	Bury	46	9	7	7	33	26	6	7	10	25	31	59
15	Chester City	46	9	8	6	29	30	5	8	10	22	32	58
16	Preston North End	46	10	6	7	30	23	5	7	11	18	36	58
17	Southend United	46	10	6	7	42	33	4	7	12	23	50	55
18	CHESTERFIELD	46	10	5	8	25	28	5	5	13	16	42	55
19	Mansfield Town	46	10	6	7	25	21	4	6	13	23	38	54
20	Aldershot	46	12	3	8	45	32	3	5	15	19	42	53
21	Rotherham United	46	8	8	7	28	25	4	8	11	22	41	52
22	Grimsby Town	46	6	7	10	25	29	6	7	10	23	29	50
23	York City	46	4	7	12	27	45	4	2	17	21	46	33
24	Doncaster Rovers	46	6	5	12	25	36	2	4	17	15	48	33

1988/89 Division 3

1	Wolverhampton Wan.	46	18	4	1	61	19	8	10	5	35	30	92
2	Sheffield United	46	16	3	4	57	21	9	6	8	36	33	84
3	Port Vale	46	15	3	5	46	21	9	9	5	32	27	84
4	Fulham	46	12	7	4	42	28	10	2	11	27	39	75
5	Bristol Rovers	46	9	11	3	34	21	10	6	7	33	30	74
6	Preston North End	46	14	7	2	56	31	5	8	10	23	29	72
7	Brentford	46	14	5	4	36	21	4	9	10	30	40	68
8	Chester City	46	12	6	5	38	18	7	5	11	26	43	68
9	Notts County	46	11	7	5	37	22	7	6	10	27	32	67
10	Bolton Wanderers	46	12	8	3	42	23	4	8	11	16	31	64
11	Bristol City	46	10	3	10	32	25	8	6	9	21	30	63
12	Swansea City	46	11	8	4	33	22	4	8	11	18	31	61
13	Bury	46	11	7	5	27	22	5	6	12	28	45	61
14	Huddersfield Town	46	10	8	5	35	25	7	1	15	28	48	60
15	Mansfield Town	46	10	8	5	32	22	4	9	10	16	30	59
16	Cardiff City	46	10	9	4	30	16	4	6	13	14	40	57
17	Wigan Athletic	46	9	5	9	28	22	5	9	9	27	31	56
18	Reading	46	10	6	7	37	29	5	5	13	31	43	56
19	Blackpool	46	10	6	7	36	29	4	7	12	20	30	55
20	Northampton Town	46	11	2	10	41	34	5	4	14	25	42	54
21	Southend United	46	10	9	4	33	26	3	6	14	23	49	54
22	CHESTERFIELD	46	9	5	9	35	35	5	2	16	16	51	49
23	Gillingham	46	7	3	13	25	32	5	1	17	22	49	40
24	Aldershot	46	7	6	10	29	29	1	7	15	19	49	37

1989/90 Division 4

1	Exeter City	46	20	3	0	50	14	8	2	13	33	34	89
2	Grimsby Town	46	14	4	5	41	20	8	9	6	29	27	79
3	Southend United	46	15	3	5	35	14	7	6	10	26	34	75
4	Stockport County	46	13	6	4	45	27	8	5	10	23	35	74
5	Maidstone United	46	14	4	5	49	21	8	3	12	28	40	73
6	Cambridge United	46	14	3	6	45	30	7	7	9	31	36	73
7	CHESTERFIELD	46	12	9	2	41	19	7	5	11	22	31	71
8	Carlisle United	46	15	4	4	38	20	6	4	13	23	40	71
9	Peterborough Utd.	46	10	8	5	35	23	7	9	7	24	23	68
10	Lincoln City	46	11	6	6	30	27	7	8	8	18	21	68
11	Scunthorpe United	46	9	9	5	42	25	8	6	9	27	29	66
12	Rochdale	46	11	4	8	28	23	9	2	12	24	32	66
13	York City	46	10	5	8	29	24	6	11	6	26	29	64
14	Gillingham	46	9	8	6	28	21	8	3	12	18	27	62
15	Torquay United	46	12	2	9	33	29	3	10	10	20	37	57
16	Burnley	46	6	10	7	19	18	8	4	11	26	37	56
17	Hereford United	46	7	4	12	31	32	8	6	9	25	30	55
18	Scarborough	46	10	5	8	35	28	5	5	13	25	45	55
19	Hartlepool United	46	12	4	7	45	33	3	6	14	21	55	55
20	Doncaster Rovers	46	7	7	9	29	29	7	2	14	24	31	51
21	Wrexham	46	8	8	7	28	28	5	4	14	23	39	51
22	Aldershot	46	8	7	8	28	26	4	7	12	21	43	50
23	Halifax Town	46	5	9	9	31	29	7	4	12	26	36	49
24	Colchester United	46	9	3	11	26	25	2	7	14	22	50	43

1990/91 Division 4

1	Darlington	46	13	8	2	36	14	9	9	5	32	24	83
2	Stockport County	46	16	6	1	54	19	7	7	9	30	28	82
3	Hartlepool United	46	15	5	3	35	15	9	5	9	32	33	82
4	Peterborough Utd.	46	13	9	1	38	15	8	8	7	29	30	80
5	Blackpool	46	17	3	3	55	17	6	7	10	23	30	79
6	Burnley	46	17	5	1	46	16	6	5	12	24	35	79
7	Torquay United	46	14	7	2	37	13	4	11	8	27	34	72
8	Scunthorpe United	46	17	4	2	51	20	3	7	13	20	42	71
9	Scarborough	46	13	5	5	36	21	6	7	10	23	35	69
10	Northampton Town	46	14	5	4	34	21	4	8	11	23	37	67
11	Doncaster Rovers	46	12	5	6	36	22	5	9	9	20	24	65
12	Rochdale	46	10	9	4	29	22	5	8	10	21	31	62
13	Cardiff City	46	10	6	7	26	23	5	9	9	17	31	60
14	Lincoln City	46	10	7	6	32	27	4	10	9	18	34	59
15	Gillingham	46	9	9	5	35	27	3	9	11	22	33	54
16	Walsall	46	7	12	4	25	17	5	5	13	23	34	53
17	Hereford United	46	9	10	4	32	19	4	4	15	21	39	53
18	CHESTERFIELD	46	8	12	3	33	26	5	2	16	14	36	53
19	Maidstone United	46	9	5	9	42	34	4	7	12	24	37	51
20	Carlisle United	46	12	3	8	30	30	1	6	16	17	59	48
21	York City	46	8	6	9	21	23	3	7	13	24	34	46
22	Halifax Town	46	9	6	8	34	29	3	4	16	25	50	46
23	Aldershot	46	8	7	8	38	43	2	4	17	23	58	41
24	Wrexham	46	8	7	8	33	34	2	3	18	15	40	40

1991/92 Division 4

1	Burnley	42	14	4	3	42	16	11	4	6	37	27	83
2	Rotherham United	42	12	6	3	38	16	10	5	6	32	21	77
3	Mansfield Town	42	13	4	4	43	26	10	4	7	32	27	77
4	Blackpool	42	17	3	1	48	13	5	7	9	23	32	76
5	Scunthorpe United	42	14	5	2	39	18	7	4	10	25	41	72
6	Crewe Alexandra	42	12	6	3	33	20	8	4	9	33	31	70
7	Barnet	42	16	1	4	48	23	5	5	11	33	38	69
8	Rochdale	42	12	6	3	34	22	6	7	8	23	31	67
9	Cardiff City	42	13	3	5	42	26	4	12	5	24	27	66
10	Lincoln City	42	9	5	7	21	24	8	6	7	29	20	62
11	Gillingham	42	12	5	4	41	19	3	7	11	22	34	57
12	Scarborough	42	12	5	4	39	28	3	7	11	25	40	57
13	CHESTERFIELD	42	6	7	8	26	28	8	4	9	23	33	53
14	Wrexham	42	11	4	6	31	26	3	5	13	21	47	51
15	Walsall	42	5	10	6	28	26	7	3	11	20	32	49
16	Northampton Town	42	5	9	7	25	23	6	4	11	21	34	46
17	Hereford United	42	9	4	8	31	24	3	4	14	13	33	44
18	Maidstone United	42	6	9	6	24	22	2	9	10	21	34	42
19	York City	42	6	9	6	26	23	2	7	12	16	35	40
20	Halifax Town	42	7	5	9	23	35	3	3	15	11	40	38
21	Doncaster Rovers	42	6	2	13	21	35	3	6	12	19	30	35
22	Carlisle United	42	5	9	7	24	27	2	4	15	17	40	34

1992/93 Division 3 (of the "new" Football League)

1	Cardiff City	42	13	7	1	42	20	12	1	8	35	27	83
2	Wrexham	42	14	3	4	48	26	9	8	4	27	26	80
3	Barnet	42	16	4	1	45	19	7	6	8	21	29	79
4	York City	42	13	6	2	41	15	8	6	7	31	30	75
5	Walsall	42	11	6	4	42	31	11	1	9	34	30	73
6	Crewe Alexandra	42	13	3	5	47	23	8	4	9	28	33	70
7	Bury	42	10	7	4	36	19	8	2	11	27	36	63
8	Lincoln City	42	10	6	5	31	20	8	3	10	26	33	63
9	Shrewsbury Town	42	11	3	7	36	30	6	8	7	21	22	62
10	Colchester United	42	13	3	5	38	26	5	2	14	29	50	59
11	Rochdale	42	10	3	8	38	29	6	7	8	32	41	58
12	CHESTERFIELD	42	11	3	7	32	28	4	8	9	27	35	56
13	Scarborough	42	7	7	7	32	30	8	2	11	34	41	54
14	Scunthorpe United	42	8	7	6	38	25	6	5	10	19	29	54
15	Darlington	42	5	6	10	23	31	7	8	6	25	22	50
16	Doncaster Rovers	42	6	5	10	22	28	5	9	7	20	29	47
17	Hereford United	42	7	9	5	31	27	3	6	12	16	33	45
18	Carlisle United	42	7	5	9	29	27	4	6	11	22	38	44
19	Torquay United	42	6	4	11	18	26	6	3	12	27	41	43
20	Northampton Town	42	6	5	10	19	28	5	3	13	29	46	41
21	Gillingham	42	9	4	8	32	28	0	9	12	16	36	40
22	Halifax Town	42	3	5	13	20	35	6	4	11	25	33	36

1993/94 Division 3

1	Shrewsbury Town	42	10	8	3	28	17	12	5	4	35	22	79
2	Chester City	42	13	5	3	35	18	8	6	7	34	28	74
3	Crewe Alexandra	42	12	4	5	45	30	9	6	6	35	31	73
4	Wycombe Wanderers	42	11	6	4	34	21	8	7	6	33	32	70
5	Preston North End	42	13	5	3	46	23	5	8	8	33	37	67
6	Torquay United	42	8	10	3	30	24	9	6	6	34	32	67
7	Carlisle United	42	10	4	7	35	23	8	6	7	22	19	64
8	CHESTERFIELD	42	8	8	5	32	22	8	6	7	23	26	62
9	Rochdale	42	10	5	6	38	22	6	7	8	25	29	60
10	Walsall	42	7	5	9	28	26	10	4	7	20	27	60
11	Scunthorpe United	42	9	7	5	40	26	6	7	8	24	30	59
12	Mansfield Town	42	9	3	9	28	30	6	7	8	25	32	55
13	Bury	42	9	6	6	33	22	5	5	11	22	34	53
14	Scarborough	42	8	4	9	29	28	7	4	10	26	33	53
15	Doncaster Rovers	42	8	6	7	24	26	6	4	11	20	31	52
16	Gillingham	42	8	8	5	27	23	4	7	10	17	28	51
17	Colchester United	42	8	4	9	31	33	5	6	10	25	38	49
18	Lincoln City	42	7	4	10	26	29	5	7	9	26	34	47
19	Wigan Athletic	42	6	7	8	33	33	5	5	11	18	37	45
20	Hereford United	42	6	4	11	34	33	6	2	13	26	46	42
21	Darlington	42	7	5	9	24	28	3	6	12	18	36	41
22	Northampton Town	42	6	7	8	25	23	3	4	14	19	43	38

1994/95 Division 3

1	Carlisle United	42	14	5	2	34	14	13	5	3	33	17	91
2	Walsall	42	15	3	3	42	18	9	8	4	33	22	83
3	CHESTERFIELD	42	11	7	3	26	10	12	5	4	36	27	81
4	Bury	42	13	7	1	39	13	10	4	7	34	23	80
5	Preston North End	42	13	3	5	37	17	6	7	8	21	24	67
6	Mansfield Town	42	10	5	6	45	27	8	6	7	39	32	65
7	Scunthorpe United	42	12	2	7	40	30	6	6	9	28	33	62
8	Fulham	42	11	5	5	39	22	5	9	7	21	32	62
9	Doncaster Rovers	42	9	5	7	28	20	8	5	8	30	23	61
10	Colchester United	42	8	5	8	29	30	8	5	8	27	34	58
11	Barnet	42	8	7	6	37	27	7	4	10	19	36	56
12	Lincoln City	42	10	7	4	34	22	5	4	12	20	33	56
13	Torquay United	42	10	8	3	35	25	4	5	12	19	32	55
14	Wigan Athletic	42	7	6	8	28	30	7	4	10	25	30	52
15	Rochdale	42	8	6	7	25	23	4	8	9	19	44	50
16	Hereford United	42	9	6	6	22	19	3	7	11	23	43	49
17	Northampton Town	42	8	5	8	25	29	2	9	10	20	38	44
18	Hartlepool United	42	9	5	7	33	32	2	5	14	10	37	43
19	Gillingham	42	8	7	6	31	25	2	4	15	15	39	41
20	Darlington	42	7	5	9	25	24	4	3	14	18	33	41
21	Scarborough	42	4	7	10	26	31	4	3	14	23	39	34
22	Exeter City	42	5	5	11	25	36	3	5	13	11	34	34

1995/96 Division 2

1	Swindon Town	46	12	10	1	37	16	13	7	3	34	18	92
2	Oxford United	46	17	4	2	52	14	7	7	9	24	25	83
3	Blackpool	46	14	5	4	41	20	9	8	6	26	20	82
4	Notts County	46	14	6	3	42	21	7	9	7	21	18	78
5	Crewe Alexandra	46	13	3	7	40	24	9	4	10	37	36	73
6	Bradford City	46	15	4	4	41	25	7	3	13	30	44	73
7	CHESTERFIELD	46	14	6	3	39	21	6	6	11	17	30	72
8	Wrexham	46	12	6	5	51	27	6	10	7	25	28	70
9	Stockport County	46	8	9	6	30	20	11	4	8	31	27	70
10	Bristol Rovers	46	12	4	7	29	28	8	6	9	28	32	70
11	Walsall	46	12	7	4	38	20	7	5	11	22	25	69
12	Wycombe Wanderers	46	9	8	6	36	26	6	7	10	27	33	60
13	Bristol City	46	10	6	7	28	22	5	9	9	27	38	60
14	Bournemouth	46	12	5	6	33	25	4	5	14	18	45	58
15	Brentford	46	12	6	5	24	15	3	7	13	19	34	58
16	Rotherham United	46	11	7	5	31	20	3	7	13	23	42	56
17	Burnley	46	9	8	6	35	28	5	5	13	21	40	55
18	Shrewsbury Town	46	7	8	8	32	29	6	6	11	26	41	53
19	Peterborough Utd.	46	9	6	8	40	27	4	7	12	19	39	52
20	York City	46	8	6	9	28	29	5	7	11	30	44	52
21	Carlisle United	46	11	6	6	35	20	1	7	15	22	52	49
22	Swansea City	46	8	8	7	27	29	3	6	14	16	50	47
23	Brighton & Hove A.	46	6	7	10	25	31	4	3	16	21	38	40
24	Hull City	46	4	8	11	26	37	1	8	14	10	41	31

F.A. Cup Record in non-League Seasons

Players appearances and goals are included in the A-Z section only if they also made a League appearance.

1892/93

Round	Date	Opponent	Result	Scorers	Att	1	2	3	4	5	6	7	8	9	10	11
Q1	Oct 15	Gainsborough Trinity	2-4	Marshall, Hopkinson	500	Bunyan	Bannister	Tod	Lacey	Vickers	Davis	Hopkinson	Nicholls	Brailsford	Marshall	Blayden
rep	24	Gainsborough Trinity	0-4			Bunyan	Bannister	Tod	Lacey	Vickers	Davis	Hopkinson	Nicholls	Roper	Marshall	Blayden

First game abandoned during extra time (115 min., bad light)

1893/94

Round	Date	Opponent	Result	Scorers	Att	1	2	3	4	5	6	7	8	9	10	11
Q1	Oct 14	Matlock Town	3-0	Munday, Cutts, Ensor		Bunyan	Tod	Davis	Widdowson	Ross P	Cross	Nicholls	Ensor	Bryant	Cutts	Munday
Q2	Nov 4	DERBY JUNCTION	4-0	Ensor, Munday, 2 og	2000	Bunyan	Bannister	Tod	Widdowson	Ross P	Davis	Nicholls	Ensor	Bryant	Cutts	Munday
Q3	25	Heanor Town	1-3	Ross	1000	Bunyan	Tod	Davis	Widdowson	Ross P	Cross	Nicholls	Ensor	Bryant	Cutts	Munday

1894/95

Round	Date	Opponent	Result	Scorers	Att	1	2	3	4	5	6	7	8	9	10	11
Q1	Oct 13	CLAY CROSS TOWN	3-0	Ross, Wastnage, one og		Ballance	Tod	Layton	Holmes	Wastnage	Swaine	Taylor H	Nicholls	Ross W	Munday	Cutts
Q2	Nov 3	MATLOCK TOWN	3-1	Ross, Cutts, one og	1000	Ballance	Tod	Layton	Holmes	Wastnage	Swaine	Taylor H	Nicholls	Ross W	Munday	Cutts
Q3	24	BUXTON	4-0	Munday, Cutts, Taylor, Nicholls		Ballance	Tod	Layton	Holmes	Wastnage	Swaine	Taylor H	Nicholls	Ross W	Munday	Cutts
Q4	Dec 15	Long Eaton Rangers	1-1	Munday		Ballance	Tod	Layton	Holmes	Wastnage	Swaine	Taylor H	Nicholls	Ross W	Munday	Cutts
rep	18	LONG EATON RANGERS	3-0	Munday 2, Cutts	1800	Ballance	Tod	Layton	Holmes	Wastnage	Swaine	Taylor H	Nicholls	Ross W	Munday	Cutts
R1	Feb 2	Middlesbrough	0-4		3000	Ballance	Tod	Layton	Shepherd	Wastnage	Swaine	Taylor H	Nicholls	Cooke	Munday	Cutts

1895/96

Round	Date	Opponent	Result	Scorers	Att	1	2	3	4	5	6	7	8	9	10	11
Q1	Oct 12	ECKINGTON WORKS	1-0	Munday		Ballance	Tod	Rice	Holmes	Roberts	Swaine	Nicholls	Taylor H	Kirk	Munday	Cooke
Q2	Nov 2	LONG EATON RANGERS	2-1	Nicholls, og	3000	Ballance	Tod	Rice	Holmes	Roberts	Swaine	Nicholls	Taylor H	Kirk	Munday	Cooke
Q3	23	HEANOR TOWN	3-0	Taylor 2, Cooke	4000	Ballance	Tod	Rice	Holmes	Roberts	Swaine	Nicholls	Taylor H	Kirk	Munday	Cooke
Q4	Dec 14	ILKESTON TOWN	2-0	Roberts, Taylor	5000	Ballance	Tod	Rice	Holmes	Roberts	Swaine	Nicholls	Taylor H	Kirk	Munday	Cooke
R1	Feb 1	NEWCASTLE UNITED	0-4		4000	Ballance	Tod	Rice	Holmes	Cutts P	Swaine	Nicholls	Taylor H	Kirk	Munday	Cooke

1896/97

Round	Date	Opponent	Result	Scorers	Att	1	2	3	4	5	6	7	8	9	10	11
Q3	Nov 21	SWADLINCOTE	1-1	Gee		Ballance	Rice	Roberts	Widdowson	Goodwin	Cutts P	Taylor H	Wiseall	Cutts A	Gee	Munday
rep	25	Swadlincote	5-1	Wiseall 3, Taylor, Gee		Ballance	Rice	Roberts	Cutts P	Widdowson	Bennison	Taylor H	Culverhouse	Wiseall	Gee	Munday
Q4	Dec 12	HEANOR TOWN	0-2		1000	Ballance	Rice	Roberts	Bennison	Goodwin	Cutts P	Taylor H	Wiseall	Wiseall	Gee	Munday

1897/98

Round	Date	Opponent	Result	Scorers	Att	1	2	3	4	5	6	7	8	9	10	11
Q3	Oct 30	Long Eaton Rangers	2-3	Taylor, Gooing		Watts	Rice	Fletcher	Bennison	Goodwin	Cutts P	Taylor H	Wiseall	Gooing	Munday	Gee

1898/99

Round	Date	Opponent	Result	Scorers	Att	1	2	3	4	5	6	7	8	9	10	11
Q3	Oct 29	SWADLINCOTE	8-0	*see below		Bird	Barley	Fletcher	Bennison	Goodwin	Cutts P	Taylor H	Burt	Gooing	Smith	Munday
Q4	Nov 19	Burton Swifts	0-1			Bird	Barley	Fletcher	Brandon	Goodwin	Bennison	Taylor H	Spencer	Gooing	Smith	Munday

Scorers in Q3: Munday 2, Bennison, Burt, Smith, Fletcher, Gooing, one og

1909/10

Round	Date	Opponent	Result	Scorers	Att	1	2	3	4	5	6	7	8	9	10	11
Q4	Nov 20	CRADLEY HEATH ST.LUKES	2-1	Owers, Raybould	2000	Martin	Kirkwood	Strettle	Thacker	Denby	Green	Dickie	Raybould	Owers	Bovill	Stevens
Q5	Dec 4	CREWE ALEXANDRA	5-2	Owers 2, Raybould, Dickie, Strettle	3000	Martin	Kirkwood	Strettle	Thacker	Denby	Munday	Dickie	Raybould	Owers	Bovill	Stevens
R1	Jan 15	FULHAM	0-0		8000	Martin	Kirkwood	Strettle	Thacker	Denby	Green	Dickie	Raybould	Owers	Bovill	Stevens
rep	19	Fulham	1-2	Bovill	8000	Martin	Kirkwood	Strettle	Thacker	Denby	Green	Dickie	Raybould	Owers	Bovill	Stevens

Q4 played at home by arrangement.

1910/11

Rd	Date	Opponent	Att	Score	Scorers	1	2	3	4	5	6	7	8	9	10	11
Q4	Nov 19	DESBOROUGH TOWN	3500	6-1	Revill 2, Denby 2, Bovill, Graham	Summers	Witham	Strettle	Thacker	Denby	Munday	Graham	Revill EJ	Bovill	Newcombe	Stevens
Q5	Dec 3	Rotherham Town		2-1	Bovill 2	Summers	Witham	Strettle	Thacker	Denby	Munday	Graham	Revill EJ	Bovill	Newcombe	Stevens
R1	Jan 14	Bolton Wanderers	6193	2-0	Bovill 2	Summers	Cuthbert	Strettle	Thacker	Denby	Munday	Miller	Revill EJ	Raybould	Bovill	Stevens
R2	Feb 4	Chelsea	28406	1-4	Revill	Summers	Cuthbert	Strettle	Thacker	Denby	Munday	Miller	Revill EJ	Raybould	Bovill	Stevens

R2 played at Chelsea by arrangement.

1911/12

Rd	Date	Opponent	Att	Score	Scorers	1	2	3	4	5	6	7	8	9	10	11
Q4	Nov 18	Ripley Town & Athletic	3000	1-2	Bowmer	Summers	Cuthbert	Strettle	Bowmer	Morris	Thacker	Ryalls	Sandlin	Revill T	Newcombe	Whitehead

1912/13

Rd	Date	Opponent	Att	Score	Scorers	1	2	3	4	5	6	7	8	9	10	11
Q4	Nov 30	SUTTON TOWN	5500	2-1	Sharpe, Smith	Summers	Revill AE	Strettle	Bowmer	Weller	Brookes	Bagnall	Draper	Smith	Sharpe	Donald
Q5	Dec 14	WATFORD	8000	3-1	Bagnall 2, Draper	Summers	Revill AE	Strettle	Bowmer	Weller	Brookes	Bagnall	Macey	Smith	Draper	Donald
R1	Jan 11	NOTTM. FOREST	15000	1-4	Donald	Summers	Revill AE	Strettle	Bowmer	Weller	Brookes	Bagnall	Macey	Smith	Draper	Donald

1913/14

Rd	Date	Opponent	Att	Score	Scorers	1	2	3	4	5	6	7	8	9	10	11
Q4	Nov 29	Shirebrook	6000	1-1	EJ Revill	Summers	Revill AE	Smelt L	Bowmer	Neave	Brookes	Gibson	Walker	Egerton	Revill EJ	Stevens T
rep	Dec 3	SHIREBROOK	500	2-0	Egerton, one og	Summers	Revill AE	Smelt L	Bowmer	Neave	Brookes	Gibson	Walker	Egerton	Revill EJ	Stevens T
Q5	Dec 13	North Shields Ath.	6000	1-1	Walker	Hibberd	Revill AE	Smelt L	Bowmer	Neave	Brookes	Gibson	Walker	Egerton	Wightman	Stevens T
rep	Dec 17	NORTH SHIELDS ATH.	4500	8-2	Egerton 5, Wightman 2, Walker	Hibberd	Revill AE	Smelt L	Bowmer	Neave	Brookes	Sharpe	Walker	Egerton	Wightman	Stevens T
R1	Jan 10	West Ham United	16000	1-8	Egerton	Summers	Revill AE	Smelt L	Bowmer	Neave	Brookes	Gibson	Walker	Egerton	Wightman	Stevens T

1914/15

Rd	Date	Opponent	Att	Score	Scorers	1	2	3	4	5	6	7	8	9	10	11
Q4	Nov 21	Rotherham Town	6000	4-2	Lawton 2, Walker, Watson	Roughley	Smelt A	Smelt L	Paltridge	McLaverty	Smith	McDonald	Walker	Lawton	Wightman	Watson
Q5	Dec 5	Gainsborough Trin.		0-0		Roughley	Smelt A	Smelt L	Paltridge	McLaverty	Smith	Frith	Walker	Lawton	Wightman	Watson
rep	Dec 9	GAINSBOROUGH TRIN.	2000	3-1	McDonald, Walker, Lawton	Roughley	Smelt A	Smelt L	Paltridge	McLaverty	Smith	McDonald	Walker	Lawton	Wightman	Watson
Q6	Dec 19	Goole Town	2000	0-2		Roughley	Smelt A	Smelt L	Paltridge	Wightman	Smith	McDonald	Walker	Lawton	McCorry	Watson

1919/20

Rd	Date	Opponent	Att	Score	Scorers	1	2	3	4	5	6	7	8	9	10	11
PR	Sep 27	CLAY CROSS TOWN		4-0	Mosley 2, Kemp, one og	Hibberd	Irvine	Saxby	Moffatt	Fletcher	Copping	Holt	Kemp	Mabberley	Paltridge	Mosley
Q1	Oct 11	ILKESTON UNITED	5000	2-1	Kemp, Mosley	Hibberd	Irvine	Saxby	Moffatt	Fletcher	Paltridge	Holt	McCarthy	Kemp	Copping	Mosley
Q2	Oct 25	SOUTH NORMNTON	4000	5-0	McPherson 2, Mosley, Holt, Kemp (p)	Hibberd	Irvine	Saxby	Moffatt	Fletcher	Paltridge	Holt	Kemp	McPherson	Gibson	Mosley

Chesterfield disqualified.

1920/21

Rd	Date	Opponent	Att	Score	Scorers	1	2	3	4	5	6	7	8	9	10	11
PR	Sep 25	DRONFIELD WOODHOUSE	4000	11-1	*See below	Woodhouse	Irvine	Saxby	Lacey	Frith	Paltridge	Lowe	Fisher	Butterell	McPherson	Mosley
Q1	Oct 9	CLAY CROSS TOWN	4860	2-1	Fisher, Tookey	Woodhouse	Irvine	Saxby	Lacey	Fletcher	Paltridge	Lowe	Fisher	Butterell	Tookey	Mosley
Q2	Oct 23	Ilkeston United	6000	0-0		Woodhouse	Irvine	Saxby	Lacey	Fletcher	Paltridge	Lowe	Fisher	Butterell	Tookey	Mosley
rep	Oct 27	ILKESTON UNITED	10605	1-0	Tookey	Woodhouse	Irvine	Saxby	Lacey	Fletcher	Paltridge	Lowe	Fisher	Butterell	Tookey	Mosley
Q3	Nov 6	Staveley Town	8000	0-2		Woodhouse	Irvine	Saxby	Nuttall	Fletcher	Paltridge	Tomlinson	Fisher	Lacey	Cooke	Mosley

Scorers in PR: Butterell 4, Mosley 2, Frith 2, Lacey, Fisher, Saxby (p).   PR and Q1 played at home by arrangement.

1945/46

Rd	Date	Opponent	Att	Score	Scorers	1	2	3	4	5	6	7	8	9	10	11
R1/1	Nov 5	YORK CITY	15287	1-1	Roberts	Middleton	Pringle	Kidd	Hart	Whitaker	Hobson	Sinclair	Wilson	Goodfellow	Dooley	Roberts
R1/2	Nov 9	York City	14207	2-3	Dooley, Roberts	Middleton	Milburn G	Kidd	Hart	Whitaker	Hobson	Sinclair	Wilson	Goodfellow	Dooley	Roberts

R1/2 a.e.t.

MISCELLANEOUS GAMES

Appearances and goals do not count towards a player's career record.

Season 1939/40

	Date	Opponent	Score	Scorers	Att											
1	Aug 26	BRADFORD PARK AVE.	2-0	Lyon, Milligan	11679	Middleton	Milburn	Kidd	Pringle	Booker	Sutherland	Sinclair	Lyon	Milligan	Bargh	Miller
2	Sep 2	Manchester City	0-2		15000	Middleton	Milburn	Kidd	Pringle	Booker	Sutherland	Sinclair	Lyon	Milligan	Bargh	Miller

Other expunged games

1961/62

Date	Opponent	Score	Scorers											
Jan 27	Accrington Stanley	0-0	Whittaker	Powell	Clarke	Sears	Whitham	Blakey	Holmes	Gissing	Lovie	Frost	Rackstraw	Lunn

Accrington resigned later in season.

1972/73

Date	Opponent	Score	Scorers											
Dec 26	Blackburn Rovers	2-1	Bell, Large	Brown	Holmes	Tiler	Barlow	Bell	Stott	Cliff	Ferris	Large	Bellamy	McHale

Ordered to be replayed because Brown was ineligible

1991/92

Date	Opponent	Score	Scorers	Att											
Sep 28	ALDERSHOT	2-1	Hawke, Williams	2801	Leonard	Dyche	Williams	Francis	Brien	McGugan	Gunn	Cooke	Lancaster	Hawke	Hewitt

Francis substituted by Turnbull

Abandoned Games in League and Cup

1899/1900

Date	Opponent	Score	Scorers											
Jan 1	LUTON TOWN	1-0	Tannahill	Hancock	Pilgrim	Fletcher	Ballantyne	Bell	Dowie	Morley	Tannahill	Gooing	Tart	Geary

Abandoned at half time; fog

1901/02

Date	Opponent	Score	Scorers											
Nov 27	Preston North End	0-2		Maybury	Thorpe	Banner	Haig	O'Rourke	Thacker	Tomlinson	Sawyer	Munday	England	Earl

Abandoned after 63 mins; fog.

1906/07 FAC R1 replay

Date	Opponent	Score	Scorers	Att											
Jan 16	DERBY COUNTY	1-2	Marples	14000	Newton	Marples	Baker	Haig	Banner	Arnold	Allen	Gilberthorp	Logan	Munday	Willows

1924/25

Date	Opponent	Score	Scorers	Att											
Jan 31	GRIMSBY TOWN	0-0		2000	Birch	Saxby	Dennis	Edwards	Abbott	Thompson	Fisher	Hutchinson	Crockford	Dye	Oxley

Abandoned halt time; torrential rain

1926/27 FAC R1

Date	Opponent	Score	Scorers	Att											
Nov 27	MEXBOROUGH ATH.	1-1		6758	Birch	Gittins	Dennis	Wass	Abbott	Thompson	Fisher	Roseboom	Cookson	Moore	Ralphs

Abandoned 43 mins; fog

1937/38

Date	Opponent	Score	Scorers	Att											
Dec 11	NEWCASTLE UNITED	1-0	Hughes (p)	10219	Moody	Milburn	Kidd	McMillan	Seagrave	Devine	Hughes	Clifton	Woodward	Ramage	Bonass

Abandoned 78 mins; bad light

1938/39 FAC R3

Date	Opponent	Score	Scorers	Att											
Jan 7	SOUTHEND UNITED	1-1	Spedding	8149	Middleton	Milburn	Kidd	Spedding	Seagrave	Weightman	Hughes	Lyon	Milligan	Ramage	Sullivan

Abandoned 73 mins; fog

1959/60

Date	Opponent	Score	Scorers	Att											
Nov 7	Brentford	1-1	Bottom (p)	8500	Powell	Wilson	Sears	Clarke	Allison	Frost	McLaren	Bottom	Lewis	Rackstraw	Frear

Abandoned half time; fog

1985/86

Date	Opponent	Score	Scorers											
Nov 30	BRISTOL ROVERS	1-1	Henderson	Marples	Scrimgeour	O'Neill	Batty	Baines	Hunter	Brown	Moss	Waller	Henderson	Spooner

Abandoned half time; fog

CHESTERFIELD'S MANAGERS IN THE FOOTBALL LEAGUE

	From:	*To:*	*Honours:*
Gilbert Gillies	1895	Dec. 1900	
E.F. Hind	Dec. 1900	C/s 1902	
Jack Hoskin	C/s 1902	Oct. 1906	
W. Furness	Dec. 1906	C/s 1907	
George Swift	C/s 1907	Sep. 1910	
J.J. Caffrey	Jan. 1920	Apr. 1922	
Alderman Harry Cropper (caretaker)	Apr. 1922	May 1922	*Champions Div. 3(N)*
Harry Hadley	May 1922	Aug 1922	*Champions Div. 3(N)*
Alderman Harry Cropper (caretaker)	Aug 1922	Sep 1922	
Harry Parkes	Sep 1922	C/s 1927	
Alec Campbell	C/s 1927	Nov. 1927	
J. Black (caretaker)	Nov. 1927	Dec. 1927	
John E. 'Teddy' Davison	Jan 1928	C/s 1932	
Bill Harvey	July 1932	C/s 1938	
Norman Bullock	June 1938	C/s 1945	
Bob Brocklebank	Aug. 1945	Feb. 1949	*Champions of Div. 4*
Eric Willey (caretaker)	Feb. 1949		
Bob Marshall	Feb. 1949	July 1952	
John E. 'Teddy' Davison	Aug. 1952	May 1958	
Dugald 'Duggie' Livingstone	May 1958	May 1962	*Anglo-Scottish Cup Winners*
Tony McShane	May 1962	July 1967	*Champions of Div. 4*
Jim McGuigan	Aug. 1967	May 1973	
Joe Shaw	July 1973	Sep 1976	
Frank Barlow (caretaker)	Sep. 1976	Oct 1976	
Arthur Cox	Oct. 1976	Sep 1980	
Frank Barlow	Sep. 1980	June 1983	
John Duncan	June 1983	July 1987	
Kevin Randall	July 1987	Oct. 1988	
Mick Henderson (caretaker)	Oct. 1988		
Paul Hart	Nov. 1988	Jan. 1992	
Chris McMenemy	Jan. 1992	Feb. 1993	
John Duncan	Feb. 1993	(to date)	*F.A. Cup semi-finalists*

Alderman Harry Cropper was Chesterfield's Chairman at the time. J. Black was secretary. After the departure of Arthur Cox, Frank Barlow was appointed on a caretaker basis until being confirmed in the post in September 1980.

Division 2 Table 1996/97

		P	W	D	L	F	A	W	D	L	F	A	Pts
1	Bury	46	18	5	0	39	7	6	7	10	23	31	84
2	Stockport County	46	15	5	3	31	14	8	8	7	28	27	82
3	Luton Town	46	13	7	3	38	14	8	8	7	33	31	78
4	Brentford	46	8	11	4	26	22	12	3	8	30	21	74
5	Bristol City	46	14	4	5	43	18	7	6	10	26	33	73
6	Crewe Alexandra	46	15	4	4	38	15	7	3	13	18	32	73
7	Blackpool	46	13	7	3	41	21	5	8	10	19	26	69
8	Wrexham	46	11	9	3	37	28	6	9	8	17	22	69
9	Burnley	46	14	3	6	48	27	5	8	10	23	28	68
10	CHESTERFIELD	46	10	9	4	25	18	8	5	10	17	21	68
11	Gillingham	46	13	3	7	37	25	6	7	10	23	34	67
12	Walsall	46	12	8	3	35	21	7	2	14	19	32	67
13	Watford	46	10	8	5	24	14	6	11	6	21	24	67
14	Millwall	46	12	4	7	27	22	4	9	10	23	33	61
15	Preston North End	46	14	5	4	33	19	4	2	17	16	36	61
16	Bournemouth	46	8	9	6	24	20	7	6	10	19	25	60
17	Bristol Rovers	46	13	4	6	34	22	2	7	14	13	28	56
18	Wycombe Wanderers	46	13	4	6	31	14	2	6	15	20	42	55
19	Plymouth Argyle	46	7	11	5	19	18	5	7	11	28	40	54
20	York City	46	8	6	9	27	31	5	7	11	20	37	52
21	Peterborough Utd.	46	7	7	9	38	34	4	7	12	17	39	47
22	Shrewsbury Town	46	8	6	9	27	32	3	7	13	22	42	46
23	Rotherham United	46	4	7	12	17	29	3	7	13	22	41	35
24	Notts County	46	4	9	10	20	25	3	5	15	13	34	35

Player			D.O.B	Place of Birth	Died	First Season	Last Season	Previous Club	Next Club	Appearances				Goals			
										League	FAC	FLC	Other	Leagu	FAC	FLC	Oth.
Abbott	SW	Shirley	10/2/1889	Alfreton	1947	1924	1927	QPR	Coaching	117	8	0	0	5	0	0	0
Abel	SC	Sam	30/12/08	Neston	1959	1930	1932	Accrington Stanley	Fulham	70	6	0	0	39	4	0	0
Adams	JH	James	7/7/1896	Chesterfield	1973	1921		Staveley Town	Staveley Town	6	0	0	0	0	0	0	0
Adams	V	Vince	16/10/46	Chesterfield		1965	1966	Arsenal	Matlock Town	17	0	0	0	1	0	0	0
Addenbrooke	JE	John	1900	Sheffield	1961	1924	1925	Beighton		21	0	0	0	5	0	0	0
Airey	C	Carl	06/02/65	Wakefield		1986		Charleroi (BEL)(loan)		26	0	0	1	4	0	0	0
Albiston	AR	Arthur	14/07/57	Edinburgh		1990		Dundee (loan)		3	1	0	1	1	0	0	0
Allen	F	Frank	28/06/27	Shirebrook		1951	1952	Langwith Imperial	Mansfield Town	3	0	0	0	0	0	0	0
Allen	J	Jack				1907		Colne	Doncaster Rovers	11	0	0	0	1	0	0	0
Allen	W	Billy	22/10/17	Newburn	1981	1938			York City	2	0	0	0	0	0	0	0
Allen	WB	Walter				1906		Aston Villa	Kidderminster Harr.	20	3	0	0	1	0	0	0
Alleyne	RA	Robert	27/09/68	Dudley		1987	1988	Leicester City	Tiltt (Belgium)	40	2	1	1	5	0	0	0
Allison	JA	John	09/08/32	Cramlington		1957	1960	Blyth Spartans	Retired	32	4	0	0	0	0	0	0
Allison	M	Mike	17/03/66	Elderslie		1989	1990	Horwich RMI	Morecambe	16	1	1	2	0	0	0	0
Allison	NJ	Neil	20/10/73	Hull		1996		N Ferriby Utd.		2	0	0	0	0	0	0	0
Anderson	J	John	1879	Rothesay		1901		Greenock Morton		2	0	0	0	0	0	0	0
Anderson	JD	Des	11/09/40	Templepatrick		1966	1967	Exeter City	Matlock Town	8	0	1	0	0	0	1	0
Anderson	R	Robert	21/01/37	Aberdeen		1959		Partick Thistle (trial)		4	0	0	0	0	0	0	0
Andrews	H	Harry		Oldham		1929	1930	Wolves		8	0	0	0	1	0	0	0
Arblaster	BM	Brian	06/06/43	Kensington		1964	1966	Sheffield Utd.	Scunthorpe Utd.	55	1	2	0	0	0	0	0
Archer	J	John 'Dan'	18/06/41	Biddulph		1969	1971	Huddersfield T	Sandbach Ramblers	116	7	6	0	22	0	2	0
Armstrong	A	Adam	06/06/25	Blackpool		1949		Petershill Juniors		1	0	0	0	0	0	0	0
Armstrong	GJ	Gerry	23/05/54	Belfast		1985		West Bromwich A.	Brighton & Hove A.	12	0	0	0	1	0	0	0
Armstrong	JR	Jimmy	14/09/43	Ulverston		1963		Barrow	Netherfield	7	0	0	0	0	0	0	0
Arnold	W	Walter	1876	Whittington	1955	1899		New Whittington Exch.	New Whittington Exch.	108	13	0	0	8	5	0	0
						1903		New Whittington Exch.	Denaby United								
						1906	1907	Denaby United									
Arnott	KW	Kevin	28/09/58	Gateshead		1987	1989	Vasalund (SWE)	Nly Karlby (FIN)	71	2	4	5	4	0	0	2
Ashmore	AM	Mike	11/09/37	Sheffield		1962		Bradford City	Heanor Town	2	0	0	0	0	0	0	0
Ashmore	GSA	George	5/5/1898	Plymouth	1973	1931	1932	West Bromwich A.	New Tupton Ivanhoe	71	6	0	0	0	0	0	0
Ashmore	JW					1905	1906	New Tupton Ivanhoe	New Tupton Ivanhoe	9	0	0	0	0	0	0	0
Ashmore	W	Billy				1907		Tibshelf Church	Rotherham County	2	0	0	0	0	0	0	0
Askew	W	Billy	23/08/11	Coundon	1992	1934	1936	West Auckland	Walsall	5	0	0	3	1	0	0	0
Astbury	MJ	Mike	22/01/64	Leeds		1988		Chester City	Sliema Wan. (Malta)	8	0	2	1	0	0	0	0
Athersych	R	Russ	21/09/62	Sheffield		1981	1982	App.	Goole Town	20	1	0	2	0	0	0	0
Austin	SW	Billy	29/04/00	Arnold	1979	1931	1932	Worcester City	Kidderminster Harriers	45	6	0	0	6	1	0	0
Bacci	A	Alf	15/07/22	Bedlington		1950	1951	West Sleekburn Jrs.		6	0	0	0	2	0	0	0
Bacon	A	Arthur	1905	Birdholme	1942	1932		Reading	Coventry City	30	4	0	0	6	1	0	0
Badger	L	Len	08/06/45	Sheffield		1975	1977	Sheffield Utd.	Retired	46	5	2	0	0	0	0	0
Bailey	D	David	11/01/57	Worksop		1975			Worksop Town	1	0	0	0	1	0	0	0
Bailey	JW	Jim				1907		Ilkeston Town	South Normanton	15	2	0	0	1	1	0	0
Bailey	WW	Wilfred		Leiston		1922		Kilmarnock	Stockport Co.	3	0	0	0	0	0	0	0
Bain	AE	Alex	22/01/36	Edinburgh		1959		Huddersfield T	Falkirk	18	0	0	0	9	0	0	0
Baines	SJ	Steve	23/06/54	Newark		1983	1986	Scunthorpe Utd.	Matlock Town	133	7	8	6	9	0	1	0
Baker	C	Cecil		Darnall		1925		Creswell Colliery		2	0	0	0	0	0	0	0
Baker	G	George	1883	Chesterfield		1905	1908	New Tupton Ivanhoe	Preston North End	80	6	0	0	2	0	0	0
Baldwin	W	Bill	31/01/07	Leigh	1982	1930		Scunthorpe United	Barrow	4	0	0	0	3	0	0	0
Ball	J	Joe	1882	Clowne		1903		Clowne White Star	Bury	36	4	0	0	7	1	0	0
						1905		Bury	Worksop Town								
Ballantyne	W	William		Broxburn		1899	1900	Reading		35	4	0	0	3	0	0	0
Banks	G	Gordon	20/12/37	Sheffield		1958		Rawmarsh Col. Welfare	Leicester City	23	3	0	0	0	0	0	0
Banner	WH	Billy	1878	Barnsley		1901	1902	New Whittington Exch.	Queens Park Rangers	181	12	0	0	12	1	0	0
						1904	1907	Queens Park Rangers	Denaby United								
Bannister	K	Keith	27/01/23	Sheffield		1953		Sheffield Wed.		17	0	0	0	0	0	0	0
Bannister	K (2)	Keith	13/11/30	Sheffield		1955		Wrexham	Norwich City	21	0	0	0	1	0	0	0
Barber	F	Fred	26/08/63	Ferryhill		1992		Peterborough U (loan)		0	0	0	2	0	0	0	0
Barks	W	Wilf	27/03/05	Dinnington	1968	1932	1933	Dinnington Ath.	Mansfield Town	7	0	0	1	0	0	0	0
Barley	P	Peter				1899		Hartington Col.	Staveley Town	3	2	0	0	0	0	0	0
Barlow	FC	Frank	15/10/46	Mexborough		1972	1975	Sheffield Utd.	Coaching	141	9	10	0	3	0	0	0
Barnes	PL	Paul	16/11/67	Leicester		1990		Stoke City (loan)		1	1	0	0	0	1	0	0
Bartley	A	Tony	08/03/38	Stalybridge		1966		Oldham Athletic	Sligo Rovers (p/m)	12	0	2	0	2	0	0	0
Batty	PW	Paul	09/01/64	Edington		1985		Swindon Town	Exeter City	26	2	2	1	0	1	0	0
Bauld	R	Bobby	14/3/02	Cowdenbeath		1935		Bradford City		2	0	0	1	0	0	0	0
Beasley	A	Andy	05/02/64	Sedgley		1994	1995	Doncaster Rovers	Retired	32	2	3	6	0	0	0	0
Beaumont	CP	Chris	5/12/65	Sheffield		1996		Stockport County		33	5	2	1	1	1	0	0
Bedford	H	Harry	15/10/1899	Calow	1976	1933		Bradford	Heanor Town	25	0	0	1	12	0	0	0
Beech	HH	Herbert				1905	1906	Hasland Wild Rose		6	0	0	0	0	0	0	0
Beedall	F	Fred	15/8/11	Chesterfield	1976	1932	1933	Ling's Row Primitives	Torquay United	7	0	0	1	0	0	0	0
Beel	GW	George	28/12/00	Bracebridge Heath	1980	1922		Merthyr Town	Burnley	35	4	0	0	23	3	0	0
Beeson	GW	George	31/8/06	Clay Cross		1927	1928	North Wingfield	Sheffield Wed.	43	3	0	0	0	0	0	0
Bell	AE	Albert	30/01/05	Sheffield	1988	1930		Cardiff City		9	0	0	0	0	0	0	0
Bell	CT	Charlie	21/03/45	Sheffield		1968	1972	Sheffield Utd.	Rotherham (trainer)	152	13	8	0	12	1	0	0
Bell	DM	Derek	30/10/56	Wyberton		1983		Lincoln City	Scunthorpe Utd.	17	1	4	0	3	0	0	0
Bell	J	John	1877	Dundee		1899	1900	Grimsby Town	Millwall	51	10	0	0	2	0	0	0
Bell	J	Joe	28/07/24	Sunderland		1947	1948	Stockton	Coventry City	37	1	0	0	0	0	0	0
Bell	T	Tommy	09/11/06	Seaham Colliery	1983	1930	1931	Halifax Town	Southport	55	1	0	0	22	0	0	0
Bellamy	A	Arthur	05/04/42	Blackhill, Lancs		1972	1975	Burnley	Retired	133	7	11	0	12	0	0	0
Bellamy	G	Gary	04/07/62	Worksop		1980	1986	App.	Wolves	184	7	12	7	6	1	0	1
Bellis	A	Alf	08/10/20	Ellesmere Port		1953		Swansea Town	Rhyl Athletic	13	0	0	0	3	0	0	0

Player			D.O.B	Place of Birth	Died	First Season	Last Season	Previous Club	Next Club	Appearances				Goals			
										League	FAC	FLC	Other	Leagu	FAC	FLC	Oth.
Bemment	FC	Fred	1883	Lowestoft	1957	1907	1908	Notts County	Hardwick Colliery	29	1	0	0	1	0	0	0
Benjamin	C	Chris	05/12/72	Sheffield		1990	1991	App.	Frickley Athletic	15	0	1	0	1	0	0	0
Benjamin	TL	Triston	01/04/57	St Kitts		1987		Notts County	Shepshed C'house	34	1	2	0	0	0	0	0
Bennison	TJ	John		Barrow Hill		1900			Poolsbrook Ath.	2	5	0	0	0	1	0	0
Bentley	DA	David	30/05/50	Edwinstowe		1974	1976	Rotherham Utd.	Doncaster Rovers	55	5	4	0	1	0	0	0
Beresford	JW	John	25/01/46	Sheffield		1962	1964	App.	Notts County	52	5	3	0	10	1	0	0
Beresford	P	Philip	30/11/44	Chesterfield		1963		Local	Alfreton Town	7	1	0	0	3	0	0	0
Bernadeau	O	Oliver	19/08/62	Bourges, France		1986			Leeds United	9	0	1	1	0	0	0	0
Betton	A	Alec	28/11/03	New Tupton		1927	1928	New Tupton Ivanhoe	Scarborough	31	0	0	0	0	0	0	0
Bibbo	S	Sal	24/08/74	Basingstoke		1994		Sheffield Utd. (loan)		1	0	0	0	0	0	0	0
Bicknell	C	Charlie	06/11/05	Pye Bridge	1994	1928	1929	New Tupton Ivanhoe	Bradford City	79	6	0	0	0	0	0	0
Bilcliff	B	Bernard	06/06/04	Chapeltown		1925	1928	Chapletown Primitives	Scarborough	60	1	0	0	0	0	0	0
Binks	S	Sid	25/7/1899	Bishop Auckland	1978	1930	1931	Fulham	Sheffield Wed.	44	1	0	0	12	0	0	0
Birch	A	Arnold		Grenoside		1923	1926	Sheffield Wed.	Denaby United	141	11	0	0	5	0	0	0
Birch	A	Alan	12/08/56	West Bromwich		1979	1980	Walsall	Wolves	122	11	12	13	40	3	5	2
						1983		Barnsley	Rotherham United								
Bishop	PJ	Peter	04/01/44	Sheffield		1965	1970	Sheffield Utd.	Matlock Town	81	2	0	0	7	0	0	0
Black	JR	John	26/05/00	Denny		1924	1925	Accrington Stanley	Luton Town	21	2	0	0	0	0	0	0
Blair	CH	Charles	1881	Chesterfield	1961	1903		Brampton Juniors	N Wingfield Red Rose	1	0	0	0	0	0	0	0
Blakey	D	Dave	22/08/29	Newburn		1948	1966	Chevington Juniors	Burnley (scout)	617	35	6	0	20	1	0	0
Bloomer	R	Bob	21/06/66	Sheffield		1985	1989	App.	Bristol Rovers	141	6	4	10	15	0	0	1
Bloxham	A	Arthur	01/06/06	Solihull	1996	1928		Rhyl	Raith Rovers	7	0	0	0	1	0	0	0
Bonass	AE	Albert	01/01/12	York	1945	1936	1938	Hartlepool Utd.	QPR	98	6	0	0	26	0	0	0
Bonnyman	P	Phil	06/02/54	Glasgow		1979	1981	Carlisle Utd.	Grimsby Town	99	8	6	11	25	2	1	4
Booker	K	Ken	03/03/18	Sheffield		1938	1951	Dronfield Town	Shrewsbury Town	183	9	0	0	4	1	0	0
Bottom	AE	Arthur	28/02/30	Sheffield	1991	1958	1959	Newcastle United	Boston United	33	4	0	0	6	0	0	0
Bottrill	WG	Walter 'Billy'	08/01/03	Eston	1976	1934		Huddersfield T		16	1	0	1	5	0	0	0
Bovill	JMcK	John	21/2/1866	Rutherglen		1908		Blackburn Rovers	Liverpool	18	10	0	0	3	7	0	0
Bowater	J	Jason				1996		YTS		1	0	0	0	0	0	0	0
Bowering	M	Mike	15/11/36	Hull		1960		Hull City	Gainsborough Trin.	16	1	0	0	1	0	0	0
Bowman	J	Joe	07/11/02	Evenwood	1941	1931	1932	Doncaster Rovers	Broad Oaks Works	29	0	0	0	0	0	0	0
Bowring	JW	John	1884			1901		Blackwell	Blackwell Colliery	3	0	0	0	1	0	0	0
Boxall	AR	Alan	11/05/53	Woolwich		1983		Scunthorpe Utd.		5	0	0	0	0	0	0	0
Boyd	CM	Charlie	20/09/69	Liverpool		1990		Bristol Rovers	Chorley	1	0	0	0	0	0	0	0
Boyle	DW	David	24/02/29	North Shields		1954	1955	Crewe Alexandra	Bradford City	42	2	0	0	10	0	0	0
Bradbury	G	George	26/4/1897	Matlock	1974	1922		Clapton Orient	Scunthorpe United	2	2	0	0	0	0	0	0
Bradley	J	James		Manchester		1923		Manchester City	Wigan Borough	8	1	0	0	0	0	0	0
Bradshaw	DS	Darren	19/03/67	Sheffield		1987		Matlock Town (loan)	York City	18	0	2	0	0	0	0	0
Bradshaw	GH	George	24/03/20	Clay Cross		1947		Newstead Colliery		7	0	0	0	1	0	0	0
Brent	P	Peter	18/11/37	Staveley	1988	1959		App.	Boston United	2	0	0	0	0	0	0	0
Brien	AJ	Tony	10/02/69	Dublin		1988	1993	Leicester City	Rotherham Utd.	204	7	14	14	8	0	0	0
Brindley	J	John	02/05/31	Ashbourne		1953		Buxton	Buxton	1	0	0	0	0	0	0	0
Broad	TH	Tommy	31/7/1887	Stalybridge	1966	1907	1908	West Bromwich A.	Oldham Athletic	48	2	0	0	5	0	0	0
Broadhurst	BW	Brian	24/11/38	Sheffield		1961		Hallam	Loughborough Utd.	7	2	0	0	0	1	0	0
Broome	TA	Thomas	1892	Pendleton	1956	1921		Bolton Wanderers		14	2	0	0	2	1	0	0
Brown	A	Alex	21/11/14	Seaton Delaval		1934		Hartlepool Utd.	Darlington	8	0	0	2	1	0	0	0
Brown	AR	Ambrose	15/2/11	Burton-on-Trent	1989	1934		Newhall Swifts	Portsmouth	27	0	0	4	10	0	0	7
Brown	G	George	18/10/34	Sheffield		1953	1954	Liverpool	Peterborough U	66	6	0	0	5	0	0	0
Brown	HS	Henry	18/09/07	Kirkcaldy	1963	1933	1936	Darlington	Plymouth Argyle	111	4	0	9	25	0	0	2
Brown	J	James	16/02/24	Cumnock		1948		Motherwell	Bradford City	5	0	0	0	2	0	0	0
Brown	JG	Jim	11/11/52	Coatbridge		1972	1973	Albion Rovers	Sheffield Utd.	182	9	14	5	1	0	0	0
						1983	1988	Kettering T	(Commercial Mgr)								
Brown	NR	Neil	16/01/66	Sheffield		1983		App.	Alfreton Town	5	0	0	0	0	0	0	0
Brown	PJ	Phil	16/01/66	Sheffield		1982	1986	App.	Stockport Co.	87	5	5	5	19	1	2	1
Brown	T	Tommy	1880	Beith		1901		Leicester Fosse	Third Lanark	10	0	0	0	10	0	0	0
Browning	A	Alf				1900		Belper Town		3	0	0	0	1	0	0	0
Brownley	J	John				1899		Southampton		1	2	0	0	0	0	0	0
Brumfield	P	Peter	05/09/44	Treeton		1964		Local	Sutton Town	1	0	0	0	0	0	0	0
Brunt	ME	Malcolm	05/12/46	Sheffield		1966	1967	Sheffield Wed.	Mexborough	7	0	1	0	0	0	0	0
Bullock	J	Jack	25/03/02	Manchester	1977	1929	1930	Southampton	Manchester Utd.	45	5	0	0	32	1	0	0
Burrell	GM	Gerry	06/09/26	Belfast		1956	1957	Huddersfield T	Portadown	51	3	0	0	4	1	0	0
Burton	KO	Ken	11/02/50	Sheffield		1973	1979	Sheffield Wed.	Halifax Town	237	12	17	0	7	0	0	0
Butterell	CE	Charles	5/9/1894	Sheffield	1970	1921			Mexborough	9	6	0	0	3	4	0	0
Caldwell	DW	David	31/07/60	Aberdeen		1985	1987	Mansfield Town	Torquay United	100	2	4	5	21	2	1	0
						1990	1991	KVV Overpelt Fab.(Bel)	Inverness Caledonian								
Callender	J	John	03/09/12	Wylam	1980	1934		Walker Celtic	Lincoln City	5	0	0	0	1	0	0	0
Cammack	SR	Steve	20/03/54	Sheffield		1975	1978	Sheffield Utd.	Scunthorpe Utd.	113	4	8	0	22	0	3	0
Campbell	J	James				1907	1908	Stathclyde Juniors		8	0	0	0	0	0	0	0
Campbell	J	John	22/09/34	Dumbarton		1959		Motherwell (trial)		1	0	0	0	0	0	0	0
Capel	FJ	Fred	14/01/27	Manchester	1990	1949	1956	Goslings Works, M'chster	Buxton	285	19	0	0	16	2	0	0
Capel	TA	Tommy	27/06/22	Manchester		1947	1948	Manchester City	Birmingham City	62	2	0	0	27	0	0	0
Cappendale	TW	Tommy			1950	1903		New Whittington Ex.	New Whittington Ex.	4	0	0	0	1	0	0	0
Carline	P	Peter	02/03/51	Chesterfield		1970		App.	Alfreton Town	2	0	0	0	0	0	0	0
Carr	CP	Cliff	19/06/64	Clapton		1992	1993	Mansfield Town	Telford United	65	8	8	8	2	0	0	0
Carr	DJ	Darren	04/09/68	Bristol		1993	1996	Crewe Alexandra		75	3	8	7	3	0	0	0
Carroll	M	Micky	04/10/61	Blaydon		1981	1982	Whickham	North Shields	6	2	2	2	1	0	0	0
Cash	SP	Stuart	05/09/65	Tipton		1992	1993	Nottm. Forest	Wycombe Wan.	29	1	5	4	0	0	0	0
Castle	FR	Fred	10/04/02	Pen-y-graig	1982	1928		Cardiff City	Gillingham	24	1	0	0	9	0	0	0
Caton	WC	Bill	11/09/24	Stoke-on-Trent		1952		Carlisle Utd.	Worcester City	7	3	0	0	0	0	0	0

Player			D.O.B	Place of Birth	Died	First Season	Last Season	Previous Club	Next Club	Appearances				Goals			
										League	FAC	FLC	Other	League	FAC	FLC	Oth.
Chadwick	AC	Andrew				1906		Ashbourne		1	0	0	0	0	0	0	0
Chamberlain	G	Glyn	29/07/57	Chesterfield		1976	1978	Burnley	Halifax Town	18	0	0	0	0	0	0	0
Charlton	H	Harry	22/06/51	Gateshead		1975	1976	Middlesbrough	Frickley Athletic	21	0	2	0	0	0	0	0
Cheetham	MM	Mike	30/06/67	Amsterdam, Holland		1994		Cambridge Utd.	Colchester Utd.	5	0	2	1	0	0	1	0
Cherry	SR	Steve	05/08/60	Nottingham		1988		Plymouth Arg.(loan)		10	0	0	3	0	0	0	0
Chiedozie	JO	John	18/04/60	Owerri, Nigeria		1989		Notts County	Bournemouth	7	0	0	3	0	0	0	1
Clarke	A	Albert	1887	Chesterfield	1948	1905	1908	Hasland Wild Rose	Doncaster Rovers	4	0	0	0	0	0	0	0
Clarke	G	Gerry	04/01/36	Barrow Hill		1954	1967	Oaks Fold	Coaching	382	22	15	0	21	1	3	0
Clarke	H	Horace	1894	Sheffield		1921		Merthyr Town	Exeter City	35	2	0	0	4	0	0	0
Clarke	NJ	Nicky	20/08/67	Walsall		1992		Mansfield Town(loan)		7	0	0	0	0	0	0	0
Clayson	WJ	Bill	12/7/1897	Wellingborough	1973	1927		Barnsley	Scarborough	22	1	0	0	11	0	0	0
Clayton	J	John		Mansfield		1929		Loughborough Cor.	Wrexham	5	0	0	0	0	0	0	0
Clayton	J (2)	John	20/08/61	Elgin		1983		Bulova (Hong Kong)	Tranmere Rovers	33	3	4	0	5	0	0	0
Cliff	PR	Phil	20/11/47	Rotherham		1970	1972	Sheffield Utd.	Worksop Town	31	0	0	0	2	0	0	0
Clifton	H	Henry	28/05/14	Marley Hill		1933	1937	Scotswood	Newcastle United	121	11	0	9	67	3	0	3
Clutterbuck	HJ	Henry	1873	Wheatenhurst	1948	1902		Grimsby Town	New Brompton	29	2	0	0	0	0	0	0
Cochrane	AF	Sandy	08/08/03	Glasgow		1931		Bradford City	Llanelli	27	0	0	0	1	0	0	0
Collins	AD	Des	15/04/23	Chesterfield		1946		Jnrs.	Halifax Town	8	0	0	0	0	0	0	0
Commons	M	Mike	18/04/40	Doncaster		1964		Workington	Retired	10	1	2	0	1	1	0	0
Connor	E	Edward	1890	Weast		1921		Nelson	Saltney Athletic	9	2	0	0	2	0	0	0
Cook	C	Colin	08/01/09	North Shields		1932	1933	Crook Town	Luton Town	50	6	0	1	38	3	0	0
Cook	R	Robert		Ardrossan		1921		Galston	Merthyr Town	6	0	0	0	0	0	0	0
Cooke	J	John	25/04/62	Salford		1990	1991	Stockport Co.	Gateshead	53	3	3	3	8	2	0	1
Cookson	J	Jimmy	06/12/04	Manchester	1970	1925	1926	Southport	West Bromwich A.	74	5	0	0	85	4	0	0
Coombes	LE	Lee	05/07/66	Dinnington		1986		Scunthorpe Utd.	Worksop Town	3	0	0	0	0	0	0	0
Cooper	J	Joe	1899	Newbold	1959	1921	1922	Saltley College	Notts County	53	5	0	0	14	2	0	0
Cope	JT	Thomas	1882			1905	1908	Clowne White Star	Portsmouth	127	8	0	0	0	0	0	0
Cordner	S	Scott	03/08/72	Derby		1990		App.	Burton Albion	4	0	0	1	1	0	0	0
Costello	MB	Matt	04/08/24	Airdrie		1949	1951	New Stevenston	Chester	18	3	0	0	2	3	0	0
Cottam	JE	John	05/06/50	Worksop		1976	1978	Nottm. Forest	Chester	120	5	9	0	7	0	1	0
Cousins	H	Harry	25/09/07	Pilsley	1981	1926	1931	North Wingfield	Swindon Town	86	3	0	0	0	0	0	0
Cowan	W	Billy	28/11/00	Gateshead	1979	1928		Blackpool	York City	7	0	0	0	6	0	0	0
Cowen	J	James		North Wingfield		1921		Doncaster Rovers	Doncaster Rovers	1	0	0	0	0	0	0	0
Coyle	A	Tony	17/01/60	Glasgow		1986	1987	Stockport Co.	Stockport Co.	76	2	3	6	4	0	0	0
Crane	?			Liverpool?		1900				1	0	0	0	0	0	0	0
Crawford	AP	Alan	30/10/53	Rotherham		1979	1981	Rotherham Utd.	Bristol City	94	6	7	6	20	1	1	2
Crawshaw	TH	Tommy	27/12/1872	Sheffield	1960	1908		Sheffield Wed.	Retired	25	2	0	0	0	0	0	0
Crockford	HA	Harry	20/9/1893	Derby	1983	1923	1924	Port Vale	Gillingham	52	4	0	0	28	2	0	0
Crosbie	JA	John	9/10/1895	Glenbuck	1982	1932		Birmingham	Stourbridge (Coach)	3	0	0	0	0	0	0	0
Cross	GF	Graham	15/11/43	Leicester		1975		Leicester City (loan)		12	0	0	0	0	0	0	0
Crowe	FR	Frank	1893	Birmingham		1922		Merthyr Town	Rochdale	20	1	0	0	1	0	0	0
Cunliffe	RA	Robert	27/12/28	Bryn		1956	1957	Manchester City	Southport	62	4	0	0	19	1	0	0
Cunningham	EM	Edward	20/03/28	South Shields		1952	1954	North Shields	North Shields	56	3	0	0	0	0	0	0
Curran	E	Edward 'Terry'	20/03/55	Kinsley		1987		Grimsby Town	Goole Town	1	0	0	0	0	0	0	0
Curry	WM	Bill	12/10/35	Newcastle	1990	1967	1968	Mansfield Town	Worksop Town	14	0	0	0	2	0	0	0
Curtis	TD	Tommy	01/03/73	Exeter		1993	1996	Derby County		162	13	11	10	9	1	1	0
Cushlow	R	Dick	15/06/20	Shotton		1946	1947	Murton Colliery	Sheffield Utd.	34	2	0	0	0	0	0	0
Dale	G	Gordon	20/05/28	Worksop		1948	1950	Worksop Town	Portsmouth	92	5	0	0	3	1	0	0
Dando	M	Maurice	1905	Bristol	1949	1935		York City	Crewe Alexandra	27	0	0	5	29	0	0	2
Darling	M	Malcolm	04/07/47	Arbroath		1974	1976	Bolton Wanderers	Sheffield Wed.	104	6	3	0	33	1	2	0
Davidson	JS	Jon	01/03/70	Cheadle		1992		Preston NE (loan)		1	0	0	0	0	0	0	0
Davies	E	Edward	25/03/05	Pen-y-fford		1936	1937	Halifax Town	Walsall	2	1	0	0	0	0	0	0
Davies	KC	Kevin	26/03/77	Sheffield		1993	1996	App	Southampton	129	10	9	11	22	6	1	1
Davison	A	Albert				1908			Ilkeston United	2	0	0	0	0	0	0	0
Dawson	A	Adam	22/12/12	Craster		1934	1935	Pegswood United	Torquay United	17	1	0	5	3	1	0	0
Dawson	R	Richard	19/01/60	Chesterfield		1982		Doncaster Rovers	Scarborough	12	1	2	1	0	0	1	0
De Gruchy	RP	Ray	18/05/32	Guernsey		1958		Grimsby Town	Burton Albion	1	0	0	0	0	0	0	0
Dearden	W	Billy	11/02/44	Oldham		1977	1978	Chester City	Coaching	27	1	2	0	2	0	1	0
Dempsey	MJ	Mark	14/01/64	Manchester		1988		Sheff. Utd. (loan)		3	0	0	0	0	0	0	0
Dennis	JA	Tony	01/12/63	Eton		1993		Cambridge Utd.	Colchester Utd.	10	0	2	2	0	0	0	0
Dennis	W	William	21/9/1896	Mossley		1923	1927	Manchester Utd.	Wigan Borough	165	9	0	0	6	0	0	0
Dennison	R	Bob	06/10/00	Arnold	1973	1929		Leyton Orient		28	3	0	0	7	0	0	0
Devine	JC	Joe	08/09/05	Motherwell	1980	1937		Birmingham	Coaching	23	4	0	0	0	0	0	0
Dimmick	E	Ted	1896	Blaina		1926		Abertillery		3	0	0	0	0	0	0	0
Dodds	G	Gerry	04/01/35	Sheffield		1955		Sheffield Utd.	South Shields	4	2	0	0	0	0	0	0
Dolman	HW	Bill	30/08/06	Bloxwich	1966	1928	1932	Willenhall Pickwick	Bristol City	103	6	0	0	0	0	0	0
Donaldson	JD	Jimmy	11/06/27	South Shields		1949	1950	South Shields	Newport County	17	0	0	0	4	0	0	0
Downes	SF	Steve	02/12/49	Leeds		1972	1973	Sheffield Wed.	Halifax Town	41	3	6	0	11	2	1	0
Downie	E	Edwin				1899		Tottenham H.	Stockport Co.	21	4	0	0	0	1	0	0
Draper	C	Cyril	1896	Tibshelf	1963	1921		Derby County	Mansfield Town	2	0	0	0	0	0	0	0
Duckworth	R	Dick	06/06/06	Bacup	1983	1929	1931	Oldham Athletic	Southport	89	4	0	0	4	0	0	0
Duncan	G	George	16/01/37	Glasgow		1961	1964	Southend Utd.	Chelmsford City	140	9	7	0	13	0	0	0
Dunn	IGW	Iain	01/04/70	Howden		1991		York City	Scarborough	24	1	0	0	1	0	0	0
						1996		Huddersfield T									
Dyal	E	Edwin				1905		Heeley Friends	Denaby United	24	3	0	0	2	1	0	0
Dyche	SM	Sean	28/06/71	Kettering		1989	1996	Nottm. Forest	Bristol City	232	13	10	16	8	1	0	0
Dye	L	Lewis	24/11/04	Pilsley	1975	1924		Waterloo United	Staveley Town	3	0	0	0	0	0	0	0
Earl	A	Arthur 'Mick'	1878	Loughborough	1949	1900	1901	Coalville Town	Walsall	60	1	0	0	6	0	0	0
						1903		West Ham U	Grassmoor Red Rose								

Player			D.O.B	Place of Birth	Died	First Season	Last Season	Previous Club	Next Club	Appearances				Goals			
										League	FAC	FLC	Other	Leagu	FAC	FLC	Oth.
Ebdon	M	Marcus	17/10/70	Pontypool		1996		Peterborough U		12	0	0	0	1	0	0	0
Edmunds	CT	Trevor	07/12/03	Merthyr Tydfil	1975	1929		Bradford City	Yeovil & Petters Utd.	8	0	0	0	1	0	0	0
Edwards	R	Ron	11/07/27	Liverpool		1953		South Liverpool	South Liverpool	13	5	0	0	2	1	0	0
Edwards	W	Willis	28/04/03	Newton, Derbyshire	1988	1922	1924	Newton Rangers	Leeds United	70	5	0	0	1	0	0	0
Eley	K	Kevin	04/03/68	Mexborough		1987	1989	Rotherham Utd.	Gainsborough Trin.	81	4	4	7	2	0	0	0
Ellison	I	Irvine	27/8/14	Stocksbridge		1934				3	0	0	0	0	0	0	0
Elwood	JH	Jimmy	12/06/01	Belfast	1937	1927		Manchester City	Bradford	38	0	0	0	4	0	0	0
England	JT	John	1879	Sutton in Ashfield		1901		Stanton Town	Blackwell Col.	17	1	0	0	9	0	0	0
Evans	GN	Gary	20/12/68	Doncaster		1991		Thorne Col.	Thorne Col.	5	0	2	1	0	0	0	0
Evans	W	William			1963	1904		Clay Cross Zingari	Clay Cross Zingari	17	3	0	0	2	0	0	0
Ewing	DA	Dave		Elsecar		1907		Workington	Brentford	32	3	0	0	1	0	0	0
Fairclough	WR	Wayne	27/04/68	Nottingham		1994	1995	Mansfield Town	Northwich Victoria	15	2	3	4	0	0	0	0
Falana	W	Wade	07/01/70	London		1992		Scarborough	Heybridge Swifts	5	0	0	0	0	0	0	0
Fame	FC	Fred	1881	Chickerell, Dorset		1901		Notts County		2	0	0	0	0	0	0	0
Fee	GP	Greg	24/06/64	Halifax		1992		Mansfield T(Loan)		10	0	0	2	0	0	0	0
Fell	G	Gerry	3/12/1898	Barnsley	1977	1928		Bradford	Gainsborough Trin.	42	3	0	0	4	0	0	0
Fenoughty	T	Tom	07/06/41	Rotherham		1969	1971	Sheffield Utd.	Matlock Town	101	4	6	0	15	1	0	0
Ferguson	JB	Brian	14/12/60	Irvine		1984		Southend Utd.	Skegness Town	31	2	0	3	0	0	0	0
Fern	RA	Rodney	13/12/48	Measham		1975	1978	Luton Town	Rotherham Utd.	152	8	10	0	54	1	3	0
Ferris	S	Sam	14/03/51	Motherwell		1971	1973	Albion Rovers	Workington	31	4	3	0	3	2	0	0
Finnigan	DV	Denis	23/03/40	Sheffield	1994	1968	1969	Sheffield Utd.	Buxton	27	3	0	0	0	0	0	0
Fisher	FW	Fred	11/04/10	Barnsley	1944	1937	1938	Barnsley	Millwall	16	0	0	0	1	0	0	0
Fisher	J	Jacky	4/8/1897	Hodthorpe	1954	1921		Highfields United	Burnley	173	16	0	0	31	3	0	0
						1922	1926	Burnley	Mansfield Town								
Fitzpatrick	HJ	Harold		Scotland		1908		Liverpool	Retired	17	1	0	0	1	0	0	0
Flavell	RW	Bobby	07/03/56	Berwick-on-Tweed		1978		Halifax Town	Barnsley	29	3	2	0	2	1	1	0
Fletcher	AH	Alfred	6/9/1892	Ripley	1984	1921		Heanor Town	Shirebrook	4	7	0	0	0	0	0	0
Fletcher	DJ	Jack		Stonebroom		1899	1900	Stonebroom&Morton	Retired	46	11	0	0	0	2	0	0
Flockett	TW	Tommy	17/07/27	Ferryhill		1949	1956	Spennymoor United	Bradford City	200	14	0	0	1	0	0	0
Foley	P	Peter	28/06/44	Glasgow		1969		Scunthorpe Utd.	Netherfield	2	0	2	0	0	0	0	0
Foley	T	Terry	08/02/38	Portsmouth		1960		Portsmouth	Yeovil Town	28	4	2	0	11	3	0	0
Ford	D	David	1887	Belper	1914	1899		Derby County		7	3	0	0	0	0	0	0
Forrest	A	Alex	02/04/08	Hamilton		1933	1934	Burnley		42	2	0	1	1	0	0	0
Foster	RJ	Robert	19/07/29	Sheffield		1948	1950	App.	Preston NE	4	1	0	0	0	0	0	0
Francis	LC	Lee	24/10/69	Walthamstow		1989	1991	Arsenal	Enfield	70	2	1	6	2	0	0	0
Frear	B	Brian	08/07/33	Cleckheaton		1956	1963	Huddersfield T	Halifax Town	281	20	5	0	84	3	1	0
Frith	W	Billy	09/06/12	Sheffield		1931		Mansfield Town	Coventry City	9	0	0	0	3	0	0	0
Froggatt	F	Frank	21/3/1898	Sheffield	1944	1931	1933	Notts County	Scarborough	28	2	0	2	0	0	0	0
Frost	BP	Brian	05/06/38	Sheffield		1959	1964	Oswestry Town	Buxton	103	5	3	0	20	0	0	0
Fry	KF	Keith	11/04/41	Cardiff		1965		Merthyr Tydfil	Merthyr Tydfil	2	0	0	0	1	0	0	0
Fullwood	W	Walter				1903		Newbold White Star	Newbold White Star	4	0	0	0	0	0	0	0
Gadsby	E	Ernie	1888	New Whittington		1904	1907	New Whittington Exch.	Denaby United	15	0	0	0	2	0	0	0
Gadsby	W	Walter	1882		1961	1904	1906	New Whittington Exch.	Old Whitt'tn Mutuals	16	1	0	0	0	0	0	0
Galley	M	Maurice	10/08/34	Clowne		1954	1958	App.	Boston United	55	3	0	0	5	0	0	0
Garratt	J	John	23/3/1890	Old Hill		1921	1922	Everton	Dragon FC, Pontypridd	25	4	0	0	0	0	0	0
Gaughan	SE	Steve	14/10/70	Doncaster		1996		Darlington		17	1	1	1	0	0	1	0
Geary	G	George	01/03/1876	Hyson Green		1899	1901	Long Eaton Rangers		59	11	0	0	12	4	0	0
Gibson	AP	Adam		Kilmarnock		1921		Rotherham Town		1	1	0	0	0	0	0	0
Gilbert	DG	David	05/08/40	Smethwick		1960		Redditch Utd.	Kidderminster Harr.	22	4	2	0	2	1	0	0
Gilberthorpe	AE	Alfred'Teddy'	1886	Bolsover	1960	1905	1907		Hull City	49	7	0	0	8	0	0	0
Gissing	JW	John	24/11/38	Stapleford		1961		Notts County	Alfreton Town	2	0	0	0	0	0	0	0
Gittins	JH	Jack	11/11/1893	Stanton Hill	1956	1926		Barnsley	Wombwell T	10	2	0	0	0	0	0	0
Glossop	T	Terry	10/05/40	Sheffield		1959		Sheffield Wednesday	Boston U	7	0	0	0	1	0	0	0
Godfrey	P	Paul	27/09/72	Derby		1990		App.	Rocester	2	0	0	0	0	0	0	0
Godfrey	PR	Peter	15/03/38	Woolwich		1965		Gillingham	Exeter City	27	1	5	0	2	0	1	0
Goldring	M	Mark	17/09/72	Havant		1991	1992	App.	Waterlooville	7	1	0	2	0	0	0	0
Goodfellow	S	Syd	06/07/15	Wolstanton		1946	1947	Rochdale	Doncaster Rovers	80	5	0	0	0	0	0	0
Gooding	MC	Mick	12/04/59	Newcastle		1982		Rotherham Utd.	Rotherham Utd.	12	0	0	0	0	0	0	0
Gooing	WH	Bill	1874	Penistone		1899	1901	Wath	Arsenal	71	14	0	0	26	12	0	0
Gormley	EJ	Eddie	23/10/68	Dublin		1988		Tottenham H (loan)		4	0	0	2	0	0	0	0
Grant	D	David	02/06/60	Sheffield		1983		Oxford United (loan)		7	0	0	0	0	0	0	0
Grant	W	Walter	1883	Cleethorpes	1961	1906		Grimsby Town		4	0	0	0	2	0	0	0
Grayson	N	Neil	01/11/64	York		1991		York City	Boston United	15	1	2	1	0	0	0	0
Grayson	SD	Simon	21/10/68	Sheffield		1987		Sheffield Utd. (loan)		8	0	0	2	0	0	0	1
Greatorex	WHA	Billy	3/1/1895	Preston	1971	1923		Southport	Morecambe	13	0	0	0	0	0	0	0
Greaves	PG	Phil	05/09/61	Chesterfield		1986		Alfreton Town	Worksop Town	5	0	0	2	0	0	0	0
Green	BG	Brian	05/06/35	Droylsden		1962		Exeter City	Wisbech Town	2	0	0	0	0	0	0	0
Green	H	Hadyn			1957	1908		Nottm. Forest	Ilkeston Utd.	21	4	0	0	5	0	0	0
Green	R	Rick	23/11/52	Scunthorpe		1976	1977	Scunthorpe Utd.	Notts County	48	0	4	0	13	0	1	0
Green	W	Bill	22/12/50	Newcastle		1979	1982	Peterborough Utd.	Doncaster Rovers	160	12	11	13	5	2	1	0
Gregg	W	Willis	21/07/08	Woodhouse	1989	1932		Mexborough Town	Torquay United	1	0	0	0	0	0	0	0
Gregory	NR	Neil	07/10/72	Ndola, Zambia		1993		Ipswich Town (loan)		3	0	0	0	1	0	0	0
Gregory	PG	Paul	26/07/61	Sheffield		1980	1983	App.	Doncaster Rovers	23	1	0	1	0	0	0	0
Griffiths	H	Harry	1886	Middlesbrough		1908		Liverpool	Partick Thistle	22	1	0	0	1	0	0	0
Gunn	BC	Bryn	21/08/58	Kettering		1989	1991	Peterborough Utd.	Hucknall Town	91	4	6	8	10	1	0	0
Haig	J	Jimmy	1876	Rothesay		1900	1907	Kilbarchan	Retired	228	16	0	0	2	0	0	0
Haigh	M	Maurice				1900		Gainsborough Trin.		6	0	0	0	2	0	0	0
Hales	H	Bert	21/11/08	Kettering	1982	1933	1934	Preston NE	Stockport Co.	42	2	0	2	11	0	0	2
Hall	A	Arthur	23/11/25	Sheffield		1947	1948	Gainsborough Trin.	Scunthorpe Utd.	23	1	0	0	4	0	0	0

Player			D.O.B	Place of Birth	Died	First Season	Last Season	Previous Club	Next Club	Appearances				Goals			
										League	FAC	FLC	Other	Leagu	FAC	FLC	Oth.
Hall	JG	John		Sheffield		1927		Kirkby Bentinck Rgrs		2	0	0	0	0	0	0	0
Hall	P	Proctor	1884	Blackburn		1907	1908	Luton Town	Hyde United	44	1	0	0	13	1	0	0
Hallam	AK	Tony	09/10/46	Chesterfield		1965	1966	App.	Worksop Town	6	0	0	0	0	0	0	0
Halton	RL	Reg	11/07/16	Buxton	1988	1948	1950	Bury	Leicester City	61	5	0	0	10	0	0	0
Hamilton	HH	Herbert 'Duke'	27/03/06	Wallasey	1951	1931	1938	Preston NE	Tranmere Rovers	192	9	0	10	6	1	0	0
Hampson	W	Walker	24/7/1889	Radcliffe	1959	1923		Hartlepools Utd.	Rochdale	12	0	0	0	0	0	0	0
Hancock	J	Jim				1899	1900	Mexborough	Denaby United	60	7	0	0	0	0	0	0
						1901			Denaby United								
Handley	GA	George	1886	Totley	1952	1904	1906	Sheffield United	Bradford City	25	2	0	0	4	0	0	0
Hanson	DP	David	19/11/68	Huddersfield		1996		Leyton Orient(loan)		4	0	0	0	1	0	0	0
Hardwick	S	Steve	06/09/56	Mansfield		1974	1976	App.	Newcastle United	38	4	2	0	0	0	0	0
Hardy	EM	Edwin	16/10/53	Chesterfield		1972		App.	Worksop Town	6	2	0	0	0	0	0	0
Hardy	JH	Jack	15/06/10	Chesterfield	1978	1934	1936	Unstone	Hull City	48	4	0	8	1	0	0	0
Hardy	S	Sam	26/8/1883	Newbold	1966	1902	1904	Newbold White Star	Liverpool	71	6	0	0	0	0	0	0
Harrison	WE	Walter	16/01/23	Coalville		1950	1952	Leicester City	Corby Town	74	3	0	0	12	0	0	0
Hart	JL	Les	21/11/04	Bolsover	1974	1924		Worksop Town	Mansfield Town	4	0	0	0	1	0	0	0
Hart	N	Nigel	01/10/58	Golborne		1989	1990	Stockport Co.	York City	46	1	1	2	2	0	0	0
Hart	WR	Billy	01/04/23	North Shields		1946		North Shields	Bradford City	1	2	0	0	0	0	0	0
Harvey	A	Alex	28/09/28	Ayr		1950	1952	Saltcoats Victoria	Buxton	27	2	0	0	9	0	0	0
Harvey	WA	Bill	1908	Chopwell		1935		Eden Colliery	Boston United	14	3	0	1	4	1	0	0
Hasson	WC	Bill	12/06/05	Glasgow	1976	1935		Millwall		2	0	0	0	0	0	0	0
Hatton	C	Cyril	14/09/18	Grantham	1987	1953		QPR	Grantham	36	3	0	0	10	1	0	0
Havenhand	K	Keith	11/09/37	Dronfield		1953	1961	App.	Derby County	176	7	3	0	58	2	1	0
Hawke	WR	Warren	20/09/70	Durham		1991		Sunderland (loan)		7	0	0	0	1	0	0	0
Hay	J	Jimmy	1876	Lanark		1908		Barnsley	Stoke	37	2	0	0	0	0	0	0
Haywood	G	George	11/12/06	Coleorton	1992	1934		Birmingham		16	1	0	1	7	0	0	1
Hazel	DSt.L	Des	15/07/67	Bradford		1994	1995	Rotherham Utd.	Guiseley	21	1	1	3	0	0	0	0
Hebberd	TN	Trevor	19/06/58	Winchester		1991	1993	Portsmouth	Lincoln City	74	2	8	8	1	0	1	1
Helliwell	E	Ernie	25/11/05	Sheffield	1958	1931	1932	Stockport Co.	Brighton & Hove A.	51	4	0	0	1	0	0	0
Henderson	J	John	22/09/41	Johnshaven		1965		Doncaster Rovers	Kidderminster Harr.	28	0	5	0	3	0	2	0
Henderson	MR	Mick	31/03/56	Gosforth		1984	1988	Sheffield Utd.	Matlock Town	136	5	8	5	10	1	1	0
Henderson	WMM	Martin	03/05/56	Kirkcaldy		1981	1983	Leicester City	Port Vale	87	3	4	3	23	1	0	0
Henshall	HV	Horace	14/6/1889	Hednesford	1951	1923		Sheffield Wed.	Lincoln C (sec/mgr)	33	3	0	0	3	0	0	0
Henson	AH	Tony	15/10/60	Dronfield		1981	1982	Alfreton Town	Gainsborough Trin.	28	1	2	3	0	0	0	1
Heppolette	RAW	Ricky	08/04/49	Bhusawal, India		1976	1978	Crystal Palace	Peterborough Utd.	47	2	3	0	3	0	1	0
Hewitt	JR	Jamie	17/05/68	Chesterfield		1985	1991	App.	Doncaster Rovers	381	19	17	23	23	1	1	0
						1993	1996	Doncaster Rovers									
Hibberd	CM	Cyril	8/5/1895	Sheffield	1980	1921	1922		Rochdale	57	5	0	0	0	0	0	0
Hickton	R	Roy	19/09/48	Chesterfield		1968	1970	App.	Macclesfield T	50	0	1	0	1	0	0	0
Higginbottom	AJ	Andy	22/10/64	Chesterfield		1982		App.	Everton	3	0	0	0	0	0	0	0
Higginbottom	M	Mike	13/10/62	Sheffield		1983		Sheffield Utd.	Hallam	5	2	0	0	0	0	0	0
Higgins	AM	Andy	12/02/60	Bolsover		1978		App.	Port Vale	1	0	0	0	0	0	0	0
Hill	A	Arthur	12/11/21	Chesterfield		1947				1	0	0	0	0	0	0	0
Hill	DM	David	06/06/66	Nottingham		1994		Lincoln City (loan)		3	0	0	0	0	0	0	0
Hill	H	Harold	24/8/1898	Blackwell, Derbyshire		1932		Scarborough	Mansfield Town	11	0	0	0	2	0	0	0
Hinton	R	Ron	27/11/43	Keighley		1963		Doncaster Rovers	Bourne Town	1	0	1	0	0	0	0	0
Hodnett	JE	Joe	18/7/1896	Bilston	1943	1924		Pontypridd	Merthyr Town	12	0	0	0	1	0	0	0
Holland	P	Paul	8/7/73	Lincoln		1995	1996	Sheffield United		42	7	2	1	5	0	0	0
Hollett	IR	Ivan	22/04/40	Pinxton		1964	1968	Mansfield Town	Crewe Alexandra	157	5	7	0	62	2	4	0
Holleworth	WH	Walter	1881	Nottingham	1946	1900		Grassmoor Red Rose	Grassmoor Red Rose	2	1	0	0	0	0	0	0
Holmes	JA	Albert	1886	Mansfield		1907	1908	Mansfield T	Nelson	51	2	0	0	9	0	0	0
Holmes	AV	Albert	14/02/42	Eccles		1961	1975	App.	Boston United	470	20	22	0	10	0	0	0
Holmes	J	James	27/12/08	Skelmersdale	1971	1930	1951	Prescot Cables	Sheffield Utd.	26	0	0	0	1	0	0	0
Holmes	J	Joe	10/02/26	Clay Cross		1947	1951	Parkhouse Col.	Matlock Town	29	0	0	0	3	0	0	0
Holmes	T	Tom	14/12/34	Hemsworth		1961		Halifax Town	Frickley Colliery	20	3	0	0	3	0	0	0
Hoole	D	David	16/10/70	Chesterfield		1988	1989	App.	Alfreton Town	14	0	0	2	0	0	0	0
Hooper	C	Charlie	23/03/03	Darlington	1972	1927		Notts County	Norwich City	3	0	0	0	0	0	0	0
Hopkinson	C	Charlie				1907		Tibshelf	Rotherham County	11	1	0	0	0	0	0	0
Hopkinson	S	Sam	09/02/02	High Moor	1958	1924	1926	Shirebrook	Shirebrook	76	6	0	0	18	1	0	0
Hornsby	BG	Brian	10/09/54	Great Shelford		1983		Carlisle U(loan)		1	1	0	0	0	0	0	0
Hosey	E	Ted		Whittington		1899	1901	Sheffield United	Denaby United	41	3	0	0	0	0	0	0
Hoskins	MA	Mick	03/11/66	Chesterfield		1983	1984	App.	Goole Town	2	0	0	1	0	0	0	0
Howard	J	Jonathan	07/10/71	Sheffield		1994	1996	Buxton		77	9	3	8	12	2	0	2
Howe	H	Herbert	1906	Sheffield		1928		Ecclesfield Utd.	Denaby United	17	3	0	0	1	0	0	0
Howsam	AD	Dennis	21/10/22	Sheffield		1946	1947	Sheffield Wed.	Halifax Town	12	0	0	0	4	0	0	0
Howshall	JH	Jack	12/07/12	Normacote	1962	1934		Stoke City	Southport	25	1	0	1	0	0	0	0
Hoyle	CR	Colin	15/01/72	Wirksworth		1989		Arsenal (loan)		3	0	0	0	0	0	0	0
Hudson	J	Jackie	05/10/21	Blaydon		1946	1951	West Stanley	Shrewsbury Town	169	4	0	0	33	0	0	0
Hughes	A	Alan	1909	South Shields		1933	1934	Wigan Ath.	Derby County	37	2	0	2	7	1	0	0
Hughes	EM	Mike 'Blodwyn'	03/09/40	Llanidloes		1963		Exeter City	Yeovil Town	210	10	14	0	9	0	0	0
Hughes	JH	Jack	25/09/12	Oswestry	1991	1936	1938	Chester	Bradford	102	3	0	0	17	1	0	0
Humphreys	A	Alan	18/10/39	Chester		1968	1969	Mansfield Town		51	3	3	0	0	0	0	0
Hunt	GS	George	22/02/10	Barnsley	1996	1929		Regent St. Congs.	Tottenham H	14	0	0	0	9	0	0	0
Hunt	RAR	Ralph	14/08/33	Portsmouth	1964	1964		Newport County		17	1	3	0	5	0	5	0
Hunter	L	Les	15/01/58	Middlesbrough		1974	1981	App.	Scunthorpe Utd.	295	16	22	3	20	1	2	0
						1983	1985	Scunthorpe Utd.	Scunthorpe Utd.								
						1987	1988	Lincoln City	Matlock Town								
Hutchinson	JB	Barry	27/01/36	Sheffield		1954	1959	Bolton Wanderers	Derby County	154	7	0	0	16	1	0	0
Hutchinson	R	Bob	1894	Gosforth	1971	1924		Stockport Co.	Barrow	13	0	0	0	1	0	0	0

Player			D.O.B	Place of Birth	Died	First Season	Last Season	Previous Club	Next Club	Appearances				Goals			
										League	FAC	FLC	Other	Leagu	FAC	FLC	Oth.
Hutton	R	Bob		Sheffield		1903		Worksop Town	Worksop Town	8	3	0	0	1	0	0	0
Ingham	TW	Thomas	7/6/1896	Chorlton-cum-hardy	1972	1923		Manchester City		8	0	0	0	1	0	0	0
Irvine	GW	George'Peter'	1889	Barrow	1952	1921		Barrow	Shirebrook	20	10	0	0	0	0	0	0
Ivey	PHW	Paul	01/04/61	Westminster		1982		Kettering Town	Kalmar(Sweden)	6	0	0	0	0	0	0	0
Jeavons	WH	Billy	09/02/12	Woodhouse Mill	1992	1931		Woodhouse Brunswick	Burnley	4	0	0	0	0	0	0	0
Jobe	T	Tommy				1929			Wigan Borough	2	0	0	0	0	0	0	0
Johnson	A	Albert	15/07/20	Weaverham		1948		Everton	Witton Albion	19	0	0	0	1	0	0	0
Johnson	GW	George				1907		Sheffield United	Rotherham County	3	0	0	0	0	0	0	0
Jones	A	Alan	21/01/51	Grimethorpe		1976	1977	Halifax Town	Lincoln City	39	4	4	0	5	1	0	0
Jones	DT	David		Troedyrhiw		1922		Merthyr Town	Lincoln City	6	3	0	0	0	0	0	0
Jones	JLM	John	11/02/00	Abergele		1926		Bolton Wanderers		4	0	0	0	0	0	0	0
Jules	MA	Mark	05/09/71	Bradford		1993	1996	Scarborough		130	11	9	8	3	0	2	0
Kabia	JP	Jim	11/11/54	Mansfield		1972	1974	App.	Boston United	11	0	1	0	1	0	0	0
Keating	PJ	Pat	17/09/30	Cork		1953	1956	Bradford		95	7	0	0	21	1	0	0
Keen	A	Alan	29/05/30	Barrow		1954	1955	Barrow	Cheltenham Town	54	1	0	0	12	0	0	0
Keightley	A	Arthur	1909	Hasland		1928		Brimington Juniors	Shirebrook	20	1	0	0	1	0	0	0
Kelly	DC	Doug	30/05/34	Worsborough		1957		Bradford City	Dodworth Col.	1	0	0	0	1	0	0	0
Kelly	F	Frank	1883	Liverpool		1904		Barnsley	Watford	9	0	0	0	1	0	0	0
Kendal	SJ	Steve	04/08/61	Birtley		1982	1986	Nottm. Forest	Torquay United	125	5	10	3	14	1	0	0
Kendall	M	Mark	30/09/58	Blackwood		1979		Tottenham H (loan)		9	0	0	0	0	0	0	0
Kennedy	MF	Mick	09/04/61	Salford		1992		Stoke City	Wigan Ath.	27	2	1	4	1	0	0	0
Kerfoot	E	Eric	31/07/24	Ashton-under-Lyne		1959		Leeds United	Stalybridge Celtic	9	0	0	0	0	0	0	0
Kerry	DT	David	06/02/37	Derby		1961	1962	Preston NE	Rochdale	55	3	0	0	23	1	0	0
Kettleborough	KF	Keith	28/06/35	Rotherham		1967	1968	Doncaster Rovers	Matlock Town	66	6	1	0	3	0	0	0
Kidd	WE	William	31/01/07	Pegswood	1978	1931	1947	Pegswood United	Coaching	316	21	0	10	2	0	0	0
King	JD	Jeff	09/11/53	Fauldhouse		1983		Sheffield Utd.	Stafford Rangers	1	0	1	0	0	0	0	0
Kinsey	S	Steve	02/01/63	Manchester		1982		Manchester C (loan)		3	0	0	0	0	0	0	0
Kirkman	N	Norman	06/03/20	Bolton		1947	1948	Rochdale	Leicester City	41	1	0	0	0	0	0	0
Klug	BP	Bryan	08/10/60	Coventry		1983		Ipswich Town	Peterborough Utd.	34	1	3	1	0	0	0	0
Knight	J	Jack	12/09/22	Bolton	1996	1951		Preston NE	Exeter City	35	2	0	0	6	0	0	0
Knowles	CB	Cameron	19/09/69	Ripon		1993				1	0	1	0	0	0	0	0
Kopel	SA	Scott	25/02/70	Blackburn		1992				1	0	0	0	0	0	0	0
Kowalski	AM	Andy	26/02/53	Warsop		1972	1982	Worksop Town	Doncaster Rovers	393	19	25	7	31	0	5	0
						1986		Burton Albion	Boston United								
Lacey	AD	Darrell	1895	Chesterfield	1952	1921			Shirebrook	18	6	0	0	3	1	0	0
Lack	H	Harry	29/11/30	Bolsover		1953		Blackburn Rovers	Creswell Colliery	1	0	0	0	0	0	0	0
Lamb	A	Albert		Auchtermuchty		1936		Portadown		8	0	0	0	0	0	0	0
Lancaster	D	Dave	08/09/61	Preston		1990	1992	Blackpool	Rochdale	81	2	5	6	20	0	3	3
Lane	JW	Jack	29/5/1896	Birmingham	1984	1923	1924	Burnley	Brentford	65	5	0	0	19	0	0	0
Langland	JR	John	09/11/29	Easington		1952	1953	Consett	Blyth Spartans	7	0	0	0	0	0	0	0
Large	F	Frank	26/01/40	Leeds		1972	1973	Northampton Town	Baltimore Comets	46	1	3	0	15	1	0	0
Law	N	Nicky	08/09/61	Greenwich		1993	1996	Rotherham Utd.	Hereford United	111	3	4	10	11	0	0	3
Leaning	AJ	Andy	18/5/63	Howden		1996		Dundee		9	0	0	1	0	0	0	0
Leddy	H	Harry	1895	Dublin		1921	1922	Everton	Grimsby Town	45	4	0	0	7	0	0	0
Lee	J	John	1905	Newcastle on Tyne		1928		Newcastle United	Bedlington United	4	0	0	0	1	0	0	0
Lee	JW	John	26/06/03	Tynemouth	1990	1928	1932	Arsenal	Aldershot	172	15	0	0	49	8	0	0
Lee	W	Billy	1878	West Bromwich	1934	1907		New Brompton	Darlaston	26	2	0	0	6	0	0	0
Leiper	J	Joe	1873	Partick		1902		Grimsby Town	Partick Thistle	25	2	0	0	0	0	0	0
Leivers	WE	Bill	29/01/32	Bolsover		1951	1952	App.	Manchester City	27	2	0	0	0	0	0	0
Lemon	PA	Paul	03/06/66	Middlesbrough		1990	1992	Sunderland	Tromso (Norway)	85	4	5	6	9	0	0	2
Leonard	MC	Mick	09/05/59	Carshalton		1988	1993	Notts County		176	5	12	6	0	0	0	0
Letheran	G	Glan	01/05/56	Llanelli		1977	1979	Leeds United	Swansea City	63	3	8	0	0	0	0	0
Lewis	G	Gwyn	22/04/31	Bangor		1956	1960	Rochdale	Heanor Town	123	6	0	0	58	0	0	0
Linacre	W	Billy	10/08/24	Chesterfield		1946	1947	App.	Manchester City	22	0	0	0	3	0	0	0
Logan	JH	Jimmy	17/10/1885	Dunbar		1906	1908	Bradford City	Bradford	94	8	0	0	9	1	0	0
Lomas	A	Albert	14/10/24	Tyldesley		1951		Rochdale	Wigan Athletic	29	2	0	0	0	0	0	0
Lomas	JD	James				1996				2	0	0	1	0	0	0	0
Lord	F	Frank	13/03/36	Chadderton		1967		Blackburn Rovers	Plymouth Argyle	12	0	1	0	6	0	0	0
Lormor	A	Tony	29/10/70	Ashington		1994	1996	Peterborough Utd.		98	5	4	8	31	3	1	3
Lovett	AW	Albert	13/02/11	Rotherham	1975	1934		Dinnington Ath.	Rotherham Utd.	17	0	0	2	2	0	0	1
Lovie	JTH	Jim	19/09/32	Peterhead		1961	1963	Bournemouth		95	7	1	0	7	2	0	0
Lowe	G	George	25/05/16	Mastin Moor		1938		Mastin Moor Jnrs.		5	0	0	0	0	0	0	0
Lowe	WH					1903		Clay Cross Zingari		1	0	0	0	0	0	0	0
Lowey	JA	John	07/03/58	Manchester		1986		Wigan Ath. (loan)		2	0	0	2	0	0	0	0
Luke	C	Charlie	16/03/09	Esh Winning	1983	1938		Blackburn Rovers		13	0	0	0	4	0	0	0
Lumley	R	Bob	06/01/33	Leadgate		1957	1958	Hartlepool Utd.	Gateshead	25	0	0	0	2	0	0	0
Lumsden	IJ	John	01/07/42	Heanor		1967	1970	Workington	Heanor Town	94	4	3	0	0	0	0	0
Lund	GJ	Gary	13/9/64	Grimsby		1995	1996	Notts County		18	1	0	1	1	0	0	0
Lunn	E	Enoch				1905		Clowne White Star		24	1	0	0	3	0	0	0
Lunn	J	Jack	14/10/37	Barnsley	1989	1961		Barnsley	Alfreton Town	40	3	1	0	13	2	1	0
Lyne	NGF	Neil	04/04/70	Leicester		1993		Cambridge U (loan)		6	0	0	0	1	0	0	0
Lyon	TK	Tom	17/03/15	Clydebank		1938	1947	Blackpool	New Brighton	41	2	0	0	22	2	0	0
McAninly	J	Joe	15/01/13	Tow Law	1989	1936		Leyton Orient	Darlington	2	0	0	0	0	0	0	0
McAuley	S	Sean	23/06/72	Sheffield		1994		St. Johnstone (loan)		1	2	0	2	1	0	0	0
MacCabe	AB	Andy	22/02/35	Glasgow	1963	1955	1958	Corby Town	Kettering Town	53	2	0	0	7	0	0	0
McCann	J	John	23/07/34	Govan		1964	1965	Darlington	Skegness Town	41	4	5	0	9	0	0	0
McCormick	J	Jimmy	26/04/12	Rotherham	1968	1932		Rotherham Utd.	Tottenham H	15	0	0	0	2	0	0	0
McCowie	A	Andrew				1901		Middlesbrough		17	1	0	0	7	0	0	0
McCracken	JP	Peter	1867	Glasgow		1900	1901	Middlesbrough		52	7	0	0	1	0	0	0

Player			D.O.B	Place of Birth	Died	First Season	Last Season	Previous Club	Next Club	Appearances				Goals			
										League	FAC	FLC	Other	Leagu	FAC	FLC	Oth.
McCulloch	MJ	Mike	26/04/00	Denny		1924		Nelson	Bournemouth	3	0	0	0	0	0	0	0
McDonald	GJ	Gavin	06/10/70	Salford		1988		App.	Irlam Town	12	0	0	2	1	0	0	1
McDougald	DEJ	Junior	12/1/75	Big Spring, Texas		1995		Brighton &HA (loan)		9	0	0	1	3	0	0	0
McElvaney	DA	David	03/11/54	Chesterfield		1975		Derbyshire Times	Buxton	4	1	0	0	1	0	0	0
McEwan	WJM	Billy	20/06/51	Cleland		1974	1976	Brighton & Hove A.	Mansfield Town	80	7	4	0	7	1	0	0
McGeeney	PM	Paddy	20/01/57	Sheffield		1987	1988	Sheffield Utd.	Gainsborough Trin.	49	2	4	4	1	0	0	0
McGoldrick	TJ	Tom	20/09/29	Doncaster		1953	1954	Rotherham Utd.	Gainsborough Trin.	36	0	0	0	16	0	0	0
McGugan	PJ	Paul	17/07/64	Glasgow		1990	1993	Barnsley	Airdrie	77	1	7	1	6	0	0	0
McHale	R	Ray	12/08/50	Sheffield		1971	1974	Hillsbro' Boys Club	Halifax Town	124	8	10	0	27	1	2	0
McIntosh	JW	Jim	19/08/50	Forfar		1975		Nottm. Forest (loan)		3	0	0	0	0	0	0	0
McIntyre	JMc	Johnny	19/10/1898	Glasgow	1974	1931	1932	Derby County		58	6	0	0	0	0	0	0
MacIntyre	TA	Tommy		Dumfries	1976	1923		Wigan Borough		4	0	0	0	0	0	0	0
McJarrow	H	Hugh	29/01/28	Motherwell	1987	1946	1949	Newarthill Harp	Sheffield Wed.	33	2	0	0	11	0	0	0
McKnight	G	George	17/11/23	Belfast	1996	1955		Blackpool	Southport	5	0	0	0	1	0	0	0
McLaren	JD	James	29/07/36	Birkenhead		1959		Wigan Athletic	Alfreton Town	11	1	0	0	2	0	0	0
McLeod	T	Tommy	26/12/20	Musselburgh		1951		Liverpool	Wisbech Town	25	2	0	0	3	0	0	0
McMahon	JJ	John	07/12/49	Manchester		1979		Preston NE (loan)		1	0	0	0	0	0	0	0
McMillen	WS	Walter	24/11/13	Belfast		1936	1938	Manchester Utd.	Millwall	85	7	0	0	17	0	0	0
McNulty	WG	Billy	09/02/49	Edinburgh		1968		Port Vale		6	0	0	0	0	0	0	0
McQuarrie	A	Andy	02/10/39	Glasgow		1962	1963	Albion Rovers	Brighton & Hove A.	38	4	0	0	12	2	0	0
Machent	A	Arthur	1910	Chesterfield	1996	1929	1931	C'field Bible Class	Buxton	3	0	0	0	0	0	0	0
Machent	SC	Stan	23/03/21	Chesterfield		1947	1948	Sheffield Utd.	Buxton	21	0	0	0	7	0	0	0
Mackie	J	John		Baillieston	1960	1938		Bradford City	Retired	17	0	0	0	3	0	0	0
Madden	LD	Lawrie	28/09/55	Hackney		1993	1995	Darlington	Emley	37	1	2	1	1	0	0	0
Maddison	JP	Jimmy	09/11/24	South Shields	1992	1958	1960	Grimsby Town	Cambridge City	98	6	2	0	16	1	0	0
Malam	A	Albert	20/01/13	Liverpool	1992	1932	1934	Colwyn Bay Utd.	Huddersfield T	58	2	0	1	25	0	0	1
Marples	C	Chris	03/08/64	Chesterfield		1984	1986	Goole Town	Stockport Co.	141	8	4	7	0	0	0	0
						1992	1994	York City	Emley								
Marples	EA	Emerson				1901	1907	Dronfield Town	Sunderland	146	11	0	0	10	3	0	0
Marron	C	Chris	07/02/25	Jarrow	1986	1947	1951	South Shields	Mansfield Town	108	6	0	0	44	3	0	0
Marsden	K	Keith	10/04/34	Darley Dale	1986	1953	1954	Youlgreave Boy's Club	Manchester City	22	5	0	0	15	5	0	0
Marsh	J	Joe		Bolsover		1903			Old Whittington Mut's	2	0	0	0	0	0	0	0
Marsh	JK	Jack	08/10/22	Mansfield		1950		Leicester City	Worksop Town	26	1	0	0	4	0	0	0
Marshall	DJ	Danny	18/12/75	Newark		1994		Notts County	Boston United	1	0	0	0	0	0	0	0
Marshall	WE	Billy	1/10/1898	Birmingham	1966	1921	1922	Rotax Works	Grimsby Town	67	5	0	0	10	0	0	0
Martin	G	Geoff	09/03/40	New Tupton		1958		Parkhouse Col.	Leeds United	45	3	3	0	4	0	0	0
						1968	1969	Grimsby Town	Retired								
Mason	AJ	Andy	22/11/74	Bolton		1996		Hull City		1	0	0	0	0	0	0	0
Mason	CE	Cliff	27/11/29	York		1964		Scunthorpe Utd.		5	0	1	0	0	0	0	0
Mason	W	Billy	1876	Melbourne, Derbys		1901		Coalville Town		2	0	0	0	0	0	0	0
Massart	DL	Dave	02/11/19	Birmingham		1950		Bury	Weymouth	11	0	0	0	5	0	0	0
Matthews	F	Frank	26/12/02	Wallsend	1981	1927		Southampton	Unsworth Col.	2	0	0	0	1	0	0	0
Matthews	JM	John	01/11/55	Camden		1984		Mansfield Town	Plymouth Argyle	38	1	2	3	1	0	0	1
Maxwell	P	Pat	10/01/29	Ayr		1951	1952	Saltcoats Victoria		18	0	0	0	3	0	0	0
Maybury	AE					1901		Burslem Port Vale		9	1	0	0	0	0	0	0
Mays	AE	Albert	18/04/29	Ynyshir	1973	1960		Derby County	Burton Albion	37	4	2	0	5	0	0	0
Meads	J	Jack	05/08/07	Grassmoor	1980	1925	1926	Grassmoor Comrades	Scarborough	12	1	0	0	0	0	0	0
Mellon	DJM	David	6/5/1899	Felling	1981	1923		Aston Villa		1	0	0	0	0	0	0	0
Mellor	PJ	Peter	20/11/47	Prestbury		1971		Burnley (loan)		4	0	0	0	0	0	0	0
Mercer	W	Billy	22/5/69	Liverpool		1995	1996	Sheffield United		69	8	2	4	0	0	0	0
Meredith	JF	John	23/09/40	Doncaster		1962	1963	Sheffield Wed.	Gillingham	81	6	2	0	6	1	0	0
Middleton	R	Ray	06/09/19	Boldon	1977	1938	1950	North Shields	Derby County	250	13	0	0	0	0	0	0
Mihaly	RR	Ron	14/10/52	Chesterfield		1971		App.	Matlock Town	4	0	0	0	0	0	0	0
Milburn	GW	George	24/06/10	Ashington	1980	1937	1947	Leeds United	Coaching	105	10	0	0	16	1	0	0
Milburn	S	Stan	22/10/26	Ashington		1946	1951	Ashington	Leicester City	179	8	0	0	0	0	0	0
Miller	J	Jimmy	10/5/1889	Percy Main		1922		Darlington	Bournemouth	32	4	0	0	1	0	0	0
Miller	J	Joe	1912	Sheffield		1935		Wolves		38	3	0	3	13	0	0	1
Milligan	D	Dudley	07/11/16	Johannesburg, SA		1938	1946	Clyde	Bournemouth	47	4	0	0	18	1	0	0
Milner	H	Harold	10/07/02	Beighton	1971	1923		Whitwell Col.	Loughboro' Cor.	4	0	0	0	0	0	0	0
Milnes	G	George				1901	1907	Dronfield Town	Rotherham County	41	4	0	0	3	0	0	0
Milward	G	George 'Paddy'	1879		1909	1902		New Whittington Exch.	QPR	24	2	0	0	13	4	0	0
Mitchell	AB	Andrew	12/9/76	Rotherham		1996		Aston Villa		2	0	0	1	0	0	0	0
Mitchell	JT	Joseph	01/01/1886	Darnall	1964	1921		Coventry City	Barnsley	13	1	0	0	0	0	0	0
Mitchell	N	Norman	07/11/31	Sunderland		1951	1952	West Stanley	Workington	66	4	0	0	7	0	0	0
Moody	J	Jack	10/11/03	Heeley		1933	1938	Manchester Utd.		186	12	0	10	0	0	0	0
Moore	A	Alan	07/03/27	Hebburn		1948	1950	Spennymoor	Hull City	67	3	0	0	2	0	0	0
Moore	AP	Tony	04/09/47	Scarborough		1964	1970	App.	Chester City	155	4	3	0	13	0	0	0
Moore	E	Eric	16/07/26	St Helens		1956		Everton	Tranmere Rovers	6	0	0	0	0	0	0	0
Moore	J	Jimmy	11/5/1889	Handsworth		1925	1926	Derby County	Mansfield Town	41	3	0	0	21	0	0	0
Moore	R	Bobby	14/12/32	Askern		1958	1958	Rotherham Utd.	Wisbech Town	19	2	0	0	3	0	0	0
Morgan	PJ	Phil	18/12/74	Stoke on Trent		1996		Stoke C (loan)		2	0	0	0	0	0	0	0
Morley	WE	Ted			1954	1899	1900	New Whittington Exch.		36	5	0	0	9	3	0	0
Morris	AD	Andy	17/11/67	Sheffield		1987	1996	Rotherham Utd.		261	17	18	22	54	4	8	3
Morton	A	Alan	06/03/42	Peterborough		1965		Lincoln City	Wisbech Town	29	0	4	0	6	0	0	0
Mosley	HT	Herbert	01/01/00	Shuttlewood	1962	1921		Bolsover Col.	Luton Town	3	8	0	0	0	6	0	0
Moss	DA	David	15/11/68	Doncaster		1993	1995	Doncaster Rovers	Scunthorpe U	71	3	2	3	16	0	1	0
Moss	E	Ernie	19/10/49	Chesterfield		1968	1976	C'field Tube Works	Peterborough Utd.	469	26	29	13	162	11	15	3
						1978	1980	Mansfield Town	Port Vale								
						1984	1986	Doncaster Rovers	Stockport County								

Player			D.O.B	Place of Birth	Died	First Season	Last Season	Previous Club	Next Club	Appearances				Goals			
										League	FAC	FLC	Other	Leagu	FAC	FLC	Oth.
Moss	R	Ralph				1901		Wellington Town		1	0	0	0	0	0	0	0
Moyes	JK	John	17/07/51	Heage		1968	1971	App.	Boston United	13	0	1	0	0	0	0	0
Muggleton	CD	Carl	13/09/68	Leicester		1987		Leicester City (loan)		17	0	0	2	0	0	0	0
Mulrenan	BW	Bernard	04/07/12	Bolsover	1995	1935		Sheffield Wed.		1	0	0	0	0	0	0	0
Munday	H	Herbert	23/4/1876	Eckington	1961	1899	1908	Eckington Works	Eckington Red Rose	314	56	0	0	106	28	0	0
Narbett	JV	Jon	21/11/68	Birmingham		1994	1995	Kalmar (Sweden)	Kidderminster H.	20	1	2	5	1	0	0	0
Neale	P	Peter	09/04/34	Chesterfield		1966	1967	Scunthorpe Utd.	Scarborough	69	3	1	0	4	0	0	0
Neale	T	Tommy	01/08/08	Ashby de la Zouch	1986	1928		Birmingham	Sheffield Wed.	28	3	0	0	1	1	0	0
Newton	FA	Fred	16/9/1884	Denaby	1924	1905	1906	Grassmoor Red Rose	Whitwell St.Lawrence	2	2	0	0	0	0	0	0
Newton	LF	Frank	28/10/1883	Denaby	1959	1902	1904	Grassmoor Red Rose	Leyton	98	8	0	0	23	3	0	0
Newton	R	Bob	23/11/56	Chesterfield		1983	1984	Port Vale	Hartlepool Utd.	78	5	2	3	29	4	2	0
Norris	SM	Steve	22/09/61	Coventry		1991	1994	Halifax Town	VS Rugby	97	3	11	4	44	0	6	1
Nutter	W	Walter	1904	Wath on Dearne	1932	1926	1927	Frickley Col.		17	0	0	0	4	0	0	0
Ogrizovic	S	Steve	12/09/57	Mansfield		1977		Onryc FC, Mansfield	Liverpool	16	0	2	0	0	0	0	0
O'Neill	JJ	Sean	24/02/52	Belfast		1974	1985	Leeds United	Staveley Works	442	22	31	15	6	0	0	0
O'Rourke	P	Peter	22/9/1874	Newmilns	1956	1901	1902	Third Lanark	Bradford City	39	3	0	0	1	1	0	0
Oliver	J	John	06/10/20	Red Row		1946	1947	Amble		24	0	0	0	5	0	0	0
Ord	K	Ken	21/09/39	South Shields		1961		Sunderland		3	0	1	0	0	0	0	0
Ordish	CS	Cryil	23/05/15	Basford		1934		Blackwell	Wolves	1	0	0	1	0	0	0	0
Ormston	A	Arthur	03/06/00	Amble	1947	1921		South Shields	Durham City	22	0	0	0	6	0	0	0
Osborne	J	John	01/12/40	Barlborough		1960	1966	App.	West Bromwich A.	110	5	9	0	0	0	0	0
Ottewell	S	Syd	23/10/19	Horsley		1936	1946	Holbrook Col.	Birmingham City	42	2	0	0	12	1	0	0
Owen	JG	Gordon	14/06/59	Barnsley		1982		Sheffield Wed. (loan)	Cardiff City	6	0	0	0	2	0	0	0
Owers	EH	Ernie	21/10/1888	Bromley	1951	1908		West Bromwich A.	Bristol City	15	4	0	0	3	3	0	0
Oxley	B	Bernard	16/06/07	Whitwell	1975	1925	1927	Whitwell Old Boys	Sheffield Utd.	37	1	0	0	10	0	0	0
Oxley	C	Cyril	02/05/04	Whitwell	1984	1923	1925	Whitwell Col.	Liverpool	31	0	0	0	4	0	0	0
Paltridge	JW	Jim	1891	Plympton	1980	1921		Plymouth Argyle	Alfreton Town	29	13	0	0	0	0	0	0
Parker	RD	Ray	27/01/25	Doncaster		1947		Thurcroft	Sheffield Wed.	14	0	0	0	0	0	0	0
Parker	SJ	Stuart	16/02/54	Preston		1976	1977	Southend Utd.	Sparta Rotterdam	34	0	4	0	8	0	1	0
Parkin	HB	Herbert	10/04/20	Sheffield	1993	1951	1952	Sheffield Utd.	Buxton	55	3	0	0	0	0	0	0
Parkin	JT	Jack	31/07/09	Byker		1929		Accrington Stanley	Stalybridge Celtic	10	0	0	0	1	0	0	0
Parle	JJ	Jimmy	1907	Liverpool		1929		Birmingham City	Walsall	12	0	0	0	1	0	0	0
Parsons	G	Geoff	02/08/31	Belper	1996	1952		Mansfield Town	Buxton	1	3	0	0	0	0	0	0
Parsons	S	Stuart	24/05/48	Staveley		1966		App.	Heanor Town	1	0	0	0	0	0	0	0
Partridge	JT	John	14/09/62	Chesterfield		1981	1982	App.	Alfreton Town	38	0	2	2	0	0	0	0
Patterson	G	Gary	27/11/72	Newcastle		1996		Wycombe Wan.(loan)		9	0	0	0	0	0	0	0
Peake	G	George	08/05/02	Blackwell	1928	1929		South Normanton	Ilkeston United	23	2	0	0	0	0	0	0
Pearson	L	Lawrie	02/07/65	Wallsend		1993		Darlington	Gateshead	1	0	0	0	0	0	0	0
Pedlar	P	Philip	30/4/1899	Merthyr Tydfil		1922		Rhymney	Burnley	15	1	0	0	0	0	0	0
Percival	RFJ	Jack	19/04/24	Lambeth		1950		Huddersfield T	Cambridge U	6	0	0	0	0	0	0	0
Perkins	CP	Chris	09/01/74	Nottingham		1994	1996	Mansfield Town		71	10	3	10	0	0	1	0
Perry	D	David	17/05/67	Sheffield		1985	1987	App.	Sheffield Club	17	1	0	5	0	0	0	0
Phelan	A	Albert	27/04/45	Sheffield		1964	1974	Charlton U, Sheffield	Halifax Town	390	20	20	0	14	0	0	0
Phillips	RD	Ron	30/03/47	Worsley		1974		Bolton Wan. (loan)		5	0	0	0	0	0	0	0
Phillips	SE	Steve	04/08/54	Edmonton		1987		Peterborough U (loan)		9	0	0	0	2	0	0	0
Pierce	DE	David	4/10/75	Manchester		1995		Rotherham Utd.		1	0	0	0	0	0	0	0
Pilgrim	JE	James	1879	Holmes, Rotherham		1899	1900	Sheffield Utd.	Thornhill Utd.	54	9	0	0	0	0	0	0
Pinder	WP					1906		Sheff. University		3	0	0	0	0	0	0	0
Platts	L	Laurie	31/10/21	Worksop		1951		Nottm. Forest	Buxton	11	0	0	0	0	0	0	0
Plummer	CA	Calvin	14/02/63	Nottingham		1982		Nottm. Forest	Derby County	99	3	3	6	19	1	0	4
						1989	1990	Plymouth Argyle	Gainsborough Trin.								
Pollard	BE	Brian	22/05/54	York		1984		Scarborough	Scarborough	1	0	0	0	0	0	0	0
Pollard	G	Gary	30/12/59	Staveley		1977	1982	App.	Port Vale	87	9	5	3	1	0	0	0
Ponting	WT	Wally	23/04/13	Grimsby	1960	1936	1938	Grimsby Town	Lincoln City	81	7	0	0	35	4	0	0
Poole	R	Roy	02/12/39	Sheffield		1961	1963	Rotherham Utd.	Cambridge City	50	4	1	0	14	3	0	0
Potts	JF	Joe	25/2/1889	Newcastle		1923	1924	Leeds United	Bradford	53	3	0	0	0	0	0	0
Powell	H	Herbert	1880	Nottingham		1906		Grantham Avenue	Barnsley	6	0	0	0	1	0	0	0
Powell	RWH	Ronnie	02/12/29	Knighton	1992	1952	1964	Manchester City	Retired	471	32	5	0	0	0	0	0
Poynton	W	Bill		West Bromwich		1932	1933	Aston Villa		14	2	0	2	0	0	0	0
Price	FT	Fred	24/10/01	Ibstock	1985	1927		Wolves	Burton Town	25	1	0	0	6	0	0	0
Prindiville	SA	Steve	26/12/68	Harlow		1988		Leicester City	Mansfield Town	43	2	0	4	1	0	0	0
Prophett	CG	Colin	08/03/47	Crewe		1978	1979	Swindon Town	Crewe Alexandra	37	2	1	0	1	0	0	0
Pugh	DG	David	22/01/47	Markham		1967	1972	Newport County	Halifax Town	213	15	7	0	12	0	0	0
Purcell	D	Danny	15/09/48	Chesterfield		1965		Juniors		1	0	0	0	0	0	0	0
Pynegar	AE	Albert	24/9/1895	Basford	1978	1930	1931	Port Vale	Rotherham Utd.	64	3	0	0	39	1	0	0
Rackstraw	C	Charlie	23/04/38	Sheffield		1958	1963	Rotherham U	Gillingham	172	15	3	0	48	5	0	0
Raine	RR	Robert	17/11/27	Chesterfield		1949		Newbold	Kidderminster Harr.	1	1	0	0	0	0	0	0
Ralphs	BVH	Bert	1896	Handsworth		1926		Stoke City	Crewe Alexandra	32	3	0	0	7	1	0	0
Ramage	PMF	Peter	26/03/08	Bonnyrigg	1982	1937	1938	Derby County	Chelmsford City	71	7	0	0	4	0	0	0
Randall	K	Kevin	20/08/45	Ashton-under-Lyne		1966	1971	Bury	Notts County	258	14	10	0	96	5	3	0
Randles	R	Robert				1908		Tranmere Rovers	Tranmere Rovers	4	0	0	0	1	0	0	0
Ray	R	Dick	4/01/1873	Newcastle-under-Lym	1952	1904		Stockport Co.	Leeds City	31	3	0	0	0	0	0	0
Read	CW	Charles 'Chick'	21/03/12	Holbeach	1964	1935	1936	Southport	Spalding	37	1	0	0	10	0	0	0
Reddish	S	Shane	05/05/71	Bolsover		1994		Carlisle Utd. (loan)		3	0	0	0	0	0	0	0
Reed	P	Percy	1895	Sheffield		1921		Sheffield Wed.	Doncaster Rovers	5	0	0	0	0	0	0	0
Reid	AJ	Tony	09/05/63	Nottingham		1985	1987	Newport County	Stafford Rangers	67	1	2	4	7	0	0	0
Reid	RE	Ron	09/11/44	Liversedge		1967		Retford Town	Scarborough	7	0	0	0	1	0	0	0
Rhodes	WH	William			1934	1903		Clay Cross Zingari	Worksop Town	1	0	0	0	0	0	0	0
Richardson	AJ	Arthur	15/01/13	Wigan	1993	1938		Burnley	Rochdale	4	0	0	0	1	0	0	0

Player			D.O.B	Place of Birth	Died	First Season	Last Season	Previous Club	Next Club	Appearances				Goals			
										League	FAC	FLC	Other	Leagu	FAC	FLC	Oth.
Ridley	J	John	27/04/52	Consett		1979	1981	Leicester City	Port Vale	124	6	9	11	8	0	0	0
Robb	D	David	18/02/03	Leith	1992	1930		Wigan Borough	New Brighton	23	1	0	0	1	0	0	0
Roberts	CL	Leslie	28/02/01	Halesowen	1980	1922		Bristol Rovers	Sheffield Wed.	6	0	0	0	4	0	0	0
Roberts	DA	Darren	12/10/69	Birmingham		1994	1995	Doncaster Rovers	Darlington	25	2	3	7	1	0	1	3
Roberts	H	Harry	01/09/07	Barrow	1984	1926	1927	Barrow	Lincoln City	17	0	0	0	3	0	0	0
Roberts	H	Harold	12/01/20	Liverpool		1946	1948	Harroby	Birmingham City	92	5	0	0	9	2	0	0
Roberts	JT	John	24/03/44	Cessnock, Australia		1967		Blackburn Rov. (loan)		46	3	0	0	0	0	0	0
Roberts	P	Peter	21/07/55	Chesterfield		1974	1975	C'field Tube Works	Eastwood Town	2	0	0	0	0	0	0	0
Robertson	G	George		Failsworth		1935		Southend Utd.		2	0	0	2	0	0	0	0
Robinson	H	Harry				1900		Newton Rangers		2	0	0	0	0	0	0	0
Robinson	P	Peter	29/01/22	Manchester		1947	1948	Manchester City	Buxton	60	2	0	0	0	0	0	0
Robinson	PJ	Phil	06/01/67	Stafford		1994	1995	Huddersfield T	Notts County	61	2	1	8	17	0	0	4
Robinson	SM	Steven	14/06/64	Sheffield		1981	1982	App.	Stocksbridge Works	9	0	0	2	0	0	0	0
Robinson	TE	Tommy	11/02/09	Coalville	1982	1933		Blackpool	Lincoln City	22	2	0	3	7	0	0	4
Rogers	LJ	Lee	21/10/66	Doncaster		1986	1996	Doncaster Rovers		331	12	18	28	1	0	0	0
Rolph	AJP	Andy	28/10/69	Meriden		1988	1990	Birmingham City	Grantham	36	0	2	1	1	0	0	0
Rooth	WB	William	10/11/1897	North Wingfield	1962	1921		Hardwick Col.	Shirebrook	1	1	0	0	0	0	0	0
Roseboom	E	Edward 'Ted'	24/11/1896	Govan	1980	1925	1928	Rochdale	Mansfield Town	124	9	0	0	38	7	0	0
Ross	C	Colin	29/08/62	Dailly		1982		Middlesbrough (loan)		6	0	0	0	0	0	0	0
Rowe	L	Leslie		Hednesford		1934		Hednesford Town		8	0	0	0	3	0	0	0
Ruddy	T	Tom	01/03/02	Stockton	1979	1931		Derby County	Southampton	18	2	0	0	6	3	0	0
Rumney	J	John	1898	Dipton	1969	1924		Hull City	Merthyr Town	11	0	0	0	4	0	0	0
Ryan	G	George	29/12/31	Glasgow		1954		Third Lanark	Wisbech Town	3	0	0	0	0	0	0	0
Ryan	JB	John	18/02/62	Failsworth		1989	1990	Mansfield Town	Rochdale	82	1	3	5	6	0	0	1
Sadler	A	Arthur	1915	Eckington		1937		Romford	C'field Ramblers	4	0	0	0	0	0	0	0
Salisbury	G	Gareth	11/03/41	Caernarfon		1965		Colchester Utd.	Kidderminster Harr.	34	1	4	0	9	0	2	0
Salmons	G	Geoff	14/01/48	Mexborough		1978	1981	Leicester City	Gainsborough Trin.	120	10	12	11	15	2	0	2
Sawyer	F?	Tom				1901		Chorley	Coventry City	9	0	0	0	0	0	0	0
Saxby	A	Alf	11/03/05	Bolsover	1966	1921	1927	Bolsover Col.	Retired	186	20	0	0	0	1	0	0
Schofield	HW	Harry	25/05/03	Manchester	1975	1929	1931	Bradford P.A.	Doncaster Rovers	88	6	0	0	3	0	0	0
Scott	A	Andy	2/8/72	Epsom		1996		Sheff. Utd. (loan)		5	0	0	0	3	0	0	0
Scott	J	John	02/01/42	Normanton		1963		Bradford City	Matlock Town	5	1	0	0	0	1	0	0
Scrimgeour	B	Brian	11/08/59	Dundee		1983	1986	Dundee	Falkirk	121	7	10	8	16	0	2	0
Seabrook	E	Edward	23/03/05	Wigan	1995	1931		Wigan Borough	Swindon Town	2	0	0	0	0	0	0	0
Seagrave	JW	Jack	16/04/12	South Elmsall	1965	1935	1938	Southport	Stockport Co.	84	3	0	0	0	0	0	0
Sears	G	Gerry	13/01/35	Arkwright Town		1952	1967	App.	Retired	412	26	16	0	4	0	0	0
Seasman	J	John	21/02/55	Liverpool		1984		Cardiff City	Rochdale	10	0	0	1	1	0	0	0
Seddon	IW	Ian	14/10/50	Prestbury		1975		Chester City (loan)		2	0	0	0	0	0	0	0
Seemley	IJ	Ivor	30/06/29	Sheffield		1957	1958	Stockport Co.	Ilkeston Town	78	5	0	0	9	0	0	0
Shanahan	TC	Terry	05/12/51	Paddington		1974	1975	Halifax Town	Millwall	60	3	0	0	28	1	0	0
Sharp	F	Frank	1900	Tintwistle		1922	1923	Birmingham		22	0	0	0	7	0	0	0
Shaw	A	Adrian	13/04/66	Easington		1988	1990	York City	Gainsborough Trin.	50	2	1	2	3	0	0	1
Shaw	W	William	3/10/1897	Frickley		1923		Bradford City	Scunthorpe Utd.	2	1	0	0	0	0	0	0
Showler	K	Ken	03/02/33	Doncaster		1953		Bentley C.W.	Goole Town	7	0	0	0	0	0	0	0
Shufflebotham	T	Tom	1881			1903		Brentford	QPR	33	3	0	0	0	0	0	0
Silcock	JE	Ernie				1901	1903	Brampton	Grassmoor Red Rose	23	0	0	0	0	0	0	0
						1905	1906	Grassmoor Red Rose	Brampton Social								
Simmons	C	Charlie 'Chippy'	1878	West Bromwich	1937	1907		West Bromwich A.	Wellington Town	32	3	0	0	7	1	0	0
Simpson	G	Gary	10/06/59	Chesterfield		1976	1980	App.	Chester	43	6	2	0	8	1	0	0
Simpson	GR	George				1955	1903	Doncaster Rovers	Rotherham County	21	3	0	0	0	0	0	0
Simpson	J	James	08/12/23	Clay Cross		1946		Parkhouse Col.	Buxton	3	0	0	0	0	0	0	0
Sinclair	JEW	Jackie	21/07/43	Culross		1972		Sheffield Wed. (loan)		10	0	0	0	3	0	0	0
Slack	TC	Trevor	26/09/62	Peterborough		1988	1989	Northampton Town	Kettering Town	23	0	2	2	0	0	0	0
Slater	H	Herbert	11/11/1881	Langley Mill	1958	1901		Creswell Col.	Shirebrook	1	0	0	0	0	0	0	0
Slater	JB	Brian	20/10/32	Sheffield		1957		Rotherham Utd.	Burton Albion	15	0	0	0	3	0	0	0
Slater	R	Ray	22/08/31	Seaton Delaval		1956		South Shields	Gateshead	2	0	0	0	1	0	0	0
Sliman	AM	Allan	27/02/06	Busby	1945	1931	1937	Bristol City	Chelmsford City	241	17	0	7	9	2	0	1
Smallwood	JW	James	01/09/25	Bearpark		1949	1960	Spennymoor Utd.	Coaching	345	22	2	0	14	4	0	0
Smelt	T	Tom	25/11/00	Rotherham	1980	1925		Exeter City	Morecambe	3	0	0	0	1	0	0	0
Smethurst	E	Ted	05/03/38	Doncaster		1959		Denaby Utd.	Kettering Town	19	0	0	0	0	0	0	0
Smith	D	Danny	07/09/21	Armadale		1948		West Bromwich A.	Crewe Alexandra	15	1	0	0	4	0	0	0
Smith	FA	Fred	14/02/26	Aberdeen		1956		Millwall	Montrose	7	0	0	0	1	0	0	0
Smith	FD	David	27/07/36	Holymoorside		1953		App.	Boston United	7	0	0	0	0	0	0	0
Smith	GB	George	07/02/21	Fleetwood		1951	1957	Manchester City	Mossley (p/m)	250	16	0	0	98	4	0	0
Smith	MC	Mark	21/03/60	Sheffield		1992		Notts County (loan)		6	0	0	0	1	0	0	0
Smith	P	Paul				1904		Clay Cross Zingari		5	0	0	0	0	0	0	0
Smith	WS	Wilf	03/09/46	Neumunster, Germany		1976		Bristol Rovers	Atherstone Town	27	1	0	0	2	0	0	0
Smithurst	E	Edgar	5/11/1895	Eastwood	1978	1921		West Ham Utd.	Doncaster Rovers	14	2	0	0	1	0	0	0
Southall	RJ	Robert	10/05/22	Rotherham		1947	1952	Rother Works	Denaby United	127	6	0	0	11	0	0	0
Sowden	W	William 'Billy'	08/12/30	Manchester		1954	1956	Manchester City	Stockport Co.	97	7	0	0	59	3	0	0
Spedding	JJ	James	1912	Keighley		1937	1938	Huddersfield T	Darlington	19	3	0	0	1	0	0	0
Spence	JW	Joe	13/12/1898	Throckley	1966	1935	1937	Bradford City	Coaching	57	8	0	3	10	4	0	1
Spooner	SA	Steve	25/01/61	Sutton		1983	1985	Halifax Town	Hereford Utd.	105	5	11	3	14	0	0	1
						1993	1994	Blackpool	Rushden & Diamonds								
Sprott	W	William				1907				11	2	0	0	5	2	0	0
Stark	WR	Billy	27/05/37	Glasgow		1966		Corby Town	Newport County	31	1	1	0	15	1	0	0
Steele	BJS	Bennett	05/08/39	Seaton Delaval		1958		Everton	Gateshead	18	1	0	0	1	1	0	0
Steel	W	Billy	1902					St. Mirren		32	2	0	0	9	0	0	0
Stenson	J					1906		Langley Mill		7	0	0	0	0	0	0	0

106

Player			D.O.B	Place of Birth	Died	First Season	Last Season	Previous Club	Next Club	Appearances				Goals			
										League	FAC	FLC	Other	Leagu	FAC	FLC	Oth.
Stevenson	A	Alan	06/11/50	Staveley		1969	1971	App.	Burnley	104	8	4	0	0	0	0	0
Stevenson	WH	Walter	19/11/08	Asfordby	1988	1927		Buxton	Staveley Town	3	0	0	0	1	0	0	0
Stewart	G	Graham	08/03/38	Birkenhead		1959		Sheffield Utd.	Alfreton Town	5	0	0	0	2	0	0	0
Stewart	WI	Billy	01/01/65	Liverpool		1994		Northampton T(loan)		1	0	0	2	0	0	0	0
Stiffle	NE	Nelson	30/07/28	India		1954		Altrincham	Bournemouth	38	1	0	0	8	0	0	0
Stimson	BG	Barrie	08/02/64	Billingham		1983		Hartlepool Utd.	Hartlepool Utd.	27	2	0	1	0	0	0	0
Stirk	J	John	05/09/55	Consett		1979	1982	Watford	Blyth Spartans	56	4	0	4	0	0	0	1
Stirling	W	William				1921				7	0	0	0	0	0	0	0
Stopford	A	Alan	20/11/46	Sheffield		1966		Sheffield Utd.	Swallownest	2	0	0	0	0	0	0	0
Stott	K	Keith	12/03/44	Atherton		1970	1974	Crewe Alexandra	Matlock Town	141	9	10	0	4	0	0	0
Stringfellow	IR	Ian	08/05/69	Nottingham		1993		Mansfield Town (loan)		1	0	0	0	0	0	0	0
Stringfellow	P	Peter	21/02/39	Walkden		1964		Gillingham	Australia	28	3	4	0	7	2	2	0
Strong	GJ	Jimmy	07/06/16	Morpeth	1989	1934		Hartlepool Utd.	Portsmouth	18	1	0	2	0	0	0	0
Sullivan	LG	Les		1912	Croydon		1938		Bristol Rovers	Stockport Co.	7	2	0	0	0	0	0	0
Sutherland	AG	Arthur	10/12/14	North Shields		1938		North Shields	Coaching	3	0	0	0	0	0	0	0
Sutherland	JF	John	10/02/32	Cork		1957	1958	Everton	Crewe Alexandra	47	1	0	0	0	0	0	0
Swinscoe	TW	Tom	16/10/19	Mansfield	1993	1946	1947	Shirebrook Supporters	Stockport Co.	43	2	0	0	12	1	0	0
Sykes	H	Herbert		Barnsley		1921	1922	Houghton Main Col.	Coaching	4	0	0	0	1	0	0	0
Tait	RJ	Robert	04/10/38	Edinburgh		1966		Barrow	Arnold	28	1	1	0	2	0	0	0
Tannahill	R	Robert		1872	Kilmarnock		1899		Millwall	Fulham	4	1	0	0	2	0	0	0
Tapping	FH	Fred	29/07/21	Derby		1947		Blackpool	Headington Utd.	1	0	0	0	0	0	0	0
Tart	W	Billy				1899		New Whittington Exch.	New Whittington Exch.	2	0	0	0	0	0	0	0
Tartt	C	Colin	23/11/50	Liverpool		1976	1981	Port Vale	Port Vale	186	12	15	12	7	1	2	0
Tattersall	WS	Walter	4/9/1888	Warsop	1968	1907		Moores Ath (Shirebrook)	Mansfield Mechanics	3	0	0	0	0	0	0	0
Taylor	A	Andy	30/12/67	Chesterfield		1984	1987	App.	Stafford Rangers	12	1	1	2	1	0	0	0
Taylor	GB	Barry	03/12/39	Sheffield		1964	1965	Oldham Athletic	Worksop Town	35	1	5	0	2	0	0	0
Taylor	H	Harry		Chesterfield	1955	1900		Sheepbridge Works		3	17	0	0	1	6	0	0
Taylor	JT	Joseph 'Job'	1909	Wigan		1935	1936	Stockport Co.	Crewe Alexandra	22	0	0	1	1	0	0	0
Taylor	JA	Arthur			1963	1901	1907	Newbold White Star	Rotherham County	126	6	0	0	21	1	0	0
Taylor	S	Sam		Birmingham		1928	1929	Stourbridge Town	Wrexham	59	8	0	0	26	4	0	0
Taylor	S	Steve	18/12/73	Chesterfield		1993		Brampton Rovers	Ashfield Utd.	1	0	1	1	0	0	0	0
Taylor	SJ	Sam	17/9/1893	Darnall	1973	1929	1930	Grantham	Llanelly	24	3	0	0	8	1	0	0
Tepper	GSB	George	27/02/13	Doncaster	1985	1930		Thurnscoe Victoria	Blackpool	3	0	0	0	0	0	0	0
Thacker	FW	Frank	1876	Sheepbridge	1949	1899	1905	Sheffield Utd.	Clapton Orient	228	32	0	0	24	3	0	0
Thomas	JC	John	22/09/32	West Houghton		1959		Mansfield Town	Retired	6	0	0	0	0	0	0	0
Thompson	A	Alex				1905		Middlesbrough		7	0	0	0	2	0	0	0
Thompson	C	Charles		Kimberworth		1921		Rotherham Town	Birmingham	2	1	0	0	0	0	0	0
Thompson	D	Dennis	19/07/34	Bolsover		1950	1952	App.	Scunthorpe Utd.	24	0	0	0	0	0	0	0
Thompson	DS	Dave	12/03/45	Catterick Camp		1973		Mansfield Town	Retired	14	0	0	0	3	0	0	0
Thompson	J	Jack	21/03/15	Cramlington		1948	1952	Doncaster Rovers	Retired	82	5	0	0	8	2	0	0
Thomson	JY	Jack	27/7/1896	Greenock		1927		Plymouth Argyle	Coventry City	22	1	0	0	0	0	0	0
Thompson	ND	Nigel	01/03/67	Leeds		1987	1989	Leeds United	Colne Dynamos	20	2	4	2	1	0	0	0
Thompson	O	Oliver	11/05/00	Wheatley Hill	1975	1922	1927	Merthyr Town	QPR	219	16	0	0	3	1	0	0
Thompson	P	Peter	1878	Rothesay		1901		Partick Thistle		4	0	0	0	0	0	0	0
Thornewell	G	George	8/7/1898	Romiley	1986	1929	1931	Blackburn Rovers	Newark Town	84	6	0	0	10	0	0	0
Thorpe	HC	Harry	1880	Barrow Hill	1908	1900	1902	Poolsbrook Utd.	Arsenal	64	2	0	0	0	0	0	0
Thrower	NJ	Nigel	12/03/62	Nottingham		1982		Nottm. Forest (loan)		4	0	0	0	0	0	0	0
Tiler	KD	Ken	23/05/50	Sheffield		1970	1974	Swallownest	Brighton & Hove A.	139	11	11	0	1	0	0	0
Tilsed	RW	Ron	06/08/52	Weymouth		1971		Bournemouth	Arsenal	16	0	0	0	0	0	0	0
Tingay	P	Phil	02/03/50	Chesterfield		1971	1980	C'field Tube Works	Kettering T	181	8	13	0	0	0	0	0
Tomlinson	I	Isaac	16/4/1880	Clay Cross	1970	1900	1902	N Wingfield Red Rose	Woolwich Arsenal	91	6	0	0	17	0	0	0
						1904		Woolwich Arsenal	Southampton								
Tomlinson	JF	John	26/06/34	Birkenhead		1957	1958	Everton	Corby Town	47	3	0	0	5	0	0	0
Tomlinson	T	Thomas				1906	1907	Birdholme Rovers	Bradford	19	0	0	0	5	1	0	0
Travis	DA	David	04/07/64	Doncaster		1987		Gainsborough Trin.	Gainsborough Trin.	11	2	1	2	0	2	0	0
Trotter	M	Michael	27/10/69	Hartlepool		1993		Leicester City	Nuneaton Borough	15	0	0	0	1	0	0	0
Tubb	AE	Albert	24/7/1893	Eston	1978	1928		Shirebrook	Mexborough	3	0	0	0	0	0	0	0
Tuckley	WL	William	25/03/04	Aston	1975	1927		Hinckley United	Hinckley United	4	0	0	0	1	0	0	0
Turnbull	LM	Lee	27/09/67	Stockton		1990	1993	Doncaster Rovers	Doncaster Rovers	87	3	5	5	26	1	1	0
Turnbull	WJ	Billy	21/12/00	Blyth		1927		Manchester City	Brighton & Hove A.	29	0	0	0	11	0	0	0
Turner	H	Harold	1913	Whitwell	1961	1934		Whitwell Col.	Bristol City	7	0	0	0	3	0	0	0
Turner	JGA	John	23/12/54	Peterlee		1979	1982	Torquay United	Torquay United	132	9	8	14	0	0	0	0
Turner	PJ	James	1880			1900		Barnsley	Wellingborough	14	5	0	0	4	4	0	0
Tye	AE			Tutbury		1904	1905	Burton United		26	0	0	0	0	0	0	0
Tyler	HE	Herbert	4/9/1889	Ecclesall		1923	1924	Stalybridge Celtic		32	2	0	0	0	0	0	0
Unwin	MJ	Matthew		Clay Cross	1930	1902	1904	Clay Cross Zingari	Clay Cross Zingari	13	0	0	0	3	0	0	0
Waddington	SF	Steve	05/02/56	Crewe		1983		Port Vale	Macclesfield T	17	0	2	1	1	0	0	0
Walker	DW	Derek	24/11/64	Perth		1986	1987	Falkirk		23	3	2	4	3	0	0	0
Walker	GG	Greig	11/10/63	Dundee		1983		Broughty Ath.	Arbroath	8	0	0	1	0	0	0	0
Walker	MJ	Mike	10/04/45	Harrogate		1970		Stockport Co.	Macclesfield T	1	0	0	0	0	0	0	0
Walker	PA	Phil	27/01/57	Kirkby-in-Ashfield		1977	1982	Onryc FC, Mansfield	Rotherham Utd.	204	13	13	15	47	5	3	2
						1984	1985	Rotherham Utd.	Scarborough								
Walker	TJ	Tommy	14/11/23	Cramlington		1956		Oldham Athletic	Oldham Athletic	14	0	0	0	1	0	0	0
Wallach	AT	'Thedy'	1881	Castle Douglas		1900		Dumfries Hibs.		1	0	0	0	2	0	0	0
Wallbanks	F	Fred	14/05/08	Platt Bridge		1930		Bury	Scarborough	6	0	0	0	3	0	0	0
Waller	DH	David	20/12/63	Urmston		1987	1989	Shrewsbury Town	Kettering Town	119	6	6	10	53	2	3	4
Walvin	G	George				1903		Clay Cross Zingari	N Wingfield St. L'rence	7	0	0	0	0	0	0	0
Walwyn	KI	Keith	17/02/56	Nevis, St. Kitts		1980		Winterton Rangers	York City	3	2	1	1	2	0	0	0
Wann	JD	Dennis	17/11/50	Blackpool		1975		York City (loan)		3	1	0	0	0	0	0	0

Player			D.O.B	Place of Birth	Died	First Season	Last Season	Previous Club	Next Club	Appearances				Goals			
										League	FAC	FLC	Other	Leagu	FAC	FLC	Oth.
Ward	R	Ron	10/02/35	Killamarsh		1951	1952	App.	Peterborough Utd.	8	0	0	0	0	0	0	0
Warner	DPA	Dennis	06/12/30	Rotherham		1957		Rotherham Utd.	Gainsborough Trin.	8	0	0	0	0	0	0	0
Warnock	N	Neil	01/12/48	Sheffield		1967	1968	Sheffield Club	Rotherham Utd.	24	0	1	0	2	0	0	0
Warrington	J	Joe		Macclesfield		1907		New Brompton		20	3	0	0	0	0	0	0
Wass	E	Edwin	1910	Chesterfield	1955	1929		Old Whitt. Evening School	York City	3	0	0	0	0	0	0	0
Wass	H	Horace	26/08/03	Chesterfield		1923	1936	Whittington Moor V.	Southport	413	27	0	7	6	0	0	1
Watkin	G	George	14/04/44	Chopwell		1964		King's Lynn	Gateshead	7	1	0	0	1	0	0	0
Watson	AE	Arthur	12/07/13	South Hiendley	1995	1936	1938	Lincoln City	Hull City	10	0	0	0	0	0	0	0
Watson	V	Vaughan	05/11/31	Mansfield		1954		Mansfield Town		13	0	0	0	5	0	0	0
Watson	W	William	29/05/16	South Hiendley	1985	1946	1947	Lincoln City	Rochdale	36	2	0	0	0	0	0	0
Weaver	RW	Reg	14/09/05	Clutton	1970	1932	1933	Bradford City	Newport County	11	0	0	1	2	0	0	0
Weightman	JE	Eric	04/05/10	York		1936	1938	Middlesbrough	Notts County	79	5	0	0	1	0	0	0
Welch	R	Ronnie	26/09/52	Chesterfield		1974	1976	Brighton & Hove A.	Worksop Town	24	3	0	0	1	0	0	0
Wesley	F	Fred	1898	Derby		1921		Long Eaton	Long Eaton	2	0	0	0	0	0	0	0
Westcott	D	Dennis	02/07/17	Wallasey	1960	1952		Manchester City	Stafford Rangers	40	3	0	0	21	2	0	0
Wheatley	JR	James				1906	1907	Whitwell St.Lawrence		6	0	0	0	2	0	0	0
Wheatley	SP	Steve	26/12/29	Hinckley		1955		Boston United	Boston United	3	0	0	0	0	0	0	0
Whitaker	W	Billy	07/10/23	Chesterfield	1995	1946		Tapton School OB	Middlesbrough	13	2	0	0	0	0	0	0
White	EW	Winston	26/10/58	Leicester		1983		Hereford Utd.	Port Vale	1	0	0	0	0	0	0	0
Whitehead	B	Barry	03/12/46	Sheffield		1965			Retired	6	0	0	0	1	0	0	0
Whitehead	SA	Scott	20/04/74	Doncaster		1991	1992	App.	Boston United	9	0	0	3	0	0	0	0
Whitehurst	W	Walter	07/06/34	Manchester		1956	1959	Manchester Utd.	Crewe Alexandra	91	6	0	0	2	0	0	0
Whiteside	EK	Ken	11/12/29	Liverpool		1953		British Eckna Works	York City	9	2	0	0	3	1	0	0
Whitfield	N	Norman	3/4/1896	Prudhoe	1970	1922	1926	Hednesford Town	Nuneaton Town	120	11	0	0	60	6	0	0
Whitham	T	Terry	14/08/35	Sheffield		1961	1963	Sheffield Wed.	Worksop Town	66	3	2	0	3	0	0	0
Whittaker	GF					1901		Accrington Stanley		1	0	0	0	0	0	0	0
Whittle	E	Ernie	25/11/25	Lanchester		1956		Workington	Bradford	15	3	0	0	4	0	0	0
Whitworth	E	Ernie	14/03/07	Dinnington	1974	1927		Treeton	Wath Ath.	17	0	0	0	0	0	0	0
Whitworth	JW	Jack		Brimington		1921	1922	Ripley Ath.	Shirebrook	59	4	0	0	0	0	0	0
						1924	1925	Shirebrook	Newark Town								
Whysall	J					1908		Clay Cross Works	Clay Cross Town	1	0	0	0	0	0	0	0
Wightman	H	Harry	19/6/1894	Sutton-in-Ashfield	1945	1929		Derby County	Notts County	38	12	0	0	2	2	0	0
Wilkes	A	Albert	1874	Birmingham	1936	1908		Fulham	Retired	3	0	0	0	0	0	0	0
Williams	D	Darren	15/12/68	Birmingham		1990		Leicester City (loan)		5	0	0	0	1	0	0	0
Williams	H	Harry	1899	Hucknall Torkard		1921		Sunderland	Manchester Utd.	28	0	0	0	10	0	0	0
Williams	MS	Mark	28/9/70	Hyde		1995	1996	Shrewsbury Town		84	9	3	5	6	1	0	0
Williams	PJ	Peter	21/10/31	Nottingham		1955		Boston United	Boston United	13	0	0	0	4	0	0	0
Williams	RS	Ralph	21/10/05	Aberaman	1985	1927		Poole Town	Manchester Central	31	1	0	0	15	0	0	0
Williams	SB	Steven	18/07/70	Mansfield		1989	1992	Eastwood Town	Eastwood Town	98	7	7	6	12	1	0	2
Williamson	CH	Charlie	16/03/62	Sheffield		1985	1986	Sheffield Wed.	Stafford Rangers	55	3	1	3	2	0	0	0
Willows	W	Billy				1906		New Tupton Ivanhoe		20	3	0	0	2	0	0	0
Wilson	A	Andy	27/09/40	Rotherham		1966	1967	Doncaster Rovers	Aldershot	72	4	3	0	13	2	0	0
Wilson	DEJ	David	04/10/44	Wednesfield		1971	1974	Burnley	East London (SA)	128	9	9	0	21	0	1	0
Wilson	DJ	Danny	01/01/60	Wigan		1980	1982	Bury	Nottm. Forest	100	9	8	14	13	1	1	2
Wilson	GM	George	23/05/05	Portobello	1984	1930		Leeds United		3	0	0	0	1	0	0	0
Wilson	J	Jock	29/10/16	Airdrie		1946		Glasgow Celtic	Oldham Athletic	16	2	0	0	3	0	0	0
Wilson	JC	John	28/10/34	Norwich		1959		Norwich City	King's Lynn	16	1	0	0	0	0	0	0
Wilson	IJG	Ian	11/02/23	Kennoway		1951	1952	Leicester City	Rotherham Utd.	77	2	0	0	18	1	0	0
Wilton	GE	Graham	19/10/42	Chesterfield		1961		C'field Tube Works	C'field Tube Works	1	0	0	0	0	0	0	0
Windridge	DH	Dave	07/12/61	Atherstone		1980	1982	Sheffield Utd.	Blackpool	78	4	2	6	14	0	1	0
Winfield	W	William	1/11/1896	Greasley	1982	1927		Frickley Col.		1	0	0	0	0	0	0	0
Winstanley	E	Eric	15/11/44	Barnsley		1973	1976	Barnsley	Retired	101	6	6	0	7	0	1	0
Witheford	JD	James	16/04/30	Ecclesall		1953		Norton Woodseats	Norton Woodseats	9	0	0	0	0	0	0	0
Withington	RS	Richard	08/04/21	South Shields		1948		Rochdale	Buxton	6	0	0	0	0	0	0	0
Wood	D	Darren	22/10/68	Derby		1985	1988	App.	Reading	67	4	2	5	3	0	0	0
Wood	H	Henry	08/04/27	Liverpool		1953		South Liverpool	South Liverpool	9	0	0	0	1	0	0	0
Woodhead	D	Dennis	02/09/24	Huddersfield	1995	1955		Sheffield Wed.	Derby County	15	1	0	0	6	0	0	0
Woodhouse	H	Harry	22/04/04	Chesterfield	1981	1928		Arsenal	Buxton	2	0	0	0	0	0	0	0
Woodland	T	Tommy		Alfreton		1903		Doncaster Rovers	Worksop Town	10	0	0	0	2	0	0	0
Woodward	TG	Thomas	13/11/00	Troed-y-rhiw	1981	1922		Merthyr Town	Llanelly	4	0	0	0	0	0	0	0
Woodward	W	Billy		West Auckland		1936	1937	Tranmere Rovers	Stockport County	29	1	0	0	13	0	0	0
Woolley	GA	Arthur		Staveley		1901		Ilkeston Town		4	0	0	0	0	0	0	0
Worthy	A	Albert	01/11/05	Pilsley	1978	1926		Danesmoor	Lincoln City	7	0	0	0	0	0	0	0
Wragg	D	Doug	12/09/34	Nottingham		1964		Rochdale	Grantham	17	0	2	0	4	0	1	0
Wragg	WA	William	1877	Knebworth		1903		Hinckley Town	Accrington Stanley	20	3	0	0	0	0	0	0
Wrigglesworth	W	Wilf 'Billy'	12/11/12	South Elmsall	1980	1932	1934	Frickley Col.	Wolves	34	0	0	1	6	0	0	0
Wright	E	Ernie	1912	Middleton		1937		Crewe Alexandra	Oldham Athletic	1	0	0	0	0	0	0	0
Wright	HF	Harry	29/10/1888	West Bromwich	1950	1921		Newport County		1	0	0	0	0	0	0	0
Wright	MH	Martin	01/04/50	Chesterfield		1968	1971	Alfreton Town	Torquay United	43	3	2	0	12	0	3	0
Wright	R	Reg	17/01/01	Dronfield	1973	1931		Bournemouth	Frickley Col.	11	0	0	0	0	0	0	0
Yarwood	HR	Harold	1906	Stourbridge		1928		Birmingham	Brierley Hill Alliance	13	1	0	0	3	1	0	0
Yates	S	Steve	08/12/53	Measham		1984		Doncaster Rov. (loan)		1	0	0	0	0	0	0	0

Player			D.O.B	Place of Birth	Died	First Season	Last Season	Previous Club	Next Club	Appearances				Goals			
										League	FAC	FLC	Other	Leagu	FAC	FLC	Oth.

Played in F.A. Cup only (since 1921)

Player			D.O.B	Place of Birth	Died	First Season	Last Season	Previous Club	Next Club	League	FAC	FLC	Other	Leagu	FAC	FLC	Oth.
Beresford	BR	Brian	29/11/54	Lichfield			1974	Walsall	Armitage	0	1	0	0	0	0	0	0
Dooley	GW	George	29/12/22	Chesterfield			1945	Parkhouse Col.	Halifax Town	0	2	0	0	0	1	0	0
Hobson	L	Leslie					1945	Swallownest Jnrs.		0	2	0	0	0	0	0	0
Mundy	F	Frederick	07/10/03	Chesterfield	1981		1930	Scarborough	Denaby United	0	1	0	0	0	0	0	0
Pringle	A	Alan	26/03/14	Craghead			1945	Portsmouth	Shrewsbury Town	0	1	0	0	0	0	0	0
Sinclair	RD	Robert		29/6/15	Winchburgh			1945	Falkirk	Darlington	0	2	0	0	0	0	0	0

Pringle and Sinclair also played in abandoned 1939/40 season

Played in Football League Cup Only

Player			D.O.B	Place of Birth	Died	First Season	Last Season	Previous Club	Next Club	League	FAC	FLC	Other	Leagu	FAC	FLC	Oth.
Bettney	JD	Jamie	01/11/75	Chesterfield			1993	App.	Staveley MW	0	0	1	0	0	0	0	0

Played in Post War Miscellaneous Games only

Player			D.O.B	Place of Birth	Died	First Season	Last Season	Previous Club	Next Club	League	FAC	FLC	Other	Leagu	FAC	FLC	Oth.
Gibson	S	Shane	03/09/70	Chesterfield			1988	App.		0	0	0	1	0	0	0	0
MacDonald	J	Jason					1985	App.		0	0	0	1	0	0	0	0
Taylor	P	Paul	20/12/66	Leith			1984	Mansfield Town	Matlock Town	0	0	0	1	0	0	0	0
Timons	CB	Chris	8/12/74	Old Langwith			1996	Gainsborough Tr.	Leyton Orient	0	0	0	1	0	0	0	0

Played in Third Division (North) Cup Only

Player			D.O.B	Place of Birth	Died	First Season	Last Season	Previous Club	Next Club	League	FAC	FLC	Other	Leagu	FAC	FLC	Oth.
Jackson	W	William				1941	1935	Jarrow		0	0	0	2	0	0	0	1
Reay	J			Howdon			1935	Blyth Spartans		0	0	0	2	0	0	0	0
Siddall	GH	George				1970	1935		Grimsby Town	0	0	0	1	0	0	0	0

Played in 1939/40 Only

Player			D.O.B	Place of Birth	Died	First Season	Last Season	Previous Club	Next Club	League	FAC	FLC	Other	Leagu	FAC	FLC	Oth.
Bargh	GW	George	27/05/10	Garstang		1980	1939	Bury	Bury								
Miller	LR	Les	30/03/11	Romford		1959	1939	Tottenham H	Mansfield Town								

Plus Pringle and Sinclair who played in the 1945/46 F.A. Cup

CHESTERFIELD'S RECORD AGAINST OTHER LEAGUE CLUBS

Present day names used throughout. League meetings only.

| | Home: | | | | | | Away: | | | | | Total: | | |
	P	W	D	L	F	A	W	D	L	F	A	F	A	% won
Accrington Stanley	44	14	3	5	47	21	5	6	11	26	36	73	57	43.18
Aldershot	36	10	3	5	33	20	2	4	12	11	29	44	49	33.33
Arsenal	10	2	1	2	7	7	0	0	5	2	15	9	22	20.00
Ashington	16	5	2	1	22	7	1	3	4	5	8	27	15	37.50
Aston Villa	8	1	0	3	3	8	1	1	2	4	7	7	15	25.00
Barnet	6	2	0	1	6	4	1	0	2	4	7	10	11	50.00
Barnsley	60	19	6	5	57	29	7	9	14	34	55	91	84	43.33
Barrow	52	18	7	1	69	25	5	3	18	25	46	94	71	44.23
Birmingham C	14	1	4	2	7	9	0	3	4	5	12	12	21	7.14
Blackburn Rovers	22	6	1	4	18	12	2	3	6	11	19	29	31	36.36
Blackpool	46	10	8	5	32	27	5	10	8	17	22	49	49	32.61
Bolton Wanderers	18	3	4	2	11	9	1	0	8	6	25	17	34	22.22
Bournemouth	24	4	6	2	13	6	1	3	8	8	19	21	25	20.83
Bradford City	66	12	10	11	52	42	5	8	20	42	68	94	110	25.76
Bradford Park Avenue	60	11	11	8	57	45	7	6	17	31	49	88	94	30.00
Brentford	48	11	6	7	36	27	4	6	14	23	39	59	66	31.25
Brighton & Hove Alb.	20	5	3	2	11	9	2	3	5	10	18	21	27	35.00
Bristol City	30	7	4	4	18	16	0	3	12	10	32	28	48	23.33
Bristol Rovers	24	5	3	4	11	10	0	2	10	9	24	20	34	20.83
Burnley	44	11	4	7	41	22	4	12	6	19	27	60	49	34.09
Burton Utd.	16	7	0	1	17	6	3	0	5	10	14	27	20	62.50
Bury	62	16	7	8	58	37	2	10	19	22	60	80	97	29.03
Cambridge U	6	2	1	0	6	2	2	0	1	3	3	9	5	66.67
Cardiff City	22	2	4	5	14	17	3	2	6	13	19	27	36	22.73
Carlisle United	56	21	2	5	67	27	7	7	14	37	57	104	84	50.00
Charlton Athletic	12	4	0	2	11	7	1	3	2	12	11	23	18	41.67
Chelsea	4	0	1	1	0	2	1	0	1	2	7	2	9	25.00
Chester C	64	18	5	9	61	36	6	7	19	33	61	94	97	37.50
Colchester U	38	7	9	3	37	21	5	3	11	20	32	57	53	31.58
Coventry C	22	6	2	3	24	16	2	2	7	11	20	35	36	36.36
Crewe Alexandra	68	24	5	5	72	29	11	5	18	43	56	115	85	51.47
Crystal Palace	6	1	0	2	3	5	1	2	0	4	1	7	6	33.33
Darlington	68	19	10	5	67	32	7	9	18	48	74	115	106	38.24
Derby County	10	2	1	2	7	8	0	3	2	2	11	9	19	20.00
Doncaster R	74	18	13	6	61	36	12	8	17	36	41	97	77	40.54
Durham City	14	6	1	0	25	6	0	3	4	7	15	32	21	42.86
Exeter City	32	10	3	3	25	11	5	6	5	22	29	47	40	46.88
Fulham	32	8	5	3	24	13	1	6	9	12	26	36	39	28.12
Gainsborough Trinity	20	6	3	1	27	10	2	2	6	12	20	39	30	40.00
Gateshead	26	9	2	2	41	16	4	5	4	32	32	73	48	50.00
Gillingham	48	11	6	7	37	33	6	5	13	19	47	56	80	35.42
Glossop	18	4	1	4	21	15	3	1	5	11	14	32	29	38.89
Grimsby T	68	17	6	11	56	48	6	11	17	34	60	90	108	33.82
Halifax T	82	29	8	4	95	35	9	6	26	40	70	135	105	46.34
Hartlepool U	66	24	4	5	81	32	10	6	17	35	57	116	89	51.52
Hereford U	24	9	2	1	22	9	5	0	7	19	23	41	32	58.33
Huddersfield T	12	3	1	2	7	5	0	2	4	3	10	10	15	25.00
Hull City	30	4	4	7	14	21	0	4	11	9	26	23	47	13.33
Leeds City	8	3	0	1	7	5	0	1	3	0	7	7	12	37.50
Leeds United	10	4	1	0	11	3	0	2	3	3	9	14	12	40.00
Leicester C	30	7	6	2	27	18	5	5	5	17	20	44	38	40.00
Leyton Orient	10	2	2	1	7	5	1	2	2	7	12	14	17	30.00
Lincoln C	88	21	12	11	69	53	12	11	21	46	68	115	121	37.50
Liverpool	2	0	1	0	1	1	0	0	1	1	6	2	7	0.00
Loughborough	2	1	0	0	1	0	1	0	0	4	0	5	0	100.00
Luton Town	24	5	4	3	16	11	3	3	6	12	19	28	30	33.33
Maidstone U	6	2	0	1	7	3	2	0	1	2	1	9	4	66.67
Manchester City	8	0	0	4	1	7	0	1	3	4	12	5	19	0.00

	Home:					Away:					Total:		
	P	W	D	L	F	A	W	D	L	F	A	F	A	% won
Manchester Utd.	20	6	1	3	15	15	0	0	10	7	26	22	41	30.00
Mansfield T	56	11	7	10	37	36	8	6	14	34	45	71	81	33.93
Middlesbrough	8	2	1	1	11	5	1	0	3	2	11	13	16	37.50
Millwall	26	7	1	5	22	15	2	3	8	13	25	35	40	34.62
Nelson	18	5	1	3	20	10	3	2	4	16	14	36	24	44.44
New Brighton Tower	4	1	0	1	5	3	1	1	0	4	3	9	6	50.00
New Brighton	22	9	0	2	22	7	3	4	4	14	17	36	24	54.55
Newcastle U	10	4	0	1	9	1	3	0	2	8	8	17	9	70.00
Newport County	34	12	0	5	32	17	7	1	9	24	36	56	53	55.88
Northampton T	22	5	3	3	16	11	4	3	4	13	18	29	29	40.91
Norwich C	10	4	1	0	14	5	0	0	5	2	11	16	16	40.00
Nottingham Forest	18	5	3	1	17	7	4	1	4	13	17	30	24	50.00
Notts County	38	8	6	5	26	16	2	4	13	15	35	41	51	26.32
Oldham Ath.	34	9	2	6	25	18	0	6	11	12	39	37	57	26.47
Oxford United	22	6	4	1	17	9	3	4	4	12	11	29	20	40.91
Peterborough U	26	8	5	0	22	8	5	4	4	12	12	34	20	50.00
Plymouth Argyle	46	9	6	8	38	29	3	9	11	17	30	55	59	26.09
Port Vale	64	18	6	8	60	36	8	9	15	39	71	99	107	40.62
Portsmouth	10	2	1	2	9	5	1	0	4	2	13	11	18	30.00
Preston North End	38	9	7	3	26	15	2	7	10	13	37	39	52	28.95
QPR	12	3	0	3	9	11	1	4	1	11	11	20	22	33.33
Reading	24	8	2	2	32	16	3	5	4	16	21	48	37	45.83
Rochdale	82	20	14	7	76	43	17	7	17	60	70	136	113	45.12
Rotherham U	52	19	4	3	57	26	14	6	6	31	21	88	47	63.46
Scarborough	12	2	1	3	4	7	2	2	2	9	9	13	16	33.33
Scunthorpe U	34	10	4	3	24	12	7	3	7	18	24	42	36	50.00
Sheffield Utd.	18	6	1	2	12	8	3	1	5	10	17	22	25	50.00
Sheffield Wed.	24	7	3	2	21	14	2	3	7	11	24	32	38	37.50
Shrewsbury T	28	7	3	4	22	18	4	6	4	18	21	40	39	39.29
Southampton	24	8	2	2	30	10	2	4	6	13	19	43	29	41.67
Southend U	38	10	4	5	30	22	6	6	7	24	30	54	52	42.11
Southport	54	22	2	3	81	24	7	5	15	23	37	104	61	53.70
Stalybridge Celtic	4	2	0	0	5	0	1	0	1	2	7	7	7	75.00
Stockport County	76	21	6	11	76	44	4	7	27	31	78	107	122	32.89
Stoke City	8	0	1	3	5	10	0	1	3	5	8	10	18	0.00
Sunderland	2	0	1	0	1	1	0	0	1	2	3	3	4	0.00
Swansea	36	14	2	2	42	13	4	5	9	16	25	58	38	50.00
Swindon T	30	6	3	6	21	22	5	2	8	13	22	34	44	36.67
Torquay U	28	11	3	0	30	8	2	5	7	14	22	44	30	46.43
Tottenham Hotspur	20	4	4	2	17	14	1	2	7	11	31	28	45	25.00
Tranmere Rovers	80	27	9	4	90	33	14	7	19	47	65	137	98	51.25
Walsall	68	17	9	8	56	28	7	12	15	41	58	97	86	35.29
Watford	12	2	3	1	9	7	1	2	3	6	9	15	16	25.00
West Bromwich Alb.	20	3	4	3	10	14	1	2	7	8	23	18	37	20.00
West Ham U	18	5	2	2	14	5	1	3	5	6	23	20	28	33.33
Wigan Ath.	14	3	3	1	9	6	3	2	2	10	9	19	15	42.86
Wigan Borough	20	7	3	0	25	6	3	1	6	14	19	39	25	50.00
Wimbledon	4	1	1	0	2	0	0	1	1	2	4	4	4	25.00
Wolves	14	3	2	2	10	8	0	1	6	2	15	12	23	21.43
Workington	26	5	5	3	21	13	5	3	5	17	19	38	32	38.46
Wrexham	92	29	9	8	95	47	13	11	22	64	83	159	130	45.65
Wycombe Wan.	6	2	0	1	9	6	1	0	2	1	2	10	8	50.00
York City	70	21	9	5	59	35	8	12	15	35	57	94	92	41.43
	P	W	D	L	F	A	W	D	L	F	A	F	A	% won
Overall Record	3412	934	392	380	3125	1795	393	423	890	1812	2972	4937	4767	3729
Div. 2 (new Div. 1)	776	197	84	107	688	454	66	106	216	382	783	1070	1237	716
Div. 3 (new Div. 2)	1012	255	121	130	798	536	105	131	270	488	809	1286	1345	1091
Div. 4 (new Div. 3)	764	183	117	82	611	391	111	89	182	415	591	1026	982	935
Division 3 (North)	860	299	70	61	1028	414	111	97	222	527	789	1555	1203	987

Impressions of the
1996/97 FA Cup run
by Mike Firth